EXPLICATION
DE LA DIVINE LITURGIE

SOURCES CHRÉTIENNES

Directeurs-fondateurs : H. de Lubac, s.j., et J. Daniélou, s.j.
Directeur : C. Mondésert, s.j.

No 4 bis

NICOLAS CABASILAS

EXPLICATION
DE LA DIVINE LITURGIE

TRADUCTION ET NOTES

DE

Sévérien SALAVILLE, a.a.

2e édition

MUNIE DU TEXTE GREC, REVUE ET AUGMENTÉE

PAR

René BORNERT, o.s.b.   **Jean GOUILLARD**
Pierre PÉRICHON, s.j.

LES ÉDITIONS DU CERF, 29, Bd de Latour-Maubourg, Paris-7e
1967

NIHIL OBSTAT :

Lyon, le 28 septembre 1967

Cl. MONDÉSERT, s.j.

IMPRIMATUR :

Lyon, le 28 septembre 1967

J. PELOUX, v.g.

AVANT-PROPOS

Cet ouvrage, qui fut parmi les tout premiers publiés dans
la collection « Sources Chrétiennes » — il porte le n° 4 —,
est épuisé depuis très longtemps, et il est un de ceux dont
on réclame la réédition avec le plus d'insistance.

De l'avis même de celui qui en fut le premier auteur, nous
ne pouvions pas le réimprimer tel quel, et nous devions
également l'augmenter du texte original. Empêché par
une cécité d'abord partielle, puis totale, de se charger lui-
même soit de réviser son premier travail, soit d'établir le
texte grec, le Révérend Père S. Salaville, bien avant sa
mort survenue à Athènes le 26 octobre 1965, nous avait
confié ces tâches et nous nous étions mis d'accord avec lui
sur les remaniements nécessaires.

Le Révérend Père Pierre Périchon, attaché au Centre
de « Sources Chrétiennes », a bien voulu revoir et remanier,
avec moi, la traduction dans le sens d'une plus grande
exactitude, faire la mise au point de l'annotation, et se
charger d'établir le texte grec. On verra plus loin comment
il a proposé le meilleur texte qu'on puisse éditer pour le
moment, en attendant la grande édition critique préparée
à New Hartford (U.S.A.) par le Révérend R. N. S. Craig.
Que celui-ci veuille bien être assuré de notre gratitude pour
la générosité avec laquelle il nous a fait part des résultats
de son enquête sur les manuscrits et communiqué soit ses

conclusions sur la tradition du texte, soit le texte même, tel qu'il l'a établi pour le moment.

Nous sommes très reconnaissants à M. Jean Gouillard d'avoir pris sur ses occupations le temps nécessaire pour rédiger la nouvelle introduction que réclamait cette édition, qui vient plus de vingt ans après la précédente.

D'autre part, le Révérend Père René Bornert, de l'abbaye de Clervaux (Luxembourg), a eu l'idée d'augmenter ce volume de quelques pages en publiant deux inédits de Cabasilas, qui trouvent une place toute naturelle après l'*Explication de la divine liturgie,* puisqu'ils s'y rapportent assez directement. Nous avons accepté cette proposition et nous remercions son auteur de cette collaboration, dont nous espérons qu'elle n'est qu'un début. De plus le Père Bornert a bien voulu relire tout le manuscrit du présent ouvrage. Il a ainsi provoqué un certain nombre d'améliorations dont nous le remercions beaucoup.

En terminant, je veux demander à nos lecteurs d'avoir un souvenir pour ce grand travailleur, ce savant et charmant byzantiniste, qui a été le premier éditeur de cet ouvrage : le Père Sévérien Salaville. A Athènes, dans son extrême vieillesse, il accueillait tous ses visiteurs, français, grecs ou étrangers, avec une aimable sérénité : pour n'être pas exprimées dans son regard éteint, la paix et la bienveillance de son âme rayonnaient sur son visage et par sa conversation. Nous ne saurions l'oublier.

Claude MONDÉSERT.

INTRODUCTION

I. — NOTICE BIOGRAPHIQUE

La chronologie de Nicolas Cabasilas, longtemps conjecturale[1], est désormais solidement établie, pour l'essentiel, grâce aux efforts parallèles de I. Ševčenko et de R.-J. Loenertz[2], dont la présente notice fait siennes les conclusions. Nicolas naît à Thessalonique, d'une famille de l'aristocratie terrienne, un quart de siècle plus tard qu'on ne l'admettait communément, vers 1320 suivant Ševčenko[3], probablement en 1322-1323 d'après Loenertz[4]. Il a à peu près le même âge que son ami, Démétrius Cydonès. La lettre que lui adresse, en 1391, l'empereur Manuel II suggère l'autre terme extrême de sa vie[5]. C'est notre dernier jalon[6]. Cabasilas,

---

1. Remarque valable pour toutes les notices biographiques antérieures à 1955 : S. SALAVILLE, *Dict. de spirit. asc. et myst.*, t. II, 1, 1937, c. 1-9 ; ID., *Catholicisme*, t. II, 1950, c. 339-340 ; J. GOUILLARD, *Dict. d'hist. et de géogr. eccl.*, t. XI, 1939, c. 14-21.

2. I. ŠEVČENKO, « Nicolaus Cabasilas' Correspondence », in *Byz. Zeitschrift*, t. 47 (1954), p. 54-56 ; R.-J. LOENERTZ, « Chronologie de Nicolas Cabasilas : 1345-1354 », in *Orient. chr. period.*, t. 21 (1955), p. 205-231.

3. I. ŠEVČENKO, *op. cit.*, p. 56.

4. R.-J. LOENERTZ, *op. cit.*, p. 226.

5. E. LEGRAND, *Lettres de l'empereur Manuel Paléologue*, Paris 1893, p. 20-31, n° 15 ; pour la date, R.-J. LOENERTZ, « Pour la chronologie des œuvres de Joseph Bryennios », in *Rev. des Ét. Byz.*, t. 7 (1949), p. 17.

6. La lettre de Joseph Bryennios à Cabasilas n'est datable que

alors dans la plénitude de ses moyens, puisqu'on lui propose une fonction judiciaire, est donc mort au plus tôt dans la dernière décennie du xive siècle.

Chamaétos («aigle nain»?) par son père[1], Nicolas optera pour le patronyme, plus reluisant, de sa pieuse mère[2], anciennement attesté[3] et illustré pour lors par des personnalités de l'Église ou de l'État, avec lesquelles il arrive encore qu'on le confonde : tels son oncle maternel et protecteur, Nil, métropolite de Thessalonique († 1363)[4], le grand dioecète Théodore[5], le sacellaire et archidiacre Michel, sujet par ses fonctions à des palinodies[6], le grand papas mentionné en 1351 dans un acte du couvent de Xéropotamou[7], etc.

vaguement : 1390-1396 ? Voir le régeste et la critique de LOENERTZ, *Pour la chronologie...*, p. 16-17.

1. Ce patronyme de Nicolas est attesté dans divers manuscrits, dont le *Paris. gr. 1213*, f. 1. Une inscription thessalonicienne mentionne en 1355-1356 un Jean Chamaétos, kastrophylax de la ville : texte apud L. DUCHESNE - Ch. BAYET, *Mémoire sur une mission scientifique au Mont Athos*, Paris 1876, p. 65-66, n⁰ 108.

2. Sur elle, cf. G. PHRANTZÈS, *Chronicon*, éd. V. Grecu, Bucarest 1966, p. 32, § XVIII, 1, p. 142. « Sœur de trois évêques », elle se retira sur le tard dans un monastère.

3. Un Cabasilas est déjà mentionné en 1078 : J. SCYLITZÈS, éd. de Bonn, p. 726 ; pour le xiiie siècle, voir J. GOUILLARD, art. *Cabasilas (Constantin)*, in *Dict. d'hist. et de géogr. eccl.*, t. XI, 1939, c. 13-14.

4. Sur le personnage, H.-G. BECK, *Kirche und theologische Literatur im byzantinischen Reich*, Munich 1959, p. 727-728, ou S. SALAVILLE, *Catholicisme*, t. II, 1950, c. 340-341.

5. La lettre de Théodore Pédiasimos « à Nicolas Cabasilas », auteur d'une monodie d'Andronic II, est adressée au dioecète ; cf. J. DARROUZÈS, in *Rev. des Ét. Byz.*, t. 7 (1949), p. 62-63, et précision de I. ŠEVČENKO, *art. cit.*, p. 56, n. 5.

6. Agent tour à tour d'Anne Paléologue (de Savoie) et de Jean VI : cf. CANTACUZÈNE, *Histoire*, l. III, c. 73 et c. 99, éd. de Bonn, t. II, p. 445, 609 ; signataire du tome palamite d'août 1351 : *PG* 151, 763 B. S. SALAVILLE, « Cabasilas le sacellaire et Nicolas Cabasilas », in *Échos d'Orient*, t. 35 (1936), p. 424-425, a fait un sort à cette confusion.

7. Identification suggérée par DÖLGER, *Aus den Schatzkammern des Heiligen Berges*, Munich 1948, p. 64. I. ŠEVČENKO, « Nicolaus

Sur les études de Cabasilas, on n'est renseigné que par les confidences de ses lettres[1] et la matière de son œuvre. Il les commence dans sa ville natale et les poursuivra dans la capitale. Son goût ou les circonstances le portent du côté des disciplines du *trivium*, la grammaire et la rhétorique plus que la dialectique, si l'on en juge par ses écrits, et vers l'astronomie[2]. Parallèlement, Nicolas, dans la meilleure tradition byzantine, acquiert une culture théologique, puisée sans doute dans la lecture des Pères et la méditation des textes liturgiques. Plusieurs de ses discours montrent une connaissance poussée des lois et des canons, très appréciée de ses amis, Cydonès et Manuel II[3]. Cette curiosité intellectuelle étonnerait-elle certains de ses contemporains en cet âge avide d'expérience mystique ? Toujours est-il qu'il la justifie dans une lettre[4] et, sous forme de petits raisonnements, dans un opuscule *ad hoc* : l'argumentation est générale et sans chaleur, mais pertinente.

Cabasilas a de peu dépassé la vingtaine quand il amorce une carrière politique. L'Empire est alors déchiré entre Jean V Paléologue, l'héritier légitime, qui tient la capitale, et Jean (VI) Cantacuzène, dont les bases sont en Europe. Durant l'été de 1345, Thessalonique songe à se rallier à Cantacuzène, et Nicolas est envoyé en ambassade

Cabasilas' antizealot discourse », in *Dumbarton Oaks Papers*, t. 11 (1957), p. 87, n. 26, voit avec raison dans ce fonctionnaire le Démétrius Ducas Cabasilas d'un acte de Zographou de 1369.

1. Édition complète par P. Énépékidès, « Der Briefwechsel des Mystikers Nikolaos Kabasilas », in *Byz. Zeitschrift*, t. 46 (1953), p. 29-45 ; à utiliser à la lumière des remarques de I. Ševčenko, *art. cit.* de *Byz. Zeitschrift*, t. 47 (1954), p. 56-59, et de R.-J. Loenertz, *Chronologie de Cabasilas*, p. 226-231.

2. Lettre 4, *éd. cit.*, p. 32.

3. Textes réunis apud I. Ševčenko, *art. cit.* de *Dumbarton Oaks Papers*, p. 87, n. 27.

4. Lettre 8, p. 36. Le rapprochement avec l'opuscule de thème analogue (cité ci-dessous, à propos des œuvres) a été fait par Énépékidès, *op. cit.*, p. 35, n° 8.

à Berrhée, avec un compatriote, pour traiter de cette question avec le second fils de l'usurpateur, Manuel[1]. Le service, accompli dans des circonstances périlleuses, lui sera reconnu. Dès son entrée dans la capitale (février 1347), Jean VI fait appeler auprès de lui le Thessalonicien par le truchement de Démétrius Cydonès[2]. A l'automne suivant, Cabasilas, avec deux autres familiers de l'empereur, accompagne à Thessalonique Grégoire Palamas, récemment promu métropolite de la Macédoine. Il s'agit d'obtenir du parti au pouvoir, les Zélotes, l'agrément à cette nomination et la soumission à Cantacuzène. C'est un échec, et tout le monde doit rebrousser chemin après un détour vers l'Athos. C'est dans ces circonstances qu'à deux reprises, au Mont Athos en 1348, à Byzance en 1350, Cabasilas témoigne à décharge pour le prôtos athonite Niphon, dénoncé comme « messalien » par les moines serbes[3].

C'est avec Nicolas et Démétrius Cydonès que, vers la fin de 1349, Jean VI forme le dessein de se retirer au monastère des Manganes, et l'empereur, à ce propos, dépeint ainsi ses deux amis : des hommes « parvenus au faîte de la sagesse profane, non moins philosophes en action et ayant élu la vie chaste et exempte des inconvénients du mariage[4] ». Un revirement politique à Thessalonique fit avorter le projet.

Au printemps 1353, Cabasilas, « encore simple particulier », c'est-à-dire n'ayant reçu aucun ordre sacré, est retenu par le synode comme l'un des trois successeurs possibles du patriarche Calliste, en difficulté avec le pouvoir

---

1. Cantacuzène, *Histoire*, l. III, c. 94, éd. de Bonn, t. II, p. 574.

2. *Correspondance* de Démétrius Cydonès, éd. R.-J. Loenertz, Cité du Vatican 1956 (*Studi e Testi*, 186), p. 120-121 (n° 87).

3. F. Miklosich - J. Müller, *Acta et diplomata medii aevi*, Vindobonae 1860, t. I, p. 298 ou *P G* 52, 1310 A ; pour l'articulation des événements, il est indispensable de se reporter à Loenertz, *Chronologie de Cabasilas*, p. 208-209.

4. Cantacuzène, *Histoire*, l. IV, c. 16, éd. de Bonn, t. III, p. 107.

à cause de son loyalisme envers les Paléologues[1]. Faveur étonnante à son âge, mais justifiée à la fois par sa maturité et par son attachement à la cause des Cantacuzènes, dont il donne une dernière preuve en prononçant le panégyrique de Matthieu lors de son couronnement comme empereur associé (février 1354). Quelques mois plus tard, Jean VI doit abdiquer, et il embrasse la vie monastique. C'est apparemment la fin de la carrière politique de Cabasilas.

La suite est obscure. Peut-être par le choix même du personnage : il paraît esquiver les honneurs, les charges, le bruit ; son élévation au siège de Thessalonique est une légende, accréditée peut-être par suite d'une confusion avec son oncle[2] ; il n'est pas sûr qu'il ait jamais reçu un ordre sacré. Ševčenko incline à penser qu'il se fit moine à un moment de sa vie qu'il est impossible de déterminer. Il cite en ce sens deux passages de l'homélie sur les trois hiérarques, où l'auteur distingue : « *notre sainte assemblée* ici présente et le chœur des fidèles » (ou « des orthodoxes »)[3]. L'argument n'est pas négligeable, mais ne pourrait-il pas s'agir aussi bien d'une opposition entre l'assemblée présente dans l'église et l'ensemble des fidèles ?

Manuel II taquinera la nonchalance naturelle de Cabasilas qui lui fait refuser une promotion dans la magistrature[4].

---

1. ID., *ibid.*, l. IV, c. 38, éd. de Bonn, t. III, p. 275, li. 5-6. Nous comprenons ici « encore simple particulier » : ὄντα ἔτι ἰδιώτην comme I. ŠEVČENKO, *art. cit.* de *Dumbarton Oaks Papers*, p. 86, n. 24, au sens de « non clerc ».

2. Non seulement il n'y a pas de preuve de cette promotion, mais il y a la preuve du contraire, à savoir l'omission du nom de Nicolas dans le synodicon de Thessalonique ; cf. L. PETIT, « Le synodicon de Thessalonique », in *Échos d'Orient*, t. 18 (1918), p. 249.

3. L'homélie a été éditée par K. Dyobouniotès, in Ἐπετηρὶς Ἑταιρείας Βυζ. Σπουδῶν, t. 14 (1938), p. 157-162 ; l'expression revient p. 157 et p. 160-161. Interprétation de ŠEVČENKO, *art. cit.* de *Dumbarton Oaks Papers*, t. 11, p. 87, n. 25.

4. Lettre 15 de l'édition de E. Legrand ; cf. régeste de LOENERTZ in *Rev. des Ét. Byz.*, t. 7 (1949), p. 17.

Joseph Bryennios, vers la même époque, voudrait le voir écrire contre les Latins[1]. Peine perdue sans doute. La polémique est contraire à son tempérament et à son idéal de vie. En pleine querelle palamite, alors que ses proches sont engagés dans la bataille, il se tient, dirait-on, à l'écart, et sa solidarité avec eux se manifeste surtout par un tribut d'admiration aux personnes : épitaphes de Nil et du patriarche Isidore, invective contre Grégoras, le contradicteur de Palamas. Bref, la chute de Cantacuzène semble être pour Cabasilas le signal d'une retraite dans la méditation. Nous daterions de cette période de sa vie ses deux grandes œuvres religieuses — la *Vie dans le Christ* et l'*Explication de la divine liturgie* — sereines, dépouillées, intemporelles.

Dans la mesure où l'image d'un auteur aussi discret peut transparaître en filigrane à travers ses écrits, on distingue en lui le conservateur, fidèle à l'ordre social traditionnel, attaché au caractère sacré de la propriété, dévoué au souverain qui répond le mieux à ces dispositions, l'ami sensible, mais par-dessus tout une sorte d' « hésychaste laïc[2] », jaloux d'une paix intérieure nourrie par la conscience très vive d'une harmonie entre la gloire et la grâce divines et la bonne volonté de l'homme.

---

1. Cf. régeste de Loenertz, *ibid.*, p. 16-17.
2. R.-J. Loenertz, *Chronologie de Cabasilas*, p. 215, parlait d' « ascète laïc ». « Hésychaste » convient peut-être mieux à l'époque et souligne l'alternative de l'hésychasme hanté par l'expérience de la lumière et de l'hésychasme nourri aux sources communes de la vie sacramentelle.

II. — LES ÉCRITS

Deux ouvrages ont acquis à Cabasilas une place enviable parmi les auteurs spirituels : dans l'ordre chronologique, sa *Vie dans le Christ* et l'*Explication de la divine liturgie*. Ses autres écrits, religieux ou profanes, n'ont ni la même profondeur ni la même ampleur, ils sont souvent tributaires des circonstances ou sacrifient à l'esthétique très formelle de son époque.

Le regretté S. Salaville a heureusement résumé la *Vie dans le Christ* : un « ouvrage de théologie spirituelle, en sept livres ou λόγοι, présentant la vie surnaturelle comme une vie d'union au Christ qui nous est communiquée par les sacrements [d'initiation : baptême, confirmation, eucharistie] et à laquelle nous devons prêter notre concours[1] ». L'ouvrage, répandu en Occident dès 1604 par la traduction latine de Pontanus (six premiers livres)[2], fut édité en grec par W. Gass, *Die Mystik des Nikolaos Kabasilas vom Leben in Christo*, Greifswald 1849 (réimpression en 1899), IIe partie, p. 1-209. Le texte est passé tel quel dans la *Patrologie grecque* de Migne, t. 150, c. 493-725. Il a été plus récemment traduit en plusieurs langues modernes[3]. Il a fait l'ob-

---

1. Dans l'introduction à Nicolas Cabasilas, *Explication de la divine liturgie* 1re éd. (*SC* 4), Paris 1943, p. 13.
2. Dans *Philippi Solitarii Dioptra...*, Ingolstadii 1604.
3. En français, par S. Broussaleux, *La Vie en Jésus-Christ*, extrait d'*Irénikon*, Amay 1932 ; en allemand, par G. Hoch - E. v. Ivanka,

jet de nombreuses études qu'il est inutile d'énumérer ici[1].

L'*Explication de la divine liturgie* a paru d'abord en latin, en 1548, par les soins de Gentien Hervet, suivie de la *Mystagogie* de saint Maxime et des liturgies de saint Jean Chrysostome et saint Basile[2]. En 1624, Fronton du Duc éditait le texte grec, accompagné de la traduction d'Hervet, dans l'*Auctarium Bibliothecae veterum Patrum*. L'ensemble a été accueilli par Migne dans sa *Patrologie grecque*, t. 150, c. 368-492. S. Salaville en a publié une traduction française dans la présente collection[3]. On s'arrêtera plus loin sur le succès du livre en Occident du xvie siècle à nos jours.

En appendice de ces œuvres religieuses majeures, il suffira de mentionner la *Prière à Jésus-Christ*, éditée et commentée par S. Salaville[4], une courte exégèse des visions d'Ézéchiel[5], des poèmes insignifiants, épitaphes du patriarche Isidore et de Nil Cabasilas, etc.[6], une préface à l'édition posthume de l'ouvrage du même Nil sur la *Procession du Saint-Esprit*[7].

Les dix-huit lettres conservées de Cabasilas[8] n'ont rien d'un recueil complet : on n'y trouve pas trace des réponses qu'il a pu adresser à des correspondants comme Akindynos,

---

Sakramental Mystik der Ostkirche. Das Buch vom Leben in Christo, Klosterneuburg-München 1958.

1. On trouvera une bonne initiation aux idées maîtresses de cet ouvrage dans l'introd. citée de SALAVILLE, p. 18-63, ou dans celle d'IVANKA, *op. cit.* ; de même chez G. HORN, « La Vie dans le Christ de N. Cabasilas », in *Rev. d'asc. et de myst.*, t. 3 (1922), p. 20-45, et Myrrha LOT-BORODINE, *Un maître de la spiritualité au XIVe siècle*, Paris 1958.

2. *Nicolai Cabasilae de divino altaris mysterio...* Venise 1548.

3. Ci-dessus, p. 15, n. 1. Ajoutons la traduction roumaine de E. Braniste, *Explicarea sfintei liturghii după Nicolae Cabasila*, Bucarest 1943.

4. *Échos d'Orient*, t. 35 (1936), p. 43-50.

5. Conservée notamment par le *Paris. gr. 1213*.

6. Édités par A. Garzya, « Versi inediti di Nicola Cabasila », in *Bollettino della Badia gr. di Grottaferrata*, t. 10 (1956), p. 51-59.

7. Texte apud A. DÉMÉTRAKOPOULOS, Ὀρθόδοξος Ἑλλάς, Leipzig 1872, p. 78-80.

8. Cf. ci-dessus, p. 11, n. 1.

Manuel II, Joseph Bryennios, son oncle Nil. Elles contiennent des données utiles sur ses études, ses relations thessaloniciennes, des événements politiques de la première moitié de sa vie.

Mais ce sont les pièces de genre rhétorique qui constituent, avec les deux traités de théologie spirituelle, la masse de l'œuvre. Nicolas est l'auteur de nombreuses homélies : trois éloges du patron de sa ville natale, saint Démétrius[1], un de sainte Théodora de Thessalonique[2], un des trois hiérarques (Jean Chrysostome, Basile, Grégoire de Nazianze)[3], de saint Nicolas[4], d'un énigmatique André, martyrisé à Jérusalem[5] ; de trois homélies mariales, sur l'Annonciation, la Nativité et la Dormition[6] ; de sermons sur la Passion et l'Ascension (inédits). Les homélies mariales ne sont pas dépourvues d'intérêt[7] mais, outre que plusieurs de ces morceaux sont des exercices scolaires[8], l'ensemble n'est ni plus ni moins original que les variations de nombreux contemporains, clercs ou laïcs, sur ces thèmes pieux.

Les panégyriques profanes de souverains (vivants) sont de la même veine. L'un, écrit à la demande du père de

1. *Bibliotheca hag. gr.*[3], nᵒˢ 543, 543 b, 547 k. Le premier a été publié par Théoph. Ioannou, Μνημεῖα ἁγιολογικά, Venise 1884, p. 67-114, le second par B. Laourdas, Ἐπετηρὶς Ἑτ. Βυζ. Σπουδῶν, t 22 (1952), p. 99-105 ; le dernier est inédit.

2. *Bibliotheca hag. gr.*[3], nᵒ 1741 : *PG* 150, 753-772 (d'après les *Acta S.S.*).

3. *Bibliotheca hag. gr.*[3], nᵒ 748 b, éd. citée ci-dessus, p. 13, n. 3.

4. *Ibid.*, nᵒ 1364 g (inédit).

5. *Ibid.*, nᵒ 115, éd. A. Papadopoulos-Kerameus, Συλλογὴ παλαιστινῆς καὶ συριακῆς ἁγιολογίας, I, 1907, p. 173-185.

6. *Ibid.*, nᵒˢ 1092 c, 1107 n, 1147 n, éd. M. Jugie, in *Patrologia orientalis*, t. XIX, 1925, p. 456-510.

7. M. Jugie, « La doctrine mariale de Nicolas Cabasilas », in *Échos d'Orient*, t. 18 (1916-1919), p. 375-388 ; C. Vona, « I discorsi di Nicola Cabasila, in *Lateranum*, N.S. 30, Rome 1964, p. 115-189.

8. Lettre 3 de Cabasilas, p. 31, li. 19-21, allusion à la composition d'un panégyrique de saint Démétrius ; lettre 4, p. 32, li. 15, allusion à un panégyrique en chantier.

l'auteur, célèbre Anne de Savoie; composé en 1352-1354, il est l'hommage d'un Thessalonicien de qualité à la souveraine qui a reçu sa ville natale en apanage[1]. L'autre eut pour occasion le couronnement du fils de Jean VI, Matthieu, en février 1354[2].

Les discours de fond éthique et canonique, inspirés par les désordres politiques et les mesures économiques dont la classe sociale de Cabasilas fut la victime, ont plus de substance et de chaleur. Ce sont, des mêmes années 1350-1352, le discours contre les prêteurs à intérêt[3], et le mémoire à Anne de Savoie sur un thème analogue[4], dans lequel Nicolas sollicite d'elle « la remise en vigueur d'une loi qui adoucit le sort d'une certaine catégorie de débiteurs », c'est « un document personnel d'un pathétique saisissant[5] ». Le discours « sur les gouvernants qui attentent à la propriété sacrée[6] » dénonce l'illégalité et même l'immoralité des confiscations de biens d'églises ou de couvents par l'autorité tant civile que religieuse, fût-ce sous le prétexte du salut public ou de la bienfaisance. Le traité, comme l'a démontré Ševčenko, n'a rien à faire avec les « Zélotes » de Thessalonique. La tradition du texte pose néanmoins un problème de chronologie, de sorte que le procès peut viser des « abus » aussi bien des années 1345-1347 que du dernier tiers du siècle[7]. En revanche, l'adresse aux Athéniens sur l'immo-

---

1. Édité par M. Jugie, in *Bull. de l'Inst. arch. russe de Constant.*, t. 15 (1911), p. 113-118 ; pour les circonstances et la chronologie, lettre 3 de Cabasilas, p. 31, li. 32 s., et Loenertz, *Chronologie*, p. 224-226.

2. Éd. M. Jugie, *op. cit.*, p. 118-121.

3. *PG* 150, 728-749.

4. Édité par R. Guilland, Εἰς μνήμην Σπ. Λάμπρου, Athènes 1933, p. 269-277.

5. R.-J. Loenertz, *Chronologie*, p. 220-224, sur la date et la signification de ces textes.

6. Éd. I. Ševčenko, in *Dumbarton Oaks Papers*, 11 (1957), p. 91-125, avec un copieux commentaire, qui renouvelle la question.

7. Ševčenko, qui avait d'abord proposé les années 1342-1344

ralité d'un droit d'asile conçu pour les criminels plutôt que pour les victimes de l'injustice (à propos de l'autel de la Pitié) est un exercice académique[1].

On peut rattacher à la controverse palamite le maigre pamphlet « sur les radotages de Grégoras[2] », écrit à la suite d'une discussion entre ce dernier et Grégoire Palamas en 1355, et probablement l'opuscule sur la suspension pyrrhonienne du jugement[3], qui viserait les théologiens qui professaient la *skèpsis* sur la question des énergies divines (controverse palamite).

On a fait allusion ci-dessus aux « Raisonnements de ceux qui prétendent démontrer que la connaissance de la philosophie est vanité », suivis des « Solutions de ces syllogismes[4] ».

Cabasilas, outre un commentaire partiel de la *Syntaxe* de Ptolémée[5], a laissé d'autres petits écrits. Le tri n'est pas fait de l'authentique et de ce qui ne l'est pas, et leur recensement n'a pas de raison d'être ici.

(*op. cit.*, p. 168), a été amené, par suite de la découverte d'autres versions du discours, à envisager comme possibles les années 1370-1400 : « The author's draft of Nicolas Cabasilas, ' anti-Zealot ' discurse in Paris. gr. 1276 », in *Dumbarton Oaks Papers*, t. 14 (1960), p. 181-201.

1. Texte dans le *Paris. gr. 1213*, ff. 280ᵛ - 281.

2. Édité par A. Garzya, *Byzantion*, t. 24 (1954 ; paru 1956), p. 521-532.

3. Édité par L. Radermaker avec un commentaire de A. Elter, in *Natalicia Regis... Guilelmi II*, Bonn 1899 ; l'idée d'une connexion avec la querelle palamite est de ŠEVČENKO, *Byz. Zeitschrift*, t. 47 (1954), p. 51.

4. *Paris. gr. 1213*, ff. 277-278. Le vague du titre (« sagesse περὶ τῶν λόγων ») s'éclaire par le contenu ; il s'agit de la « connaissance des êtres en tant que tels », de leurs « raisons ».

5. Partiellement édité à Bâle, en 1538, à la suite de la *Syntaxe* elle-même et du commentaire de Théon d'Alexandrie.

III. — L'EXPLICATION
DE LA DIVINE LITURGIE[1]

L'ouvrage est à la fois un exposé descriptif et moral de la liturgie — c'est-à-dire de la messe[2] — selon le rite de saint Jean Chrysostome, le plus courant dans l'Église byzantine[3], et un essai théologique sur le sacrifice de l'Eucharistie.

L'auteur a eu des devanciers, mais il les a éclipsés tous, et il a même tari l'inspiration de ses imitateurs. On peut rappeler quelques jalons[4]. La Ve catéchèse mystagogique de saint Cyrille de Jérusalem (350/1-386) sur la liturgie

1. L'introduction du regretté Père S. SALAVILLE à la première traduction française de l'*Explication* (p. 18-63) présentait la pensée de Cabasilas à la lumière du *De vita in Christo* ; le commentaire du traité liturgique se développait au fil de la traduction sous la forme de notes et surtout d'appendices aux chapitres. Les pages qui suivent ne concernent directement que l'*Explication* dans son inspiration et ses lignes majeures. On se reportera avec fruit au chapitre consacré à Nicolas Cabasilas par R. BORNERT, *Les commentaires byzantins de la divine liturgie du VIIe au XVe siècle*, Paris 1966, p. 215-243.

2. L'équivalent sémantique de « liturgie » serait *service*, du reste encore employé en Occident pour certaines messes (pour les défunts).

3. Le rite dit de saint Basile n'est observé qu'une douzaine de fois l'an. Cabasilas s'y réfère du reste (chap. XXXIII, 9 - XXXIV, 5). Traduction française de ces deux rites : E. MERCENIER - Fr. PARIS, *La prière des Églises de rite byzantin*, t. I, Chevetogne 1937, p. 219-280.

4. Sur la tradition des commentaires de la liturgie, voir un aperçu de S. SALAVILLE, *Liturgies orientales*, II. *La Messe*, Paris 1942, p. 135-138.

de saint Jacques[1]. Le chapitre III de la *Hiérarchie ecclésiastique* du pseudo-Denys[2], inspiré d'un rite non identifié et imité librement par saint Maxime le Confesseur dans sa *Mystagogie*[3], composée vers 628-630. Le traité *De la sainte Synaxe* d'Anastase le Sinaïte[4], vers l'année 700. Dans le troisième quart du XIe siècle, Nicolas, évêque d'Andida (Pamphylie), compose sa *Contemplation sommaire des symboles et des mystères de la divine liturgie*, bientôt remaniée par un de ses successeurs[5], Théodore, qui annonce timidement Cabasilas. Il faut ranger à part l'*Explication de la mystagogie*, dont la tradition manuscrite fait honneur, assez capricieusement, aussi bien à Basile de Césarée qu'à Cyrille de Jérusalem ou à Germain de Constantinople (715-730) ; comme vient de le montrer R. Bornert, la dernière attribution est la plus fondée. Le texte primitif, déjà interpolé dans sa traduction latine du IXe siècle, a abouti à la recension vulgarisée par la *Patrologie grecque* de Migne, où telle interpolation ne remonte pas au delà du XVe siècle finissant, voire du XVIe [6].

Cabasilas, qui est par principe économe de références, ne mentionne guère ses devanciers. Il connaît le pseudo-Denys, mais lui doit peu[7]. Il a lu Nicolas d'Andida, dont il réfute

1. *P G* 33, 1109-1128.
2. *P G* 3, 425 B - 445 C.
3. *P G* 91, 657-718.
4. *P G* 89, 825-850.
5. *P G* 140, 417-467. Sur la paternité de ces deux états du texte, leur chronologie et leur contenu, voir R. Bornert, *op. cit.*, p. 180-206, qui renouvelle la question. En attendant l'édition critique des deux recensions, on renverra ici, pour la commodité, à Nicolas d'Andida.
6. *P G* 98, 384-453. Sur le problème de la tradition du texte, l'étude indispensable est désormais celle de R. Bornert, *op. cit.*, p. 124-180.
7. Cabasilas est tributaire de Denys pour quelques idées générales ou la terminologie (chap. XVII, 7 ; XXX, 7 ; XLVII, 10) ; il renvoie bien au chapitre IV de la *Hiérarchie ecclésiastique* sur l'onction, mais n'est pas très marqué par le chapitre III sur la communion : ce trait d'indépendance est à noter chez un admirateur du pseudo-Aréopagite.

tacitement l'opinion touchant la médiation du Christ dans
la grande intercession de la liturgie[1]. L'idée d'une introduction sur le symbolisme général de la liturgie lui vient
aussi de cet aîné[2]. L'*Explication* offre d'autre part plus que
des affinités avec la recension la plus récente du commentaire de Germain. Les deux traités ont en commun, littéralement, le développement sur les fondements de la foi
à la « conversion » du pain et du vin et certaines considérations sur l'excellence de la prière doxologique. En fait,
le premier morceau[3] n'apparaît dans aucun des manuscrits
antérieurs à l'*editio princeps* du pseudo-Germain ; son style
suffirait d'ailleurs à le restituer à Cabasilas[4]. Quant au
second passage, constaté dans le tradition du pseudo-
Germain vers la fin du XIIIe siècle et le début du XIVe [5], le
débiteur est forcément Cabasilas.

Il serait fastidieux de pourchasser dans l'*Explication*
de menus emprunts ou des rencontres d'idées[6]. Pour qui
prend l'œuvre dans son unité profonde, ces parallélismes,
conscients ou fortuits, comptent peu en regard de la
réflexion personnelle qui préside à la démarche de l'auteur,
sacrifiant le détail à l'essentiel, le rite accessoire au mouvement et, dans l'expression même, l'image à la définition

1. Comparer NICOLAS D'ANDIDA, éd. citée, § 27-29, spécialement
453 C - 457 A, et NICOLAS CABASILAS, chap. XLIX, surtout § 1, 13
et 14.

2. NICOLAS D'ANDIDA, § 1-3, 417 C - 421 B ; NICOLAS CABASILAS,
chap. I, 6-15.

3. CABASILAS, chap. XXVIII ; PSEUDO-GERMAIN : *PG* 98, 433 B-D.

4. Pour la date de l'interpolation, cf. R. BORNERT, *op. cit.*, p. 141
et n. 2. Quant au style, l'emploi du verbe ἐνθεῖναι, qui revient des
dizaines de fois dans l'œuvre de Cabasilas, est déjà un indice de
propriété.

5. CABASILAS, 392 C - 393 A ; PSEUDO-GERMAIN, *op. cit.*, 401 AB,
cf. 401 C. Pour la datation du développement, cf. R. BORNERT, *op. cit.*,
p. 139, n. 1.

6. L'ouvrage de R. BORNERT, sans entrer dans le détail de ces
dépendances ou parallélismes, définit d'ores et déjà les traits majeurs
de l'originalité de Cabasilas dans la tradition.

ou à l'austère déduction. Ce n'est pas Cabasilas qui filera des allégories autour de l'architecture sacrée ou d'objets rituels sans lien intime avec la signification du sacrifice[1] ; qui appuiera sur les particularités de la liturgie pontificale ou le rôle des ministres inférieurs[2]. Point de ces digressions érudites, sur l'origine d'un texte ou sur une situation locale, qui émaillent le traité de Nicolas d'Andida[3]. Cabasilas auteur s'impose, dirait-on, la même décantation et simplification des facultés qu'il réclame du fidèle qui assiste à l'office (chap. XII, 8)[4].

Disposition de la matière

L'ordonnance du livre est naturellement celle de la liturgie, comme il apparaît aux titres de chapitres (une innovation par rapport à Nicolas d'Andida). Assez indifférent aux articulations historiques — messe des catéchumènes et messe des fidèles — Cabasilas distingue sommairement une préparation de la matière, pain et vin (chap. II-XI), qui se fait sur la « sainte table » (chap. VIII, 2) ad hoc, et l'action sacrée, ou « hiérurgie », au sens large[5], qui a pour pôle l'autel. La hiérurgie, encadrée par la doxologie initiale

---

1. Comme NICOLAS D'ANDIDA, op. cit., 436 C, 441 C - 444 A (architecture) ; 448 B (éventails ou rhipidia). Nicolas d'Andida n'est du reste pas l'inventeur de ces symbolismes, il n'a fait que les enregistrer ou les exploiter.

2. Nicolas d'Andida, évêque écrivant pour un de ses pairs, envisage un office pontifical. Cabasilas mentionne tout au plus, sporadiquement, le rôle du diacre.

3. NICOLAS D'ANDIDA, op. cit., 433 C (tropaire) ; hérétiques phoundaïtes répandus dans le voisinage d'Andida (461 CD).

4. Toutefois le silence de Cabasilas sur certaines applications symboliques de ses prédécesseurs n'implique pas qu'il les condamne. Il peut aussi, dans une certaine mesure, avoir voulu éviter des redites.

5. CABASILAS, Explication, chap. XI et XLI.

(chap. XII) et la communion (chap. XXXIX-XLI), culmine dans la « prière de consécration » (chap. XXVII, L et LI), qui réalise le sacrifice (chap. XXVII). En deçà, préludent au sacrifice, dans le cadre d'une oblation d'attente, les prières secrètes du prêtre et les antiphones (chap. XIII-XV ; XVII-XIX), la « petite entrée » de l'évangile avec l'hymne du Trisagion (chap. XX-XXI), les lectures bibliques (chap. XXII), la prière pour l'Église et le renvoi des catéchumènes (chap. XXIII), la déposition des oblats sur l'autel au cours de la « grande entrée » (chap. XXIV-XXV), le symbole de foi et la préface de la prière eucharistique (chap. XXVI). Au delà de la consécration, l'action sacrée se poursuit par l' « oblation du sacrifice spirituel » pour les vivants et les morts (chap. XXXIII) et se consomme par la communion, au terme d'une préparation, marquée notamment par l'oraison dominicale et l'infusion symbolique d'eau chaude dans le calice (chap. XXXIV-XXXIX).

Ce sommaire montre des solutions de continuité. Elles correspondent à des vues d'ensemble (chap. I, et son doublet partiel, le chap. XVI) ou à des parenthèses théologiques. Ces derniers exposés, plus personnels et mieux charpentés souvent, sont groupés, les uns autour de la « conversion » ou consécration des oblats (chap. XXVIII-XXXII), les autres avant les prières finales (chap. XLII-LII). La première série a pour objet la foi à la conversion, et surtout la prière de consécration et la nature du sacrifice de l'autel. La seconde, la participation *sui generis* des justes défunts à la communion, la validité du sacrifice, l'oblation du « sacrifice spirituel » *pour* les saints. L'intérêt de ces petites dissertations, amenées par une phase ou simplement une expression de l'office, parfois justifiées par une controverse ou par une opinion de l'auteur, déborde souvent le thème annoncé dans le titre. Les idées de Cabasilas sur le rôle comparé du Christ prêtre et de son ministre se trouvent ainsi le plus nettement développées à propos de la commé-

moration des saints (chap. XLIX, surtout §§ 13-14) ;
certaines de ses vues les plus suggestives sur la communion
sont mises en valeur dans sa thèse sur la communion mystérieuse des justes défunts (chap. XLII-XLV). Non que la
spéculation théologique se réfugie dans ces excursus, mais
elle s'y affirme avec plus de suite et de vigueur.

Ce décousu, consécutif au chevauchement du commentaire littéral et de la réflexion théologique indépendante,
est compensé par un sens très vif des « ressorts », pour ainsi
dire, de la liturgie, qui éclate à travers tout l'ouvrage et
même *ex abrupto* dès les premières lignes : l'œuvre de la
liturgie, c'est la consécration, le sacrifice du Christ ; sa fin,
la sanctification des fidèles ; tout le reste, un système de
moyens destinés à garantir au chrétien une participation
plus fructueuse et durable au sacrement (chap. I, 1-2 ;
cf. chap. XLIX, 15). Deux ordres sans commune mesure : le
Mystère célébré dans le silence et l'invisible (chap. XLIX,
12-14 ; L, 8) par le Prêtre qui se sacrifie lui-même à lui-
même (comme Dieu) et se donne en personne à communier ;
une action successive, ordonnée au Mystère, assumée par
l'Église, et composée de prières, lectures, gestes, en un mot
« absolument tout ce qui se fait et se dit de part et d'autre
de la consécration » (chap. I, 2), même les paroles de l'Institution (ci-dessous). Le lecteur ne doit jamais perdre de vue
cette unité profonde de conception.

Le sacrifice du Christ donne son sens à toute l'architecture
rituelle de la liturgie, il « oriente » la double oblation de
l'Église qui, dans une première phase, l'appelle et y prépare
les fidèles, dans une seconde phase en donne acte au Père
et le fait valoir comme désormais sien. Cette même distinction fonde deux ordres de sanctification : l'une secondaire,
de disposition, l'autre proprement sacramentelle, qui prend
directement sa source dans le sacrifice comme tel et dans
la communion.

Le sacrifice du Christ Prêtre, Victime, Destinataire de l'oblation

Cabasilas est, à Byzance, le seul théologien à proposer une analyse spéculative, on a dit : « scolastique[1] », du sacrifice eucharistique, qu'il situe dans la consécration (chap. XXXII). D'autres avant lui avaient énoncé cette identification, aujourd'hui générale[2], mais en Orient il est le premier à l'avoir fondée en doctrine. Son argumentation est d'une extrême simplicité. Dans la consécration se concilient les deux principes absolus, apparemment antinomiques, de la foi : la liturgie est vraiment le sacrifice du Corps du Christ[3], le sacrifice rédempteur est unique et non réitérable. La consécration opère en effet le changement, essentiel à tout sacrifice, de l'état de non immolé, ici le pain et le vin, à l'état d'immolé, ici le Corps du Christ. La célébration répétée des liturgies, dans le temps et l'espace, ne renouvelle ni ne pluralise le sacrifice : le terme du changement est toujours le même, c'est-à-dire le Seigneur qui *a été immolé*, est mort, est ressuscité, vit éternellement, impassible dans la gloire (chap. XXVII; cf. chap. XXXVII, 2).

Le sacrifice coïncide donc pleinement avec l'acte et l'instant de la consécration (chap. XXXII, 8). Cela est redit sous dix formes différentes : « les dons une fois consacrés, l'immolation est consommée » (chap. XXVII; cf. XXXII, 15 et XXXIII, 4)[4]; « la grande Victime gît

---

1. M. Jugie, *Theologia dogmatica christianorum orientalium ab ecclesia catholica dissidentium*, t. III, Paris 1930, p. 318.

2. Ch. Journet, *La Messe. Présence du sacrifice de la Croix*, Paris 1961, p. 347, n. 3.

3. Doctrine réaffirmée par un synode constantinopolitain de 1157, à l'encontre de certaines expressions équivoques du diacre Sotérichos Panteugénos, cf. M. Jugie, *op. cit.*, p. 320 (troisième anathème).

4. Jean Chrysostome, dans les mêmes termes, μετὰ τὸ τὴν θυσίαν

immolée, sous nos yeux » (chap. XXVII) ; « c'est tout un d'être consacré par le Prêtre et d'être converti en cette Victime » (chap. XXX, 15 ; cf. chap. I, 6) ; « la Grâce opère l'immolation moyennant les paroles de consécration » (chap. L, 8), etc.

Cabasilas n'éprouve pas la nécessité, on le voit, de recourir, comme nombre de théologiens latins après lui, à une destruction sacrificielle ou à des signes extérieurs d'immolation, comme la séparation apparente du Corps et du Sang[1]. La notion grecque de la conversion des éléments, sans considération de la persistance des accidents du pain et du vin (transsubstantiation), n'ouvre pas de perspective de ce côté, et lorsqu'il est question, après la consécration, de « ce qui apparaît », de « Jésus conçu dans les dons » (chap. XXXIX), ce n'est que servitude de langage.

La consécration enferme toute l'activité sacerdotale du Christ (chap. I, 7 et LI), en même temps qu'elle rend compte de l'acceptation et de la validité du sacrifice. C'est le Christ qui officie et consacre (chap. XXIX, 22 ; XXXI, 1-2 ; XLVIII, 7 ; XLIX, 15 ; cf. XXVIII, 3-4 et XLVI, 10). Prêtre, il « s'offre lui-même à son Père ainsi que nos dons quand ils deviennent Lui » (chap. XLIX, 15-16). Comme Dieu, il est aussi celui qui agrée le sacrifice, « le même offre, est offert, reçoit » suivant la prière de la grande entrée (chap. XLIX, 15-16 ; cf. XLVII, 4-6)[2]. « Il reçoit les dons en les consacrant » : tel est son sacerdoce » (chap. XLIX, 16). Prêtre, autel et victime, il est tout cela ensemble (cf. chap. XXX, 9).

ἀπαρτισθῆναι πᾶσαν (*In Hebr.*, XVII, 4, 5), semblerait étendre l'immolation jusqu'après la prière dominicale. L'usage restrictif de Cabasilas dit assez son intention de souligner l'instant où le sacrifice de la Croix est rendu présent.

1. Vue générale apud Ch. JOURNET, *op. cit.*, p. 345-368.

2. L'exégèse orthodoxe de cette expression avait été définie au synode déjà cité de 1157 ; cf. M. JUGIE, *op. cit.*, p. 319-320 (anathèmes 1 et 2).

L'agrément du sacrifice se confondra donc avec la consécration (chap. XLIX, 15-16), puisque le Père y fait siens nos dons, notre nourriture, au point de les muer en son Fils et, ainsi transformés, de nous les restituer en nourriture spirituelle (chap. XLVII). En outre, si c'est le Christ qui assume tout le sacrifice, et notamment consacre, la conversion des dons est infaillible, elle ne saurait être paralysée par l'indignité du ministre (chap. XLVI), qui prête seulement sa main et ses lèvres à la puissance de l'Esprit (chap. XXVIII), exécute ponctuellement, par délégation gratuite, des rites qui lui ont été prescrits (chap. XLVI, 10-12).

Cette exégèse du sacrifice liturgique peut sembler schématique à un théologien du xxe siècle. Elle ne se préoccupe pas de développer comment la conversion au Christ glorieux qui a été immolé sauvegarde l'actualité de l'acte rédempteur de la Croix comme tel. Il n'en reste pas moins qu'elle n'omet aucune des prémisses nécessaires à toute réflexion ultérieure : identité de la messe avec la Cène (chap. XXXIV, 2) et la Croix (chap. XXIV, 3), conversion au Ressuscité, sacerdoce éternellement actif du Christ (chap. XXVIII, 3-4). Il ne faut pas oublier que Cabasilas fut un isolé dans son milieu théologique naturel, ni qu'il se situe, dans le temps, plus près de la synthèse de saint Thomas d'Aquin que de la théologie issue du concile de Trente[1]. Venu plus tard, et informé de celle-ci, on peut penser qu'il eût élaboré, dans la lumière propre de sa tradition, une synthèse comparable à celles des penseurs religieux de l'Occident.

L'oblation de l'Église sous ses deux formes

Le Christ en personne célèbre notre liturgie (chap. XXVIII, 3-4 ; XLIX, 13-15), il accomplit l'action sacrée sous sa

---

1. Sur ces deux moments de la théologie de l'Eucharistie, excellente orientation dans l'ouvrage mentionné de Ch. Journet.

double forme de consécration et de sanctification, bref il assume le Sacrifice. Que reste-t-il à l'Église ? Toutes les paroles et les rites. Cabasilas est là-dessus tranchant jusqu'à l'intransigeance : la médiation du Christ est ontologique, inexprimable, et ne saurait s'accommoder de prières, même par procuration (chap. XLIX, 13-17 ; cf. LI). Partout l'Église parle et agit en son nom propre, même au point culminant du sacrifice. Le prêtre consacre, mais en ce sens qu'il « demande » de droit la consécration (cf. ci-dessous).

Ces prières et ces rites se distribuent en deux oblations (chap. XXIV, 5 ; XLVII, 9 ; L, 1-4), avant et après la consécration, suspendues à l'Oblation sacrificielle du Christ. La première, étrangère à la plus ancienne prière eucharistique, est déjà amorcée au second siècle[1], elle se fera de plus en plus envahissante dans la liturgie de saint Jean Chrysostome, où elle ne trouvera sa forme définitive que vers le XIIIᵉ siècle[2]. Cette prolifération, apparemment démesurée par rapport à la prière qui est, à travers toute la tradition, l'âme de la messe, l'anaphore (ou canon), risque de « décentrer » l'oblation en donnant le change aux fidèles. De là le souci chez un théologien éclairé, comme Cabasilas, d'articuler rigoureusement la première oblation avec le sacrifice et de la situer par rapport à la seconde.

Pour l'auteur, l'oblation préliminaire du pain et du vin n'est pas une invention humaine : le Seigneur en a certainement donné l'exemple (chap. II, 6). Elle est, en outre, de triple façon, un appel à la consécration. Le fragment à consacrer réservé dans la masse du pain, cela évoque l'Homme-Dieu, dans l'instant de l'Incarnation, s'offrant au Père en prémices de l'humanité et ouvrant le cours de

1. Cf. Jos.-A. Jungmann, *Missarum sollemnia. Explication génétique de la messe romaine*, Paris 1954, t. II, p. 272.
2. L'histoire de cette évolution n'est pas achevée, encore que l'ouvrage, plusieurs fois cité, de R. Bornert lui ait fait faire un grand pas.

sa mission rédemptrice (chap. II ; V, 3)[1]. Le pain et le vin sont aussi une oblation de prémices, « à la mesure de l'homme » (chap. LI, 2) : par le truchement des aliments qui sont le fruit spécifique de son industrie (chap. III)[2], l'homme propose au Seigneur sa vie précaire en échange de la Vie, son pain contre le Pain vivant, suivant une analogie de proportion qui se retrouve dans la mort initiatique du baptême (chap. IV). En outre, l'oblation préparatoire anticipe, sous une forme plus sensible encore, le sacrifice : en paroles et en action, le prêtre simule l'immolation sanglante (chap. VI-VII ; cf. chap. L, 7-8) et offre au Père la Passion que le Christ offrira bientôt lui-même en son propre nom. Cabasilas, enfin, souligne le parallélisme de structure suivant lequel les prières après la consécration font pendant à celles de l'oblation initiale (chap. L ; cf. chap. XXXIII, 8-9) et sont inséparables d'elles.

L'offertoire n'est pas un pur spectacle. Il modifie le statut du pain et du vin : ils deviennent des dons précieux (chap. II, 5 ; V, 4 ; XLVI, 3, etc.), acquièrent une vertu sanctifiante liée à leur destination, qui est d'être consacrés (cf. chap. XXV, 2) ; à la fin de l'office, les parcelles qui n'auront pas été consacrées seront distribuées aux fidèles comme « eulogie » (pain bénit) (chap. LIII, 4). Mais nous restons ici dans les limites de la notion de « sacramental » des théologiens latins.

La consécration réalisée, les dons que l'Église offrait principalement de la part des hommes (chap. LI), sont devenus le Don. Le « Médiateur » est là désormais, avec

---

1. NICOLAS D'ANDIDA, *op. cit.*, § 6, 424 C - 425 A. Sotérichos Panteugénos, plusieurs fois mentionné, voyait dans cette oblation du Verbe s'incarnant une première étape de la rédemption, réconciliant l'humanité avec le Fils, en attendant la réconciliation avec le Père lors de la passion ; il fut condamné au synode déjà cité.

2. Saint THOMAS D'AQUIN, III[a] pars, qu. 74, art. 1, insistait seulement sur l'usage plus répandu du pain et du vin. Cabasilas tire un parti beaucoup plus suggestif de la matière du sacrement.

toute sa puissance d'intercession, et remis à sa discrétion (chap. XXXIII, 1). La prière reste la même, d'action de grâces et de supplication (chap. XII ; XXXIII ; LII et *passim*), mais c'est maintenant le « sacrifice spirituel », l'oblation muette que l'Église proclame (chap. LI) et revendique. Elle a appelé le Sacrifice, elle en réclame le fruit. En même temps que le Christ s'offre, elle offre en son propre nom ce sacrifice au Père à la gloire de Dieu dans ses saints (chap. XLVIII-XLIX ; cf. chap. XXXIII), pour le salut spirituel, et accessoirement temporel, des fidèles, pour le « repos » des justes en attente de la récompense finale. Même dans cette oblation du sacrifice spirituel *pour* les saints consommés, Cabasilas refuse de penser que le prêtre puisse s'exprimer en substitut du Christ (chap. XLIX, 15) : une telle interprétation, qui est celle de Nicolas d'Andida, confinerait, à son sens, au blasphème.

L'épiclèse

La consécration exceptée, cette répartition des rôles entre le Christ et l'Église n'a pas de quoi heurter un théologien latin[1]. Au contraire, les idées de Cabasilas sur la « forme » de l'Eucharistie (pour employer un terme commode de l'École), et corrélativement sur la part du Christ et de son ministre dans la conversion du pain et du vin, prêtent à discussion. Avec l'ensemble des rites orientaux, pour se borner à eux, les anaphores, familières à Cabasilas, de saint Jean Chrysostome et de saint Basile, présentent, peu après le récit de l'Institution, une prière par laquelle le Père est invité à envoyer son Esprit sur le pain et le vin afin

---

1. Ch. JOURNET, *op. cit.*, p. 130-131 : « La part de l'Église est plus large, sinon plus intense, à la messe qu'à la Cène et à la Croix (...). Si le Christ est à la messe, selon le concile de Trente, prêtre et victime, c'est la première place qu'il y tient, et son Église la seconde place. »

de les transformer dans le Corps et le Sang de son Fils. Cette prière est d'ordinaire désignée sous le nom d'épiclèse, mais Cabasilas ne parle jamais que de « la prière ». Que dans la pensée commune des Pères grecs[1], l'épiclèse concerne vraiment la consécration, et non pas seulement les fruits du sacrifice, et qu'ils attribuent la consécration d'une manière spéciale au Saint-Esprit, il est impossible de le nier. Implique-t-elle, comme le suggèrent sa lettre nue et sa place, que la conversion des éléments n'est pas l'effet exclusif des paroles de l'Institution prononcées « ex persona Christi » par le célébrant, comme le professe la doctrine catholique ? Oui, selon Jean Damascène[2] et l'Église ortho-doxe qui, après quelques flottements[3], a fait sienne cette pensée. On pourrait se demander si tel fut le premier sen-timent de Cabasilas, qui avait écrit dans sa *Vie dans le Christ* : « les prêtres profèrent la parole, et elle agit, parce que c'est Lui qui l'a commandé : *faites ceci*, dit-il, *en mémoire de moi*[4] ». Mais cette remarque incidente est vague, et elle n'est pas incompatible avec la théorie que l'auteur allait élaborer, pressé par les critiques de « certains Latins » (chap. XXIX, 1), « novateurs » infidèles à la tradition de leur Église (chap. XXX, 17).

Les missionnaires latins, qui se multiplient en Orient après la IVe croisade, ne s'avisèrent que tardivement du

---

1. L'article *Épiclèse* de S. Salaville, dans le *Dict. de théol. cath.*, t. V, 1913, col. 194-300, demeure un excellent instrument d'informa-tion. Plus récemment, on doit citer, du côté catholique, B. Schultze, « Zum Problem der Epiklese, anlässlich der Veröffentlichung eines russischen Theologen », dans *Orient. christ. period.*, t. 15 (1948), p. 368-404, qui présente une critique positive du point de vue ortho-doxe représenté par Cyprien Kern, *L'Eucharistie* (en russe), Paris 1947 ; autre exposé, en français, du même théologien russe, dans *Irénikon*, t. 24 (1951), p. 194 s.

2. Jean Damascène, *De fide orthodoxa*, l. IV, *PG* 94, 1140 C - 1141 A.

3. S. Salaville, *art. cité*, col. 252-254.

4. *PG* 150, 633 BC ; trad. Broussaleux, p. 145.

« scandale » de l'épiclèse, sans doute au tournant du XIIIe au XIVe siècle[1]. Cabasilas est le premier des Grecs connus qui leur ait opposé une justification homogène et originale. L'argumentation latine, autant qu'elle transparaît dans le chapitre XXIX de l'*Explication*, faisait appel, *ad hominem*, à un texte bien connu de Jean Chrysostome sur la toute-puissance de la parole divine[2] et dénonçait le caractère outrecuidant et aléatoire d'une prière de consécration (chap. XXIX). Elle comportait sûrement un exposé proprement dit sur l'efficacité des paroles, auquel Cabasilas, en passant, fait sévèrement écho.

On a parlé de contradiction à propos de la pensée de Cabasilas[3]. Elle n'apparaît pas. La vérité est que l'auteur procède par assertions successives et éparses qui ne se recouvrent pas tout à fait, mais il est possible d'en extraire une thèse cohérente. Elle se ramène à ceci. La consécration est opérée par la vertu toute-puissante et toujours agissante de la parole prononcée une fois pour toutes à la Cène, mais moyennant la prière du prêtre (chap. XXIX, 21-22 ; cf. XXVII ; XXIX, 4). En d'autres termes, le Christ consacre en personne à la requête du prêtre (chap. LI). Mais les paroles de l'Institution répétées par le ministre ? Elles font corps avec un *récit :* le prêtre ne les profère donc pas au nom et place du Christ, il les récite (chap. XXVII ; XXIX, 21-22). Elles n'en sont pas moins indispensables. Elles traduisent l'intention de l'Église d'exécuter *hic et nunc*

---

1. Ce point de divergence ne fut pas soulevé au concile de Lyon (1274). Il a pu être relevé cependant, avant cette date, dans des cercles restreints. Au début du XIIIe siècle, le polémiste grec Constantin Stilbès reprochait aux Latins de ne tenir aucun compte de la liturgie byzantine (voir J. DARROUZÈS, dans *Rev. des Ét. Byz.*, t. 21 (1963), p. 65), mais sans autre précision.

2. JEAN CHRYSOSTOME, *Homélie sur la trahison de Judas*, I, 6, *P G* 49, 380.

3. A.-M. ROGUET dans la trad. franç. de la *Somme théologique* (Édit. du Cerf). *L'Eucharistie*, t. I, III[a] pars, qu. 73-78, p. 413, Paris 1960.

le testament eucharistique du Seigneur, et ses titres consé-
quents à solliciter et obtenir infailliblement la grâce consacrante, l'intervention du Christ. Le ministre réunit simplement, suivant les prescriptions de l'Église assistée du
Saint-Esprit, les conditions voulues pour que le Christ
consacre : son ministère ne va pas au delà.

Cette théorie est un compromis entre les paroles de l'Institution et l'épiclèse, celle-ci définissant le mode d'opération
de celles-là. C'est que, pour notre théologien, l'invocation
ou demande de consécration est un fait liturgique universel
et de signification non équivoque, à telle enseigne qu'il
en reconnaîtra une variante légitime dans le *Supplices te
rogamus* de la messe romaine[1]. Fort de cette certitude, il lui
est aisé de démontrer contre les Latins l'opportunité et
l'infaillibilité d'une prière de consécration (chap. XXIX,
4-11) et même de découvrir une invocation analogue dans
le rituel de la plupart des autres sacrements (chap. XXIX,
10-16)[2].

On ne saurait reprocher à Cabasilas de ne pas séparer les
paroles de l'Institution d'avec l'épiclèse. Les plus anciens
témoins de la tradition, et derrière eux une longue suite
de Pères, l'avaient fait avant lui pour les mêmes paroles
d'une part, et pour l'ensemble de la prière eucharistique ou
pour l'épiclèse d'autre part[3]. La formule du serment de

1. Les liturgistes latins sont divisés touchant la nature — prière
de consécration ou demande de sanctification — du *Supplices*. Un
bon liturgiste, dom B. BOTTE, avait nié la valeur consécratoire
dans *Rev. d'Asc. et Myst.*, t. I (1929), p. 285-308 ; mais par la suite,
il est revenu sur cette opinion et reconnaît cette valeur, dans
son article « L'épiclèse dans les liturgies syriennes orientales »,
Sacris Erudiri 6 (1954), p. 69. On lira à la note complémentaire 4
(*infra*), l'opinion du P. Salaville, avec les témoignages auxquels il se
réfère.

2. Cabasilas invoque (432 C), indûment il est vrai, le rituel latin
de l'ordination sacerdotale. Ce trait illustre du moins son souci
d'information.

3. S. SALAVILLE, art. *Épiclèse*, col. 232 s.

Bérenger : « per mysterium sacrae *orationis* et verba nostri redemptoris[1] » ne fait que répercuter le sentiment quasi unanime des siècles écoulés. Les scolastiques, en affirmant la validité (non la licéité) des paroles de l'Institution en dehors de tout contexte liturgique[2], innovèrent, et de bons disciples de saint Thomas conviennent de nos jours que le Docteur angélique est ici tombé dans un formalisme étranger à la pensée des Pères[3]. Un Byzantin du XIVe siècle, qui puisait sa théologie de l'Eucharistie à même la liturgie, ne pouvait contenir une révolte contre une telle méthode, et c'est à ce procédé que nous devons certaines outrances verbales, relatives, de Cabasilas, dont l'inspiration, sinon les conclusions, garde toute sa valeur[4].

Cependant Cabasilas, entraîné par une contradiction qu'il n'avait pas cherchée, manque lui-même à la tradition. Les Pères et les rubriques anciennes donnaient aux paroles répétées par le prêtre un relief que n'aurait pas justifié un simple récit[5]. En outre, Cabasilas tend, dans l'ardeur de la discussion, à estomper l'intervention du Saint-Esprit[6] puisqu'il admet l'épiclèse latine — pour lui, de consécration — qui ne fait pas intervenir la troisième Personne. Or, cette mention du Saint-Esprit, dans la prière eucharistique, à la suite du Père et du Fils, illustre précisément la participa-

---

1. DENZINGER, *Enchiridion symbolorum*[30], no 355, ou encore profession de foi de Durante de Osca, *ibid.*, no 424.

2. Saint THOMAS D'AQUIN, *Somme théol.*, IIIa p., qu. 78, art. 1, ad 4.

3. A.-M. ROGUET, *loc. cit.*, p. 331, n. 101.

4. Les amorces d'une conciliation possible entre les prémisses de Cabasilas et celles de la théologie catholique sont bien dégagées par R. N. S. CRAIG, « An Exposition of the Divine Liturgy », dans *Studia patristica*, t. II, Berlin 1957, p. 22, en réponse à Gregory DIX (dom), *The Shape of the Liturgy*, Westminster 1949, p. 282 s.

5. S. SALAVILLE, art. *Épiclèse*, col. 212 s.

6. M. LOT-BORODINE, *Un maître de la spiritualité byzantine au XIVe siècle, Nicolas Cabasilas*, Paris 1958, p. 46. De nombreux autres passages de l'*Explication* compensent, du reste, cette réserve de circonstance.

tion égale des trois personnes dans l'œuvre divine de la consécration. En négligeant cet aspect, il méconnaît l'intention qui fut peut-être à l'origine de l'épiclèse consécratoire[1]. En conclusion, cette image du Christ consacrant par la vertu d'une parole qui domine le temps et sans instrument humain ne manque pas de grandeur, mais cette vue personnelle n'est l'expression exacte ni de la tradition commune ni de celle de l'Église grecque.

L'œuvre de sanctification

Source de sainteté comme sacrifice et communion, la liturgie l'est accessoirement comme ensemble organique de rites. L'efficacité des sacrements requiert une ouverture préalable du sujet qui les reçoit, c'est l'un des leitmotive des deux grands ouvrages spirituels de Cabasilas[2]. Cette collaboration, véritable ascèse, il la retrouvera jusque dans la prière de consécration (chap. XXIX, 4-5). La liturgie pourvoit à cette « purification préparatoire » (chap. XVI, 6), sous une double forme, par les mêmes moyens. Les prières, lectures et rites, outre leur effet naturel, de disposer la créature envers Dieu, et en retour Dieu envers elle (chap. I, 4-6), composent une sorte de spectacle historique de l'œuvre du Christ, de l' « Économie », qui vise à fixer l'esprit et échauffer les « puissances affectives » (chap. I, 6-15 ; XVI). La mystagogie dans sa totalité forme « une image unique du seul et même corps qui est la vie et l'œuvre du Christ » (chap. I, 7), dans laquelle les parties s'ajustent harmonieusement à leur place[3]. L'Économie est signifiée

---

1. S. SALAVILLE, art. *Épiclèse*, col. 294.
2. Pour la *Vie dans le Christ*, *P G* 150, 501 B, 633 AB et *passim*, surtout livres VI et VII (trad. Broussaleux, p. 26 et 145).
3. Cabasilas s'inspire ici d'une comparaison de Nicolas d'Andida (*op. cit.*, 417 AB et §§ 1-3) entre l'intégrité du corps eucharistique, celle du scénario symbolique de la liturgie et des cycles iconogra-

par excellence dans le sacrifice lui-même, accessoirement dans tout ce qui l'entoure (chap. XVI, 1-4). Au centre, la passion, la résurrection et l'ascension, objet premier du mémorial eucharistique (chap. VII, 4). Dans ce qui précède : la vie cachée (préparation des oblats), la vie publique, de son inauguration (entrée de l'évangile) au jour des Rameaux (grande entrée). Dans ce qui suit : le couronnement de l'Économie par la descente du Saint-Esprit (rite du zéon, chap. I, 6).

Cette transposition symbolique, fortement appuyée chez un Nicolas d'Andida, est ancienne. Elle a trouvé sa justification dans une exégèse extensive du testament de Jésus : « Faites ceci en mémoire de moi », entendez : de toute ma vie[1]. Elle a contribué à développer indiscrètement la préparation des oblats et inversement. Cabasilas ne pouvait ignorer un thème consacré, mais il a su l'exploiter avec sobriété[2], et il a le mérite de l'intégrer dans un ordre de moyens, de subordonner le déchiffrement du symbolisme à l'analyse des dispositions morales.

La vertu sanctifiante, la « grâce » de la liturgie, réside par excellence dans le sacrifice du Christ rendu présent et participé. Dans un raccourci suggestif que permet la langue grecque, Cabasilas désigne par le même terme la consécration-sanctification (ἁγιασμός, ἁγιάζω), la conversion des oblats et la sanctification des fidèles : les dons, une fois sanctifiés, sanctifient à leur tour (chap. XLI, 1). Le sacri-

---

phiques de l'Évangile. La liturgie est à l'Économie ce que le portrait est au modèle.

1. D'après THÉODORE STOUDITE, *Antirrh.* I, *PG* 99, 340 BC, « en mémoire de moi » est à prendre pour une synecdoque : la totalité est désignée par son élément principal. L'auteur toutefois n'envisage pas un déroulement détaillé de l'Économie au cours de la liturgie, quoi que l'on écrive parfois. Il confie à l'iconographie ou aux fêtes liturgiques l'évocation particulière des phases de l'Économie.

2. Au contraire, NICOLAS D'ANDIDA, *op. cit.*, 445 B - 449 A, noie la consécration dans une amplification à propos de la nuit chez Caïphe, le reniement de Pierre, etc.

fice et la communion procurent aux vivants — l'un par
« médiation », l'autre par union au Médiateur (chap. XLII)
— la rémission des péchés et les prémices du royaume, aux
défunts la purification éventuelle et le « repos ». L'auteur
distingue donc clairement le double aspect de sacrifice et
de sacrement, généralement moins senti par les théologiens
de son Église[1].

Cabasilas n'accorde pas à la communion un exposé suivi
comparable au livre IV de sa *Vie dans le Christ*[2], mais on
retrouve de part et d'autre, en dépit de déplacements
d'accents et même de divergences, un même esprit. Dans
l'*Explication*, l'auteur se borne le plus souvent à traduire
avec bonheur la pensée traditionnelle. Il suffira de rappeler
les thèmes en passant.

La communion a pour fruit naturel la rémission des
péchés et « une grâce » proportionnée au degré de pureté
du communiant (chap. XXXIV, 6). Le Médiateur s'y
« articule », « se fond » au fidèle pour écouler la vie en lui
(chap. XLIV, 2-4) ; ne faisant plus qu' « un esprit avec lui »
(ibid.), il se le rend conforme de telle façon que le Père
reconnaisse en lui les traits de son Fils *(ibid.)*. Par un
métabolisme inverse de celui de la nature, c'est la nourriture
ici qui assimile l'Église des communiants dont le Christ est
la tête et le cœur (chap. XXXVIII)[3]. Tout cela est déjà
dans la *Vie dans le Christ*, où cependant Cabasilas ne
recourait pas à la notion de Médiateur et employait pour
l'assimilation individuelle les images qu'il emploie dans
l'*Explication* pour l'assimilation collective[4]. La communion,

1. M. Jugie, *op. cit.*, p. 329, n. 3.

2. *PG* 150, 581-625 ; trad. Broussaleux, p. 97-138.

3. Cette image, chère à Cabasilas, du Christ *cœur* du Corps mystique,
ne justifie aucun rapprochement avec la dévotion occidentale au
Cœur sacré de Jésus. Elle complète uniquement l'image de la tête,
en évoquant la circulation de vie du Christ aux fidèles.

4. Parallèles, entre autres, de la *Vie dans le Christ* : articulation
et fusion, 585 A (trad. Broussaleux, p. 99-100), 601 CD (p. 115) ;

de par sa nature, requerra donc un sujet en vie (en état de grâce, chap. XXXVI, 1), aspirant à la perfection des vertus (chap. XXXVI, 1), altéré du Christ (chap. XLII, 6). La réception indigne n'est qu'un simulacre sacrilège : ce n'est pas le Christ qui s'y donne Lui-même en communion (chap. XLIII, 4-5 ; cf. XXVI, 1).

La communion est indispensable : le fidèle matériellement empêché de la recevoir, peut et *doit* communier de désir (chap. XLII, 10-11). Mieux, et ici Cabasilas sort des chemins battus : la communion s'impose aux justes défunts non encore entrés dans la gloire[1] tout autant qu'aux vivants. Une certaine communion des défunts est possible, elle est nécessaire, elle est plus parfaite. Elle est possible : les conditions d'une bonne communion sont de nature spirituelle, la sanctification a son siège premier dans l'âme, le Prêtre qui donne efficacement la communion est le même (l'ensemble des chap. XLII-XLIII). Elle est, dans l'hypothèse, plus parfaite : les âmes séparées sont avantagées par l'incapacité de pécher (chap. XLV).

La nécessité d'une participation mystérieuse des défunts à la communion apparaît moins évidemment au lecteur, malgré l'assurance de Cabasilas. Après avoir lu la *Vie dans*

« unité d'esprit », 584 D (p. 100), 585 B (p. 102), 592 D (p. 107) ; conformation au Fils, 592 CD (p. 106-107), 600 B (p. 113) ; 616 B (p. 129) ; métabolisme eucharistique, 581 B (p. 95), 584 D (p. 100), 585 A (p. 100), 592 CD (p. 106-107), 593 BC (p. 107-108), etc. ; tête et cœur, 596 D - 597 B (p. 110-111). Les mots de médiation-médiateur, assez fréquents dans l'*Explication* (chap. XXX, 8 ; XXXVII, 6 ; XLII, 2 ; XLIX, 12-14, et surtout XLIII, 7 et XLIV, 1-2), sont absents du livre IV de la *Vie dans le Christ*.

1. L'admission d'un état intermédiaire provisoire pour les justes défunts non consommés en sainteté n'est pas sans rapport avec la doctrine du purgatoire. Mais ici le provisoire s'étend probablement jusqu'au jugement dernier, suivant l'opinion la plus courante dans l'Église orthodoxe à l'époque de Cabasilas ; cf. M. JUGIE, *Theologia dogmatica christianorum orientalium ab ecclesia catholica dissidentium*, t. IV, Paris 1931, p. 96 s.

le Christ, où du reste cette thèse n'était pas abordée, il semble qu'on puisse en rendre compte de la manière suivante. La vie en Christ, dans ses prémices terrestres aussi bien que dans sa plénitude béatifique, implique une véritable continuité organique du fidèle au Christ ressuscité, au Corps glorieux : elle se nourrit de lui sans cesse. Les saints consommés sont assis au banquet sans voiles, aigles rassemblés autour du Corps (chap. XLIII, 6-7)[1]. Ici-bas les chrétiens tirent leur vie, et en même temps les prémices de leur récompense et de leur béatitude, de l'union au même Ressuscité à travers les voiles eucharistiques. Mais les justes défunts, qui ne pèchent plus, qui ont droit à une récompense ? Quel pourrait être leur « repos », imploré au cours de la prière liturgique, sinon dans l'union au Médiateur, qui est l'Eucharistie (chap. XLIII, 6-7). Bref, toute vie divine participée est communion au seul et même Ressuscité ; or il n'est d'autres modes connus ou admis de Cabasilas que le banquet de la béatitude et le banquet secret des justes non accomplis.

Les quatre chapitres de Cabasilas sur le sujet sont autant d'élévations ferventes et substantielles sur la communion vraie et sur ses prolongements eschatologiques. La thèse qui y donne occasion et en forme le fil conducteur n'en est pas moins aventurée et confine à une vue de l'esprit. Aucune autorité patristique n'est invoquée : Cabasilas illustre librement, au moyen de l'Écriture et de l'analyse philosophique, une idée personnelle. Il en vient à négliger le lien intime, si fortement affirmé dans la *Vie dans le Christ*, entre l'institution de l'eucharistie et la condition charnelle tant du Verbe incarné que du chrétien. A cet égard, comment concilier avec sa thèse ce qu'il écrivait naguère : « Si le Christ ne se fût pas fait homme, il n'aurait pu se faire notre repas[2] »

---

1. CABASILAS, *Vie dans le Christ*, *PG* 150, 624 D - 625 A ; trad. Broussaleux, p. 137-138.

2. ID., *ibid.*, col. 593 B ; trad. Broussaleux, p. 108.

et surtout son affirmation que, sans nos rechutes, la réitération de la communion ne s'imposerait pas[1]. L'obsession du caractère spirituel de la communion et de la sainteté ainsi que de la gloire voilée du corps eucharistique entraîne finalement l'auteur, en dépit de ses précautions — « de la manière que Dieu sait » (chap. XLII, 3) — à un dénigrement platonisant du corps et à des outrances plus habiles chez un rhéteur que chez un théologien : il est beaucoup plus extraordinaire qu'un être de chair puisse communier plutôt qu'une âme séparée (chap. XLII, 13) !

Cabasilas : la théologie et l'homme

De l'*editio princeps* de l'*Explication* à nos jours, Nicolas Cabasilas a toujours été tenu en grande considération par les théologiens catholiques[2] : « un des plus solides théologiens de l'Église grecque », a écrit Bossuet, qui résume le jugement commun[3]. La Contre-Réforme l'a imposé comme un porte-parole averti de l'antique tradition, le champion d'un patrimoine commun de croyance et de pratiques : présence réelle, identité du sacrifice de la messe avec celui de le Cène et de la Croix, son efficacité, célébration de messes en l'honneur des saints, existence d'un état transitoire entre

1. ID. *ibid.*, 592 BC, 596 CD ; trad. Broussaleux, p. 106 et 110.

2. Il est impossible de recenser ici toute la bibliographie. Rappelons que l'*Explication de la divine liturgie* fut utilisée lors des délibérations du concile de Trente sur la messe, et relevons les noms de ceux qui en ont assis la réputation : Ant. ARNAULD, *Perpétuité de la foi de l'Église catholique touchant l'Eucharistie*, Paris 1669 ; Anselme PARIS, *La créance de l'Église grecque touchant la transsubstantiation défendue contre la Réponse du ministre Claude à Monsieur Arnauld*, Paris 1673 ; BOSSUET, *Explication de quelques difficultés sur les prières de la messe à un nouveau catholique*, Paris 1689.

3. BOSSUET, *op. cit.*, éd. Garnier (en appendice au traité *De la connaissance de Dieu et de soi-même*), p. 579.

la condition terrestre et la béatitude[1]. Cette admiration est parfois nuancée d'un regret pour la prétendue animosité de Cabasilas à l'égard des Latins[2]. Rarement grief fut plus gratuit. Son livre n'a pas une ligne sur l'usage du pain azyme ni sur le *Filioque*[3]. Dans la querelle de l'épiclèse, l'auteur contrôle un agacement explicable dans les circonstances, et met même hors de cause la liturgie romaine. Si l'on tient à une intolérance, en montre-t-il moins pour les siens, pour Nicolas d'Andida par exemple[4] ? La mention de « grâce » consacrante (chap. XXXIV, 4-6 ; XLVI, 6, 11 ; LI) n'évoque pas forcément une allégeance palamite, et même s'il en était ainsi, elle ne s'enveloppe d'aucune acrimonie pour le camp latin. On a déploré que Cabasilas n'ait pas senti le problème de l'unité de l'Église[5]. En un temps où elle se *négociait*, assortie de clauses politiques et militaires, il l'a servie dignement en se replongeant dans ses sources sacramentelles.

Le lecteur de tradition latine reconnaît en Cabasilas un frère de foi, et s'il est théologien, il ne peut qu'admirer une perception des problèmes majeurs que seule une longue recherche a pu nous rendre banale. L'*Explication* a un autre intérêt que de fournir une base d'accord, un dénominateur commun. Elle témoigne, à un degré au moins égal, d'un accès original au mystère eucharistique, hérité des Pères et souvent vierge de toute conceptualisation. Le lecteur en trouvera aisément des exemples au fil des pages. Au lieu de transsubstantiation, il lira partout conversion. C'est

1. Ce point particulier a été mis en valeur par L. ALLATIUS, *De utriusque ecclesiae occidentalis atque orientalis perpetua in dogmate de purgatorio consensione*, Rome 1655, p. 147-148.

2. Antoine ARNAULD, dans la *Perpétuité* (citée ci-dessus), t. I, col. 467 de la réédition de Migne, 1841.

3. L'allusion aux « hérétiques », à propos du symbole (chap. XXVI, 2) est d'une extrême discrétion.

4. *Explication*, chap. XLIX, 12-14 ; 18-20.

5. M. DE LA TAILLE, *Mysterium fidei*, Paris 1924, p. 8.

le langage antique et nu de la foi : « *Ceci* est mon Corps. »
En accentuant à la limite la part du Christ, qui consacre
et donne lui-même la communion, à la fois dérobé aux sens
et proclamé par l'appareil liturgique, Cabasilas traduit la
même foi qui inspira les artistes du vi[e] siècle qui montrent
le Christ communiant lui-même ses Apôtres[1], et les fres-
quistes du xiiie siècle qui représentent le Christ célébrant la
liturgie avec des anges pour ministres[2].

La troisième Personne de la Trinité occupe dans la
liturgie byzantine une place dont le canon latin ne donne
pas l'idée. Associée à la consécration par l'épiclèse, elle l'est
à la communion par le truchement symbolique de l'eau
chaude versée dans le calice, pour ne retenir que deux
moments typiques. Cet honneur n'est pas arbitraire. Sans
entrer dans les facteurs historiques qui l'ont encouragé
(combat des Pères du ive siècle pour imposer la divinité
du Saint-Esprit contre certains hérétiques), il a ses racines
dans la Révélation. Le Père envoie son Fils, conçu par
l'opération du Saint-Esprit ; le Fils incarné rachète l'humanité et lui promet et envoie le Paraclet. La liturgie réper-
cutera donc logiquement cette répartition des opérations :
la prière eucharistique (canon) est adressée au Père, rappelle
l'œuvre du Fils, notamment l'institution de l'eucharistie,
la passion, la résurrection et l'ascension (anamnèse) et enfin
celle du Saint-Esprit (dans la consécration, sorte de pendant
de l'incarnation, et à la Pentecôte). Le schéma trinitaire
familier aux Orientaux, commandé par le Père principe de
la Divinité commune, favorisait cette élaboration : le Père

---

1. Par exemple, Évangéliaire de Rabula (586) et Patène de Riha
près Antioche (vi[e] siècle) ; reproduction dans L. Bréhier, *L'art
chrétien. Son développement iconographique des origines à nos jours*[3],
Paris 1928, fig. 48 et 49.
2. Charles Diehl, *Manuel d'art byzantin*[2], t. II, Paris 1926, fig. 400
et 401 (fresques de la Péribleptos à Mistra). Étude d'ensemble :
I. D. Stefanescu, *L'illustration des liturgies dans l'art de Byzance et
de l'Orient*, Bruxelles 1936.

envoie le Fils qui lui demande d'envoyer l'Esprit. Bref, la
liturgie projette dans l'ordre de la sanctification le cycle
de la vie trinitaire. Docile à cette perspective, Cabasilas,
sans méconnaître que la sainteté est la propriété et l'œuvre
des trois Personnes, exploite avec ferveur cet aperçu sur
le mystère. L'Esprit est la source de la grâce consacrante et
du sacerdoce (chap. XXVIII, 3) ; il descend sur les communiants (chap. XXXVII, 1) et sur l'Église entière à la
communion (chap. XXXVII, 6) ; enfin il est inséparable ici,
comme dans le cours terrestre de l'œuvre du Christ, du
Médiateur (chap. XXVIII, 3 ; XXXVII, 5).

L'*Explication* n'est pas un exercice de théologien pédant
qui prend du recul par rapport à son objet, c'est l'exercice
spirituel d'un dévot engagé dans cet objet. L'auteur, en
dépit d'une résolution d'impersonnalité, s'y laisse voir dans
sa piété, dans son tempérament, dans ses petits défauts
même. L'analyse éparse des dispositions du fidèle assis-
tant à la messe, la prédilection pour certains thèmes : paix
(chap. XII, 8-10), miséricorde (chap. XIII, 2-6 ; XXVII, 2),
unification des puissances de l'âme (chap. XII, 8) dans la
prosochè (chap. XXVI, 1 ; XLI, 4 ; XXI, 1-4 ; XXII, 4),
qui évoquent toute la signification de la « prière de Jésus »,
révèlent l'idéal d'un hésychasme ancré dans la vie sacramentelle. Les envolées sur la sainteté, fin de la création
(chap. XLIX, 21-24), sur la prééminence de l'action de
grâces (chap. LII, 10) et de la doxologie désintéressée
dégagent un optimisme dans lequel s'accordent l'exigence
austère de la perfection des vertus et la certitude que tout
est donné, qu'il n'est que de le saisir dans les sacrements
(chap. X, 6-10 ; XLIX, 24, etc.). Ce n'est pas l'incan-
descence de la *Vie dans le Christ*, mais la chaleur y est.

Le commentaire de la liturgie, pour un lecteur du
XXe siècle, a quelque chose d'inachevé. Théologien ama-
teur, au bon sens du terme, Cabasilas ne se soucie pas de
marquer la frontière entre la doctrine commune et ses
propres constructions. Dans l'ordre de la composition,

la reprise des mêmes thèmes dans la prière liturgique l'amène à des répétitions qui, il est vrai, sont rarement de pures redites et ont une certaine efficacité pédagogique. Il lui arrive de distribuer malhabilement sa matière entre deux chapitres consécutifs (comparer, par exemple, chap. XLIII et XLIV, L et LI). En revanche, le traitement du thème pour lui-même dénote l'aisance d'un grammairien de formation et l'habileté d'un rhéteur qui aurait seulement renoncé aux vanités de la discipline. Aucun pédantisme en effet, ou peu s'en faut. La phrase est courte. L'image, assez fréquente, est banale, réduite à sa fonction de signification[1]. La notion philosophique, puissance-acte (chap. X, 8-9), naturel-volontaire (chap. XL, 4), le sujet (chap. XXXII, 14), etc., figure comme une catégorie du langage.

Ce que l'exposé y perd en couleur est compensé par la netteté et le nerf. Cabasilas analyse, définit et nomme avec bonheur. Il aime les distinctions fermes qui orientent d'emblée un développement. Ses chapitres abondent en distinctions, surtout binaires, parfois redoublées et répétées (chap. I, 4-6 ; XXX, 4-5 ; XXXIII, 1-3 ; XLII, 2 ; XLIX, 28, etc.). Ses dissertations théologiques montrent une technique de la composition avertie de tous les meilleurs procédés rhétoriques : alternance de l'objection, la réfutation, l'instance (chap. XLVI) ; démonstration de plus en plus pressante, soit en crescendo : possible, nécessaire, meilleur (chap. XLII-XLV), soit en decrescendo du général au particulier (chap. XLIX). Sans forcer beaucoup, ces excursus se laisseraient transcrire à volonté en dialogue, en tableau synoptique ou en questions à la manière de la *Somme théologique*.

Cette habileté ne va pas sans quelques ombres. Pour

---

1. Par exemple, le vêtement (chap. I, 9 ; XVI, 6), le fer et le feu (chap. XXXVIII, 2), le médicament (chap. XLVI, 11), etc. Même prosaïsme dans la *Vie dans le Christ*, avec l'image de la chute des corps (596 C, 624 BC ; trad. Broussaleux, p. 110 et 136).

mieux illustrer le rôle de l'Église d'interpréter le sacrifice muet du Christ, il n'hésitera pas à traduire avec un parfait arbitraire *logikos* « spirituel » par « parlé », sans égard au sens obvie de l'Écriture. La déformation professionnelle du grammairien, rompu à l'analyse logique, lui fera exagérer le caractère récitatif des paroles de l'Institution dans la prière eucharistique. Le goût de persuader du rhéteur, allié peut-être à ce redoutable entêtement de certains doux, l'entraînera, à propos de la communion des âmes séparées, à une surenchère verbale où il finit par dépasser sa pensée. De même dans les conséquences énormes qu'il déduit de la thèse de Nicolas d'Andida (chap. XLIX). Mais faut-il déplorer des traits qui nous rendent l'homme plus familier, l'un d'entre nous ?

Jean GOUILLARD.

IV. — LE TEXTE

Nous devons d'abord exprimer au Révérend R. N. S. Craig notre reconnaissance pour la libéralité avec laquelle il nous a communiqué les travaux préparatoires à son édition, ainsi que pour son obligeance à répondre aux questions que nous lui avons posées. C'est grâce à lui que nous pouvons présenter ici un aperçu sur la tradition manuscrite de l'*Explication*.

La tradition manuscrite

Le texte de l'*Explication* nous est parvenu sous diverses formes qui témoignent de remaniements et de corrections opérés par l'auteur[1]. Si un certain nombre de variantes peuvent être le fait du hasard ou être attribuées à l'initiative des scribes, il n'est pas douteux, comme le montrera la comparaison des divers états du texte, que nous sommes en présence de plusieurs rédactions de l'*Explication*.

---

1. L'existence d'une révision est attestée pour les autres œuvres de Cabasilas. P. Laurent a mis le fait en lumière le premier pour l'*Homélie contre les usuriers* (Ἑλληνικά, IX, 1936) ; la même constatation doit être faite pour les *Lettres*. I. Ševčenko (« Anti-Zealot Discourse », *Dumbarton Oaks Papers* IX, 1960) a fait cette démonstration pour le *Traité contre les Zélotes*. Le traité *Sur l'Ascension* se présente également en deux rédactions. Dans tous ces cas, c'est le *Parisinus 1213* qui est le meilleur témoin de la deuxième rédaction.

L'*editio major* que prépare R. N. S. Craig fournira l'explication détaillée de ce fait. Il nous suffit de signaler l'existence des principaux groupes de manuscrits :

1. — *La rédaction primitive.*

Le *Parisinus 968* (H)[1] est un témoin caractéristique de la famille c qui groupe les manuscrits de la première rédaction. A la même famille appartiennent : *Vatopediou 478, Parisinus 1389, Vaticanus 700, Parisinus 1281, Athonitus 3738 (Dionysiou 204)*, ainsi qu'un certain nombre de manuscrits de moindre importance. Ce groupe représente l'état du texte le plus éloigné de *Parisinus 1213* (P).

2. — *Le texte révisé.*

Il nous a été transmis par deux groupes de manuscrits constituant les familles a et b, parmi lesquels le *Parisinus 1213*, par son ancienneté et sa correction, est le témoin le plus important.

Famille a : *Parisinus 1213* et ses copies *Vindobonensis 262, Coislinianus 315, Vallicellanus 87, Scorialensis y III 15.*

Famille b : *Mosquensis 323, Sinaïticus 1609, Matritensis B.N. 4672, Canonicanus 115.*

3. — *Les textes contaminés.*

L'utilisation simultanée par les scribes d'exemplaires de la rédaction primitive et du texte révisé a provoqué la formation de textes contaminés.

---

1. *Parisinus 968*, xve siècle. L'*Explication*, contenue dans les folios 323-363, est précédée du titre : Κυρ. Νικολάου τοῦ Καβάσιλα ἐξήγησις εἰς τὴν θείαν καὶ ἱερὰν λειτουργίαν. C'est un manuscrit écrit avec soin par un scribe diligent et érudit.

Les deux rédactions

La comparaison des familles a et b d'une part, c d'autre part, fait apparaître l'existence d'une révision, faite par l'auteur lui-même, qui a donné naissance au texte définitif. Voici les principales différences entre les deux rédactions :

1. — Le texte des chapitres I-V, tel que nous les reproduisons, est le texte révisé par Cabasilas. Les manuscrits de la famille c — et parmi eux H — donnent un texte beaucoup plus court : deux paragraphes du chapitre I. Sur le sujet capital de la Prothèse, ces manuscrits n'offrent donc qu'un développement très bref.

S'il est naturel de penser que Cabasilas a voulu, dans une seconde rédaction, regrouper toutes les explications sur la Prothèse, il est par contre inconcevable que l'auteur ait retranché, dans une réédition, ces explications qui constituent en même temps une introduction à l'œuvre tout entière. Cabasilas expose en effet deux points indispensables à l'intelligence de l'action liturgique : d'abord, le fait que les cérémonies du Sanctuaire sont la représentation de la vie du Seigneur et des événements que racontent les Évangiles et qui culminent avec l'Ascension et l'oblation que le Christ fait de lui-même dans les cieux ; toute l'économie de la Rédemption est représentée sur l'autel (chap. I) ; ensuite, le caractère sacrificiel de la Prothèse est mis en lumière au chapitre II : les oblats sont soigneusement préparés, mis à part, dédiés et offerts à Dieu pour être par la suite consacrés. Ce développement des chapitres I-V forme manifestement un tout avec les chapitres XXVII, XXVIII et XXXII qui en sont le couronnement et le terme.

2. — Le chapitre XI (numérotation de Migne) offre une autre différence importante. Dans H et les manuscrits de

4

la famille c, ce chapitre se termine par un bref résumé sur la signification générale de la Liturgie[1]. Cet *Epitome*, comme l'appelle H, a été le noyau autour duquel P a fait ses développements ; il ressemble de très près au § 15 du chapitre I de la présente édition et c'est sur cet *Epitome* contenu dans la rédaction primitive que l'auteur a travaillé ; il est donc normal que ce passage soit omis dans P à la fin du chapitre XI.

3. — Le chapitre XII, tel qu'il est reproduit dans Migne[2], a longtemps posé aux critiques un problème. Le P. Salaville notait[3] que le titre donné à ce chapitre convenait mal ; il ne concerne que la première partie (toute la col. 392 jusqu'à Μετὰ δὲ τὴν δοξολογίαν), où il est question de la doxologie, mais non la seconde partie (chap. XII de notre édition), la plus longue, qui explique la Grande Litanie devant les Portes royales.

Cette impropriété est imputable au manuscrit que Migne, à la suite de Fronton du Duc, a suivi pour l'édition de ce passage ; le texte de H porte en effet le titre : Περὶ τῆς ἐν ἀρχῇ δοξολογίας.

Si nous nous référons à P, nous voyons que celui-ci :

a) Considère le développement sur la doxologie comme une subdivision du chapitre précédent ; il n'a à cet endroit ni coupure ni titre ; il place simplement en marge l'indication du contenu de la subdivision : Περὶ τῆς ἐν ἀρχῇ δοξολογίας.

b) Il fait commencer le nouveau chapitre (XII) avant Μετὰ δὲ τὴν δοξολογίαν εἰσάγει..., à partir du développe-

1. Dans H, f. 327ᵛ, ce chapitre porte le nᵒ θ′ (9). Il a pour titre : Περὶ πάσης τῆς ἱερουργίας ἐν ἐπιτομῇ.
2. *P G* 150, 392.
3. *SC* 4, p. 97, n. 1.

environ 540 leçons s'écartant du texte édité par Fronton du Duc. Toutes les fois que nous avons cru devoir corriger des fautes évidentes de P en nous appuyant sur les autres manuscrits, nous l'avons signalé en note. Les divisions du texte et les titres des chapitres sont ceux de P ; lorsque nous avons jugé utile de marquer *dans la traduction* la progression du développement, nous avons ajouté, entre parenthèses, des titres empruntés aux livres liturgiques.

Pierre PÉRICHON.

TEXTE ET TRADUCTION

ΕΙΣ ΤΗΝ ΘΕΙΑΝ ΛΕΙΤΟΥΡΓΙΑΝ^α

Α'. Τίς ὁ νοῦς τῆς ἱερουργίας ὅλης ὡς ἐν κεφαλαίῳ

369 A   **1.** Τῆς ἁγίας τελετῆς τῶν ἱερῶν μυστηρίων ἔργον μὲν ἡ τῶν δώρων εἰς τὸ θεῖον σῶμα καὶ αἷμα μεταβολή· τέλος δέ, τὸ τοὺς πιστοὺς ἁγιασθῆναι, δι' αὐτῶν ἁμαρτιῶν ἄφεσιν, καὶ βασιλείας οὐρανῶν κληρονομίαν, καὶ τὰ τοιαῦτα λαβόντας. **2.** Παρασκευὴ δὲ καὶ συντέλεια πρὸς ἐκεῖνο τὸ ἔργον καὶ τοῦτο τέλος, εὐχαί, ψαλμῳδίαι, καὶ ἱερῶν Γραφῶν ἀναγνώσεις, καὶ πάντα ἁπλῶς τὰ πρὸ ἁγιασμοῦ τῶν δώρων καὶ μετὰ τὸν ἁγιασμὸν ἱερῶς γινόμενα καὶ λεγόμενα. Εἰ γὰρ καὶ προῖκα δίδωσιν ἡμῖν ὁ Θεὸς πάντα τὰ ἅγια, καὶ οὐδὲν αὐτῶν προεισφέρομεν, ἀλλ' ἀτεχνῶς εἰσι χάριτες, ἀλλὰ τό γε ἐπιτηδείους γενέσθαι πρὸς τὸ δέξασθαι αὐτὰ καὶ φυλάξαι ἐξ ἀνάγκης ἀπαιτεῖ παρ' ἡμῶν· καὶ οὐκ ἂν μεταδοίη τοῦ ἁγιασμοῦ μὴ οὕτω διατεθεῖσιν. Οὕτω βαπτίζει, οὕτω χρίει, οὕτως ἑστιᾷ, καὶ τῆς φρικτῆς μεταδίδωσι τραπέζης.

α. Εἰς τὴν θείαν λειτουργίαν P O W C. Titulum vulgatum a Fronton du Duc et Migne invenitur in *Sinaïticus* 1609. In *Vanianus* 116 legitur : Ἑρμηνεία τῆς θείας ἱερουργίας

---

1. Notons le relief donné, dès cette première phrase, à l'acte essentiel du sacrifice qui est la consécration. Voir aussi le début du chapitre XVI, les chapitres XXVII et XXVIII, et surtout le chapitre XXXII, consacré tout entier à cette question : « Du sacrifice proprement dit, ce sur quoi il porte. »
2. « L'auguste table » : nous traduisons ainsi les mots τῆς φρικτῆς

EXPLICATION DE LA DIVINE LITURGIE

Chapitre premier

Résumé de la signification de l'ensemble du sacrifice

1. Dans la célébration des saints mystères, l'acte essentiel est la transformation des dons offerts qui deviennent le corps et le sang divins ; le but, c'est la sanctification des fidèles, qui par ces mystères reçoivent la rémission de leurs péchés, l'héritage du royaume des cieux et tout ce que cela implique[1].

2. Comme préparation et contribution à cet acte et à ce but : des prières, des psalmodies, des lectures de l'Écriture sainte, en un mot tous les gestes et toutes les formules sacrés qui trouvent place soit avant la consécration des dons, soit après cette consécration. S'il est vrai, en effet, que Dieu nous donne gratuitement toutes les choses saintes, et que nous, nous n'apportons notre contribution pour aucune d'elles, mais que ce sont absolument des grâces de sa part, cependant il exige nécessairement de nous que nous devenions aptes à les recevoir et à les garder ; et il ne ferait point participer à la sanctification ceux qui ne seraient pas disposés de la sorte. C'est ainsi qu'il admet au baptême et à l'onction, c'est ainsi qu'il reçoit au banquet et qu'il fait participer à l'auguste table[2].

τραπέζης, qui littéralement signifient : *la table redoutable.* Le respect de la sainte Eucharistie et l'horreur éprouvée à la seule pensée de profanations sacrilèges inspiraient aux Pères et aux rédacteurs des

3. Καὶ τοῦτο ἐδήλωσεν ἐν τῇ τοῦ σπόρου παραβολῇ.
369 B « Ἐξῆλθε γάρ, φησίν, ὁ σπείρων », οὐχ ἵνα ἀρόσῃ τὴν χώραν, ἀλλ᾽ ἵνα « σπείρῃ », ὡς δὴ τῆς ἀρόσεως καὶ πάσης παρασκευῆς παρ᾽ ἡμῶν ὀφειλομένης εἰσενεχθῆναι.

4. Ἐπεὶ τοίνυν οὕτως ἀναγκαῖον ἦν πρὸς τὴν τάξιν τῶν μυστηρίων τὸ εὖ ἔχοντας ἀπαντῆσαι καὶ παρεσκευασμένους, ἔδει καὶ τοῦτο ἐνεῖναι τῇ συντάξει τῆς ἱερᾶς τελετῆς, καὶ ἔνεστι. Τοῦτο γὰρ δύναται ἡμῖν εὐχαί, ψαλμοί, καὶ εἴ τι ἱερῶς ἐν αὐτῇ γίνεται καὶ λέγεται. Ἁγιάζουσι γὰρ ἡμᾶς καὶ διατιθέασι, τοῦτο μὲν πρὸς τὸ δέξασθαι καλῶς, τοῦτο δὲ πρὸς τὸ συντηρῆσαι τὸν ἁγιασμὸν καὶ μεῖναι κατέχοντας.

5. Ἁγιάζουσι δὲ διχῶς, ἕνα μὲν τρόπον καθ᾽ ὃν ἀπ᾽ αὐτῶν τῶν εὐχῶν ὠφελούμεθα καὶ τῶν ψαλμῶν καὶ τῶν ἀναγνώσεων. Αἱ μὲν γὰρ εὐχαὶ πρὸς τὸν Θεὸν ἐπιστρέφουσι καὶ
369 C ἁμαρτιῶν ἄφεσιν προξενοῦσιν, αἵ τε ψαλμωδίαι ὁμοίως αὐτὸν ἡμῖν ἐξιλεοῦσι καὶ τὴν ἐκεῖθεν ἐπισπῶνται ῥοπήν. « Θῦσον γάρ, φησί, τῷ Θεῷ θυσίαν αἰνέσεως, καὶ ἐξελοῦμαί σε καὶ δοξάσεις με. » Αἱ δὲ τῶν ἱερῶν Γραφῶν ἀναγνώσεις τὴν τοῦ Θεοῦ καταγγέλλουσαι χρηστότητα καὶ φιλανθρωπίαν, καὶ αὖθις τὸ δίκαιον καὶ τὴν κρίσιν, τόν τε αὐτοῦ φόβον εἰς τὰς ψυχὰς ἡμῶν ἐνιᾶσι καὶ τὴν πρὸς αὐτὸν ἀγάπην ἀνάπτουσι καὶ οὕτω πρὸς τὸ τηρεῖν τὰς ἐντολὰς αὐτοῦ πολλὴν ἐμβάλλουσι προθυμίαν. Ταῦτα δὲ πάντα καὶ τῷ ἱερεῖ καὶ τῷ λαῷ καλλίω καὶ θειοτέραν ἐργαζόμενα τὴν ψυχήν, καὶ ἀμφοτέρους μὲν πρὸς τὴν ὑποδοχὴν τῶν τιμίων δώρων καὶ συντήρησιν ἐπιτηδείους ποιοῦσιν, ὅπερ ἐστὶ τῆς ἱερουργίας τὸ τέλος· ἰδίως δὲ τὸν ἱερέα πρὸς τὸ τελέσαι τὴν θυσίαν ἀξίως ἔχειν παρασκευά-
369 D ζουσιν, ὅπερ ἐστὶ τῆς μυσταγωγίας τὸ ἔργον, ὡς εἴρηται. Τοῦτο δὲ αὐτὸ καὶ πολλαχοῦ τῶν εὐχῶν κεῖται καὶ εὔχεται ὁ ἱερεὺς μὴ ἀνάξιος ὀφθῆναι τοῦ προκειμένου, ἀλλὰ καθαραῖς

a. Matth. 13, 3
b. Ps. 49, 14.15

liturgies ces expressions fréquemment employées : « table effrayante, mystères terribles », qui en réalité sont synonymes de : augustes.

3. Ce divin procédé, le Christ l'a exposé dans la parabole des semailles. « Celui qui sème, dit-il, est sorti », non pour labourer la terre, mais « pour semer[a] » : montrant par là que le labour et tout le travail de préparation doivent avoir été préalablement accomplis par nous.

4. Ainsi donc, puisque, pour le bon ordre des divins mystères, il était nécessaire de s'en approcher bien disposés et dûment préparés, il fallait aussi que cette préparation se trouvât dans l'arrangement du rite sacré, et elle s'y trouve en effet. Voilà bien en vérité ce que peuvent réaliser en nous les prières, les psalmodies, ainsi que tous les gestes sacrés et les formules que renferme la liturgie. Cela nous sanctifie et nous dispose soit à bien recevoir, soit à bien conserver la sanctification et à en rester possesseurs.

5. Cela nous sanctifie de deux manières. La première consiste en ce que nous tirons profit de ces prières, de ces psalmodies et de ces lectures. Les prières nous orientent vers Dieu et nous procurent le pardon de nos péchés ; les psalmodies, de même, nous rendent Dieu propice et attirent sur nous le mouvement de miséricorde qui en est la consé-quence. « Offre à Dieu un sacrifice de louange », dit le psalmiste, « et je te délivrerai, et tu me glorifieras[b] ». Quant aux lectures de la sainte Écriture, qui proclament la bonté de Dieu et son amour pour les hommes, mais aussi la rigueur de sa justice, elles inspirent à nos âmes la crainte du Sei-gneur, y allument l'amour envers lui, et par là suscitent en nous une grande ardeur à observer ses commandements. Toutes ces choses, faisant au prêtre et au peuple l'âme meilleure et plus divine, les rendent l'un et l'autre aptes à la réception et à la conservation du don précieux (oblats), ce qui est le but de la liturgie. Mais elles disposent spéciale-ment le prêtre à une digne attitude pour accomplir le sacrifice, ce qui est, comme il a été dit, l'œuvre essentielle de la mystagogie. Or, cela même se trouve en maints endroits des prières : le prêtre supplie qu'il ne soit pas jugé indigne d'un tel objet, mais qu'il puisse vaquer au mystère

χερσὶ καὶ ψυχῇ καὶ γλώττῃ τῷ μυστηρίῳ διακονῆσαι, καὶ
οὕτω μὲν ἀπ᾽ αὐτῆς τῆς δυνάμεως τῶν ῥημάτων, τῶν λεγομένων καὶ ᾀδομένων πρὸς τὴν τελετὴν ὠφελούμεθα.

6. Ἕτερον δὲ τρόπον ἀπὸ τούτων καὶ ἔτι πάντων τῶν
ἐν τῇ ἱερουργίᾳ τελουμένων ἁγιαζόμεθα, καθ᾽ ὃν ἐν αὐτοῖς
ὁρῶμεν τὸν Χριστὸν τυπούμενον καὶ τὰ ὑπὲρ ἡμῶν αὐτοῦ
ἔργα καὶ πάθη· καὶ γὰρ ἐν τοῖς ψαλμοῖς καὶ ταῖς ἀναγνώσεσι
καὶ πᾶσι τοῖς ὑπὸ τοῦ ἱερέως διὰ πάσης τῆς[β] τελετῆς πραττο-
μένοις, ἡ οἰκονομία τοῦ Σωτῆρος σημαίνεται, τὰ μὲν πρῶτα
372 A αὐτῆς, τῶν πρώτων τῆς ἱερουργίας δηλούντων, τῶν δὲ
δευτέρων, τὰ δεύτερα, τῶν δὲ τελευταίων, τὰ μετ᾽ ἐκεῖνα.
Καὶ ἔξεστι τοῖς ταῦτα ὁρῶσι πάντα ἐκεῖνα πρὸ τῶν ὀφθαλμῶν
ἔχειν· ὁ μὲν γὰρ τῶν δώρων ἁγιασμός, αὐτὴ ἡ θυσία, « τὸν
θάνατον αὐτοῦ καταγγέλλει » καὶ τὴν ἀνάστασιν καὶ τὴν
ἀνάληψιν, ὅτι τὰ τίμια ταῦτα δῶρα εἰς αὐτὸ τὸ Κυριακὸν
μεταβάλλει σῶμα, τὸ ταῦτα πάντα δεξάμενον, τὸ σταυρωθέν,
τὸ ἀναστάν, τὸ εἰς τὸν οὐρανὸν ἀνεληλυθός· τὰ δὲ πρὸ τῆς
θυσίας, τὰ πρὸ τοῦ θανάτου, τὴν παρουσίαν, τὴν ἀνάδειξιν,
τὴν τελείαν φανέρωσιν· τὰ δὲ μετὰ τὴν θυσίαν, « τὴν ἐπαγγελίαν τοῦ Πατρός », ὡς αὐτὸς εἶπε, τὴν τοῦ ἁγίου Πνεύματος εἰς τοὺς ἀποστόλους κάθοδον, τὴν τῶν ἐθνῶν δι᾽
372 B ἐκείνων ἐπιστροφήν τε καὶ κοινωνίαν.

β. τῆς om P

c. I Cor. 11, 26
d. Lc 24, 49. Act. 1, 4

1. C'est-à-dire : qui précèdent la consécration.
2. C'est-à-dire : qui viennent après la consécration.
3. « Et leur société », καὶ τὴν κοινωνίαν : mot profond qui fait
penser à l'explication que donne saint Jean (*Jn* 11, 52) : « Jésus devait
mourir pour son peuple ; et non seulement pour son peuple, mais pour
ramener à l'unité les enfants de Dieu qui étaient dispersés. » Ce ras-
semblement des nations, qui est l'œuvre du Saint-Esprit par la prédi-
cation des Apôtres, est aussi l'effet du sacrifice eucharistique et de
la communion. Cette perspective se trouve déjà évoquée par CYRILLE
D'ALEXANDRIE (*In Joan.* XI, 11, *P G* 74, 560) : « ... Même les nations
deviennent concorporelles au Christ, ayant acquis l'unité en lui par

avec des mains, une âme et une langue pures. C'est ainsi que par la vertu même des paroles dites ou chantées nous sommes aidés à la célébration.

6. Il y a encore une autre manière pour nous d'être sanctifiés par ces formules, ainsi que par tous les rites de la liturgie sacrée : elle consiste en ceci, que dans ces formules et ces rites nous voyons la représentation du Christ, des œuvres qu'il a accomplies et des souffrances qu'il a endurées pour nous. En effet, dans les psalmodies et les lectures, comme dans tous les actes du prêtre à travers l'ensemble des rites, c'est toute l'*économie* de l'œuvre du Sauveur qui est signifiée : les premiers rites de la liturgie sacrée représentent les débuts de cette œuvre ; les seconds, la suite ; et les derniers, ce qui en fut la conséquence. C'est ainsi que les spectateurs de ces rites ont la possibilité d'avoir devant les yeux toutes ces divines réalités. La consécration des dons, qui est le sacrifice même, « annonce la mort du Sauveur[c] », sa résurrection et son ascension, puisqu'elle transforme ces dons précieux au propre corps du Seigneur qui a été sujet de tous ces mystères, qui a été crucifié, qui est ressuscité, qui est monté au ciel. Quant aux rites qui précèdent l'acte du sacrifice[1], ils symbolisent les événements antérieurs à la mort du Christ, sa venue sur la terre, sa première apparition, puis sa parfaite manifestation. Les rites qui viennent après l'acte du sacrifice[2] rappellent « la promesse du Père[d] », selon la parole même du Sauveur, c'est-à-dire la descente du Saint-Esprit sur les Apôtres, la conversion des nations opérée par ces derniers et leur société[3].

---

la foi et par l'eulogie mystique. » — C'est une idée analogue que Cabasilas exprime dans le *De vita in Christo*, en se référant à un verset du psalmiste et à un texte de saint Paul : « Quand il chante : *Dieu a régné sur les nations* (*Ps.* 46, 9), David fait allusion à cette royauté grâce à laquelle, dit saint Paul (*Éphés.* 3, 6), *les nations forment un corps avec le Sauveur et sont ses coparticipantes.* » (*PG* 150, 621 A ; traduction Broussaleux, p. 134.)

7. Καὶ ἔστι ἡ πᾶσα μυσταγωγία καθάπερ τις εἰκὼν μία ἑνὸς σώματος τῆς τοῦ Σωτῆρος πολιτείας, πάντα αὐτῆς τὰ μέρη ἀπ' ἀρχῆς ἄχρι τέλους κατὰ τὴν πρὸς ἄλληλα τάξιν καὶ ἁρμονίαν ὑπ' ὄψιν ἄγουσα.

8. Ὅθεν οἱ μὲν ψαλμοὶ ὡς ἂν ἐν προοιμίοις ᾀδόμενοι, καὶ ἔτι πρὸ τούτων, τὰ ἐν τῇ προθέσει τῶν δώρων γινόμενα καὶ λεγόμενα, τὸν πρῶτον καιρὸν τῆς τοῦ Χριστοῦ οἰκονομίας σημαίνουσιν. Τὰ δὲ μετὰ τοὺς ψαλμούς, ἱερῶν Γραφῶν ἀναγνώσεις καὶ τὰ ἄλλα, τὸν ἐφεξῆς.

9. Εἰ γὰρ καὶ ἄλλη τις εἴρηται εἶναι χρεία τῶν ἀναγνώσεων καὶ τῶν ψαλμῳδιῶν, παρειλῆφθαι γὰρ αὐτὰ ἵνα δηλονότι πρὸς ἀρετὴν ἀλείψωσιν ἡμᾶς, ἵνα τὸν Θεὸν ἱλεώσωνται, ἀλλ'
372 C οὐδὲν κωλύει καὶ τοῦτο κἀκεῖνο δύνασθαι, καὶ τὰ αὐτὰ τούς τε πιστοὺς εἰς ἀρετὴν ἐνάγειν, καὶ τὴν τοῦ Χριστοῦ οἰκονομίαν σημαίνειν. Καθάπερ γὰρ τὰ ἱμάτια πληροῦσι μὲν τὴν χρείαν τῆς ἐνδύσεως καὶ καλύπτουσι τὸ σῶμα, τῷδε τοιάδε εἶναι ἢ τοιάδε καὶ ἐπιτηδεύματα ἐνίοτε σημαίνουσι καὶ βίον καὶ ἀξίωμα τῶν περικειμένων· οὕτω γὰρ ἐπὶ τούτων ἔχει. Ὅτι μὲν γὰρ θεῖαι Γραφαὶ καὶ θεόπνευστα ῥήματα καὶ ὕμνους τοῦ [γ] Θεοῦ περιέχουσι καὶ εἰς ἀρετὴν προτρέπονται, τοὺς ἀναγινώσκοντας καὶ ᾄδοντας ἁγιάζουσιν. Ὅτι δὲ τοιαῦτα ἐξελέγησαν καὶ οὕτως ἐτάχθησαν, καὶ τὴν ἄλλην δύναμιν ἔχουσι καὶ ἀρκοῦσι πρὸς σημασίαν τῆς τοῦ Χριστοῦ ἐπιδημίας καὶ πολιτείας. Ἐπεὶ οὐ μόνον τὰ ᾀδόμενα καὶ ἀναγινωσκόμενα, ἀλλὰ καὶ τὰ τελούμενα τοῦτον ἔχει τὸν τρόπον· καὶ γίνεται μὲν ἕκαστον τῆς χρείας ἕνεκα τῆς ἐπισταμένης,
372 D σημαίνει δὲ καί τι τῶν τοῦ Χριστοῦ ἔργων ἢ πράξεων ἢ παθῶν· οἷόν ἐστι ἡ εἰς τὸ θυσιαστήριον εἰσαγωγὴ τοῦ ἁγίου Εὐαγγελίου, ἡ εἰσαγωγὴ τῶν τιμίων δώρων. Γίνεται μὲν γὰρ κατὰ χρείαν ἑκάτερον· ἡ μὲν ἵνα τὸ Εὐαγγέλιον ἀναγνωσθῇ,

γ. τοῦ om P

---

1. Le transfert de l'Évangile à l'autel est le rite habituellement appelé « entrée de l'Évangile » ou « petite entrée »; Cabasilas lui

7. La mystagogie tout entière est comme une représentation unique d'un seul corps, qui est la vie du Sauveur ; elle met sous nos yeux les diverses parties de cette vie, du commencement à la fin, selon leur ordre et leur harmonie.

8. C'est pourquoi les psaumes, quand ils sont chantés au début et même, avant eux, tout ce qui se fait et se dit à la prothèse des dons (préparation des oblats), symbolisent la première période de l'économie du Christ. Ce qui vient après les psaumes : lectures de l'Écriture sainte, et le reste, symbolise la période qui suivit.

9. Même si l'on dit qu'il y a une autre utilité des lectures et des psalmodies — car elles ont été introduites afin de nous disposer à la vertu et afin de nous rendre Dieu propice — cela n'empêche pas que l'un et l'autre soient possibles, que les mêmes rites puissent tout ensemble exciter les fidèles à la vertu et signifier l'économie de l'œuvre du Christ. Les vêtement remplissent leur fonction d'enveloppement et couvrent le corps ; mais, par le fait d'être tels ou tels, ils signifient aussi quelquefois la profession, la condition et la dignité de ceux qui les portent. Il en est de même en cette matière. Parce que les divines Écritures renferment des formules inspirées et des louanges de Dieu, et qu'elles exhortent à la vertu, elles sanctifient ceux qui les lisent ou les chantent. Mais par le choix qui en a été fait et par l'ordre dans lequel elles ont été disposées, elles ont encore une autre efficacité et servent à signifier la venue du Christ et sa vie. Non seulement les chants et les lectures, mais les gestes eux-mêmes ont aussi ce rôle ; chacun se fait à cause de l'utilité présente, mais en même temps symbolise quelque chose des œuvres du Christ, de ses actions ou de ses souffrances. Nous en avons un exemple dans le transfert du saint Évangile à l'autel, puis dans le transfert des oblats[1]. L'un et l'autre ont leur opportunité : le premier

consacrera son chapitre XX. Le transfert des oblats est connu sous le nom de « grande entrée » ; il fera l'objet du chapitre XXIV.

ἡ δὲ ἵνα ἡ θυσία τελεσθῇ. Σημαίνουσι δὲ ἀμφότεραι τὴν τοῦ Σωτῆρος ἀνάδειξιν καὶ φανέρωσιν, ἡ μὲν ἀρχομένου φανεροῦσθαι τὴν ἀμυδρὰν ἔτι καὶ ἀτελῆ, ἡ δὲ τὴν τελεωτάτην καὶ τελευταίαν. Εἰσὶ δὲ καὶ τῶν ἐνταῦθα τελουμένων ἔνια χρείαν μὲν οὐδεμίαν πληροῦντα, σημασίας δέ τινος ἕνεκα μόνον τελούμενα, ὡς ἡ τοῦ ἄρτου κέντησις καὶ ἡ ἐν αὐτῷ γραφὴ τοῦ σταυροῦ· καὶ τὸ αὐτὸν τὸν κεντοῦντα σίδηρον ἐν εἴδει λόγχης εἶναι πεποιημένον, καὶ τὸ τελευταῖον ἡ εἰς τὰ ἅγια ἐμβολὴ τοῦ θερμοῦ ὕδατος.

10. Καὶ ἐν τοῖς ἄλλοις δὲ μυστηρίοις πολλὰ τοιαῦτα ἂν
373 A εὕροις, ὥσπερ ἐν τῷ βαπτίσματι τοὺς βαπτίζεσθαι μέλλοντας ὑπολύεσθαι δεῖ καὶ ἀποδύεσθαι καὶ εἰς τὰς δυσμὰς βλέποντας τὰς χεῖρας ἀποτείνειν καὶ ἐμφυσᾶν. Ἀλλὰ ταῦτα μὲν ἐκεῖ τὸ τοῦ πονηροῦ διδάσκουσι μῖσος ὅσον ἐν ἡμῖν εἶναι δεῖ, καὶ ὅπως ἀνάγκη αὐτὸν ἐκτρέπεσθαι τὸν μέλλοντα Χριστιανὸν ἀληθινὸν εἶναι· καὶ εἴ τι ἄλλο τοιοῦτον ἐν τοῖς μυστηρίοις, ἄλλην ἂν ἔχοι σημασίαν.

11. Τὰ δὲ ἐν τῇ τελετῇ[δ] τῶν δώρων γινόμενα εἰς τὴν τοῦ Σωτῆρος οἰκονομίαν ἀναφέρεται πάντα, ἵνα ἡμῖν ἡ αὐτῆς θεωρία πρὸ τῶν ὀφθαλμῶν οὖσα τὰς ψυχὰς ἁγιάζῃ καὶ οὕτως ἐπιτήδειοι γινώμεθα πρὸς τὴν ὑποδοχὴν τῶν ἱερῶν δώρων. Καθάπερ γὰρ γενομένη τότε τὴν οἰκουμένην ἀνέστησεν, οὕτως ἀεὶ θεωρουμένη καλλίω τοῖς θεωροῦσιν αὐτὴν καὶ θειωτέραν ἐργάζεται τὴν ψυχήν· μᾶλλον δὲ οὐδὲ τότε ἂν
373 B ὠφέλησεν οὐδὲν μὴ[ε] θεωρηθεῖσα, μὴ πιστευθεῖσα. Καὶ

δ. τελετῇ : τελευτῇ P ‖ ε. μὴ : καὶ P

---

1. Ce rite, dit du *Zéon*, est spécial à la liturgie byzantine. Cabasilas lui consacre son chapitre XXXVII ; il y voit le symbole du Saint-Esprit et de la Pentecôte.

2. Se défaire de la chaussure et des habits avait évidemment une utilité pratique. Regarder l'Occident, étendre les mains, souffler contre le démon, étaient des gestes symboliques du renoncement à Satan. Sur les anciens rites du Baptême, voir CHARDON, *Histoire des sacrements* (Paris 1745), éd. Migne, « Theologiae cursus completus », Paris 1840, t. XX, col. 59-62 ; P. DE PUNIET, art. *Baptême* du *DACL*,

afin qu'on lise l'Évangile et le second afin qu'on accomplisse le sacrifice. Tous deux signifient l'apparition et la manifestation du Sauveur : d'abord, la manifestation encore obscure et imparfaite, au début de sa vie ; ensuite la parfaite et suprême manifestation. Il y a même certains rites qui ne répondent à aucune utilité pratique ; ils ne sont accomplis qu'en raison d'un symbolisme : tel, le fait de percer le pain et d'y tracer le dessin d'une croix, ou encore le fait que l'objet de métal qui opère cette perforation a la forme d'une lance ; de même aussi le fait de verser, vers la fin, un peu d'eau chaude dans le (vin) consacré[1].

10. Même dans les autres sacrements, on trouverait bien des choses de ce genre. Ainsi, au baptême, les candidats doivent se défaire de leurs chaussures et de leurs habits ; les yeux tournés vers l'Occident, ils doivent étendre les mains et souffler[2]. Or, ces rites ont pour but de nous enseigner quelle haine nous devons avoir du démon, et comment celui-ci doit être chassé par quiconque veut être un véritable chrétien. Et s'il y a d'autres rites de ce genre dans les sacrements, ils ont quelque signification analogue.

11. Pour ce qui est des rites accomplis dans la liturgie des oblats, ils ont tous rapport à l'économie de l'œuvre du Sauveur. Leur but est de mettre sous nos yeux le spectacle de cette divine économie, afin de sanctifier nos âmes et, par là, de nous rendre aptes à recevoir ces dons sacrés. De même qu'au temps de sa réalisation, cette œuvre releva le monde, de même, perpétuellement contemplée, elle fait à ses spectateurs l'âme meilleure et plus divine. Bien plus : même alors, elle n'aurait été d'aucune utilité, si elle n'avait été objet de contemplation et de foi. Voilà pourquoi elle

t. II, 1907, col. 262-275. Dans le *De vita in Christo*, au début du livre II, Cabasilas parle plus explicitement du symbolisme des rites baptismaux, *P G* 150, 529-533 ; trad. Broussaleux, p. 50-53. A la fin du chapitre IV de l'*Expositio liturgiae*, il s'arrêtera un instant au symbolisme spécial de la triple immersion.

τούτου χάριν ἐκηρύχθη καὶ πρὸς τὸ πιστευθῆναι μυρία ὁ
Θεὸς ἐμηχανήσατο· ὡς οὐ δυναμένην τὰ ἑαυτῆς ποιεῖν καὶ
σῴζειν ἀνθρώπους, εἰ γενομένη τοὺς σῴζεσθαι μέλλοντας
ὑπ' αὐτῆς ἐλάνθανεν. Ἀλλὰ τότε μὲν κηρυττομένη τὴν περὶ
Χριστὸν αἰδῶ καὶ τὴν πίστιν καὶ τὴν ἀγάπην ἐν ταῖς τῶν
ἀγνωμόνων^ζ ψυχαῖς μὴ οὔσας ἐδημιούργει· νῦν δὲ ὑπὸ τῶν
ἤδη πεπιστευκότων φιλοπόνως θεωρουμένη τὰ μακάρια
ταῦτα πάθη οὐκ ἐντίθησι μὲν αὐτοῖς, ἐγκείμενα δὲ συντηρεῖ
καὶ ἀνακαινίζει καὶ αὔξει· καὶ βεβαιοτέρους μὲν περὶ τὴν
πίστιν, θερμοτέρους δὲ περὶ τὴν εὐλάβειαν καὶ τὴν ἀγάπην
αὐτοὺς ἐργάζεται. Ἃ γὰρ μὴ ὄντα γενέσθαι ἐποίησε, ταῦτα
373 C πολλῷ ῥᾷον φυλάξαι καὶ συντηρῆσαι καὶ ἀνανεῶσαι δύναιτ' ἄν·
ἀλλὰ ταῦτά ἐστι μεθ' ὧν ἀνάγκη προσιέναι τοῖς ἱεροῖς, καὶ ὧν
χωρὶς καὶ τὸ βλέπειν ἐκεῖ παντελῶς ἀνόσιον, εὐλάβεια,
πίστις, ἀγάπη πρὸς τὸν Θεὸν πολὺ τὸ θερμὸν ἔχουσα.

12. Διὰ τοῦτο ἐχρῆν τὴν ταῦτα ἡμῖν ἐνθεῖναι δυναμένην
θεωρίαν ἐν τῇ συντάξει τῆς ἱερουργίας σημαίνεσθαι, ἵνα μὴ
τῷ νῷ λογιζώμεθα μόνον, ἀλλὰ καὶ βλέπωμεν τοῖς ὀφθαλμοῖς
τρόπον δή τινα τὴν πολλὴν τοῦ πλουσίου πενίαν, τὴν ἐπιδη-
μίαν τοῦ πάντα τόπον κατέχοντος, τὰ ὀνείδη τοῦ εὐλογημένου,
τὰ πάθη τοῦ ἀπαθοῦς, ὅσον μισηθείς, ὅσον ἠγάπησεν· ἡλίκος
ὤν, ὅσον ἐταπείνωσεν ἑαυτόν· καὶ τί παθὼν καὶ τί δράσας,
ταύτην ἡτοίμασεν ἐνώπιον ἡμῶν τὴν τράπεζαν· καὶ οὕτω
θαυμάσαντες τὴν καινότητα τῆς σωτηρίας, ἐκπλαγέντες τὸ
373 D πλῆθος τῶν οἰκτιρμῶν, αἰδεσθῶμεν τὸν οὕτως ἐλεήσαντα, τὸν
οὕτω σώσαντα καὶ πιστεύσωμεν αὐτῷ τὰς ψυχάς, καὶ παραθώμεθα τὴν ζωήν, καὶ φλέξωμεν τὰς καρδίας τῷ πυρὶ τῆς

ζ. ἀγνωμόνων : εὐγνωμόνων P

---

1. Cabasilas, qui a l'esprit tout rempli des très riches formules liturgiques, emprunte ici une des expressions de la grande *synapté* ou litanie
diaconale, expression à laquelle il consacrera d'ailleurs tout son chapitre XIV : « Confions-nous nous-mêmes, et les uns les autres, et toute
notre vie au Christ notre Dieu. » Voir le commentaire de cette formule

a été prêchée ; voilà pourquoi Dieu, en vue d'y faire adhérer la foi, a eu recours à mille moyens. Elle ne pouvait remplir son rôle et sauver l'homme si, une fois accomplie, elle était restée ignorée de ceux qui devaient être sauvés par elle. Mais, prêchée au début, elle a créé dans les âmes ignorantes la vénération pour le Christ, la foi et l'amour auparavant inexistants. Aujourd'hui, contemplée avec ferveur par ceux qui ont déjà la foi, sans doute n'introduit-elle pas en eux ces nobles affections ; mais, une fois existantes, elle les conserve, les renouvelle et les accroît ; elle rend les fidèles plus fermes dans la foi, plus fervents pour le respect et pour l'amour. Ces dispositions, qu'elle a fait naître alors qu'elles n'existaient pas, combien ne lui est-il pas plus facile de les garder, de les maintenir et de les renouveler ! Or, ce sont ces dispositions avec lesquelles il faut s'approcher des saints mystères, et sans lesquelles il serait tout à fait impie de jeter sur eux même un simple regard : respect, foi et amour plein de ferveur pour Dieu.

12. Voilà pourquoi il fallait qu'une telle contemplation, capable de nous inculquer ces affections, fût signifiée dans l'ordonnances de la liturgie sacrée. Il fallait que nous ne considérions pas seulement par la pensée, mais encore que nous voyions en quelque manière de nos yeux l'extrême pauvreté du Riche par excellence, la venue ici-bas de Celui qui habite en tous lieux, les opprobres du (Dieu) béni, les souffrances de l'Impassible ; de quelle haine il a été l'objet et combien il a aimé, jusqu'où s'est humilié l'infiniment grand, quelles souffrances il a endurées, quelles actions il a accomplies pour préparer cette table devant nous. En admirant ainsi la nouveauté de l'œuvre du salut, émerveillés par l'abondance de la miséricorde, nous sommes portés à vénérer Celui qui à ce point nous a pris en pitié, Celui qui nous a sauvés à ce prix, à lui confier nos âmes, à lui remettre notre vie, à enflammer nos cœurs au feu de son amour[1].

dans S. SALAVILLE, *Liturgies orientales*, II. *La Messe*, Paris 1942, p. 60.

ἀγάπης αὐτοῦ· καὶ τοιοῦτοι γενόμενοι, τῷ πυρὶ τῶν μυστηρίων ὁμιλήσωμεν ἀσφαλῶς καὶ οἰκείως.

13. Οὐ γὰρ ἀρκεῖ πρὸς τὸ τοιούτους γενέσθαι τότε τὸ μαθεῖν ποτε τὰ Χριστοῦ καὶ εἰδότας εἶναι· ἀλλ' ἀνάγκη καὶ τηνικαῦτα τὸν ὀφθαλμὸν τῆς διανοίας ἔχειν ἐκεῖ καὶ θεωρεῖν αὐτά, ἐνεργείᾳ πάντα λογισμὸν ἕτερον ἐκβαλόντας, εἴ γε μέλλοιμεν πρὸς τὸν ἁγιασμὸν ἐκεῖνον ἐπιτηδείαν ἥνπερ[η] ἔφην ἐργάσασθαι τὴν ψυχήν. Εἰ γὰρ τὸν μὲν λόγον ἔχομεν τῆς εὐσεβείας, ὥστ' ἐρωτηθέντες αὐτὸν ὑγιῶς ἂν ἀποκριθῆναι, ἐπειδὰν δὲ μυεῖσθαι δέῃ, μὴ θεωρῶμεν ἅπαντα καλῶς, ἀλλὰ
376 A τὸν νοῦν ἄλλοις προσέχωμεν, οὐδὲν ἡμῖν ὄφελος τῆς γνώσεώς ἐστιν ἐκείνης· οὐ γὰρ δύναταί τι τῶν εἰρημένων ἡμῖν ἐνθεῖναι παθῶν. Πρὸς γὰρ τοὺς τότε κατέχοντας λογισμοὺς διατιθέμεθα, καὶ τοιαῦτα πάθη πάσχομεν οἷα δρᾶν ἐκεῖνοι δύνανται.

14. Τούτου χάριν ὁ τοιοῦτος ἐπενοήθη τύπος, τοῦτο μὲν οὐ λόγοις μόνον σημαίνων, ἀλλὰ καὶ ὑπ' ὄψιν ἄγων ἅπαντα, τοῦτο δὲ διὰ πάσης τῆς ἱερουργίας φαινόμενος, ἵν'[θ] ἐκείνῳ μὲν εἰς τὰς ψυχὰς εὐκολώτερον δράσῃ, καὶ οὐ θεωρία ψιλὴ μόνον, ἀλλὰ καὶ πάθος ἡμῖν ἐντεθῇ, ὡς ἂν τῆς φαντασίας διὰ τῶν ὀφθαλμῶν ἐναργέστερον ἡμῖν τυπουμένης· ἐκείνῳ δὲ μὴ δῷ τῇ λήθῃ χώραν, μηδ' ἐάσῃ πρὸς ἄλλο τι τρέψαι τὸν λογισμόν, ἕως ἐπ' αὐτὴν ἀγάγοι τὴν τράπεζαν, καὶ οὕτω γέμοντες τῶν ἐννοιῶν τούτων, καὶ τὴν μνήμην ἀκμάζουσαν ἔχοντες, τῶν
376 B ἱερῶν μεταλάβωμεν μυστηρίων, ἁγιασμὸν ἐπεισάγοντες ἁγιασμῷ, τῷ τῶν θεωριῶν τὸν τῆς τελετῆς, καὶ « μεταμορφούμενοι ἀπὸ δόξης εἰς δόξαν » τὴν ἁπασῶν μεγίστην ἀπὸ τῆς ἐλάττονος.

η. ἥνπερ : ᾗπερ P ‖ θ. ἵν' : ὡσὰν P

e. II Cor. 3, 18

1. Nous avons ici une accommodation d'une expression paulinienne (II *Cor.* 3, 18), que la Vulgate traduit : « transformamur a claritate in claritatem ». La phrase complète de saint Paul, de sens assez différent, peut être ainsi rendue en français : « Pour nous tous, le visage découvert, nous contemplons la gloire de Dieu comme en un miroir,

Ainsi disposés, nous pouvons en toute assurance et simplicité nous approcher du brasier des augustes mystères.

13. De fait, pour se mettre maintenant dans de telles dispositions, il ne suffit pas d'avoir une fois appris les choses du Christ et d'en garder connaissance ; il faut aussi, présentement encore, avoir le regard de la pensée fixé sur ces vérités et les contempler, en nous efforçant de bannir toute idée étrangère, si vraiment nous voulons, en vue de cette sanctification, nous faire l'aptitude d'âme que j'ai dite. Si en effet nous tenons compte des exigences de la piété, de manière à pouvoir bien répondre à qui nous poserait la question, et si au moment de la célébration des mystères nous ne considérons pas avec soin toutes choses, si nous attachons notre esprit à d'autres objets, il ne nous revient aucun profit de pareille connaissance : elle ne peut rien nous inculquer des susdites affections. Car nos dispositions correspondent aux pensées qui nous occupent en ce moment, et les sentiments que nous éprouvons sont ceux que de telles pensées sont en mesure de produire en nous.

14. Voici pourquoi a été imaginé le symbolisme dont j'ai parlé, qui ne se borne pas à signifier tout cela par des paroles, mais le met entièrement sous nos yeux, et cela visiblement à travers tout le cours de la liturgie : c'est, d'une part, pour agir plus facilement sur nos âmes, ne pas nous offrir une simple vision, mais encore déposer en nous un sentiment, car une représentation visuelle peut produire en nous une impression plus profonde. Et c'est, d'autre part, pour ne point donner prise à l'oubli, et pour ne pas laisser la pensée se tourner vers un autre objet jusqu'au moment où nous sommes conduits à la table sacrée. Remplis alors de ces pensées et ayant la mémoire en toute sa vigueur, nous participons aux divins mystères, ajoutant de la sorte sanctification à sanctification, celle du rite à celle des contemplations, « transformés de clarté en clarté[e] », c'est-à-dire de la clarté inférieure à celle qui est la plus grande de toutes[1].

15. Καὶ οὗτος μὲν ὁ νοῦς τῆς ὅλης ἱερουργίας ὡς ἐν κεφαλαίῳ· ἑξῆς δὲ ἄνωθεν αὐτὴν θεωρητέον, ὡς οἷόν τε, κατὰ μέρος. Πρῶτον μὲν τὰς προτελείους εὐχάς, καὶ ἱερολογίας, καὶ ᾠδὰς ἱεράς, καὶ ἀναγνώσεις, ἔπειτα τὸ ἔργον αὐτὸ τὸ ἱερόν, αὐτὴν τὴν θυσίαν· μετὰ δὲ τοῦτο τὸν ἁγιασμόν, ὃν δι' αὐτῆς ἁγιάζονται Χριστιανῶν ψυχαὶ καὶ ζώντων καὶ τεθνηκότων· ἔτι δὲ τὰς ἐπὶ τούτοις τοῦ λαοῦ καὶ τοῦ ἱερέως πρὸς θεὸν ᾠδὰς καὶ εὐχάς, εἴ τι τούτων ἐπισκέψεως καὶ θεωρίας δεῖταί τινος. Πρὸ δὲ πάντων καὶ ἐν πᾶσιν τὴν 376 C διὰ πάσης τῆς τελετῆς φαινομένην τοῦ Σωτῆρος οἰκονομίαν· τί τῶν ἐκείνης διὰ τίνος τῶν ἐν τῇ ἱερουργίᾳ τελουμένων σημαίνεται.

Β'. Διὰ τί μὴ ἐξ ἀρχῆς ἐν τῷ θυσιαστηρίῳ[α]
τίθεται τὰ τίμια δῶρα

1. Ἀρχὴ δὲ ἡμῖν ἔστω τῶν ἐν τῇ προθέσει τελουμένων καὶ λεγομένων ἡ θεωρία, καὶ τούτων αὐτῆς τῆς προσαγωγῆς καὶ τῆς δωροφορίας.

2. Διὰ τί γὰρ οὐκ εὐθὺς εἰς τὸ θυσιαστήριον ἄγεται καὶ 376 D θύεται, ἀλλὰ πρῶτον ὡς δῶρον ἀνατίθεται τῷ Θεῷ;

3. Ὅτι προσήγοντο μὲν αἱ θυσίαι τῷ Θεῷ παρὰ τῶν παλαιῶν, ζώων ἀλόγων σφαγαὶ καὶ αἵματα· προσήγοντο δὲ καὶ δῶρα, ὥσπερ τὰ χρυσᾶ σκεύη ἢ ἀργυρᾶ.

4. Τὸ δὲ σῶμα τοῦ Χριστοῦ καὶ ἀμφότερα φαίνεται ἔχον. Καὶ γὰρ θυσία μὲν γέγονεν ὕστερον ὅτε ἐσφάγη ὑπὲρ τῆς

α. ἐξ ἀρχῆς transp post θυσιαστηρίῳ P

transformés que nous sommes, comme par l'Esprit du Seigneur, en cette même image de plus en plus resplendissante. » On notera comment Cabasilas justifie ainsi le symbolisme des prières et des cérémonies de la messe et même la multiplicité des rites.

1. Sur l'histoire des rites de l'offrande, cf. J. A. JUNGMANN, *Missarum Solemnia, Explication génétique de la Messe Romaine*, t. II, Paris 1952, p. 271-298.

15. Telle est, en résumé, la signification de l'ensemble de la liturgie. Il va falloir maintenant la considérer depuis le début, autant que possible, dans le détail. D'abord, les prières préparatoires, les formules saintes et les chants sacrés, les lectures ; ensuite, l'action sacrée par excellence, le sacrifice proprement dit ; après cela, la sanctification dont bénéficient, par le moyen du sacrifice, les âmes des chrétiens, tant des vivants que des défunts. Les chants et les prières adressés à Dieu dans ce cadre par le peuple et par le prêtre seront aussi à considérer, dans la mesure où cela requiert examen et considération. Mais avant tout et en tout, l'économie de l'œuvre du Sauveur, représentée à travers l'ensemble des rites : lequel des aspects de cette divine économie est signifié par tel ou tel des rites de la liturgie.

(LA PROTHÈSE)

Chapitre II[1]

Pourquoi les oblats ne sont-ils pas tout de suite[a] placés sur l'autel ?

1. Commençons par considérer les rites et les formules de la prothèse, ceux de la présentation même et de l'oblation.

2. Pourquoi les éléments ne sont-ils pas tout de suite portés à l'autel et offerts en sacrifice ? Pourquoi sont-ils tout d'abord dédiés à Dieu comme un don ?

3. C'est parce que dans l'ancienne Loi on offrait à Dieu plusieurs sortes de sacrifices : des immolations et le sang d'animaux sans raison, et on lui offrait aussi des présents, tels les vases d'or ou d'argent.

4. Or, le corps du Christ réalise manifestement l'une et l'autre de ces offrandes. En effet, il est devenu victime sur la fin de sa vie mortelle, lorsqu'il fut immolé pour la gloire

δόξης τοῦ Πατρός. Ἀνέκειτο δὲ ἐξ ἀρχῆς τῷ Θεῷ, καὶ δῶρον ἦν αὐτῷ τίμιον, καὶ ὡς προσληφθὲν ὡς ἀπαρχὴ τοῦ γένους ἡμῶν καὶ διὰ τὸν νόμον, ὅτι πρωτότοκος ἦν.

5. Τούτου χάριν τὰ προσαγόμενα δι' ὧν τὸ σῶμα ἐκεῖνο σημαίνεται, οὐκ εὐθὺς εἰς τὸ θυσιαστήριον ἄγεται καὶ θύεται· ἀλλὰ τοῦτο μὲν ὕστερον, πρότερον δὲ ἀνατίθεται, καὶ δῶρα τίμια τῷ Θεῷ καὶ γίνεται καὶ καλεῖται.

6. Οὕτως ὁ Χριστὸς ἐποίησεν. Ὅτε γὰρ ἄρτον καὶ οἶνον 377 A ταῖς χερσὶ λαβὼν ἀνεδείκνυ τῷ Θεῷ καὶ Πατρί, ὡς δῶρα ταῦτα προσάγων, καὶ ἀνατίθεις ἀνεδείκνυ. Καὶ πόθεν δῆλον; Ἐξ ὧν ἡ Ἐκκλησία τοῦτο ποιεῖ, καὶ δῶρα ταῦτα καλεῖ. Οὐ γὰρ ἂν ἐποίει, εἰ μὴ τὸν Χριστὸν ἔγνω τοῦτο ποιήσαντα. Ἤκουσε γὰρ αὐτοῦ κελεύσαντος· « Τοῦτο ποιεῖτε εἰς τὴν ἐμὴν ἀνάμνησιν »· καὶ οὐκ ἂν ἀνομοίως αὐτὸν ἐμιμήσατο.

Γ'. Ὅτι τὰ δῶρα ταῦτα τῷ Θεῷ ἀνατίθεται,
ὡς ἀπαρχαὶ ζωῆς ἀνθρωπίνης

1. Ἀλλὰ τί τὸ σχῆμα τῶν δώρων;

2. Καρπῶν ἀπαρχὰς οἱ παλαιοὶ προσῆγον, ἢ ποιμνίων, ἢ βουκολίων, ἢ ἄλλων κτήσεων. Ἡμεῖς δὲ ὡς ἀπαρχὰς τῆς 377 B ἡμετέρας ζωῆς τῷ Θεῷ ἀφιεροῦμεν ταῦτα τὰ δῶρα τροφὴν ἀνθρωπίνην ὄντα, δι' ἧς ἡ σωματικὴ ζωὴ συνέστηκε· καὶ οὐ συνέστηκε μόνον διὰ τῆς τροφῆς ἡ ζωή, ἀλλὰ καὶ σημαίνεται δι' αὐτῆς. « Συνεφάγομεν γὰρ καὶ συνεπίομεν αὐτῷ μετὰ τὴν ἀνάστασιν », περὶ τοῦ Χριστοῦ οἱ ἀπόστολοι ἔλεγον, ἵνα δείξωσιν ὅτι ζῶντα αὐτὸν εἶδον. Καὶ ὁ Κύριος ὃν ἀνέστησε νεκρὸν τούτῳ δοῦναι φαγεῖν ἐκέλευσεν ἵνα τῇ τροφῇ τὴν

II. a. Lc 22, 19. I Cor. 11, 24.25

III. a. Act. 10, 41

1. Discours de saint Pierre à Césarée.

du Père. Mais il était dédié à Dieu dès le début, il était pour Lui une offrande précieuse soit parce qu'il avait été pris comme prémices du genre humain, soit aussi en raison de la Loi, puisqu'il était premier-né.

5. Voilà pourquoi les oblats, qui signifient le corps du Christ, ne sont pas tout de suite portés à l'autel et offerts en sacrifice. Cela viendra plus tard. Ils sont d'abord dédiés, ce sont des présents précieux faits à Dieu, et ils sont désignés sous ce nom.

6. C'est ainsi d'ailleurs qu'en agit le Christ, lorsque ayant pris dans ses mains du pain et du vin, il les dédia à Dieu son Père : il les présentait comme des dons et par cette offrande il les dédiait. Et comment le savons-nous ? Parce que l'Église accomplit cela, et par le fait qu'elle les appelle « dons ». Car elle n'agirait pas ainsi, si elle ne savait pas que le Christ l'a fait. Elle l'a entendu donner ce commandement : « Faites ceci en mémoire de moi[a] », et elle ne l'aurait pas imité si elle avait agi différemment.

CHAPITRE III

**Que les oblats sont offerts à Dieu
comme prémices de la vie humaine**

1. Mais pourquoi la forme adoptée pour les oblats ?

2. Les anciens présentaient les prémices de leurs fruits, de leurs troupeaux de brebis ou de bœufs, ou encore d'autres biens. Pour nous, nous consacrons à Dieu comme prémices de notre vie ces dons, qui sont l'aliment humain destiné à soutenir la vie corporelle ; ou plutôt, la vie n'est pas seulement soutenue par la nourriture, elle est aussi signifiée par elle. Les Apôtres disaient du Christ : « Nous avons mangé et bu avec lui après sa résurrection[a1] », pour montrer qu'ils l'avaient bien vu vivant. Et le Seigneur lui-même commanda que l'on donnât à manger au défunt qu'il venait

ζωὴν ἀποδείξῃ. Ὥστε οὐδὲν ἀπεικὸς τὸν ἀπαρχόμενον τῆς τροφῆς δοκεῖν αὐτῆς ἀπάρχεσθαι τῆς ζωῆς.

3. Ἀλλ' ἴσως εἴποι τις ἂν ὅτι καὶ πάντα σχεδὸν τὰ παρὰ τῶν παλαιῶν τῷ Θεῷ προσαγόμενα τρέφειν δύναται τὸν ἄνθρωπον· καρποὶ γὰρ ἦσαν ἐφ' οἷς οἱ γεωργοὶ πονοῦσι, καὶ ζῷα τῶν ἐδωδίμων. Τί οὖν; Πάντα ἐκεῖνα τῆς ἀνθρωπίνης 377 C ἦσαν ἀπαρχαί;

4. Οὐδαμῶς· οὐδὲν γὰρ ἐκείνων ἰδίως ἀνθρωπίνη τροφή· κοινὴ γὰρ καὶ τῶν ἄλλων ζῴων· τὰ μὲν πτηνῶν καὶ ποοφάγων, τὰ δὲ σαρκοφάγων θηρίων. Ἀνθρώπινον γὰρ ἐκεῖνο λέγομεν τὸ μόνῳ διαφέρον ἀνθρώπῳ· τὸ δὲ κατασκευῆς ἄρτου δεηθῆναι ὥστε φαγεῖν, καὶ μηχανήσασθαι οἶνον ὥστε πιεῖν, ἀνθρώπου μόνον ἴδιον.

5. Καὶ τὸ μὲν εἶδος τῆς δωροφορίας ταύτης τοιοῦτον.

Δ'. Διὰ τί εἰκὸς ἦν ἀπαρχὰς ἀνθρωπίνης ζωῆς εἶναι τὰ δῶρα ταῦτα

1. Τί δὲ τὸ αἴτιον καὶ τίς ὁ λόγος καθ' ὃν ἐχρῆν ἡμᾶς ἀπαρχὰς ζωῆς τῷ Θεῷ τὰ δῶρα ταῦτα προσάγειν;

377 D 2. Ὅτι ζωὴν ἡμῖν ὁ Θεὸς ἀντιδίδωσι τούτων τῶν δώρων· καὶ ἦν εἰκὸς τῇ ἀντιδώσει τὴν δόσιν[a] μὴ παντελῶς ἀπᾴδειν,

α. τὴν δόσιν : τῇ δόσει P

---

1. Allusion à la résurrection de la fille de Jaïre, *Lc* 8, 55. Cabasilas semble faire confusion avec la résurrection du jeune homme de Naïn (*Lc* 7, 15) puisqu'il emploie le masculin : « au mort qu'il avait ressuscité » ; mais à Naïn, l'Évangile ne fait pas mention de nourriture.

2. Cette ingénieuse présentation de la *matière* eucharistique comme « prémices de la vie humaine » est à rapprocher des considérations de S. Thomas d'Aquin, *Somme théologique*, IIIe Partie, quest. 74, art. 1 : « Le pain et le vin sont la matière de ce sacrement, et cela est très convenable : 1° pour l'usage de ce sacrement, qui consiste dans la manducation. De même, en effet, qu'on se sert d'eau dans le sacrement de Baptême pour l'ablution spirituelle, parce qu'on emploie communément l'eau pour laver les corps, on prend pareillement, pour la manducation spirituelle qui se fait par ce sacrement, le pain et le

de ressusciter[1], afin de prouver la vie par la nourriture. Il est donc assez naturel de considérer celui qui prend de la nourriture comme prenant les prémices de la vie elle-même.

3. Mais, dira-t-on peut-être, presque tout ce qui était offert à Dieu par les anciens pouvait servir d'aliment à l'homme : c'était des fruits, pour lesquels peinent les agriculteurs, et des animaux comestibles. Quoi donc alors ? Toutes ces oblations étaient-elles des prémices de la vie humaine ?

4. Nullement : car rien de tout cela n'est proprement l'aliment humain, mais bien une nourriture commune à tous les animaux, les fruits étant spécialement celle des volatiles et des herbivores, la chair celle des carnivores. Nous appelons humain ce qui convient à l'homme seul : or, avoir besoin de confectionner du pain pour manger et de fabriquer du vin pour boire, c'est le propre de l'homme seulement.

5. Telle est la raison de cette forme d'oblation[2].

CHAPITRE IV

Pourquoi il convenait que ces oblats fussent les prémices de la vie humaine

1. Quel est le motif et quelle est la raison pour lesquels il nous fallait présenter à Dieu ces oblats en prémices de la vie humaine ?

2. C'est qu'en échange de ces dons Dieu nous donne la vie. Or, il convenait que ce qu'on offrait ne fût pas complè-

vin dont l'homme use le plus ordinairement pour sa réfection... » BOSSUET, *Explic. de quelques difficultés...* (éd. « Classiques Garnier », p. 593-594, n° 36), touche de plus près à la même idée que Cabasilas : « ... L'ancienne cérémonie, où chacun portait lui-même son oblation, c'est-à-dire son pain et son vin, pour être offerts à l'autel, confirme cette vérité. Car... offrir à Dieu le pain et le vin, *dont notre vie est soutenue,* c'est la lui offrir elle-même comme chose qu'on tient de lui et qu'on lui veut rendre... »

ἀλλ' ἔχειν τι συγγενές· καὶ ζωῆς οὔσης ἐκείνης, ζωὴν καὶ αὐτὴν εἶναι τρόπον τινά, καὶ μάλισθ' ὅτι ὁ αὐτός ἐστι καὶ τῆς δόσεως νομοθέτης καὶ ἀντιδόσεως χορηγός, ὁ δικαίως κρίνων « καὶ πάντα ζυγῷ τιθεὶς καὶ σταθμῷ ». Αὐτὸς ἐκέλευσεν ἄρτον καὶ οἶνον προσάγειν, αὐτὸς ἀντιδίδωσι τούτων ἄρτον ζῶντα καὶ ποτήριον ζωῆς αἰωνίου. Ὅθεν καθάπερ τοῖς ἀποστόλοις ἀλείαν ἀντέδωκεν ἀλείας, τῆς τῶν ἰχθύων τὴν τῶν ἀνθρώπων, καὶ τῷ ἐπερωτήσαντι πλουσίῳ περὶ τῆς βασιλείας, ἀντὶ πλούτου γηΐνου τὸν οὐράνιον ἐπηγγείλατο πλοῦτον· οὕτως ἀνάπαλιν ἐνταῦθα, οἷς ζωὴν αἰώνιον ἔμελλε δώσειν — λέγω δὴ τὸ ζωοποιὸν αὐτοῦ σῶμα καὶ αἷμα —, 380 A τούτους προεισφέρειν ἐκέλευσεν ἐπικήρου ζωῆς ἀφορμάς· ἵνα ζωῆς ἀντιλάβωμεν ζωήν, τῆς προσκαίρου τὴν αἰωνίαν, καὶ ἡ χάρις ἀμοιβὴ δόξῃ, καὶ ὁ ἀμέτρητος ἔλεος ἔχῃ τι καὶ δικαιοσύνης, καὶ τὸ λόγιον ἐκεῖνο πληρωθῇ· « Θήσω τὴν ἐλεημοσύνην μου εἰς σταθμούς. »

3. Καὶ οὐκ ἐπὶ τοῦ μυστηρίου τούτου μόνον, ἀλλὰ καὶ ἐπὶ τοῦ βαπτίσματος τοῦτο[β] γίνεται· καὶ ζωὴν ἀλλαττόμεθα ζωῆς καὶ τὴν μὲν προδίδομεν[γ], τὴν δὲ ἀντ' ἐκείνης λαμβάνομεν. Ἀλλ' ἡ μὲν προδοσία τῆς ζωῆς ὁ θάνατος ἐν εἰκόνι τινὶ καὶ γραφῇ, ἡ δ' ἀναβίωσις ζωή ἐστιν ἀληθής. Ἐπεὶ γὰρ ἀποθανὼν ὁ Σωτὴρ καὶ ἀναστάς, τῆς νέας αὐτοῦ ζωῆς καὶ

β. τοῦτο om P ‖ γ. προδίδομεν : προδιδόαμεν P

a. Cf. Is. 28, 17 ; 40, 12. Sag. 11, 20.21
b. Cf. Jér. 9, 24. Sag. 11, 20-24

1. La comparaison avec le Baptême ne va porter que sur le symbolisme de la triple immersion, signifiant elle aussi un « échange » de vie entre l'homme et Dieu. Dans le rite byzantin, l'usage des premiers siècles s'est conservé de conférer le baptême par immersion. Le texte de l'Apôtre est connu, *Rom.* 6, 3-4 : « Ne savez-vous pas que nous tous qui avons été baptisés en Jésus-Christ, c'est en sa mort que nous avons été baptisés ? Nous avons donc été ensevelis avec lui par le baptême en sa mort, afin que, comme le Christ est ressuscité des morts par la gloire du Père, nous aussi nous marchions dans une vie nou-

tement sans rapport avec ce qu'on recevait en échange, mais qu'il y eût quelque affinité. Ce qu'on recevait étant la vie, l'oblation devait en quelque manière être vie également, d'autant plus que c'est le même qui est le législateur de l'oblation et le dispensateur du don qui répond à cette oblation, à savoir le juste Juge « qui soumet toutes choses au poids et à la mesure[a] ». C'est lui qui a ordonné de présenter du pain et du vin ; c'est lui qui, en échange de ces offrandes, nous donne un pain vivant et un calice de vie éternelle. De même qu'il donna aux Apôtres pêche pour pêche, de pêcheurs de poissons les faisant pêcheurs d'hommes ; de même qu'au riche qui l'interrogeait au sujet du Royaume, en échange de la richesse terrestre il promit la richesse céleste ; de même ici, à ceux à qui il devait donner la vie éternelle — je veux dire son corps et son sang vivifiant —, à eux, à leur tour, il a ordonné d'offrir des aliments de la vie périssable ; afin que nous recevions vie pour vie, l'éternelle pour la temporelle ; que la grâce paraisse un échange, que l'infinie miséricorde ait quelque apparence de justice, et que soit accomplie cette parole : « Je mettrai ma miséricorde dans la balance[b]. »

3. Il en est ainsi non seulement dans ce sacrement, mais aussi au Baptême[1]. Nous y échangeons vie pour vie ; nous donnons l'une, et à sa place nous recevons l'autre. Mais le don de notre vie n'est une mort qu'en figure et en mots, tandis que notre régénération est une vie véritable. Le Sauveur, qui est mort et ressuscité, ayant voulu nous faire

velle. » Cf. aussi *Col.* 2, 12. Cabasilas, qui, au livre II de son *De vita in Christo*, *PG* 150, 532 B, est amené à insister davantage sur le sens profond de ce rite, s'exprime en ces termes : « L'eau baptismale détruit, en effet, une vie et en produit une autre ; elle immerge le vieil homme et fait émerger l'homme nouveau... Disparaître dans les eaux par l'immersion, c'est, semble-t-il, se soustraire à la vie de l'atmosphère ; or, se soustraire à la vie, c'est mourir. Remonter aussitôt à la surface et reparaître à la lumière, c'est rechercher la vie, et en vivre dès qu'on l'a obtenue. » *La vie en Jésus-Christ*, trad. Broussaleux, p. 53.

ἡμῖν ἠθέλησε μεταδοῦναι, ἐκέλευσέ τι τοῦ μεγάλου τούτου δώρου καὶ ἡμᾶς προεισφέρειν αὐτῷ. Καὶ τί τοῦτο; Τὸ 380 B μιμεῖσθαι τὸν αὐτοῦ θάνατον. Καὶ τίνα τρόπον; Ἐν ὕδατι τὸ σῶμα κρύψαντας καθάπερ ἐν τάφῳ, καὶ τοῦτο τρὶς ἐπιδειξαμένους· ὡς ἤδη τοῦ θανάτου καὶ τῆς ταφῆς λαβὼν κοινωνοὺς τῆς καινῆς αὐτοῦ ζωῆς ἀξιοῖ.

4. Καὶ ταῦτα μὲν οὕτω.

Ε'. Διὰ τί δὲ μὴ ὁλόκληρος ἀνατίθεται ἄρτος, ἀλλὰ τμῆμα

1. Κἀκεῖνο δὲ ἐπισημήνασθαι χρή, τί δή ποτε μὴ τοὺς προσενεχθέντας ἄρτους ἁπλῶς, ἀλλ' ὃν αὐτὸς ὁ ἱερεὺς αὐτῶν ἀποτέμνει, τοῦτον καὶ δῶρον ποιεῖται καὶ ἀνατίθησι τῷ Θεῷ, καὶ εἰς τὸ θυσιαστήριον εἰσάγων ἱερουργεῖ.

2. Καὶ τοῦτο τῆς Χριστοῦ προσαγωγῆς ἴδιον· τὰ γὰρ ἄλλα δῶρα, οἱ κεκτημένοι μὲν τῶν ὁμογενῶν ἀφώριζον, καὶ εἰς τὸν 380 C ναὸν ἦγον, καὶ ταῖς χερσὶν ἐνετίθεσαν τῶν ἱερέων· οἱ δὲ ἱερεῖς ἐδέχοντο καὶ ἀνετίθεσαν ἢ ἔθυον, ἢ ὅ τι ἔδει χρήσασθαι τῶν προσενεχθέντων ἑκάστῳ.

3. Τὸ δὲ Κυριακὸν σῶμα ὑπὸ τοῦ αὐτοῦ ἱερέως καὶ ἀφωρίσθη τῶν ὁμογενῶν, καὶ προσηνέχθη καὶ ἀνελήφθη καὶ ἀνετέθη Θεῷ καὶ τελευταῖον ἐτύθη. Αὐτὸς μὲν γὰρ ἐξεῖλεν ἑαυτῷ τοῦ ἡμετέρου φυράματος ὁ τοῦ Θεοῦ υἱὸς ἀφελών· αὐτὸς δὲ τῷ Θεῷ δῶρον ἔδωκεν, ἐν τοῖς κόλποις αὐτὸ θεὶς τοῦ Πατρός, ὡς ἂν τῶν κόλπων ἐκείνων αὐτὸς μηδέ ποτε χωρισθείς, ἀλλ' ἐκεῖ καὶ τοῦτο κτίσας καὶ περιθέμενος, ὥστε

---

1. Retenons cette idée d'échange de dons entre l'homme et Dieu, que nous retrouverons plusieurs fois plus loin comme un des éléments principaux de la notion de sacrifice. Elle entre aussi pour une part, comme il ressort de l'alinéa précédent, dans la notion de sacrement en général. L'homme offre une matière ; Dieu donne la grâce, la vie divine.

participer nous aussi à sa vie nouvelle, a ordonné que nous lui présentions nous-mêmes quelque chose de ce grand don. Et quoi donc ? L'imitation de sa mort. Et de quelle manière ? En ensevelissant notre corps dans l'eau comme en un tombeau, et en le faisant reparaître trois fois : pour signifier qu'après avoir accepté de nous faire participer à sa mort et à sa sépulture, le Christ daigne nous admettre à la participation de sa nouvelle vie[1].

4. Voilà ce qu'il en est.

Chapitre V

Pourquoi ce n'est pas un pain entier qui est offert, mais seulement un fragment

1. Autre explication à donner : pourquoi n'est-ce pas l'ensemble des pains présentés (par les fidèles), mais seulement celui d'entre eux que le prêtre détache et entaille, qui devient « oblat », qui est offert à Dieu et qui sera ensuite porté à l'autel pour la liturgie.

2. C'est encore ici une particularité de l'oblation du Christ. Pour les autres dons, les possesseurs de ces biens les séparaient des objets de même nature, les portaient au temple et les déposaient entre les mains des prêtres. Les prêtres, eux, les recevaient, les offraient et les sacrifiaient ou faisaient de chacune de ces offrandes ce qu'il convenait.

3. Mais le corps du Seigneur a été, par le Christ lui-même, en tant que prêtre, séparé des autres corps : il a été présenté, proposé et offert à Dieu, et finalement sacrifié. C'est le Fils de Dieu en personne qui s'est lui-même choisi ce corps et l'a pris dans la masse que nous formons ; c'est lui-même qui s'est donné en don à Dieu, il a mis lui-même cette offrande dans le sein du Père, lui qui, sans s'être jamais séparé de ce sein du Père, y a créé ce corps et s'en est revêtu, en sorte que ce corps a été dans le même instant formé et

ἅμα τε πλασθῆναι καὶ δεδομένον Θεῷ εἶναι. Τελευταῖον δὲ
380 D καὶ ἐπὶ τὸν σταυρὸν αὐτὸς ἤγαγε καὶ ἔθυσε.

4. Διὰ τοῦτο τὸν μέλλοντα ἄρτον εἰς ἐκεῖνο μεταβάλλειν
τὸ σῶμα, ὁ αὐτὸς ἱερεὺς καὶ ἀποκόπτει τῶν ὁμοφυῶν καὶ
ἀνατίθησι τῷ Θεῷ θεὶς ἐν τῷ ἱερῷ πίνακι καὶ μετὰ ταῦτα εἰς
τὸ θυσιαστήριον ἄγων θύει.

Ϛ΄. Διὰ τί ἐν τῷ ἄρτῳ τυποῖ ὁ ἱερεὺς τὸ τοῦ Χριστοῦ πάθος

1. Ὁ μὲν οὖν ἀποτμηθεὶς ἄρτος, ἕως ἐν τῇ προθέσει
κεῖται, ἄρτος ἐστὶ ψιλός· τοῦτο μόνον λαβὼν τὸ ἀνατεθῆναι
Θεῷ, καὶ γενέσθαι δῶρον, ὅτε καὶ σημαίνει τὸν Χριστὸν κατὰ
τὴν ἡλικίαν ἐκείνην ἐξ ἧς ἐγένετο δῶρον. Ἐγένετο δὲ ἐξ αὐτῆς
γεννήσεως καθάπερ ἔμπροσθεν εἴρηται, ὅτι καὶ κατὰ τὴν
γέννησιν δῶρον ἦν, κατὰ τὸν νόμον, ἐπεὶ[α] πρωτότοκος ἦν.

381 A 2. Ὅτι δὲ τὰ ὕστερον γενόμενα ἐν ἐκείνῳ τῷ σώματι πάθη
διὰ τὴν σωτηρίαν ἡμῶν, ὁ σταυρὸς καὶ ὁ θάνατος, προδιετυ-
πώθη πρότερον τοῖς ἀρχαίοις, τούτου χάριν καὶ ὁ ἱερεὺς
ἐνταῦθα πρὶν ἀγάγειν εἰς τὸ θυσιαστήριον τὸν ἄρτον καὶ θῦσαι,
τοὺς τύπους ἐκείνους πειρᾶται δεικνύναι πρότερον ἐν αὐτῷ.
Καὶ τίνα τρόπον; Ἐν ὅσῳ αὐτὸν ἀπὸ τῶν ὁλοκλήρων ἄρτων
ἀφαιρούμενος ποιεῖται δῶρον, τὸ τοῦ Χριστοῦ πάθος καὶ τὸν
θάνατον ἐν αὐτῷ γράφει, καθάπερ ἐν πίνακι· καὶ πάντα ὅσα
ποιεῖ, τὰ μὲν κατὰ χρείαν, τὰ δὲ ἐπίτηδες εἰς τὴν σημασίαν
ταύτην βιάζεται· καὶ ἔστι τὰ γινόμενα[β] τηνικαῦτα τῶν
σωτηρίων παθῶν καὶ τοῦ θανάτου πρακτικὴ διήγησις.

α. ἐπεὶ : ὅτι P ‖ β. γινόμενα : γενόμενα P

---

1. Les chapitres VI-XI portent sur la partie spéciale de *préparation*,
appelée « Proskomidie » ou « Prothèse », qui est très développée dans
la liturgie byzantine, et dont le dernier état remonte précisément
à peu près aux xiii⁰ et xiv⁰ siècles, c'est-à-dire à l'époque de Cabasilas.
En dépit des particularités liturgiques qui lui servent de thème, les

donné à Dieu. Enfin, c'est lui-même qui a mené ce corps
à la croix et qui l'a immolé.

4. Voilà pourquoi le pain qui doit être transformé en ce
Corps, c'est le prêtre lui-même qui le détache des autres
et qui l'offre à Dieu en le plaçant sur la patène sacrée ; puis,
il le porte à l'autel et l'offre en sacrifice.

Chapitre VI[1]

Pourquoi le prêtre trace sur le pain
les symboles de la passion du Christ

1. Ce pain ainsi détaché, tant qu'il reste à la *prothèse*,
n'est que du pain. Il a seulement reçu cette qualité d'avoir
été offert à Dieu et d'être devenu *oblat*, puisqu'il signifie le
Christ à cette première période de sa vie mortelle où il
devint oblation. Or, il le devint dès sa génération même,
comme il a déjà été dit : car dans sa génération même il fut
oblation, conformément à la Loi, en tant que premier-né.

2. Mais les souffrances que le Christ endura plus tard
dans son corps pour notre salut, sa croix et sa mort avaient
été figurées d'avance dans l'ancienne Loi. Voilà pourquoi,
avant d'apporter le pain à l'autel et de l'y offrir en sacrifice,
le prêtre s'attache à marquer d'abord sur lui ces divers
symboles. Comment s'y prend-il ? En même temps qu'il le
sépare de l'ensemble des pains et le fait *oblat*, il grave sur
lui comme sur une tablette les symboles de la passion et de
la mort du Sauveur. Tous les actes qu'il accomplit, les uns
commandés par la nécessité pratique, les autres dans un
dessein délibéré de symbolisme, sont soumis à cette signification ; tout ce qui se fait alors est comme un récit en
action des souffrances et de la mort, causes de notre salut.

explications de Cabasilas nous fournissent des enseignements que nous
n'avons pas de peine à appliquer à la messe latine.

3. Τοῦτο δὲ ἀρχαῖον ἔθος ἦν καὶ πρακτικῶς ἐνίοτε καὶ
381 B διηγοῦντο καὶ παρήνουν καὶ προεφήτευον. Καὶ γὰρ ὁ προφήτης, δηλῶσαι βουλόμενος τὴν τῶν Ἑβραίων αἰχμαλωσίαν,
ἔδησεν ἑαυτόν. Καὶ "Αγαυος ὕστερον τὸ αὐτὸ ἐποίησε,
σημαίνων τὰ τοῦ Παύλου δεσμά. Καὶ πατέρα τινά φασι τῶν
θεοφόρων ἐρωτηθέντα τί ἐστι μοναχός, ἀποκριθῆναι μὲν
οὐδέν, τὸ δὲ ἱμάτιον περιδυθέντα καταπατῆσαι.

4. Καὶ αὐτὸν δὲ τοῦ Κυρίου τὸν θάνατον καὶ τὴν ὅλην
οἰκονομίαν οἱ παλαιοὶ οὐ λόγοις μόνον ἀλλὰ καὶ ἔργοις καὶ
αὐτοὶ ἐμήνυον, καὶ παρὰ τοῦ Θεοῦ ἐμάνθανον, οἷον ἦν ἡ
τεμνομένη ῥάβδῳ θάλασσα, καὶ ἡ θάλλουσα ἐν τῇ φλογὶ
βάτος, καὶ ὁ ἐπὶ τὴν σφαγὴν ὑπὸ τοῦ πατρὸς ἀγόμενος Ἰσαάκ,
καὶ τὰ ἄλλα δι' ὧν ἐσημαίνετο τὸ μυστήριον ἐξ ἀρχῆς.

5. Καὶ ὁ ἱερεὺς ταῦτα φαίνεται ποιῶν, ἃ περὶ τῆς θυσίας
381 C οἶδεν ἐκείνης, καὶ λόγοις διηγούμενος, καὶ ἐπὶ τῶν ἔργων
δεικνύς, ὡς δυνατὸν ἐν τοιαύτῃ ὕλῃ τοιαῦτα δεικνύναι, μόνον
οὐ λέγων· Οὕτως ἐπὶ τὸ πάθος ἦλθεν ὁ Κύριος, οὕτως ἀπέθανε,
οὕτως ἐκεντήθη τὴν πλευράν, οὕτως ἀπὸ τῆς κεντηθείσης
πλευρᾶς τὸ αἷμα καὶ τὸ ὕδωρ ἐξεχύθη τότε ἐκεῖνο.

6. Καὶ ταῦτα ποιεῖ ἵνα δείξῃ, καθάπερ εἶπον, ὡς τῆς
ἀληθείας ταύτης καὶ τῶν πραγμάτων τύποι καὶ γραφαί τινες
ἡγήσαντο πρότερον, καὶ προεσήμαινον τοῖς ἀνθρώποις· ὥσπερ
αὐτὸς πρὶν εἰς τὸ θυσιαστήριον ἀγαγεῖν τὸν ἄρτον καὶ θῦσαι,
τὰ τῆς θυσίας ἐν αὐτῷ γράφει· ἔπειτα δηλῶν ὡς ὁ ἄρτος
οὗτος εἰς ἐκεῖνον ἐπείγεται μεταβληθῆναι τὸν ἀληθινὸν ἄρτον,
τὸν ἐσταυρωμένον, τὸν τεθυμένον. Παρὰ πάντα δὲ ταῦτα,
381 D ἐπεὶ « τὸν θάνατον τοῦ Κυρίου δεῖ καταγγέλλειν », ἵνα

a. Éz. 3, 25 ; 4, 8   d. Ex. 3, 2.3
b. Act. 21, 10   e. Gen. 22
c. Ex. 14, 16-22   f. I Cor. 11, 26

---

1. Le qualificatif de *théophores* (= « porte-Dieu ») est donné, en
Orient, aux saints moines, spécialement aux grands patriarches de
la vie monastique : Antoine, Euthyme, Sabas, Onuphre, Athanase
de l'Athos ; c'est précisément cette série qui est mentionnée avec ce
qualificatif dans la cérémonie dite « des parcelles », une des plus

3. C'était un usage antique de raconter parfois ou d'exhorter ou de prophétiser ainsi en action. Le prophète, voulant annoncer la captivité des Hébreux, se lia lui-même[a]. Plus tard Agabus en fit autant pour signifier l'emprisonnement de Paul[b]. On raconte qu'un ancien parmi les Pères théophores[1], auquel on demandait ce qu'était un moine, ne répondit rien, mais, ayant ôté son manteau, il le foula aux pieds.

4. Pour ce qui concerne la mort du Seigneur et l'ensemble de son œuvre, les anciens prophètes l'annonçaient eux-mêmes non seulement par des paroles, mais aussi par des actions, et c'est de cette manière que Dieu leur en donnait connaissance. Ainsi, la mer partagée en deux par le bâton (de Moïse)[c], le buisson verdoyant au milieu des flammes[d], Isaac conduit par son père à l'immolation[e], et tant d'autres figures qui dès les débuts signifiaient le grand mystère.

5. Ainsi voit-on faire le prêtre : il exprime en paroles ou représente par des actes ce qu'il connaît de l'auguste sacrifice, autant qu'il est possible de montrer de tels mystères d'une façon aussi matérielle. Voilà, semble-t-il dire, comment le Seigneur vint à sa Passion, comment il mourut, comment il eut le côté transpercé, comment de ce côté ouvert jaillirent alors le sang et cette eau.

6. Le but de ces rites, c'est d'abord de montrer, comme je l'ai dit, que ces divines réalités ont été précédées et signifiées d'avance aux hommes par des figures et des mots, de même que le prêtre, avant d'apporter le pain à l'autel et de l'offrir en sacrifice, trace sur ce pain les symboles du sacrifice. C'est, ensuite, de montrer que ce pain est comme pressé de se faire transformer au Pain véritable qui est le Christ crucifié et immolé. C'est, en outre — puisqu'il nous faut « annoncer la mort du Seigneur[f] » —, de n'omettre

caractéristiques de la *proskomidie* actuelle. — Quant à l'action symbolique du vieux moine, il est facile de le comprendre, elle voulait signifier que la vie religieuse est une vie de renoncement à soi-même.

μηδένα τρόπον ἀγγελίας καὶ διηγήσεως παραλίποι, πρὸς ὃν μυρίων ἔδει στομάτων ἡμῖν, καὶ λογικῶς αὐτὸν διηγεῖται καὶ πρακτικῶς.

Ζ΄. Τί ἐστι ἡ τοῦ Κυρίου ἀνάμνησις

1. Καὶ πρῶτον ἄρτου λαβόμενος, ἀφ᾽ οὗ δεῖ τὸν ἱερὸν ἀποκόπτειν ἄρτον· « Εἰς ἀνάμνησιν, φησί, τοῦ Κυρίου καὶ Θεοῦ καὶ Σωτῆρος ἡμῶν Ἰησοῦ Χριστοῦ », κατὰ τὴν ἐκείνου παραγγελίαν. « Τοῦτο γάρ, φησί, ποιεῖτε εἰς τὴν ἐμὴν ἀνάμνησιν. »

2. Καὶ οὐ περὶ τοῦ ἄρτου ἐκείνου τοῦτο λέγει μόνον, ἀλλὰ καὶ ᵃ περὶ πάσης τῆς τελετῆς, ὡς ἂν ἐν τελευτῇ τῆς ἱερουργίας ᵝ ἀρχόμενος. Ἐπεὶ καὶ ὁ Κύριος μετὰ τὸ τελέσαι τὸ μυστήριον 384 A ἅπαν, τοῦτον ἐπήγαγε τὸν λόγον· « Τοῦτο ποιεῖτε εἰς τὴν ἐμὴν ἀνάμνησιν. »

3. Ἀλλὰ τίς ἡ ἀνάμνησις αὕτη, πῶς ἐν τῇ τελετῇ μεμνησόμεθα τοῦ Κυρίου, τί ποιοῦντος καὶ πῶς ἔχοντος; Λέγω δὲ τίνα περὶ αὐτοῦ ἀναλογιζόμενοι, τί διηγούμενοι; Ἆρα ὅτι νεκροὺς ἀνέστησε, καὶ τυφλοῖς ἔδωκε βλέπειν, καὶ ἀνέμοις ἐπετίμησε, καὶ ἐξ ὀλίγων ἄρτων εἰς κόρον ἔθρεψε χιλιάδας, ἃ Θεὸν αὐτὸν ἀπέδειξε καὶ πάντα δυνάμενον; Οὐδαμῶς· ἀλλὰ μᾶλλον τὰ δοκοῦντα σημαίνειν ἀσθένειαν, τὸν σταυρόν, τὸ πάθος, τὸν θάνατον, ἐν τούτοις ἡμᾶς τὴν ἀνάμνησιν αὐτοῦ ποιεῖσθαι ἐκέλευσε. Καὶ πόθεν δῆλον; Οὕτως ἐνόησε Παῦλος, ὁ τὰ ἐκείνου καλῶς εἰδώς.

α. καὶ om P ‖ β. ἐν τελευτῇ τῆς ἱερουργίας : ἐντεῦθεν τῆς ἱερουργίας P

a. Lc 22, 19. I Cor. 11, 24-25

1. Formule liturgique de l'office de la Prothèse ; le prêtre prononce ces paroles en prenant la *prosphora* ou le pain d'offrande

aucune espèce d'annonce et de récit, en une chose où des milliers de bouches ne sauraient suffire : le prêtre l'exprime de son mieux en paroles et en actes.

Chapitre VII

Qu'est-ce que la commémoration du Seigneur

1. Et d'abord, saisissant le pain dont il doit détacher le pain sacré, le prêtre prononce cette formule : « En mémoire de notre Seigneur, Dieu et Sauveur Jésus-Christ[1] », selon son commandement. « Faites ceci en mémoire de moi[a] », a-t-il dit en effet.

2. Ce n'est pas seulement à propos de ce pain que le prêtre prononce cette formule, mais à propos de tout l'ensemble des rites, comme pour commencer la liturgie de la façon dont il la terminera. De fait, c'est après avoir intégralement accompli le mystère que le Seigneur ajouta cette parole : « Faites ceci en mémoire de moi. »

3. Mais quelle est cette commémoration ? Comment, dans la liturgie, ferons-nous mémoire du Seigneur, de quelles actions, de quels états (du Christ) ? En d'autres termes, qu'aurons-nous à rappeler de lui ou à rapporter de sa vie ? Allons-nous dire qu'il ressuscita des morts, qu'il donna la vue à des aveugles, qu'il commanda aux vents, que de quelques pains il rassasia des multitudes — miracles qui ont montré qu'il est Dieu et qu'il peut tout ? Nullement. Il s'agit bien plutôt des faits qui semblent ne signifier que la faiblesse : la croix, la passion, la mort ; voilà ce en quoi il nous a ordonné de faire mémoire de lui. Et comment le savons-nous ? C'est ainsi que l'a compris Paul, parfait connaisseur des choses du Christ.

---

d'où sont ensuite détachés l'*agneau* et les parcelles destinés à être consacrés.

4. Γράφων γὰρ Κορινθίοις περὶ τοῦ μυστηρίου, καὶ
384 B διηγησάμενος ὅτι ὁ Κύριος εἶπε· « Τοῦτο ποιεῖτε εἰς τὴν
ἐμὴν ἀνάμνησιν », ἐπήγαγεν· « Ὁσάκις γὰρ ἐσθίετε τὸν
ἄρτον τοῦτον, καὶ τὸ ποτήριον τοῦτο πίνετε, τὸν θάνατον
αὐτοῦ καταγγέλλετε. » Τοῦτο καὶ αὐτὸς ὁ Κύριος ἐνέφηνεν
ἐν τῇ παραδόσει τοῦ μυστηρίου. Εἰπὼν γάρ· « Τοῦτό ἐστι τὸ
σῶμά μου, τοῦτο τὸ αἷμά μου », οὐ θαύματα αὐτοῖς προ-
σέθηκε, εἰπὼν τὸ νεκροὺς ἀναστῆσαι, τὸ λεπροὺς καθαρίσαν.
Ἀλλὰ τί; Τὸ πάθος μόνον καὶ τὸν θάνατον, « τὸ ὑπὲρ ὑμῶν
κλώμενον, τὸ ὑπὲρ ὑμῶν ἐκχυνόμενον ».

5. Καὶ τίς ὁ λόγος, ὅτι μὴ τῶν θαυμάτων ἀλλὰ τῶν παθῶν
μέμνηται; Ὅτι ταῦτα ἐκείνων ἀναγκαιότερα· τοσοῦτον ὅσον
τὰ μὲν ποιητικὰ τῆς σωτηρίας ἡμῶν εἰσι, καὶ χωρὶς τούτων
οὐκ ἦν ἀναστῆναι τὸν ἄνθρωπον, τὰ πάθη λέγω· ἐκεῖνα δὲ
384 C ἀποδεικτικὰ μόνον. Ἐγένοντο γὰρ τὰ θαύματα ἵνα πιστευθῇ
ὁ Κύριος ὡς αὐτὸς ἀληθῶς ἐστιν ὁ Σωτήρ.

Η'. Περὶ τῶν ἐν τῷ ἄρτῳ τελουμένων

1. Ἐπεὶ τοίνυν τὸν τρόπον τοῦτον δεῖ ποιεῖσθαι τοῦ
Κυρίου τὴν ἀνάμνησιν, διὰ τοῦτο εἰπὼν ὁ ἱερεύς· « εἰς
ἀνάμνησιν τοῦ Κυρίου », ἐπάγει τὰ δηλοῦντα τὸν σταυρὸν
καὶ τὸν θάνατον. Τὸν γὰρ ἄρτον ἀποκόπτων, τὴν περὶ τοῦ
σωτηρίου πάθους ἐπιλέγει τῶν παλαιῶν προφητείαν· « Ὡς
πρόβατον ἐπὶ σφαγὴν ἤχθη » καὶ τὰ ἑξῆς, καὶ ῥήματι καὶ

b. I Cor. 11, 26
c. Lc 22, 19.20. I Cor. 11, 24.25

a. Is. 53, 7.8. Cf. Act. 8, 32

1. Le texte scripturaire suivi par Cabasilas comporte les mots
« qui est rompu », particuliers à certains manuscrits.
2. Dans ce chapitre, Cabasilas réagit contre une interprétation de
la liturgie, mise en vogue surtout par Nicolas ou Théodore d'Andida.
Selon cette théorie, les rites liturgiques représenteraient tous les
actes terrestres du Christ. Cabasilas combat, non sans raison, un tel
excès d'allégorisme, cf. Introd., p. 23.

4. Écrivant aux Corinthiens au sujet de ce mystère, après avoir rappelé que le Seigneur a dit ces mots : « Faites ceci en mémoire de moi », l'Apôtre ajoute : « car, chaque fois que vous mangez de ce pain et que vous buvez de cette coupe, vous commémorez sa mort[b] ». C'est aussi ce que mit en évidence le Seigneur lui-même quand il (nous) livra son Sacrement. Après avoir dit : « Ceci est mon corps, ceci est mon sang », il n'a pas ajouté devant ses disciples la mention de ses miracles, par exemple : J'ai ressuscité des morts, ou : J'ai guéri des lépreux ; qu'a-t-il dit alors ? Il n'a parlé que de sa Passion et de sa mort : « mon corps qui est rompu[1] pour vous, mon sang qui est versé pour vous[c] ».

5. Pourquoi donc mentionne-t-il non point ses miracles mais ses souffrances ? C'est que celles-ci sont plus nécessaires que ceux-là : les unes sont cause efficiente de notre salut, et sans elles l'homme ne pourrait être relevé — je parle de ses souffrances. Tandis que les autres ne sont que des signes démonstratifs : les miracles ont été accomplis pour qu'on ajoutât foi au Seigneur comme étant véritablement le Sauveur[2].

Chapitre VIII

Des rites accomplis sur le pain

1. C'est donc à cause de cette forme de commémoration du Seigneur que le prêtre, après avoir dit la formule : « en mémoire du Seigneur », ajoute les rites qui représentent sa croix et sa mort. En faisant une entaille dans le pain, il rappelle l'antique prophétie concernant la passion du Sauveur : « Comme une brebis, il a été mené à la boucherie[a][3] » et le reste du texte, qu'il exprime de son mieux en parole

---

3. Le prêtre dit cette formule en entaillant sur les quatre côtés la *prosphora*, c'est-à-dire le pain d'où est ensuite découpé l'*agneau* (ou l'hostie) destiné au sacrifice.

πράγματι κατὰ τὸ δυνατὸν αὐτὸς^α διηγούμενος. Τὴν γὰρ τοῦ ἄρτου τομὴν κατὰ χρείαν ποιῶν, ἵνα ἐξέλῃ^β τὸ δῶρον, τὴν αὐτὴν καὶ παράδειγμα ποιεῖται τοῦ προκειμένου εἰς τὴν 384 D ἀποχώρησιν τὴν ἀπὸ τοῦ κόσμου τοῦ Κυρίου, εἰς τὴν ἐπὶ τὸν Πατέρα διὰ τοῦ θανάτου ὁδόν, αὐτὴν αἰχμαλωτίζων, καθάπερ αὐτὸς εἴρηκεν· « Ἀφίημι τὸν κόσμον καὶ πορεύομαι πρὸς τὸν Πατέρα. »

2. Καὶ ἐπεὶ πολλάκις πηγνὺς τὸ σιδήριον, εἶτα ἀποκόπτει τὸν ἄρτον, εἰς τοσαῦτα διαιρεῖ τὸν προφητικὸν λόγον, ἕκαστον τοῦ λόγου μέρος^γ ἐφαρμόζων ἑκάστῳ μέρει τόμης, ἵνα δείξῃ τοῦ λόγου τὸ ἔργον ἐξήγησιν εἶναι· ὅτι καθάπερ οὗτος ὁ ἄρτος ἐπὶ τὸ ἀνατεθῆναι Θεῷ καὶ ἱερουργηθῆναι τοῦ ὁμοφυοῦς ἀποδιῃρέθη, οὕτω καὶ ὁ Κύριος ἀπεχώρησε τῶν ἀνθρώπων, οἷς διὰ φιλανθρωπίαν ἐκοινώνησε φύσεως, καὶ « ὡς πρόβατον ἐπὶ σφαγὴν ἤχθη », καὶ τοῦτον τὸν τρόπον « ἤρθη ἀπὸ τῆς γῆς ἡ ζωὴ αὐτοῦ »· καὶ τὰ ἑξῆς τῆς προφητείας προσθείς,

385 A **3.** καὶ τὸν ἄρτον θεὶς ἐν τῷ ἱερῷ πίνακι, ἐκεῖνα ποιεῖ καὶ λέγει δι' ὧν αὐτὴ ἡ θυσία καὶ ὁ τοῦ Κυρίου θάνατος καταγγέλλεται. « Θύεται, φησίν, ὁ ἀμνὸς τοῦ Θεοῦ, ὁ αἴρων τὴν ἁμαρτίαν τοῦ κόσμου. » Ταῦτα λέγει καὶ ποιεῖ τὰ δηλοῦντα τοῦ θανάτου τὸν τρόπον. Σταυρὸν γὰρ ἐν τῷ ἄρτῳ χαράττει, καὶ οὕτω μηνύει πῶς ἡ θυσία γέγονεν, ὅτι διὰ σταυροῦ· μετὰ δὲ τοῦτο, καὶ ὡς ἐπὶ τὰ δεξιὰ μέρη κεντεῖ τὸν ἄρτον, τὴν πληγὴν τῆς πλευρᾶς ἐκείνης διηγούμενος τῇ τοῦ ἄρτου πληγῇ. Διὰ τοῦτο γὰρ καὶ τὸ πλῆττον σιδήριον λόγχην καλεῖ, καὶ εἰς σχῆμα λόγχης αὐτὸ ἔχει πεποιημένον, ἵνα ἐκείνης ἀναμιμνήσκῃ τῆς λόγχης. Καὶ οὕτως ἔργῳ ταῦτα διηγούμενος, καὶ τοὺς λόγους τῆς ἱστορίας ἀναγιγνώσκει· « Καὶ εἷς τῶν στρατιωτῶν, φησί, λόγχῃ αὐτοῦ τὴν πλευρὰν 385 B ἔνυξεν. » Ὁμοίως καὶ τὸ ῥεῦσαν ἐκεῖθεν αἷμα καὶ ὕδωρ, καὶ

α. αὐτὸς : αὐτὸ P ‖ β. ἐξέλῃ : ἐξέλοι P ‖ γ. μέρος om P

b. Jn 16, 28

et en action. Entaillant le pain par suite d'une nécessité pratique, afin d'y prendre l'oblat, il fait cela aussi en
vue du symbolisme, pour signifier le Sauveur quittant le
monde, pour indiquer la voie de son retour au Père, quand
il subjugue la mort, selon sa parole : « Je quitte le monde
et je vais à mon Père[b]. »

2. Et alors tandis qu'il enfonce plusieurs fois la lancette
et morcelle ainsi le pain, le prêtre sectionne en autant de
propositions le texte prophétique, adaptant chaque partie
de la formule à chaque coup des incisions, afin de montrer
que la réalité est l'explication de la parole. De même, en
effet, que ce pain, pour être offert à Dieu et servir à la
liturgie, a été séparé d'une masse homogène, ainsi le Seigneur s'est mis à part des hommes, à la nature desquels
son amour l'a fait participer : « Comme une brebis il a été
mené à la boucherie », et c'est de cette manière que « sa vie
a été retranchée de la terre ». Puis le prêtre ajoute le reste
du texte prophétique.

3. Il met le pain sur la patène sacrée, il fait les gestes
et prononce les paroles qui annoncent directement le
sacrifice et la mort du Seigneur. « L'Agneau de Dieu est
immolé, dit-il, celui qui enlève le péché du monde. » Formules et gestes signifient les circonstances de cette mort.
Le prêtre, en effet, grave la croix sur le pain, et ainsi il
signifie la façon dont s'est accompli le sacrifice, c'est-à-dire
par la croix. Ensuite, il perce le pain sur la partie droite,
montrant par cette plaie du pain la plaie du côté (du
Seigneur). Voilà pourquoi il appelle lance l'objet en fer
avec lequel il frappe et cet objet est fait en forme de lance,
de manière à évoquer cette lance (de l'Évangile). En même
temps qu'il évoque ces faits par des gestes, le prêtre dit les
paroles de l'historien : « Un des soldats lui transperça le
côté avec sa lance[1]. » De même, le sang et l'eau qui jaillirent

---

1. Le célébrant cite cette parole de l'Écriture pendant qu'il perce
l'*agneau* sur le côté droit.

λόγῳ διηγεῖται καὶ ἔργῳ δείκνυσιν· ἐγχέων μὲν εἰς τὸ ἱερὸν ποτήριον οἶνον καὶ ὕδωρ, ἐπιλέγων δὲ καὶ ἐκεῖνο τὸ ῥῆμα· « Καὶ εὐθέως ἐξῆλθεν αἷμα καὶ ὕδωρ. » Καὶ ταῦτα μὲν ἡ ἀνάμνησις τοῦ Κυρίου καὶ ἡ τοῦ θανάτου αὐτοῦ διήγησις.

Θ′. Διὰ τί ὁ Κύριος ἐκέλευσε ποιεῖν τοῦτο εἰς τὴν αὐτοῦ ἀνάμνησιν

1. Ἀλλὰ τίνος ἕνεκα ταῦτα ἐκέλευσε καὶ πρὸς τί βλέπων τὴν ἀνάμνησιν ταύτην ἀπήτησε παρ᾽ ἡμῶν; Ἵνα μὴ ἀγνώμονες ὦμεν. Ἀμοιβὴ γὰρ τίς ἐστι παρὰ τῶν εὖ παθόντων τοῖς εὐεργέταις τὸ μεμνῆσθαι αὐτῶν καὶ τῶν ἔργων δι᾽ ὧν πεπόνθασι εὖ. Καὶ ταύτης τῆς μνήμης πολλὰς ἀφορμὰς ἐπενόησαν 385 C ἄνθρωποι, τάφους, ἀνδριάντας, στήλας, ἑορτάς, πανηγύρεις, ἀγῶνας· ὧν πάντων ἔργον ἐστὶν ἕν, τοὺς ἀγαθοὺς τῶν ἀνδρῶν μὴ λήθῃς παραδοθῆναι βυθοῖς.

2. Τοιοῦτον καὶ τὸ τοῦ Σωτῆρος, ἄλλοι μὲν ἄλλα, φησί, λήθης φάρμακα ζητοῦσιν, ὑπὲρ τοῦ μεμνῆσθαι τῶν εὖ πεποιηκότων αὐτούς· « Ὑμεῖς δὲ εἰς τὴν ἐμὴν ἀνάμνησιν τοῦτο ποιεῖτε. » Καὶ ὥσπερ ταῖς στήλαις τῶν ἀριστέων αἱ πόλεις προσπαραγράφουσι τὰς νίκας δι᾽ ὧν ἐσώθησαν ἢ ἄμεινον ἔπραξαν, οὕτω τοῖς δώροις τούτοις ἡμεῖς παραγράφομεν τὸν θάνατον τοῦ Κυρίου, ἐν ᾧ πᾶσα γέγονε ἡ κατὰ τοῦ πονηροῦ νίκη. Καὶ διὰ μὲν τῶν εἰκόνων αἱ πόλεις τὸν τύπον μόνον τοῦ σώματος ἔχουσι τῶν εὐεργετῶν, ἡμεῖς δὲ ἀπὸ τῆς προσαγωγῆς 385 D ταύτης οὐ τὸν τύπον τοῦ σώματος ἔχομεν, ἀλλ᾽ αὐτὸ τὸ σῶμα τοῦ ἀριστέως.

3. Τὸ αὐτὸ δὲ τοῦτο καὶ τοῖς παλαιοῖς ἐνομοθέτησεν ἐπὶ τῶν τύπων ποιεῖν, ὃ νῦν ἐπὶ τῆς ἀληθείας καὶ τῶν πραγμάτων

c. Jn 19, 34

a. Lc 22, 19

---

1. Cette formule est dite par le prêtre qui entaille l'*agneau*, détaché de la *prosphora* en signe de croix.

du côté, le prêtre les rappelle par des paroles et les représente par des gestes : il verse dans la coupe sacrée le vin et
l'eau, en ajoutant encore ces mots : « Et aussitôt il en sortit
du sang et de l'eau[c1]. » Telles sont la commémoration du
Seigneur et la description de sa mort.

Chapitre IX

Pourquoi le Seigneur a-t-il ordonné de faire cela en mémoire de lui

1. Pour quel motif le Sauveur a-t-il donné cet ordre, et
à quelle fin nous a-t-il demandé cette commémoration ?
Afin que nous ne soyons pas ingrats. Il y a, en effet, de la
part des obligés une sorte de compensation à l'égard de
leurs bienfaiteurs, dans le fait de garder le souvenir de
ceux-ci et des bienfaits qu'ils en ont reçus. D'un tel souvenir
les hommes ont imaginé nombre d'occasions : monuments
funéraires, statues, stèles, fêtes, assemblées, jeux publics ;
tout cela n'a qu'un résultat : ne pas laisser tomber les
hommes de valeur dans l'abîme de l'oubli.

2. Ainsi a fait également le Sauveur : les hommes,
semble-t-il nous dire, cherchent tels ou tels remèdes contre
l'oubli, afin de conserver la mémoire de ceux qui leur ont
fait du bien. « Vous, en mémoire de moi, faites ceci[a]. » Les
cités inscrivent sur les stèles des chefs les victoires qui les
ont sauvées ou qui leur ont valu un surcroît de prospérité :
de même, sur ces offrandes nous inscrivons, nous, la mort
du Seigneur, par laquelle a été remportée la victoire totale
sur le démon. Par les statues, les cités ne possèdent que
l'image de la personne de leurs bienfaiteurs ; nous, à la suite
de cette offrande, ce n'est pas la représentation du corps
de notre Chef que nous possédons, mais son corps lui-même.

3. Dieu a fait une loi aux anciens d'accomplir en figure
cela même que maintenant le Christ a ordonné de faire dans

ἐκέλευσε. Τοῦτο γὰρ ἦν τὸ Πάσχα καὶ ἡ σφαγὴ τοῦ ἀμνοῦ, ἀνάμνησις τῆς σφαγῆς τοῦ προβάτου ἐκείνου καὶ τοῦ αἵματος τοῦ διασεσωκότος τοῖς Ἑβραίοις ἐν Αἰγύπτῳ τὰ πρωτότοκα. 4. Καὶ οὗτος μὲν ὁ τῆς ἀναμνήσεως λόγος.

Ι'. Τίνα τὰ μετὰ τὴν ἀνάμνησιν ἐπιλεγόμενα τῇ προσκομιδῇ καὶ ὅτι ἡ προσαγωγὴ τῶν δώρων χαριστήριός ἐστι καὶ ἱκέσιος ἡ αὐτή

1. Ὁ δὲ ἱερεὺς τὴν προσαγωγὴν ἔτι ποιεῖται, καὶ τῶν προσενεχθέντων ἄρτων ἑκάστου μέρος ἀφαιρῶν, ἱερὸν ποιεῖται 388 A δῶρον, οὐ τὰ αὐτὰ λέγων καὶ ποιῶν ἅπερ ἐξ ἀρχῆς, δι' ὧν ὁ θάνατος ἐσημαίνετο τοῦ Κυρίου, ὅτι ἅπαξ εἰρημένα περὶ πάσης τῆς τελετῆς εἰρῆσθαι νοοῦνται. Πᾶσα γὰρ ἡ προσαγωγὴ τῶν δώρων εἰς ἀνάμνησιν γίνεται τοῦ Κυρίου καὶ διὰ πάσης ὁ αὐτοῦ καταγίνεται θάνατος. 2. Τίνα δὲ τὰ ἐπιλεγόμενα; 3. « Εἰς δόξαν τῆς παναγίας τοῦ Θεοῦ Μητρός· εἰς πρεσβείαν τοῦδε τοῦ ἁγίου ἢ τοῦδε· εἰς ἁμαρτιῶν ψυχῶν ἄφεσιν, ἢ ζώντων ἢ τεθνεώτων. »

1. Le nombre des pains d'autel ou *prosphorai*, d'où le prêtre byzantin extrait des parcelles, a varié suivant les époques et les églises. De nos jours, le plus généralement il n'y en a qu'un : c'est un pain rond, épais, qui présente trois *sphragides* ou empreintes placées l'une au-dessus de l'autre. La *sphragis* est un carré orné d'une croix entre les branches de laquelle on lit : ΙΣ ΧΣ ΝΙΚΑ (= « Jésus-Christ est vainqueur »). A gauche des trois *sphragides* est un carré orné d'un triangle surmonté de la croix et appelé *panagia* (« la Toute Sainte »), parce que c'est lui que le prêtre détache en l'honneur de la sainte Vierge. A gauche et à droite de la *panagia*, sont figurées la lance et l'éponge. — Mais certains Euchologes des xve et xvie siècles mentionnent cinq ou six *prosphorai*. Au xviie siècle il s'en ajouta une septième chez les Russes : la première était celle d'où on détachait l'*Amnos* (= « Agneau ») ou hostie principale ; la deuxième, celle en l'honneur de la Vierge ; la troisième, en l'honneur des anges et des saints ; la quatrième offerte pour la hiérarchie ecclésiastique ; la cinquième, pour l'empereur et la famille impériale ; la sixième, « pour

la réalité des choses. Telle était la Pâque, l'immolation de l'agneau, commémoration de l'immolation de cet agneau dont le sang avait préservé, en Égypte, les premiers-nés des Hébreux.

4. Voilà ce qui concerne la commémoration.

CHAPITRE X

Quelles sont, après la commémoration du Sauveur, les autres formules pour l'oblation ; et que la présentation des oblats est à la fois hommage de reconnaissance et acte de supplication

1. Le prêtre continue la présentation. Détachant de chacun des pains apportés un fragment[1], il en fait un don sacré, mais sans dire les mêmes formules ni accomplir les mêmes gestes qu'au début, qui signifiaient la mort du Seigneur : c'est que les paroles, une fois prononcées, sont censées avoir été dites pour tout l'ensemble des rites. De fait, la présentation des dons se déroule tout entière en mémoire du Seigneur, et c'est à travers tout l'ensemble que se retrouve sa mort.

2. Quelles sont donc les (nouvelles) formules ?

3. « Pour la gloire de la toute-sainte Mère de Dieu, en l'honneur de tel ou tel saint, pour la rémission des péchés aux âmes, soit des vivants, soit des morts[2]. »

tous les chrétiens orthodoxes » ; la septième, pour les défunts. Cf. M. JUGIE, *Theologia Orientalium*, t. III, Paris 1930, p. 219-220. Ces indications, bien que ne concordant pas toutes dans le détail avec les données de Cabasilas, aideront néanmoins à mieux comprendre les explications qu'il va fournir.

2. Cabasilas se borne à donner ici en trois mots la substance des formules qui accompagnent les rites des parcelles disposées successi-

4. Καὶ τί ταῦτα βούλεται; Εὐχαριστίαν πρὸς τὸν Θεόν, ἱκεσίαν, τὰς ἀφορμάς, τὰ αἴτια τῆς τῶν δώρων προσαγωγῆς. 5. Ἔχει γὰρ οὕτως. Οὐδὲν δῶρον δίδοται μάτην εἴτε Θεὸν θεραπεύειν, εἴτε ἀνθρώποις χαρίζεσθαι δεῖ· ἀλλ' ἀγαθοῦ τινὸς ἕνεκα ἢ γενομένου ἢ ἐλπιζομένου. Ἡ γὰρ ὑπὲρ ὧν 388 B ἐλάβομεν ἀμειβόμεθα τὸν εὐεργέτην τοῖς δώροις, ἢ τῶν μήπω γενομένων ἡμῖν, ἵνα τύχωμεν, τὸν δοῦναι δυνάμενον θεραπεύομεν. 6. Ταῦτα δὲ τὰ δῶρα καὶ ἀμφοτέρων ἕνεκα τῷ Θεῷ προσαγόμενα φαίνεται, καὶ ὅτι ἐλάβομεν, καὶ ἵνα λάβωμεν, καὶ εὐχαριστοῦντες τῷ Θεῷ, καὶ ἱκετεύοντες αὐτόν· εὐχαριστοῦντες ὑπὲρ ὧν πεπόνθαμεν, ἱκετεύοντες ἵν' εὖ πάθωμεν, ὥστε τὰ δῶρα εἶναι καὶ χαριστήρια καὶ ἱκέσια. 7. Ἀλλὰ τίνα τὰ ἤδη δοθέντα ἡμῖν ἀγαθά; τίνα δὲ τὰ ζητούμενα; Τὰ αὐτὰ πάντως, ἄφεσις ἁμαρτιῶν, βασιλείας κληρονομία. Ταῦτα γὰρ αὐτὸς ἐκέλευσε πρὸ πάντων αἰτεῖσθαι, ταῦτά ἐστιν ἅπερ ἔλαβεν ἡ Ἐκκλησία ἤδη, ταῦτα καὶ ὑπὲρ ὧν ἱκετεύει. Καὶ τίς ὁ τρόπος καθ' ὃν ἔτυχε τῶν ἀγαθῶν τούτων; τίς δὲ καθ' ὃν οὔπω τετύχηκε καὶ ἵνα τύχῃ, τοῦ Θεοῦ δεῖται; 388 C 8. Τετύχηκε πρώτου[α], ὅτι δύναμιν ἐδέξατο πρὸς αὐτά. Καὶ γὰρ ἔλαβεν[β] « ἐξουσίαν τέκνα Θεοῦ γενέσθαι », καὶ τοῦτο κοινόν ἐστι δῶρον Χριστιανοῖς ἅπασι διὰ τοῦ θανάτου ἡμῖν γενόμενον τοῦ Σωτῆρος. Τοῦτο γάρ ἐστι τὸ βάπτισμα τὸ

α. πρώτου : πρῶτον μὲν P ǁ β. ἔλαβεν : ἔλαβον P

---

a. Jn 1, 12

---

vement sur la patène en l'honneur de la Vierge et des saints, ainsi que de celles destinées à commémorer les vivants et les morts. Il est à présumer, d'ailleurs, qu'à son époque ces rites et ces formules étaient encore bien loin de l'état de complication où nous les trouvons aujourd'hui. Sur l'usage actuel, voir S. SALAVILLE, Liturgies orientales,

4. Qu'est-ce que cela veut dire ? Que l'action de grâces à Dieu et la supplication sont l'occasion, le motif de la présentation des oblats.

5. Voici, en effet, ce qu'il en est. L'offrande d'un présent ne se fait jamais sans raison, qu'il s'agisse soit de rendre hommage à Dieu, soit d'obliger les hommes, mais c'est toujours à cause de quelque bien obtenu ou espéré. En effet, nous payons de retour notre bienfaiteur pour ce que nous avons reçu, ou bien, pour ce que nous n'avons pas encore, et afin de l'obtenir, nous adressons nos hommages à qui est en mesure de nous donner.

6. Ainsi en est-il manifestement pour les oblats et les offrandes faites à Dieu dans ces deux intentions : c'est parce que nous avons reçu, et c'est afin de recevoir, soit que nous rendions grâces à Dieu, soit que nous le suppliions. Action de grâces pour les faveurs reçues, supplications pour les faveurs à recevoir, en sorte que les oblats sont à la fois eucharistiques et impétratoires.

7. Quels sont les biens qui nous ont déjà été accordés ? Quels sont ceux que nous sollicitons ? Ce sont absolument les mêmes : rémission des péchés, héritage du Royaume. Ce sont, en effet, ces biens que Dieu lui-même nous a ordonné de demander avant tout, ce sont ces biens que l'Église a déjà reçus, ce sont aussi ceux-là pourquoi elle supplie. De quelle manière a-t-elle reçu ces biens ? De quelle manière ne les a-t-elle pas encore obtenus et prie-t-elle Dieu pour les obtenir ?

8. Elle a obtenu le premier de ces biens, du fait qu'elle a reçu la capacité de les accueillir. Car elle a reçu « le pouvoir de nous constituer enfants de Dieu[a] » : c'est un don commun à tous les chrétiens, qui nous est arrivé par la mort du Sauveur. Il s'agit là du saint baptême et de tous les

---

II. *La Messe*, Paris 1942, p. 33-43. Ce rite des parcelles souligne de manière concrète la relation du dogme de la Communion des saints avec le sacrifice eucharistique.

θεῖον καὶ τὰ ἄλλα μυστήρια δι' ὧν εἰσποιούμεθα τῷ Θεῷ, καὶ βασιλείας οὐρανῶν γινόμεθα κληρονόμοι.

9. Ἔπειτα καὶ αὐτῆς ἐκληρονόμησεν ἐνεργείᾳ τῆς βασιλείας ἐν μυρίοις τῶν ἑαυτῆς χορευτῶν, οὓς ἀποικίαν ἀπέστειλεν εἰς τὸν οὐρανόν, οὓς « Ἐκκλησίαν πρωτοτόκων ἀπογεγραμμένων ἐν οὐρανοῖς » ὁ μακάριος Παῦλος ἐκάλεσεν. Οὕτω μὲν οὖν τῶν μεγάλων τούτων ἡ Ἐκκλησία τετύχηκε ἀγαθῶν.

10. Διὰ δὲ τοὺς ἔτι τρέχοντας τῶν τέκνων αὐτῆς ἐπὶ τὸ βραβεῖον, καὶ ἁπλῶς τοὺς ἐν τῷ βίῳ ζῶντας, ὧν τὸ πέρας ἄδηλον καὶ τοὺς ἀπελθόντας, οὐ μετὰ πάνυ χρηστῶν καὶ 388 D βεβαίων ἐλπίδων τῆς βασιλείας οὔπω τετύχηκε. Τούτου χάριν μέμνηται μὲν τοῦ θανάτου τοῦ Κυρίου, μέμνηται δὲ καὶ τῶν τελειωθέντων ἁγίων· μέμνηται δὲ τῶν μήπω τελείων, ὑπὲρ μὲν ἐκείνων εὐχαριστοῦσα, ὑπὲρ δὲ τούτων ἱκετεύουσα.

11. Ὥστε τὰ μὲν πρῶτα τῆς προσαγωγῆς, καὶ ἔτι τὰ δεύτερα χαριστήρια, τὰ δὲ μετ' ἐκεῖνα ἱκέσια εἰς ἀνάμνησιν τοῦ Κυρίου, εἰς δόξαν τῆς μακαρίας αὐτοῦ Μητρός, εἰς πρεσβείαν τῶν ἁγίων.

12. Εὐχαριστοῦμεν, φησίν, ὅτι τῷ θανάτῳ σου τὰς τῆς ζωῆς πύλας ἡμῖν ἀνέῳξας, ὅτι Μητέρα παρ' ἡμῶν ἔλαβες, ὅτι τοσαύτης δόξης παρ' ἡμῶν ἔτυχεν ἄνθρωπος, ὅτι πρεσβευτὰς ἔχομεν ὁμοφύλους, καὶ τοῖς ὁμογενέσιν ἡμῶν τοσαύτης μετέδωκας παρρησίας.

13. Τὸ γὰρ « εἰς δόξαν » καὶ « εἰς πρεσβείαν », τοῦτό ἐστι 389 A τὸ ἕνεκα τῆς δόξης καὶ τῆς πρεσβείας ὥσπερ καὶ τὸ « εἰς ἄφεσιν ἁμαρτιῶν » ταὐτόν ἐστι τῷ ἕνεκα τῆς ἀφέσεως τῶν ἁμαρτιῶν. Τὸ δὲ « ἕνεκά τινος » διττὴν ἔχει τὴν σημασίαν·

b. Héb. 12, 23
c. Cf. I Cor. 9, 24-27. Phil. 3, 14

1. « L'assemblée » : littéralement « l'église ».
2. « Ceux qui n'ont pas encore atteint toute la perfection » : cette expression s'applique et aux vivants toujours exposés au péché, et

autres sacrements, qui nous font adopter par Dieu et nous rendent héritiers du Royaume des cieux.

9. De plus, l'Église a déjà réellement pris part à l'héritage du Royaume, dans les chœurs innombrables qu'elle a députés au ciel comme en colonie et que le bienheureux Paul appelle « l'assemblée[1] des premiers-nés qui sont inscrits dans les cieux[b] ». C'est ainsi que l'Église bénéficie maintenant de ces immenses biens.

10. Mais en raison de ceux de ses enfants qui sont encore en marche « vers le prix du combat[c] », c'est-à-dire ceux qui sont dans cette vie et dont le terme est incertain, et aussi ceux qui ont trépassé sans avoir des espérances absolument favorables et fermes, en raison de ceux-là, donc, elle n'a pas encore obtenu le Royaume. C'est pourquoi elle fait mémoire de la mort du Seigneur, elle fait mémoire aussi des saints qui ont atteint la perfection, elle fait mention de ceux qui ne sont pas encore parfaits : pour les premiers elle remercie[2], pour les seconds elle supplie.

11. Ainsi donc, la première partie de la présentation est action de grâces, et la seconde également ; mais ce qui suit est supplication, en souvenir du Seigneur, pour la gloire de sa bienheureuse Mère et en l'honneur des saints.

12. Nous rendons grâces, dit l'Église, de ce que par ta mort tu nous as ouvert les portes de la vie, de ce que tu t'es choisi parmi nous une Mère, de ce qu'un homme a obtenu chez nous une telle gloire, de ce que nous avons comme ambassadeurs auprès de toi des gens de notre race, de ce que tu as communiqué à des gens de notre famille une telle assurance devant toi.

13. « Pour la gloire, par l'intercession », c'est-à-dire : à cause de la gloire et de l'intercession ; de même que « pour la rémission des péchés » signifie : en vue de la rémission des péchés. « Pour » a une double signification : soit pour un

---

aux défunts qui ont à en achever l'expiation. Voir plus loin, chapitre XXXIII, où, à propos des prières qui suivent la consécration,

ἢ γὰρ ἕνεκα παρόντος ἢ ἕνεκα ἐλπιζομένου. Τὴν δὲ τῆς μακαρίας Παρθένου δόξαν καὶ τὴν τῶν ἁγίων πρεσβείαν καὶ παρρησίαν, τίς οὐκ οἶδεν ὅτι παρόντα ἐστὶν ἀγαθά; Τὸ δὲ παρόντων ἀγαθῶν χάριν δῶρα προσάγειν, οὐδὲν ἕτερον ἢ εὐχαριστία σαφής. Ἔτι δὲ καὶ τὸ « εἰς ἀνάμνησιν τοῦ Κυρίου » διὰ τῶν ἔμπροσθεν εἰρημένων ἐγένετο δῆλον, ἀμοιβήν τινα πρὸς αὐτὸν τοῦ θανάτου αὐτοῦ καὶ εὐχαριστίαν σημαῖνον. Διὰ τοῦτο γὰρ πρὸ πάντων ἐν τῇ προσαγωγῇ τῶν δώρων, ταῦτα λέγεται τὰ ῥήματα, ὅτι ὁ θάνατος ἐκεῖνος αἴτιος ἐγένετο τῶν ἀγαθῶν ἁπάντων ἡμῖν.

389 B **14.** Ὕστατα δὲ πάντων ποιεῖται τὴν ἱκεσίαν, ἄφεσιν ἁμαρτιῶν καὶ ψυχῶν ἀνάπαυσιν καὶ τὰ τοιαῦτα αἰτούμενος. Τοῦτο γὰρ εὐγνωμοσύνης τῷ Θεῷ ἐντυγχάνοντας μὴ τὴν χρείαν εὐθὺς λέγειν, μηδὲ εἴ τι ἐλλεῖπον ζητεῖν· ἀλλὰ μᾶλλον ὧν ἤδη λαβόντες ἔχομεν πρῶτον μεμνημένους εὐχαριστεῖν καὶ δοξολογεῖν, καὶ οὕτω πρὸ τῶν ἀναγκαίων ἡμῖν τὴν τοῦ Θεοῦ ποιεῖσθαι δόξαν.

IA′. Διὰ τί συγκαλύπτεται τὰ δῶρα · καὶ περὶ
τῶν ἐπιλεγομένων

A′ **1.** Ἐπεὶ δὲ τὰ ἐν τῷ ἄρτῳ εἰρημένα καὶ πεπραγμένα, δι᾽ ὧν ὁ θάνατος ἐσημαίνετο τοῦ Κυρίου, γράφην ἐδύνατο μόνον καὶ τύπον, ὁ δὲ ἄρτος ἔμεινεν ἄρτος ὤν, τοῦτο μόνον
389 C λάβων τὸ γενέσθαι δῶρον τῷ Θεῷ, καὶ διὰ τοῦτο τύπον φέρει τοῦ Κυριακοῦ σώματος κατὰ τὴν πρώτην ἡλικίαν, ὅτι κἀκεῖνο ἐξ ἀρχῆς δῶρον ἦν, ὡς ἐν τοῖς ἔμπροσθεν εἴρηται· τούτου χάριν τὰ ἐν ἐκείνῳ γενόμενα θαύματα, ἀρτιτόκῳ ὄντι

à propos du Memento, Cabasilas revient sur le double aspect, eucharistique et impératoire, de la liturgie sacrée.

bien déjà existant, soit pour un bien espéré. La gloire de la bienheureuse Vierge, l'intercession des saints et leur assurance devant Dieu : qui ne voit que c'est un bien déjà présent ? Or, faire des offrandes pour des biens déjà présents, il est clair que ce n'est rien d'autre que l'action de grâces. Quant à la formule « en mémoire du Seigneur », son sens est devenu clair par suite de ce que nous avons dit précédemment : elle signifie une sorte de rétribution de notre part au Christ à cause de sa mort, une action de grâces. Car le but de cette formule dans la présentation des dons est surtout d'exprimer que cette mort a été pour nous la cause de tous les biens.

14. C'est en dernier lieu que se fait la supplication pour demander la rémission des péchés, le repos des âmes (des défunts) et les autres bienfaits. Car la reconnaissance commande, quand nous nous adressons à Dieu, de ne pas exposer tout de suite nos besoins et solliciter ce qui nous manque, mais plutôt, en nous rappelant d'abord les bienfaits déjà reçus, de rendre grâces à Dieu et de célébrer sa gloire, et ainsi de placer cette glorification de Dieu avant (la demande) des choses qui nous sont nécessaires.

CHAPITRE XI

A. — Pourquoi l'on couvre les oblats et des formules qui accompagnent ce rite

1. Les paroles dites et les gestes accomplis sur le pain, pour signifier la mort du Seigneur, n'avaient que la valeur d'une description et d'un symbole ; le pain restait du pain, n'ayant reçu que la propriété de devenir une offrande à Dieu — c'est pourquoi il symbolise le corps du Seigneur à son premier âge, car ce corps, lui aussi, fut dès le début une offrande, comme il a été dit ci-dessus. C'est donc pour cela que le prêtre rappelle et représente au-dessus du pain les

καὶ ἐν τῇ φάτνῃ κειμένῳ, ὁ ἱερεὺς ἐπιλέγει τῷ ἄρτῳ καὶ ἐπιδείκνυσι. Τὸν γὰρ λεγόμενον ἀστέρισκον ἐπιτιθεὶς αὐτῷ, « Καὶ ἰδού, φησίν, ὁ ἀστὴρ ἐλθὼν ἔστη ἐπάνω οὗ ἦν τὸ παιδίον », ἔτι δὲ καὶ τὰ πόρρωθεν εἰρημένα τοῖς προφήταις περὶ αὐτοῦ θεῷ πρέποντα, ἵνα μὴ διὰ τὴν σάρκα καὶ τὸ φαινόμενον ἄνθρωποι μικρὰ περὶ αὐτοῦ καὶ ἀνάξια τῆς αὐτοῦ θεότητος ὑπολάβωσι· « Τῷ λόγῳ Κυρίου οἱ οὐρανοὶ ἐστερεώθησαν ». « Ὁ Κύριος ἐβασίλευσεν, εὐπρέπειαν ἐνεδύσατο »·

389 D « ἐκάλυψεν οὐρανοὺς ἡ ἀρετὴ αὐτοῦ· καὶ τῆς συνέσεως αὐτοῦ πλήρης ἡ γῆ. »

2. Καὶ ταῦτα λέγει καὶ καλύπτει τὸν ἄρτον καὶ τὸ ποτήριον πέπλοις τιμίοις, καὶ θυμιᾷ πανταχόθεν. Καὶ γὰρ συνεκαλύπτετο μὲν τέως ἡ τοῦ σεσαρκωμένου Θεοῦᵃ δύναμις, ἕως τοῦ καιροῦ τῶν θαυμάτων καὶ τῆς ἐξ οὐρανοῦ μαρτυρίας· ἀλλ' οἱ λέγειν εἰδότες περὶ αὐτοῦ· « Ὁ Κύριος ἐβασίλευσεν, εὐπρέπειαν ἐνεδύσατο » καὶ τὰ εἰρημένα πάντα θεοπρεπῆ, « Καὶ ἐπεγίνωσκον αὐτὸν καὶ ὡς Θεὸν ἔσεβον καὶ τὴν παρ' αὐτῷ σκέπην ἐζήτουν. » Καὶ ταῦτα αἰνιττόμενος ὁ ἱερεὺς κεκαλυμμένοις ἐπιλέγει τοῖς δώροις· « Σκέπασον ἡμᾶς ἐν τῇ σκέπῃ τῶν πτερύγων σοῦ » καὶ θυμιᾷ πανταχόθεν.

391 A 3. Ταῦτα οὕτως εἰπὼν καὶ τελέσας καὶ εὐξάμενος τὰ τῆς

α. Θεοῦ om P

---

a. Matth. 2, 9
b. Ps. 32, 6
c. Ps. 92, 1
d. Hab. 3, 3
e. Ps. 17, 8

---

1. L'*astérisque* ou étoile *(astêr, asteriskos)* est une sorte de croix en métal précieux, composée de deux lames croisées l'une sur l'autre, jointes en leur milieu par une vis et terminées en pied. A la vis est ordinairement suspendue une petite étoile symbolisant l'étoile de Bethléem. Ce symbolisme doit sans doute lui-même son origine à la forme de l'instrument. Posé sur la patène de telle sorte que les lames ne touchent ni l'hostie principale ni les parcelles secondaires, l'asté-

prodiges accomplis en ce corps du Christ nouveau-né et couché dans la crèche. Posant au-dessus du pain l'instrument (liturgique) appelé *astérisque* : « Voici, dit-il, que l'étoile vint s'arrêter au-dessus de l'endroit où était l'enfant[a][1]. » Puis il dit aussi les paroles prononcés à son sujet depuis des siècles par les prophètes, paroles qui conviennent à un dieu : c'était pour éviter que, à cause de la chair et des apparences extérieures, les hommes n'en vinssent à se faire de lui une conception mesquine et indigne de sa divinité : « Par la parole du Seigneur les cieux ont été solidement établis[b][2] »; « Le Seigneur a régné, il est revêtu de beauté[c] » ; « Sa vertu a couvert les cieux, et la terre est remplie de sa sagesse[d]. »

2. Tandis qu'il prononce ces paroles, le prêtre couvre le pain et la coupe de voiles précieux et il les encense de tous les côtés. C'est qu'en effet la puissance du Dieu incarné était restée voilée jusqu'au temps fixé des prodiges et du témoignage venu du ciel. Pourtant, ceux qui savaient dire de lui : « Le Seigneur a régné, il est revêtu de beauté », et toutes les autres paroles impliquant la divinité, ceux-là « le reconnaissaient, l'adoraient comme Dieu et cherchaient refuge auprès de lui ». C'est ce que le prêtre donne à entendre quand il ajoute, après avoir couvert les oblats : « Couvrenous de l'ombre de tes ailes[e] », et quand il encense voiles et oblats de tous les côtés.

3. Après avoir prononcé ces formules et accompli ces

---

risque préserve l'une et les autres du contact du voile qui doit les couvrir.

2. La « parole du Seigneur », c'est son Verbe, ce qui justifie l'application de ce verset à la seconde Personne de la Trinité. Le cérémonial actuel de la prothèse byzantine n'a pas conservé cette formule. Mais nous y retrouvons celles qui suivent : *Ps.* 92, 1 et *Hab.* 3, 3. Cette dernière a subi une légère modification du fait d'être adressée directement au Christ : « Votre vertu, ô Christ, a couvert les cieux, et la terre est remplie de votre louange. » Voir S. SALAVILLE, *Liturgies orientales*, II. *La Messe*, p. 45-46.

ἱερουργίας κατὰ σκοπὸν ἀπαντήσειν αὐτῷ, εἰς τὸ θυσιαστήριον ἔρχεται καὶ στὰς πρὸ τῆς ἱερᾶς τραπέζης τῆς ἱερουργίας ἄρχεται.

B′

392 A

⟨Περὶ τῆς ἐν ἀρχῇ δοξολογίας⟩[β]

1. Ἀρχὴ δὲ αὐτῷ τῆς ἱερουργίας δοξολογία· « Εὐλογημένη ἡ βασιλεία τοῦ Πατρὸς καὶ τοῦ Υἱοῦ καὶ τοῦ ἁγίου Πνεύματος. »

2. Ἡ πρὸς Θεὸν ἔντευξις εὐχαριστία ἐστί, δοξολογία, ἐξομολόγησις, αἴτησις.

3. Πρώτη δὲ πασῶν ἡ δοξολογία, μάλιστα μὲν ὅτι τοῦτο οἰκετῶν εὐγνωμόνων τῷ Δεσπότῃ προσιόντων[γ], μὴ τὰ ἑαυτῶν ἐξ ἀρχῆς εἰς μέσον ἄγειν, ἀλλ᾽ ἅπερ μόνον ἐστὶ καθαρῶς τοῦ Δεσπότου. Τοιοῦτον δὲ ἡ δοξολογία.

4. Ὁ μὲν γὰρ αἰτῶν, τὰ ἑαυτοῦ καλλίω ποιῆσαι βουλόμενος, αἰτεῖ· καὶ ὁ ἐξομολογούμενος κακῶν αὐτὸς ἀπαλλαγῆναι, ἑαυτὸν προσαγγέλλει, καὶ ὁ εὐχαριστῶν δῆλός ἐστιν ὅτι τοῖς ἰδίοις ἀγαθοῖς χαίρων τῷ ταῦτα αὐτῷ χορηγοῦντι 392 B εὐχαριστεῖ· ὁ δὲ δοξολογῶν, ἑαυτὸν ἀφεὶς καὶ τὰ ἑαυτοῦ πάντα, αὐτὸν δι᾽ αὐτόν, καὶ τὴν αὐτοῦ δύναμιν καὶ δόξαν, τὸν Δεσπότην δοξολογεῖ.

5. Ἔπειτα καὶ αὐτὴ ἡ φύσις καὶ τὸ εἰκὸς τοῦ πράγματος ἐνταῦθα πρώτην ἀπαιτεῖ τὴν δοξολογίαν. Εὐθὺς γὰρ τῷ Θεῷ προσερχόμενοι, τὸ ἀπρόσιτον τῆς δόξης αὐτοῦ καὶ τὴν δύναμιν καὶ τὸ μεγαλεῖον κατανοοῦμεν, ᾧ θαῦμα καὶ ἔκπληξις καὶ τὰ τοιαῦτα ἀκολουθεῖ· τούτῳ δὲ ἡ δοξολογία ἐξ ἀνάγκης ἔπεται.

β. in textu P neque divisio neque titulum in hoc loco ; nostrum titulum supra scriptum invenitur in margine P. De differentiis inter H et P in hoc cap., cf. Introd., p. 50 ‖ γ. προσιόντων : προσιόντας P

rites, après avoir prié pour que tous les effets de la sainte liturgie lui adviennent conformément à ses intentions, le prêtre vient à l'autel et, debout devant la table sacrée, commence la sainte liturgie.

(COMMENCEMENT DE LA LITURGIE)

⟨B. — La doxologie initiale⟩

1. Le prêtre commence la sainte liturgie par une doxologie : « Bénie soit la royauté du Père, du Fils et du Saint-Esprit. »

2. L'entretien avec Dieu est action de grâces, glorification, confession, demande.

3. Le premier de tous ces éléments est la glorification (doxologie), surtout parce que c'est le fait de serviteurs reconnaissants, quand ils s'approchent de leur maître, de ne pas mettre tout de suite en avant leurs propres affaires, mais bien ce qui concerne uniquement le Maître. Or, telle est précisément la doxologie.

4. Celui qui demande le fait dans l'intention d'avantager ses propres intérêts. Celui qui confesse, voulant être délivré de ses maux, s'accuse lui-même. Quant à celui qui remercie, il est clair que, content des biens qu'il a, il remercie celui qui lui fait ces dons. Mais celui qui glorifie (Dieu), s'étant laissé de côté lui-même et tous ses intérêts, glorifie le Maître pour lui-même, et sa puissance et sa gloire.

5. En outre, la nature même et la convenance de l'acte à accomplir réclame ici la première place pour la glorification. En effet, dès que nous approchons de Dieu, nous comprenons aussitôt la transcendance de sa gloire, et sa puissance et sa grandeur ; il en résulte des sentiments d'admiration, de saisissement, et autres analogues : la doxologie en est la suite normale.

6. Προϊόντες δέ, τὴν αὐτοῦ χρηστότητα καὶ τὴν φιλανθρωπίαν μανθάνομεν, ᾧ ἀκολουθεῖ ἡ εὐχαριστία.

7. Μετὰ τοῦτο, τὴν ὑπερβολὴν αὐτῆς τῆς χρηστότητος
καὶ τὸν πλοῦτον τῆς φιλανθρωπίας ἀνασκοποῦμεν, ταύτης
τῆς ὑπερβολῆς καὶ τούτου τοῦ πλούτου σημεῖον ποιούμενοι
πρῶτον καὶ ἱκανὸν[δ] τὴν ἡμῶν αὐτῶν πονηρίαν, ὅτι τοιούτους
392 C ὄντας εὐεργετῶν οὐ διαλείπει. Τοῦτο γὰρ τὸ σημεῖον καὶ πρὸ
τῶν ἄλλων ἡμᾶς διδάσκει ὅσον ἐστὶ φιλάνθρωπος ὁ Θεὸς ὅτι
ἐγγύτερον, ὅτι ἐν ἡμῖν, ὅτι πρὸ τῶν ὀφθαλμῶν. Τὸ δὲ
μεμνῆσθαι τῶν ἡμετέρων κακῶν πρὸς τὸν Θεόν, τοῦτό ἐστιν
ὃ ἐξομολόγησις ὀνομάζεται.

8. Τέταρτον δὲ ἡ αἴτησις. Ἀκόλουθον γὰρ θαρρεῖν, ὡς ὧν
δεόμεθα αἰτούμενοι τευξόμεθα, μετὰ τούτους τοὺς λογισμοὺς
ἐν οἷς τὴν περὶ ἡμᾶς τοῦ Θεοῦ χρηστότητα καὶ φιλανθρωπίαν
καταμανθάνομεν. Ὁ γὰρ πονεροῖς οὖσιν ἔτι γενόμενος ἀγαθός,
τίς ἂν γένοιτο μεταβαλομένοις, καὶ διὰ τὸ[ε] εἰπεῖν πρώτους
τὰς ἁμαρτίας δικαιωθεῖσι, κατὰ τὸ εἰρημένον ὑπὸ τοῦ προφή-
του· « Λέγε σὺ πρῶτος τὰς ἁμαρτίας σοῦ, ἵνα δικαιωθῇς »;

9. Οὕτω πρώτην ἔχει τάξιν τῶν πρὸς Θεὸν ἐντεύξεων ἡ
392 D δοξολογία. Διὰ τοῦτο πρὸ πάσης εὐχῆς καὶ ἱερουργίας
ὁ ἱερεὺς δοξολογεῖ τὸν Θεόν.

10. Τί οὖν τὸ τρισσὸν ἐπιφημίζει τοῦ Θεοῦ καὶ οὐ τὸ
ἑνιαῖον; Οὐ γὰρ εὐλογητὸς ὁ Θεὸς ἢ εὐλογημένη ἡ τοῦ Θεοῦ
βασιλεία, ἀλλὰ τοῖς προσώποις διῃρημένως· « Εὐλογημένη,
φησίν, ἡ βασιλεία τοῦ Πατρὸς καὶ τοῦ Υἱοῦ καὶ τοῦ ἁγίου
Πνεύματος », ὅτι διὰ τῆς ἐνανθρωπήσεως τοῦ Κυρίου
πρώτης ἔμαθον ἄνθρωποι ὡς εἴη τρία πρόσωπα ὁ Θεός.
Ταύτης δὲ τῆς ἐνανθρωπήσεως τοῦ Κυρίου μυσταγωγία ἐστὶ
τὰ τελούμενα· ὅθεν ἐν τοῖς προοιμίοις αὐτῶν ἔδει προλάμπειν
καὶ κηρύττεσθαι τὴν Τριάδα.

δ. ποιούμενοι πρῶτον καὶ ἱκανὸν : ἱκανὸν ποιούμενοι P ‖ ε. διὰ τὸ :
διὰ τοῦ P

1. On ne voit pas à quel texte scripturaire Cabasilas fait ici allusion,
à moins que ce ne soit au verset 6 du psaume 50 : « J'ai péché contre
vous seul et j'ai fait ce qui est mal à vos yeux, en sorte que vous

6. Allant plus avant, nous apprenons la bonté (de Dieu) et son amour pour les hommes. L'acte qui s'ensuit est la reconnaissance.

7. Puis nous considérons l'excellence de sa bonté et la richesse de son amour, tenant notre propre méchanceté comme le signe premier et suffisant de cette excellence et de cette richesse, puisque, malgré notre condition, il ne cesse pas de nous combler de ses bienfaits. Car le signe qui, avant tout autre, nous apprend combien Dieu aime les hommes, c'est celui qui nous est le plus proche, qui est en nous, qui est sous nos yeux. Or, nous souvenir de nos misères devant Dieu, c'est ce qui s'appelle confession.

8. Le quatrième élément, c'est la demande. Il est en effet logique d'avoir confiance que nous obtiendrons ce que sollicitent nos prières, après ces considérations où nous apprenons à connaître la bonté de Dieu et son amour pour nous. Celui qui déjà a été bon à l'égard de ceux qui étaient méchants, combien ne le serait-il pas à l'égard des convertis, de ceux qui auront été justifiés pour avoir les premiers dit leurs péchés, selon la parole du prophète : « Dis le premier tes péchés, afin d'être justifié[1] » ?

9. Ainsi, la doxologie tient la première place dans nos entretiens avec Dieu. C'est pourquoi avant toute prière et avant la sainte liturgie, le prêtre glorifie Dieu.

10. Mais pourquoi célèbre-t-il la trinité de Dieu, et non pas son unité ? Car il ne dit pas : « Béni soit Dieu, bénie soit la royauté de Dieu », mais avec la distinction des personnes : « Bénie soit la royauté du Père et du Fils et du Saint-Esprit. » La raison en est que c'est d'abord par l'incarnation du Seigneur que les hommes ont appris qu'il y a trois personnes en Dieu. Or, les rites qui vont s'accomplir sont l'introduction au mystère de cette incarnation du Seigneur : aussi fallait-il dès le préambule faire resplendir et proclamer la Trinité.

serez juste dans votre sentence, sans reproche dans votre jugement. »

ΙΒ΄. Περὶ τῶν[a] αἰτήσεων καὶ διὰ τί πρώτην
αἰτούμεθα τὴν εἰρήνην

1. Μετὰ δὲ τὴν δοξολογίαν εἰσάγει τὴν αἴτησιν λέγων·
« Ἐν εἰρήνῃ τοῦ Κυρίου δεηθῶμεν. »

393 A 2. « Τὸ γὰρ τί προσευξώμεθα[b] καθὸ δεῖ οὐκ οἴδαμεν »
καὶ ἵνα μὴ « βαττολογῶμεν », διδάσκει ἡμᾶς ἃ δεῖ περὶ τῆς
εὐχῆς· καὶ πρῶτον τὸν τρόπον ὅτι « ἐν εἰρήνῃ » εὔχεσθαι δεῖ.

3. Τί οὖν μετὰ τὴν δοξολογίαν εὐθὺς αἰτεῖσθαι ἐκέλευσεν,
οὔτε ἐξομολογησαμένους πρότερον, οὔτε εὐχαριστήσαντας
τῷ Θεῷ; Ὅτι ἐν τῷ εἰπεῖν τὴν εἰρήνην κἀκεῖνα περιέλαβεν
εἴ τις ἀκριβῶς ἐθέλοι σκοπεῖν. Οὔτε γὰρ ὁ ἀπαρεσκόμενος
τοῖς συμβαίνουσιν αὐτῷ κατὰ τὸν βίον δύναται εἰρήνην ἐν
ἑαυτῷ ἔχειν, ἀλλ᾽ ὁ εὐγνώμων καὶ « ἐν παντὶ εὐχαριστῶν »
κατὰ τὸν τοῦ μακαρίου Παύλου νόμον· οὔτε ὁ μὴ « συνειδὸς
ἔχων καθαρόν »· συνειδὸς δὲ καθαρὸν χωρὶς ἐξομολογήσεως
ἀμήχανον εἶναι. Ὥστε ὁ μετὰ εἰρήνης εὐχόμενος εὐχαριστοῦ-
σαν καὶ ἐξομολογουμένην πρότερον ἔσχε ψυχήν.

393 B 4. Ἔτι δὲ καὶ ἡ αἴτησις ἣν αἰτοῦνται, καὶ εὐχαριστοῦντας
καὶ ἐξομολογουμένους αὐτοὺς περίστησι. Τί γὰρ αἰτοῦνται;
« ἐλεηθῆναι ». Τοῦτο δὲ καταδίκων ἐστὶν αἴτημα, οἳ ὅταν
πᾶσαν ἀπολογίαν περιηρημένοι, μηδεμίαν ἔχωσιν εἰπεῖν
δικαιολογίαν, ταύτην ἔσχατον ἀφιᾶσι τὴν φωνὴν πρὸς τὸν

α. τῶν om P ǁ β. προσευξώμεθα : προσευξόμεθα P

---

a. Rom. 8, 26
b. Matth. 6, 7
c. I Thess. 5, 18
d. Cf. I Tim. 3, 9

---

1. Cf. *Introd.*, p. 50. Ici commence la « grande collecte » ou *synapté*,
longue prière litanique dialoguée entre le diacre (ou le prêtre) et le
peuple, dont on peut retrouver les vestiges dans le *Kyrie eleison* et
l'Oraison de la messe latine. Voir S. SALAVILLE, *Liturgies orientales*,
II. *La Messe*, p. 61-62.

Chapitre XII

**Les demandes. Raisons pour lesquelles
nous commençons par demander la paix[1]**

1. Après la doxologie, le prêtre introduit la demande, en
disant : « Dans la paix, prions le Seigneur. »

2. Comme « nous ne savons pas que demander pour prier
comme il faut[a] » ; et, pour que « nous ne prononcions pas
des paroles vaines[b] », (l'Église) nous enseigne ce qui est
nécessaire au sujet de la prière ; et d'abord la manière,
c'est-à-dire qu'il faut prier « en paix »[2].

3. Pourquoi donc ordonne-t-elle d'adresser des demandes
aussitôt après la doxologie, sans avoir préalablement fait
la confession ni rendu grâces à Dieu ? C'est que, en disant
« la paix », (l'Église) y a inclus aussi ces deux choses, si l'on
veut bien y prêter une attention soutenue. Car celui qui est
mécontent de ce qui lui arrive dans la vie, celui-là ne peut
avoir en soi-même la paix ; mais bien celui qui est reconnaissant et qui « en toutes choses rend grâces à Dieu[c] », selon
la loi formulée par le bienheureux Paul. Pas davantage
celui qui n'a pas « la conscience pure[d] » ; or il est impossible
d'avoir la conscience pure sans confession. En sorte que
celui qui prie en paix se trouve avoir déjà l'âme en état
de gratitude et de confession.

4. En outre, la supplication même qu'on adresse (à Dieu)
met dans une attitude de reconnaissance et de confession.
Que demande-t-on en effet ? « D'être pris en pitié[3]. » Or,
c'est là une supplique de condamnés qui, privés de toute
excuse et n'ayant aucune justification à faire valoir, lancent
à leur juge ce cri suprême, comptant, pour obtenir ce qu'ils

---

2. « En paix prions le Seigneur ! » Ἐν εἰρήνῃ : d'où le nom d'*irenika*
donné encore à ces formules de litanie.

3. Réponse du peuple à la litanie diaconale.

δικαστήν, οὐκ ἀπὸ τῶν δικαίων, ἀλλ᾽ ἀπὸ τῆς ἐκείνου
φιλανθρωπίας, ὧν δέονται τυχεῖν προσδοκῶντες. Τοῦτο δέ
ἐστι μαρτυρούντων, τῷ μὲν δικαστῇ χρηστότητα πολλήν·
ἑαυτοῖς δὲ πονηρίαν· ὧν τὸ μὲν ἐξομολογήσεως, τὸ δὲ
εὐχαριστίας ἐστί.

5. Προτρέπεται δὲ ἐξ ἀρχῆς ὁ ἱερεὺς εἰς τὴν εὐχὴν τὸν
λαόν, καίτοι αὐτὸς ὢν ὁ εἰς τὴν εὐχὴν τεταγμένος, καὶ διὰ
τοῦτο τοῦ λαοῦ προβεβλημένος ὡς πρεσβευτὴς αὐτῶν καὶ
μεσίτης, ἵνα ἡ αὐτοῦ δέησις ἐνεργουμένη πολὺ ἰσχύῃ, καθάπερ
ὁ ἀπόστολος Ἰάκωβος εἶπεν· ἐνεργεῖται γὰρ ἡ δέησις τοῦ
393 C δικαίου ὅταν κἀκεῖνοι πάντες ὑπὲρ ὧν ἡ δέησις τὰ παρ᾽
ἑαυτῶν εἰσφέρωσιν ἅπαντα· χρηστότητα τρόπων, εὐχάς,
ἐπιείκειαν, καὶ ὅτῳ ἄλλῳ ἴσασι χαίροντα τὸν Θεόν.

6. Τί δὲ τὸ αἴτημα τὸ πρῶτον εὐθύς; « Ὑπὲρ τῆς ἄνωθεν
εἰρήνης καὶ τῆς σωτηρίας τῶν ψυχῶν ἡμῶν. »

7. Διδάξας πρότερον ὅπως ἔχοντας εὔχεσθαι δεῖ, νῦν
διδάσκει καὶ τί δεῖ πρῶτον αἰτεῖσθαι τὴν ἄνωθεν εἰρήνην καὶ
τὴν τῶν ψυχῶν σωτηρίαν· οὕτω γὰρ ὁ Χριστὸς ἐκέλευσεν
αἰτεῖσθαι « πρῶτον τὴν βασιλείαν τοῦ Θεοῦ καὶ τὴν δικαιοσύνην αὐτοῦ »· τὴν μὲν γὰρ βασιλείαν ἡ τῶν ψυχῶν σωτηρία,
ἡ δὲ ἄνωθεν εἰρήνη τὴν τοῦ Θεοῦ δικαιοσύνην σημαίνει· περὶ
ἧς εἶπε Παῦλος· « Ἡ εἰρήνη τοῦ Θεοῦ ἡ ὑπερέχουσα πάντα
νοῦν »· ἣν ὁ Κύριος ἀφῆκεν τοῖς ἀποστόλοις ἀναβαίνων εἰς
τὸν Πατέρα· « Εἰρήνην, εἰπών, ἀφίημι ὑμῖν, εἰρήνην τὴν
393 D ἐμὴν δίδωμι ὑμῖν. » Ὥσπερ γὰρ τὸ ὄνομα τῆς δικαιοσύνης
ἐκεῖ οὐ τὴν τοῦ ἴσου διανομὴν σημαίνει μόνον, ἀλλ᾽ ἁπλῶς
παντὸς ἀρετῆς εἴδους δηλωτικόν ἐστι, οὕτω καὶ τὸ τῆς
εἰρήνης ἐνταῦθα καθόλου τί ἐστι· καὶ γάρ ἐστιν ἁπασῶν
ἀρετῶν ὁμοῦ καὶ φιλοσοφίας ἁπάσης καρπός· οὐ γὰρ ἔστιν
εἰρήνην τελείαν κτήσασθαι τὸν ἐνδεῶς ἔχοντα μιᾶς τινος
ἀρετῆς, ἀλλ᾽ ἀνάγκη τὸν εἰρηνεύσειν μέλλοντα διὰ πασῶν
ἀφικέσθαι.

8. Δεῖ τοίνυν ἀσκεῖν ἑαυτοὺς πρὸς τὴν εἰρήνην πρῶτον τὴν

e. Jac. 5, 16   g. Phil. 4, 7
f. Matth. 6, 33   h. Jn 14, 27

demandent, non point sur la stricte justice, mais sur la bonté du juge. Or, c'est là le fait de gens qui rendent témoignage au juge de son immense bonté, et à eux-mêmes de leur propre perversité : ce qui est précisément un acte ici de confession, et là de reconnaissance.

5. Le prêtre, dès le début, exhorte le peuple à la prière, quoique préposé lui-même à la prière et, pour ce motif, promu devant le peuple comme représentant et intermédiaire des fidèles ; il le fait pour que « sa prière soit puissante et très efficace », selon la parole de l'apôtre Jacques : « La prière du juste est puissante[e] », lorsque tous ceux pour qui se fait la demande apportent eux-mêmes tout ce qui est en leur pouvoir : pureté de mœurs, prières, modestie et toutes les autres dispositions qu'ils savent être agréables à Dieu.

6. Et quelle est la toute première demande ? « Pour la paix d'en-haut et le salut de nos âmes ».

7. Après nous avoir enseigné dans quelles dispositions il faut être pour prier, (l'Église) nous enseigne maintenant pourquoi il faut d'abord demander la paix d'en-haut et le salut des âmes. Le Christ, en effet, nous a ordonné de demander « d'abord le règne de Dieu et sa justice[f] » ; car le salut des âmes signifie le règne de Dieu, et la paix d'en-haut signifie la justice de Dieu. C'est de cette paix que Paul a dit : « la paix de Dieu qui passe tout sentiment[g] » ; c'est cette paix que le Seigneur a laissée à ses apôtres en montant vers son Père : « Je vous laisse la paix, disait-il, je vous donne ma paix[h]. » Car, de même que le mot *justice*, dans l'Évangile, ne signifie pas seulement une répartition équitable, mais désigne simplement toutes les espèces de la vertu, de même ici le terme de *paix* est quelque chose d'universel : c'est le fruit à la fois de toutes les vertus et de toute la sagesse spirituelle. Car celui-là ne saurait posséder une paix parfaite, qui se trouve dépourvu de l'une quelconque des vertus ; mais celui qui veut posséder la paix doit l'avoir atteinte en passant par toutes les vertus.

8. Il faut donc nous exercer nous-mêmes d'abord à la

ἀνθρώποις δυνατήν· εἶτα αἰτεῖσθαι παρὰ τοῦ Θεοῦ τὴν αὐτοῦ
εἰρήνην, καθάπερ καὶ ἐφ' ἑκάστης ἀρετῆς ἔχει. Ἔστι γὰρ
σωφροσύνη διὰ ἀσκήσεως γινομένη καὶ ἔστι σωφροσύνη παρὰ
Θεοῦ τῇ ψυχῇ διδομένη ᵞ, καὶ ἀγάπη, καὶ εὐχή, καὶ σοφία, καὶ
ἐπὶ τῶν ἄλλων τὸν αὐτὸν τρόπον. Διὰ τοῦτο καὶ ὁ ἱερεὺς περὶ
396 A τῆς εἰρήνης ἐκείνης πρώτης ἡμῖν διαλέγεται τῆς ἐφ' ἡμῖν, τῆς
ὑφ' ἡμῶν κατορθουμένης, καὶ μετ' αὐτῆς κελεύει πρὸς τὸν
Θεὸν ποιεῖσθαι δεήσεις· εἶτα περὶ τῆς ἐκ Θεοῦ διδομένης,
καὶ ταύτης ἕνεκα δεηθῆναι τοῦ Θεοῦ παραινεῖ, « Δεηθῶμεν,
λέγων, ὑπὲρ τῆς ἄνωθεν εἰρήνης. » Εἰρήνην δὲ λέγει, οὐ τὴν
πρὸς ἀλλήλους μόνον, ὅταν οὐδενὶ μνησικακῶμεν, ἀλλὰ καὶ
τὴν πρὸς ἡμᾶς αὐτούς, ὅταν ἡ καρδία ἡμῶν μὴ καταγινώσκῃ
ἡμῶν. Πολὺ δὲ τὸ ὄφελος τῆς εἰρήνης· μᾶλλον δὲ ἀνάγκη
ταύτης τῆς ἀρετῆς ἡμῖν πανταχοῦ· τὸν γὰρ θορυβούμενον
νοῦν Θεῷ συνελθεῖν παντελῶς ἀδύνατον, πρῶτον μὲν δι'
αὐτὴν τὴν φύσιν τοῦ θορύβου. Καθάπερ γὰρ ἡ εἰρήνη τοὺς
πολλοὺς ἕνα δείκνυσι, οὕτως ὁ θόρυβος τὸν ἕνα πολλὰ ποιεῖ.
396 B Πῶς οὖν ἐφαρμόσαι δυνήσεται τῷ ἑνὶ καὶ ἁπλῷ Θεῷ; Ἔπειθ'
ὅτι οὐδὲ εὔξασθαι δύναται καλῶς, οὐδὲ ἀπολαῦσαί τι χρηστὸν
τῆς εὐχῆς ὁ χωρὶς εἰρήνης εὐχόμενος. Εἴτε γὰρ ὀργὴ ταράττει
τὸν ἄνθρωπον, καὶ μνησικακία τὴν εἰρήνην τῆς ψυχῆς
ἐξέβαλεν, οὐδὲ συγγνώμην εὑρήσει τῶν ᵟ πλημμελημάτων
ὑπὸ ᵉ τῆς εὐχῆς, πολλῷ μᾶλλον οὐδὲ ἄλλην τινὰ λήψεται
χάριν. Εἴτε ἁμαρτημάτων ἑτέρων ἕνεκα ὑπὸ τοῦ συνειδότος
κεντεῖται, καὶ τὴν καρδίαν ἔχει κατηγοροῦσαν, καὶ τοῦτον
θορυβεῖται τὸν θόρυβον, τῆς πρὸς τὸν Θεὸν πάσης ἀπεστέρηται
παρρησίας κατὰ τὸ λόγιον· « Καὶ ὅταν εὔχηται, χωρὶς
παρρησίας εὔχεται », ὅπερ ἔστι χωρὶς πίστεως. Ὁ δὲ χωρὶς
πίστεως εὐχόμενος μάτην εὔχεται καὶ εἰς οὐδὲν ὄφελος.
396 C 9. Διὰ ταῦτα κελευόμεθα καὶ μετὰ τῆς εἰρήνης τοῦ Θεοῦ
δεῖσθαι καὶ πρὸ πάντων τὴν ἄνωθεν εἰρήνην αἰτεῖσθαι.

γ. διδομένη : δεδομένη P ‖ δ. τῶν om P ‖ ε. ὑπὸ : ἀπὸ P

1. Citation assez vague et, par là même, difficile à identifier : à
rapprocher peut-être d'*Éphés.* 3, 12.

paix qui est possible aux hommes ; puis demander à Dieu
sa paix à lui, comme il en va pour chaque vertu. Car il y a
une tempérance qui s'acquiert par l'ascèse, et il y a une
tempérance qui est donnée à l'âme par Dieu ; et de même
une charité, et une prière, et une sagesse, et c'est la même
chose pour toutes les autres vertus. Voilà pourquoi le
prêtre nous parle d'abord de cette paix qui dépend de nous,
qui est réalisée par nous ; et c'est avec cette paix qu'il veut
que l'on adresse des demandes à Dieu. Il parle ensuite de
la paix qui est un don de Dieu, et il nous exhorte à prier Dieu
pour l'obtenir : « Prions, dit-il, pour obtenir la paix d'en-
haut. » En disant *la paix*, il n'entend pas seulement la paix
les uns avec les autres, lorsqu'on ne veut pas de mal
à personne, mais aussi la paix avec nous-mêmes, lorsque
notre cœur ne nous condamne point. Grande est l'utilité
de la paix ; ou plutôt, cette vertu nous est d'une absolue
nécessité. Car l'esprit agité ne saurait en aucune façon avoir
commerce avec Dieu, en raison même d'abord de la nature
de son agitation. De même que la paix veut dire l'unité
dans la multitude, de même l'agitation fait de l'individu
une multitude. Comment donc celui-ci pourra-t-il s'unir
au Dieu un et simple ? Une autre raison, c'est qu'il ne peut
ni prier comme il faut, ni recueillir quelque bien de sa prière,
celui qui prie sans paix. D'un côté, si la colère trouble
l'homme et si la rancune a banni de son âme la paix, il ne
trouvera pas par la prière le pardon de ses fautes, et encore
moins pourra-t-il recevoir quelque autre grâce. D'un autre
côté, si à cause d'autres fautes, l'homme se sent la conscience
harcelée, si son cœur se fait son accusateur et s'il est sous
l'effet de ce trouble intérieur, il sera dépourvu de toute
assurance auprès de Dieu, conformément à cette parole :
« Quand il prie, il prie sans assurance[1] », c'est-à-dire sans foi.
Or, celui qui prie sans foi prie en vain et sans aucune utilité.

9. Voilà pourquoi il nous est prescrit et de prier Dieu
avec une âme en paix et, avant toutes choses, de solliciter
la paix d'en-haut.

10. Μετὰ δὲ τούτων[ζ] καὶ ὑπὲρ τῶν ἄλλων φιλαγάθως αἰτήσεις ποιεῖσθαι, οὐ τῆς Ἐκκλησίας μόνον καὶ τῆς βασιλείας καὶ τῶν προστατῶν ἑκατέρων ἢ τῶν ἐν κινδύνοις καὶ περιστάσεσι καὶ συμφοραῖς ὄντων, ἀλλ᾽ ἁπλῶς ἁπάντων τῆς οἰκουμένης ἁπάσης.

11. « Ὑπὲρ τῆς εἰρήνης γάρ, φησί, τοῦ σύμπαντος κόσμου. » Μάλιστα μὲν ὅτι τὸν ἑαυτῶν Δεσπότην ἴσασι κοινὸν ἁπάντων Δεσπότην ὄντα, καὶ ὅτι μέλει πάντων αὐτῷ ὡς δημιουργῷ τῶν[η] δημιουργημάτων· κἄν τις αὐτῶν κήδηται, θεραπεύει αὐτὸν μᾶλλον ἢ θύων.

12. Ἔπειτα κατὰ τὸν μακάριον Παῦλον, ἵνα καὶ ἡμεῖς « ἐν τῇ γαλήνῃ αὐτῶν ἤρεμον καὶ ἡσύχιον βίον διάγωμεν ἐν πάσῃ εὐλαβείᾳ καὶ σεμνότητι. »

396 D **13.** Καὶ οὐχ ὑπὲρ τῶν εἰς ψυχὴν φερόντων μόνον, ἀλλὰ καὶ σωματικῶν ἀγαθῶν εὐχόμεθα τῶν ἀναγκαίων, « εὐκρασίας ἀέρων, εὐφορίας τῶν καρπῶν τῆς γῆς », ἵν᾽ εἰδῶμεν πάντων αἴτιον ὄντα καὶ χορηγὸν τὸν θεὸν καὶ πρὸς ἐκεῖνον μόνον ὁρῶμεν, ἐπεὶ καὶ τὸν ἄρτον αἰτεῖσθαι παρ᾽ αὐτοῦ τὸν καθημερινὸν μετὰ τῶν ἄλλων αὐτὸς ἐκέλευσεν ὁ Χριστός.

ΙΓ΄. Τί βούλεται ἡ τοῦ ἐλέου αἴτησις πανταχοῦ

1. Ζητητέον δὲ κἀκεῖνο τίνος χάριν ὁ μὲν ἱερεὺς περὶ πολλῶν εὔχεσθαι κελεύει καὶ διαφόρων, οἱ δὲ περιεστῶτες πιστοὶ « ἐλεηθῆναι » μόνον εὔχονται καὶ ταύτην μόνην ἐπὶ πᾶσι μίαν πρὸς τὸν Θεὸν ἀφιᾶσι φωνήν.

ζ. τούτων : τοῦτο P ‖ η. τῶν om P

i. Cf. Matth. 9, 13 ; 12, 7. Os. 6, 6
j. I Tim. 2, 2

1. A chacune des formules de cette prière litanique ou « collecte », qui recueille sur les lèvres du prêtre ou du diacre les intentions principales de tous et de chacun, les fidèles font cette réponse uniforme : *Kyrie eleison*, « Seigneur, prends pitié ». Voir S. Salaville, *Liturgies*

10. Si nous sommes dans cette disposition, nous pouvons charitablement faire (à Dieu) des demandes pour les autres : non pas seulement pour l'Église, pour l'empire, et pour ceux qui sont à leur tête, pour tous ceux qui se trouvent dans les périls, les adversités, les infortunes, mais simplement pour tous ceux du monde tout entier.

11. « Pour la paix du monde entier », dit en effet le prêtre. En premier lieu, parce que (les chrétiens) savent que leur Maître est le commun Maître de tous et que, comme Créateur, il s'intéresse à toutes ses créatures ; et si quelqu'un prend soin de celles-ci, cet homme l'honore davantage par cette sollicitude que par le sacrifice[i].

12. Ensuite, selon la pensée du bienheureux Paul, afin que nous-mêmes, à la faveur de la tranquillité générale, nous puissions mener « une vie calme et tranquille en toute piété et toute dignité[j] ».

13. Et pas seulement pour ce qui intéresse l'âme : nous prions aussi pour les biens matériels qui sont nécessaires, « pour la salubrité de l'air et l'abondance des fruits de la terre », afin que nous reconnaissions Dieu comme l'auteur et le dispensateur de toutes choses, et que nous tenions nos regards tournés vers lui seul, puisque le Christ en personne a ordonné de demander à Dieu, avec tout le reste, même le pain de chaque jour.

Chapitre XIII

Que signifie, à chaque demande, l'imploration de la divine miséricorde

1. Parmi les questions à poser, il y a encore celle-ci : pour quel motif, tandis que le prêtre invite à prier pour des intentions nombreuses et variées, les fidèles assistants demandent-ils seulement « d'être pris en pitié » et lancent-ils, à chaque pétition, cet unique appel vers Dieu[1] ?

2. Πρῶτον μὲν ὅτι ἡ τοιαύτη φωνὴ καθάπερ εἴρηται εὐχαριστίαν καὶ ἐξομολόγησιν περιέχει. Ἔπειτα τὸ ἔλεος[a]

397 A παρὰ τοῦ Θεοῦ αἰτεῖν, τὴν αὐτοῦ βασιλείαν ἐστὶν αἰτεῖν, ἣν τοῖς αἰτουμένοις ὁ Χριστὸς αὐτήν τε ἐπηγγείλατο δώσειν, καὶ τὰ ἄλλα ὧν χρείαν ἔχομεν πάντα προσθήσειν, καὶ διὰ τοῦτο ταύτῃ ἀρκοῦνται τῇ δεήσει, ὡς πάντα ὁμοῦ δυναμένῃ. 3. Καὶ πόθεν ἔστι τοῦτο μαθεῖν, φησίν, ὡς ὁ ἔλεος τοῦ Θεοῦ τὴν αὐτοῦ βασιλείαν σημαίνει; 4. Ἐξ ὧν ὁ Χριστὸς τὸ ἆθλον τῶν ἐλεημόνων διηγούμενος, καὶ ἣν λήψονται παρ' αὐτοῦ τῆς χρηστότητος ἀμοιβήν, νῦν μὲν « ἐλεηθήσεσθαι » αὐτοὺς λέγει, νῦν δὲ βασιλείας τεύξεσθαι, ὡς ταὐτὸν ὄν, τό τε τοῦ παρ' αὐτοῦ ἐλέου τυχεῖν καὶ βασιλείαν λαβεῖν. « Μακάριοι γάρ, φησίν, οἱ ἐλεήμονες ὅτι αὐτοὶ ἐλεηθήσονται. » 5. Εἶτα ἀλλαχοῦ, καθάπερ ἐξηγούμενος ἑαυτόν, καὶ τί ἐστι τὸ ἐλεηθῆναι σημαίνων· « Ἐρεῖ, φησίν, ὁ βασιλεὺς τοῖς

397 B ἐκ δεξιῶν αὐτοῦ, τοὺς ἐλεήμονας λέγων· Δεῦτε, οἱ εὐλογημένοι τοῦ Πατρός μου, κληρονομήσατε τὴν ἡτοιμασμένην ὑμῖν βασιλείαν. » 6. Καὶ ἄλλως δὲ εἴ τις ἐξ ὧν οἱ ἐλεήμονες ἄνθρωποι ποιοῦσι τὸ ἔργον τοῦ θείου ἐλέου κατιδεῖν ἐθελήσει, οὐδὲν ἕτερον εὑρήσει δυνάμενον ἢ τὴν βασιλείαν αὐτήν. Τί οὖν οἱ ἐλεήμονες; « Ἐπείνασα, φησί, καὶ ἐδώκατέ μοι φαγεῖν· ἐδίψησα, καὶ ἐποτίσατέ με. » Οὐκοῦν καὶ ὁ Χριστὸς οὓς ἐλεεῖ τούτους τῆς ἑαυτοῦ μεταδώσει τραπέζης. Τίς δὲ ἐκείνη;

α. ἔλεος : ἔλεον P

a. Cf. Matth. 6, 33
b. Matth. 5, 7
c. Matth. 25, 34
d. Matth. 25, 35

orientales, II. La Messe, p. 59-60. C'est à expliquer la signification de ce Kyrie eleison que vise le présent chapitre. Il peut aussi bien servir de commentaire aux Kyrie eleison de notre messe latine, qui sont eux-mêmes un reste de l'antique litanie diaconale, et au Miserere

2. C'est d'abord que cet appel, comme il a été dit, implique action de grâces et confession. Ensuite, implorer de Dieu sa miséricorde, c'est demander son royaume, ce royaume que le Christ a promis de donner à ceux qui le cherchent, en y ajoutant par surcroît toutes les autres choses dont nous avons besoin[a] ; et voilà pourquoi les fidèles se contentent de cette demande comme ayant une portée générale.

3. Mais d'où pouvons-nous savoir, dira-t-on, que la miséricorde de Dieu signifie le royaume de Dieu ?

4. De ce que le Christ, parlant de la récompense des miséricordieux et de la rémunération de bonté qu'ils recevront de lui, tantôt déclare « qu'ils seront pris en pitié », tantôt qu'ils obtiendront le Royaume, preuve que c'est bien la même chose, d'obtenir de Dieu miséricorde et de recevoir le Royaume : « Bienheureux en effet, dit-il, les miséricordieux, car ils obtiendront miséricorde[b]. »

5. De plus, le Christ déclare ailleurs, comme pour s'expliquer lui-même et pour indiquer ce que c'est d'être pris en pitié : « Le Roi dira à ceux qui seront à sa droite — et il désigne par là les miséricordieux — : Venez, les bénis de mon père, entrez en possession du royaume qui vous est préparé[c]. »

6. Au reste, si, parmi les actions qu'accomplissent les hommes miséricordieux, l'on veut considérer l'œuvre de la divine miséricorde, on constatera qu'elle équivaut précisément au Royaume lui-même. Que font en effet les miséricordieux ? « J'ai eu faim, dit-il, et vous m'avez donné à manger ; j'ai eu soif, et vous m'avez donné à boire[d]. » Ceux-là donc à qui le Christ fait miséricorde, il les admettra à la participation de sa propre table. Et quelle est cette

nobis de nos diverses litanies plus récentes. Au surplus, cette série de supplications qui constitue la *synaptè* orientale présente des analogies frappantes avec les solennelles monitions et oraisons romaines du Vendredi Saint, avec la partie finale des « Litanies des Saints » et des Rogations, ou avec la prière des fidèles.

« Ἵνα ἐσθίητε, φησί, καὶ πίνητε ἐπὶ τῆς τραπέζης μου ἐν τῇ βασιλείᾳ μου. » Καὶ ἵνα γνῷς τὴν λαμπρότητα τῆς τραπέζης ἐκείνης καὶ οὐκ ἔστι δούλων ἀλλὰ βασιλέων, μανθάνετε τὸν 397 C διάκονον, ὅτι αὐτός ἐστιν ὁ πάντων Δεσπότης. « Περιζώσεται γάρ, φησί, καὶ ἀνακλινεῖ αὐτούς, καὶ παρελθὼν διακονήσει αὐτοῖς. »

7. Ἀλλὰ καὶ περιβαλεῖ γυμνὸν ὄντα τὸν ἠλεημένον. Οὐκοῦν στολὴν δώσει βασιλικήν; Οἴκοθεν γὰρ αὐτὸν ἐνδύσει καὶ τῶν αὐτοῦ. Δουλικὸν δὲ οὐδὲν παρ' αὐτῷ βασιλεῖ γε ὄντι, ὥσπερ οὐδὲν παρ' ἡμῖν οἴκοθεν βασιλικόν, οὖσι δούλοις. Τοῦτο δέ ἐστι τὸ ἔνδυμα^β τοῦ γάμου, ὃ τοὺς περικειμένους ἔνδον ἀνάγκη τῆς βασιλείας εἶναι, ὅτι οὐδὲν ἕξει ὁ βασιλεύς, ὁ μεμψάμενος αὐτοὺς ἐκβαλεῖ τοῦ νυμφῶνος.

8. Τί ἔτι; Τὴν οἰκίαν αὐτοῖς ἀνοίξει τὴν ἑαυτοῦ, καὶ εἰσαγαγὼν ἀναπαύσει. « Ξένος γὰρ ἤμην καὶ συνηγάγετέ με. » Ἀλλ' οἱ ταύτης τῆς χάριτος ἀξιωθέντες, οὐκ ἔτι δοῦλοι, 397 D ἀλλὰ υἱοί. « Ὁ γὰρ δοῦλος, φησίν, οὐ μένει ἐν τῇ οἰκίᾳ εἰς τὸν αἰῶνα. Ὁ υἱὸς μένει εἰς τὸν αἰῶνα. » Οἱ δὲ υἱοὶ καὶ κληρονόμοι οὐ τῆς βασιλείας ἁπλῶς μόνον ἀλλὰ καὶ αὐτοῦ τοῦ περικειμένου τὴν βασιλείαν. « Κληρονόμοι γάρ, φησί, Θεοῦ, συγκληρονόμοι δὲ Χριστοῦ. »

9. Οὕτω τὸν^γ ἔλεον παρὰ τοῦ Θεοῦ αἰτεῖν, τὸ τυχεῖν τῆς παρ' αὐτῷ βασιλείας ἐστὶν αἰτεῖν.

β. τὸ ἔνδυμα om P ‖ γ. τὸν : τὸ P

---

e. Lc 22, 30
f. Lc 12, 37
g. Cf. Matth. 25, 36
h. Matth. 25, 35
i. Jn 8, 35
j. Rom. 8, 17

table ? « Que vous mangiez et buviez à ma table dans mon royaume[e]. » Et, pour que vous sachiez la magnificence de cette table, et que ce n'est pas une table de serviteurs mais de rois, apprenez que celui qui en fera le service, c'est le Souverain universel. « Il se ceindra, dit-il, il les fera mettre à table, et il passera pour les servir[f]. »

7. De même, le Seigneur vêtira aussi la nudité de celui à qui il aura fait miséricorde[g] : ne lui donnera-t-il pas la robe royale ? A ses frais, il le revêtira de ses propres habits. Or, il n'y a rien chez lui de servile puisqu'il est roi, tout comme il n'y a rien de royal chez nous qui sommes des serviteurs. Cet habit est la robe nuptiale, qui entraîne pour ceux qui en sont revêtus l'admission à l'intérieur du Royaume : le roi, en effet, ne trouvera rien à leur reprocher, qui les lui fasse exclure de la salle des noces.

8. Quoi encore ? Il leur ouvrira sa propre maison et les y introduira pour les faire reposer. « J'étais étranger et vous m'avez accueilli[h]. » Ceux qui ont été jugés dignes d'une telle faveur ne sont plus des serviteurs, mais des fils. « Le serviteur, dit-il, ne demeure pas pour toujours dans la maison, tandis que le fils y demeure pour toujours[i][1]. » Et les fils sont aussi héritiers, non seulement du Royaume, mais de Celui-là même qui est au cœur du Royaume. « Héritiers de Dieu, cohéritiers du Christ[j]. »

9. Voilà comment implorer de Dieu sa miséricorde, c'est demander à obtenir son Royaume.

---

1. L'insistance qu'apporte Cabasilas à mettre la demande de miséricorde en relation avec les béatitudes évangéliques permet de supposer qu'il songeait, en écrivant cette page, aux Béatitudes ou *Makarismoi* dont le chant remplace celui du 3e *Antiphone* à la liturgie dominicale. Pour les Antiphones, se reporter au chapitre XV ci-après. Voir S. Salaville, *Liturgies orientales*, II. *La Messe*, p. 63-70.

ΙΔ΄. Περὶ τῆς παραθέσεως

1. Μετὰ δὲ τὸ εὔξασθαι περὶ πάντων, ἑαυτοὺς κελεύει τῷ Θεῷ παρατίθεσθαι, λέγων· « Τῆς παναγίας, ἀχράντου, ὑπερευλογημένης, ἐνδόξου Δεσποίνης ἡμῶν Θεοτόκου καὶ ἀειπαρθένου Μαρίας, μετὰ πάντων τῶν ἁγίων μνημονεύσαντες, ἑαυτοὺς καὶ ἀλλήλους καὶ πᾶσαν τὴν ζωὴν ἡμῶν Χριστῷ τῷ Θεῷ παραθώμεθα. »

2. Οὐ πάντων ἐστὶ « τὸ παρατίθεσθαι ἑαυτοὺς τῷ Θεῷ ». Οὐ γὰρ ἀρκεῖ τὸ εἰπεῖν, ἀλλὰ δεῖ καὶ τὸν Θεὸν συνταθέμενον 400 A ἔχειν. Τοῦτο δὲ παρρησίας δεῖται πάντως, παρρησίαν δὲ συνειδὸς ποιεῖ καθαρόν, ὅταν ἡ καρδία ἡμῶν μὴ καταγιγνώσκῃ ἡμῶν, ὅταν τὰ αὐτοῦ μεριμνῶμεν, ὅταν ὑπὲρ τοῦ μεριμνᾶν τὰ ἐκείνου τῶν ἡμετέρων καταφρονῶμεν. Τότε γὰρ αὐτοί τε ἀληθῶς ἀφιστάμεθα τῆς μερίμνης τῆς ὑπὲρ ἡμῶν αὐτῶν, καὶ τῷ Θεῷ ταύτην παρατίθεμεν ἀσφαλῶς, πιστεύοντες βεβαίως ὅτι δέξεται τὴν παρακαταθήκην ἡμῶν καὶ φυλάξει. Ἐπεὶ τοίνυν τοσαύτης δεῖται τὸ πρᾶγμα φιλοσοφίας τε καὶ σπουδῆς, διὰ τοῦτο νῦν μὲν παναγίαν τοῦ Θεοῦ Μητέρα καὶ τὸν τῶν ἁγίων ἅπαντα κύκλον εἰς ἐπικουρίαν καλέσαντες, οὕτω ποιούμεθα τὴν παράθεσιν· τοῦτο γὰρ βούλεται τὸ « μνημονεῦσαι », τὸ « καλέσαι », τὸ « δεηθῆναι ». Νῦν δὲ « τὴν ἑνότητα τῆς πίστεως[α] καὶ τὴν κοινωνίαν τοῦ ἁγίου Πνεύματος αἰτησά-

α. τῆς πίστεως om P

---

a. Cf. I Tim. 3, 9

---

1. Ce titre demande un mot d'explication, qui va du reste être équivalemment suggéré par les premières lignes du texte. La *synapté* ou *collecte* se termine, après un rappel de l'intercession de Marie et des saints, par une invitation d'un laconisme expressif : « Après avoir fait mémoire de la toute-sainte, immaculée, bénie par-dessus tout, notre glorieuse Dame, la Mère de Dieu et toujours vierge, Marie, et de tous les saints, confions-nous nous-mêmes, et les uns les autres,

Chapitre XIV

Du dépôt que nous confions à Dieu[1]

1. Après avoir prié à toutes les intentions, le prêtre invite les fidèles à se confier eux-mêmes à Dieu, en leur disant : « Après avoir commémoré la toute-sainte, immaculée, bénie par-dessus tout, notre glorieuse Dame, la Mère de Dieu et toujours vierge, Marie, ainsi que tous les saints, confions-nous nous-mêmes, et les uns les autres, et notre vie tout entière au Christ Dieu. »

2. Il n'est pas donné à tous de « se confier soi-même à Dieu ». Car il ne suffit pas de le dire, il faut encore avoir l'acceptation de Dieu. Cela exige absolument de l'assurance. Or, l'assurance, c'est une conscience pure qui la produit[a] : lorsque notre cœur ne nous accuse pas, lorsque nous nous occupons des intérêts de Dieu, lorsque, pour prendre soin de ses intérêts, nous méprisons les nôtres. Car alors nous-mêmes, nous abdiquons véritablement la sollicitude de ce qui nous touche, et nous en confions avec sécurité le soin à Dieu, croyant fermement qu'il acceptera notre dépôt et le gardera. Comme la chose exige une grande sagesse et un grand sérieux, nous ne faisons donc ce dépôt qu'après avoir, d'une part, appelé à notre secours la toute-sainte Mère de Dieu et toute l'assemblée des saints — car « commémorer » signifie invoquer, demander — ; d'autre part, « après avoir sollicité l'unité de la foi et la communication

---

et toute notre vie, au Christ Dieu. » — « A toi, Seigneur », répond cette fois le chœur, c'est-à-dire : Oui, nous nous confions à toi. « Confions-nous nous-mêmes, et les uns les autres, et notre vie tout entière au Christ Dieu. » *Parathômetha,* Confions-nous ! D'où le substantif *parathèse* qu'emploie ici Cabasilas : « De la parathèse ». Nous pensons devoir dire, en français : *Du dépôt que nous confions à Dieu.* Voir S. Salaville, *Liturgies orientales,* II. *La Messe,* p. 60-61.

400 B μενοι » πρότερον, εἶτα « ἑαυτοὺς καὶ ἀλλήλους καὶ πᾶσαν τὴν ζωὴν ἡμῶν παρατιθέμεθα τῷ θεῷ ».

3. Τί δέ ἐστιν « ἡ τῆς πίστεως ἑνότης »; « Ἀνήρ, φησί, δίψυχος, ἀκατάστατος ἐν πάσαις ταῖς ὁδοῖς αὐτοῦ », δίψυχον λέγων τὸν ἀμφίβολον, τὸν οὐδαμοῦ βέβαιον. Ὁ γὰρ τοιοῦτος ἐφ᾽ ἑκάτερα κλίνων, οὐδετέρωθι βαίνει βεβαίως. Τούτου τὸ ἐναντίον δηλοῦται διὰ τῆς ἑνότητος, τὸ πάγιον, τὸ βέβαιον, τὸ ἑστώς. Ὁ μὲν γὰρ πιστεύων βεβαίως ἕν τι γιγνώσκει περὶ τοῦ πράγματος, ἢ τὸ εἶναι, ἢ τὸ μὴ εἶναι. Ὁ δὲ ἀμφίβολος πρὸς ἄμφω ῥέπων, καὶ ἀπὸ τῆς προσηγορίας γίνεται δῆλος.

4. Τοῦτο μὲν οὖν ἡ τῆς πίστεως ἑνότης· τὸ ἀκίνητον, τὸ πάσης ἀμφιβολίας ἀπηλλαγμένον.

5. « Ἡ δὲ τοῦ ἁγίου Πνεύματος κοινωνία » τὴν ἐκείνου
400 C σημαίνει χάριν. Λέγεται δὲ κοινωνία ὅτι, τοῦ Κυρίου διὰ τοῦ σταυροῦ « τὸ μεσότοιχον τοῦ φραγμοῦ », τὸ μεταξὺ Θεοῦ καὶ ἡμῶν καθελόντος, ἐπὶ τοὺς τέως διισταμένους καὶ μηδὲν ἔχοντας κοινὸν συνιέναι καὶ κοινωνεῖν ἔδει λοιπόν, ἡ τοῦ ἁγίου Πνεύματος εἰς τοὺς ἀποστόλους ἐπιδημία τοῦτο ποιεῖ. Ἐντεῦθεν γὰρ τὸ ἅγιον βάπτισμα καὶ πᾶσα ἡ τῶν θείων χαρίτων πηγὴ τοῖς ἀνθρώποις ἀνέῳγε καί, κατὰ τὸν μακάριον Πέτρον, « θείας γεγόναμεν κοινωνοὶ φύσεως ».

6. Δεῖ τοίνυν καὶ πίστεως βεβαίας καὶ τῆς παρὰ τοῦ Πνεύματος βοηθείας τὸν μέλλοντα καλῶς ἑαυτὸν παρατίθεσθαι τῷ Θεῷ.

400 D 7. Καὶ οὐχ ἑαυτὸν ἕκαστος μόνον, ἀλλὰ καὶ « ἀλλήλους παρατιθέμεθα ». Δεῖ γὰρ οὐ τὸ ἑαυτοῦ ζητεῖν μόνον, ἀλλὰ καὶ τὰ τῶν ἄλλων, διὰ τὸν τῆς ἀγάπης νόμον.

b. Éphés. 4, 13. II Cor. 13, 13
c. Jac. 1, 8
d. Éphés. 2, 14
e. II Pierre 1, 4

du Saint-Esprit[b] ». Après quoi, « nous nous confions nous-mêmes, et les uns les autres et toute notre vie, à Dieu[1] ».

3. Qu'est-ce donc que « l'unité de la foi » ? « L'homme à l'âme double est inconstant dans toutes ses voies[c] », dit l'Écriture, appelant *âme double* l'homme incertain et qui n'est ferme nulle part. Cet homme, penchant à droite et à gauche, ne marche ferme d'aucun côté. Le contraire de ce fâcheux état est exprimé par l'unité (de la foi) : c'est la fermeté, la solidité, la stabilité. En effet, celui qui croit fermement sait, sur l'objet en question, une chose : ou qu'il est, ou qu'il n'est pas. L'homme incertain, lui, penche des deux côtés, comme l'indique de terme de *amphibolos*.

4. Voilà donc ce qu'est l'unité de la foi : quelque chose d'inamovible, exempt de toute hésitation.

5. Quant à « la communication du Saint-Esprit », elle signifie la grâce de cet Esprit. On l'appelle communication, parce que, le Seigneur ayant abattu par sa croix « le mur de séparation[d] » entre Dieu et nous, ceux qui jusqu'alors étaient séparés et n'avaient rien de commun, devaient désormais s'accorder et rester en communion : la venue du Saint-Esprit sur les Apôtres produit cet effet. C'est depuis lors que les hommes ont accès au saint baptême et à la source de toutes les grâces divines et que, selon la parole du bienheureux Pierre, « nous sommes devenus participants de la nature divine[e] ».

6. Il faut donc et une foi ferme et l'aide du Saint-Esprit à qui veut dûment se confier soi-même à Dieu.

7. Et ce n'est pas seulement soi-même que chacun confie à Dieu : « nous nous confions aussi à Dieu les uns les autres ». Car la loi de la charité nous oblige à ne point chercher seulement notre bien, mais aussi celui des autres.

---

1. Cabasilas cite et commente ici la finale de la litanie diaconale qu'on récite dans la liturgie byzantine après l'anaphore et avant l'oraison dominicale.

ΙΕ΄. Περὶ τῶν λεγομένων ἀντιφώνων καὶ τῶν ἐν αὐτοῖς εὐχῶν

1. Ἐν ὅσῳ δὲ τῶν αἰτήσεων ὁ διάκονος ἐξηγεῖται, καὶ ὁ ἱερὸς λαὸς εὔχεται, ὁ ἱερεὺς ἔνδον εὐχὴν ποιεῖται ἡσυχῇ καὶ καθ᾽ ἑαυτόν, ὑπὲρ τῶν περιεστώτων καὶ « τοῦ ἁγίου οἴκου », « πλούσια » χεθῆναι αὐτοῖς « τὰ ἐλέη παρὰ τοῦ Θεοῦ καὶ τοὺς οἰκτιρμούς »· καὶ προστίθησι τὴν αἰτίαν δι᾽ ἣν αὐτός τε ταῦτα αἰτεῖται καὶ ὁ Θεὸς ἂν παράσχοι τὰ ἑαυτοῦ δίκαια[α], οὐ τῷ[β] ἀξίους εἶναι τοὺς ληψομένους, οὐχ ὅτι δίκαιοι λαβεῖν
401 A ἡμεῖς, ἀλλ᾽ « ὅτι σοι πρέπει πᾶσα δόξα, τιμὴ καὶ προσκύνησις ». Διὰ τὴν σὴν δόξαν ταῦτα δέομαί σου, φησί. Τὸ γὰρ οὕτω φιλανθρωπεύσασθαι πρὸς τοὺς ἀναξίους ἡμᾶς, ὑπὲρ τῆς σῆς γίνεται δόξης. Τοῦτο δὲ τὸ δοξάζεσθαι πρέπει σοι κατ᾽ ἐκεῖνο τὸ τοῦ μακαρίου Δαβίδ· « Μὴ ἡμῖν, Κύριε, μὴ ἡμῖν, ἀλλ᾽ ἢ τῷ ὀνόματί σου δὸς δόξαν. »

2. Διὰ τοῦτο τὴν εὐχὴν τελέσας, τὴν αἰτιολογίαν ταύτην, ὅτι καὶ ἀκροτελεύτιος οὖσα καὶ δοξολογία ἐστίν, εἰς ἐπήκοον πάντων ἀναγινώσκει, ἵνα τοῦ ὕμνου κοινωνοὺς ἅπαντας λάβῃ, καὶ ὑπὸ πάσης τῆς Ἐκκλησίας ὁ Θεὸς ὑμνηθῇ. Καὶ τοίνυν

α. τὰ ἑαυτοῦ δίκαια : τὰ αἰτηθέντα δικαίως P ‖ β. τῷ : τὸ P

---

a. Ps. 115, 1 (selon l'hébreu)

---

1. Ratifiant, pour ainsi dire, cette série d'appels collectifs, le prêtre dit à haute voix l'*ekphônèse*, doxologie trinitaire qui correspond au « Qui tecum vivit et regnat » ou « Qui vivis et regnas cum Deo Patre... » des oraisons latines.

2. Normalement, la messe byzantine suppose l'assistance du diacre, et c'est alors le diacre qui, intermédiaire entre le prêtre et les fidèles, énonce à haute voix les pétitions de la collecte, à chacune desquelles le peuple s'associe par le *Kyrie eleison*. Durant ce temps, la prière personnelle du prêtre est réellement silencieuse ; et ce n'est qu'à la fin qu'il dit tout haut la conclusion, désignée pour ce motif sous le nom technique d'*ekphônèse*. — Lorsque le prêtre célèbre sans

Chapitre XV

Des psalmodies appelées « antiphones » et des prières qui les accompagnent

1. Tandis que le diacre dirige les demandes (de la *synapté*) et que la foule pieuse est en prière, le prêtre, à l'intérieur du sanctuaire, prie silencieusement, en lui-même, pour les assistants, « pour la sainte maison » (de Dieu), implorant de Dieu sur le peuple « une abondante effusion de miséricorde et de pitié ». Et il ajoute la raison pour laquelle, lui, il adresse ces supplications et pour laquelle Dieu (en l'exauçant) ne fera que fournir ce qui est juste de sa part[1]. Ce n'est pas, dit-il, que ceux qui vont recevoir soient dignes, ce n'est pas que nous ayons droit à recevoir, mais « c'est qu'à toi appartient toute gloire, tout honneur et toute adoration ». C'est à cause de ta gloire que je t'adresse ces demandes, dit-il. Car le fait de nous traiter avec un pareil amour, tout indignes que nous soyons, se tourne à l'avantage de votre gloire. Cette manière d'être glorifié vous convient, selon cette parole du bienheureux David : « Non pas à nous, Seigneur, non pas à nous, mais à ton nom donne la gloire[a]. »

2. Voilà pourquoi, après avoir terminé sa prière, le prêtre lit cette phrase explicative de manière à être entendu de tous, parce que c'est une conclusion et une doxologie : il veut ainsi unir les fidèles à son hymne, pour que Dieu soit célébré par l'assemblée tout entière[2]. Et de fait, les auditeurs

---

diacre — ce qui est assez fréquent dans les églises d'importance secondaire, et ce qui est d'ailleurs souvent supposé par le texte même de Cabasilas —, alors c'est nécessairement le prêtre qui prononce toutes les formules de la litanie ; et il ne lui reste, pour sa « prière silencieuse », que les courts intervalles laissés par les *Kyrie eleison* du peuple. D'un côté comme de l'autre, la signification de la conclusion doxologique finale demeure identique.

ἀκούοντες κοινωνοῦσιν αὐτῷ τοῦ ὕμνου. Εἰπόντος γὰρ
ἐκείνου καὶ δοξολογήσαντος, οἱ πιστοὶ πάντες τὸ « Ἀμὴν »
ἐπιλέγουσι, καὶ τοῦτο τὸ ῥῆμα βοήσαντες οἰκειοῦνται πάσας
401 B τὰς ἐκείνου φωνάς.

3. Εἶτα τῶν ἱερῶν ψαλμῳδιῶν ἀπάρχεται μὲν ὁ ἱερεύς,
πληροῦσι δὲ τὸ πᾶν οἱ περιεστῶτες, τὰ θεόπνευστα τῶν ἱερῶν
προφητῶν ᾄδοντες ῥήματα· « Ἀγαθὸν τὸ ἐξομολογεῖσθαι τῷ
Κυρίῳ καὶ ψάλλειν τῷ ὀνόματί σου, Ὕψιστε », ἀρχῇ πρέπον
εὐθὺς τὸ ῥῆμα, ὅτι περὶ αὐτοῦ λέγει τοῦ ὕμνου, ὅτι « ἀγαθόν », ὃ δεῖ πάντως εἰδέναι πρὸ παντὸς ὕμνου, « ἐξομολογεῖσθαι » λέγων τὸ εὐχαριστεῖν, τὸ ὑμνεῖν.

4. Τούτων δὲ καὶ τῶν ἑξῆς ὑμνηθέντων, ὁ διάκονος εἰς
εὐχὴν προτρέπεται τοὺς πιστούς, οἷα καὶ πρότερον αἰτεῖσθαι
κελεύων.

5. Ἐν ὅσῳ δὲ ἡ ψαλμῳδία ἐτελεῖτο καὶ οἱ πιστοὶ ηὔχοντο,
ὁ ἱερεὺς ἔνδον εὐχὴν ποιησάμενος πρὸς τὸν Θεόν, καθόλου τε
περὶ « τοῦ πληρώματος τῆς Ἐκκλησίας », καὶ ἰδίως ὑπὲρ
401 C τῶν κοσμούντων τὸν ἅγιον αὐτοῦ οἶκον, καὶ λαμπρὸν πανταχόθεν ἀποδεικνύναι ἐπιθυμούντων, ἵνα καὶ αὐτοὶ παρ' αὐτοῦ
δοξασθῶσιν, αἰτίαν προστίθησιν ἐπικαιροτάτην· « Ὅτι σὸν
τὸ κράτος, καὶ σοῦ ἔστιν ἡ βασιλεία ᵞ. » Παρὰ τοῖς βασιλεῦσι,
φησίν, ἡ δόξα, καὶ τὸ δύνασθαι λαμπροὺς ποιεῖν οὓς ἂν βού-
λωνται. Σὺ δὲ βασιλεὺς αἰώνιος, καὶ σὸν τὸ κράτος καὶ σοῦ
ἔστιν ἡ βασιλεία.

γ. post βασιλεία, P add καὶ ταύτην τὴν αἰτιολογίαν

---

b. Ps. 91, 1

---

1. Début du premier antiphone.
2. Sur les *antiphones*, voir S. SALAVILLE, *Liturgies orientales*, II. *La
Messe*, p. 63-70. Ces « psalmodies » répondent, en gros, aux *Graduel*,
Alleluia et *Trait* de la messe latine. — Notons, pour les spécialistes
du rite byzantin, la particularité signalée ici par Cabasilas : « le prêtre
entonne » l'Antiphone, « et les assistants continuent ». Aujourd'hui,
l'usage général n'est plus celui-là, et c'est habituellement le chœur
seul qui chante ces morceaux.

s'unissent à lui et à son hymne. Car dès que le prêtre a prononcé cette doxologie, tous les fidèles ajoutent « Amen »,
et par cette seule acclamation, ils s'approprient toutes les
formules du prêtre.

3. Ensuite viennent les psalmodies sacrées, que le prêtre
entonne et que les assistants continuent jusqu'au bout, en
chantant les paroles inspirées des saints prophètes : « Il est
bon de rendre témoignage au Seigneur et de célébrer ton
nom, ô Très-Haut[b1]. » C'est tout de suite le mot qui convient
au début puisqu'il déclare au sujet de l'hymne lui-même
« que c'est bon ». Et c'est ce qu'il faut absolument savoir
avant de commencer tous nos hymnes, car le prophète
appelle « rendre témoignage (à Dieu) » l'action de grâces
et la louange[2].

4. Après le chant de ces versets et de ceux qui suivent, le
diacre exhorte les fidèles à la prière, en les invitant à répéter
les demandes précédentes[3].

5. Tandis que s'exécutait la psalmodie et que priaient
les fidèles, le prêtre, à l'intérieur (du sanctuaire), a fait une
prière à Dieu à l'intention de « tout l'ensemble de l'Église »,
et spécialement pour ceux qui prennent soin d'embellir la
sainte demeure de Dieu et ont à cœur de contribuer par
tous moyens à sa magnificence ; il a demandé qu'ils soient
à leur tour glorifiés par Dieu et il ajoute cette raison tout
à fait essentielle : « Parce qu'à toi appartient la souveraineté, à toi la royauté. » La gloire, dit-il, habite chez les
rois, ainsi que le pouvoir de rendre glorieux qui ils veulent.
Toi, tu es le Roi éternel, à toi appartient la souveraineté,
à toi la royauté.

---

3. Les antiphones sont au nombre de trois, séparés l'un de l'autre
par une « petite *synaptê* » ou courte litanie diaconale. — *Antiphôna* est
un pluriel neutre, du singulier *antiphônon :* c'est pourquoi nous mettons au masculin la traduction française *antiphone,* pour distinguer
notre terme grec du féminin latin *antiphona* qui a la même étymologie
et qui nous a donné le français *antienne,* de signification légèrement
différente.

6. Καὶ ταύτην τὴν αἰτιολογίαν ὡς δοξολογίαν οὖσαν βοήσας ἐν τοῖς ἁπάντων ὠσὶ τῶν πιστῶν, καὶ κοινωνίαν λαβὼν τοῦ πρὸς Θεὸν ὕμνου, καθάπερ καὶ πρότερον, αὖθις τῶν ψαλμῳδιῶν ἄρχεται καὶ οἱ πιστοὶ συμπληροῦσιν, εἶτα αἰτοῦνται παρὰ τοῦ Θεοῦ τὰς αἰτήσεις ὧν ὁ διάκονος ἐξηγεῖται, κατὰ τὰ πρότερον εἰρημένα.

7. Ὁ δὲ ἱερεὺς πάλιν εὐχὴν ποιησάμενος ὑπὲρ τῶν συνευ-
401 D χομένων αὐτῷ πιστῶν, ἵνα ὧν ἕκαστος ἰδίᾳ αἰτεῖται τύχοι « κατὰ τὸ αὐτῷ συμφέρον », καὶ ἔτι « ζωὴν αἰώνιον ἐν τῷ μέλλοντι », προστίθησιν τὴν αἰτίαν, τὴν αὐτοῦ ἀγαθότητα καὶ φιλανθρωπίαν, ἣν καὶ ἀκροτελεύτιον οὖσαν εἰς ἐπήκοον πάντων εἰπών.

8. Τρίτης ἀπάρχεται ψαλμῳδίας.

9. Ἧς ᾀδομένης τὸ Εὐαγγέλιον εἰσάγεται δορυφορού-μενον ὑπολαμπάσι[δ] καὶ θυμιάμασι[ε], πάντων πεμπόντων, ὅσοι τοῦ βήματος, διακόνου αὐτὸ κομίζοντος, ἢ εἰ μὴ παρὼν τύχοι, τοῦ ἱερέως.

10. Ὁ δὲ ἱερεὺς ἐν ᾧ εἰς τὸ θυσιαστήριον εἰσιέναι μέλλει, στὰς πρὸ τῶν θυρῶν ἐκ μικροῦ διαστήματος, ἕως ἡ ψαλμῳδία συμπληρωθῇ, εὔχεται τῷ Θεῷ ἀγγέλους ἁγίους συνεισελθεῖν εἰς τὸ θυσιαστήριον εἰσιόντι καὶ συνεφάψασθαι τῆς ἱερουργίας
ι 404 A καὶ κοινωνῆσαι τῆς δοξολογίας αὐτῷ· καὶ προστίθησιν αἰτίαν, ὅτι καὶ παρὰ ἀνθρώπων καὶ παρὰ ἀγγέλων πρέπει αὐτὸν δοξάζεσθαι καὶ προσκυνεῖσθαι. Τοῦτο γὰρ βούλεται· « Ἡ πᾶσα δόξα, τιμὴ καὶ προσκύνησις » ἡ παρὰ πάντων τῶν δοξάζειν Θεὸν καὶ τιμᾶν εἰδότων καὶ προσκυνεῖν.

11. Καὶ ταῦτα εὐξάμενος εἰς[ζ] τὸ θυσιαστήριον εἰσέρχεται καὶ τίθησιν ἐπὶ τῆς ἁγίας τραπέζης τὸ Εὐαγγέλιον.

δ. ὑπολαμπάσι : ὑπὸ λαμπάσι P ‖ ε. καὶ θυμιάμασι om P ‖ ζ. εἰς om P

---

1. Chaque conclusion doxologique, étant prononcée à haute voix, est donc une *ekphônèse*.
2. Sur l'*entrée de l'Évangile* ou « petite entrée », voir S. SALAVILLE,

6. Cette indication de motif étant une doxologie, le prêtre la prononce à haute voix aux oreilles de tous les fidèles ; après quoi, ayant fait participer ainsi, comme précédemment, l'assemblée à cet hymne adressé à Dieu, il entonne la deuxième psalmodie *(antiphone)*, et le peuple continue jusqu'au bout. Puis celui-ci adresse à Dieu les demandes que le diacre dirige, comme il a été déjà indiqué.

7. Le prêtre, à son tour, récite une oraison pour les fidèles qui prient avec lui, demandant que chacun obtienne ce qu'il sollicite spécialement, « autant que cela lui est utile », et, en outre, « la vie éternelle dans le siècle futur ». Il ajoute le motif, qui est la bonté de Dieu et son amour : et ceci étant la conclusion, il le dit de façon à ce que tous entendent[1].

8. Puis il entonne la troisième psalmodie.

9. Pendant qu'on la chante, a lieu l'*entrée de l'Évangile*, dans un cortège de lumières et d'encens et une procession de tous les ministres du sanctuaire : le livre saint est porté par le diacre ou, à son défaut, par le prêtre[2].

10. Celui-ci, sur le point de pénétrer dans le sanctuaire, debout devant les portes saintes à une petite distance, en attendant que s'achève la psalmodie, prie Dieu d'envoyer ses anges pour qu'ils entrent avec lui dans le sanctuaire, qu'ils prennent part ensemble à la sainte liturgie, qu'ils s'associent avec lui à la louange (de Dieu). Et il ajoute le motif : c'est que Dieu doit être glorifié et adoré par les hommes et par les anges. Car « toute gloire, tout honneur, toute adoration », cela veut dire : la gloire, l'honneur et l'adoration qui lui viennent de tous ceux qui savent le glorifier, l'honorer et l'adorer.

11. Cette prière faite, le prêtre pénètre dans le sanctuaire et pose l'Évangile sur la table sainte.

Liturgies orientales, II. *La Messe*, p. 70-73. Pour avoir un terme de comparaison, on peut rappeler que les Antiphones sont des équivalents du *Psalmus ad introitum* ou « Psaume d'entrée » latin.

ΙϚ'. Σημασία τῆς ἱερουργίας ἐν κεφαλαίῳ

1. Ἀναγκαῖον δὲ ἄνωθεν κατὰ μέρος ἐπελθεῖν τῶν ψαλμῳδιῶν τὰ ῥήματα.

2. Ἐκεῖνο δὲ πρότερον εἰπόντας ὅτι τὸ μυστήριον τῆς τοῦ Χριστοῦ οἰκονομίας σημαίνεται μὲν διὰ τῆς θυσίας αὐτῆς, σημαίνεται δὲ καὶ διὰ τῶν πρὸ τῆς θυσίας καὶ τῶν μετὰ τὴν θυσίαν τελουμένων καὶ λεγομένων.

3. Ἡ μὲν γὰρ θυσία τὸν θάνατον αὐτοῦ καταγγέλλει καὶ 404 B τὴν ἀνάστασιν καὶ τὴν ἀνάληψιν, ὅτε[α] τὰ τίμια δῶρα εἰς αὐτὸ τὸ Κυριακὸν μεταβάλλει σῶμα, τὸ ἀναστάν, τὸ εἰς τὸν οὐρανὸν ἀνεληλυθός.

4. Τὰ δὲ πρὸ τῆς θυσίας, τὰ πρὸ τοῦ θανάτου, τὴν παρουσίαν, τὴν ἀνάδειξιν, τὴν τελείαν φανέρωσιν· τὰ δὲ μετὰ τὴν θυσίαν, « τὴν ἐπαγγελίαν τοῦ Πατρός », ὡς αὐτὸς εἶπε, τὴν τοῦ Πνεύματος εἰς τοὺς ἀποστόλους κάθοδον, τὴν τῶν ἐθνῶν δι' ἐκείνων εἰς τὸν Θεὸν ἐπιστροφὴν καὶ τὴν κοινωνίαν.

5. Καὶ ἔστιν ἡ πᾶσα μυσταγωγία καθάπερ τι σῶμα ἓν ἱστορίας, ἀπ' ἀρχῆς ἄχρι τέλους τὴν συμφωνίαν καὶ ὁλοκληρίαν φυλάττον, ὥστε ἕκαστον τῶν τελουμένων ἢ λεγομένων ἰδίαν τινὰ συντέλειαν τῇ ὁλότητι παρέχειν. Ὅθεν οἱ μὲν ψαλμοί, ὡς ἂν ἐν προοιμίοις τῆς μυσταγωγίας ᾀδόμενοι, τὸν 404 C πρῶτον καιρὸν τῆς τοῦ Χριστοῦ οἰκονομίας σημαίνουσι, τὰ δὲ

α. ὅτε : ὅτι P

---

1. Ce chapitre répète, en plus bref, le chapitre I.

2. Que l'on remarque ces expressions. Elles supposent nettement une doctrine très ferme chez Cabasilas : savoir, que le sacrifice proprement dit consiste dans la consécration du pain et du vin ; ce qui précède et ce qui suit la consécration est dit précéder le sacrifice, suivre le sacrifice. La première phrase du chapitre premier a déjà posé cette affirmation, à laquelle sera spécialement réservé le chapitre XXXII.

3. Ici encore, on le voit, « le sacrifice » signifie la consécration. C'est

Chapitre XVI

Signification de la liturgie en résumé[1]

1. Il nous faudra revoir en détail depuis le début les formules de la psalmodie (= antiphones).

2. Mais non sans avoir dit d'abord que le mystère de l'œuvre rédemptrice du Christ est signifié par le sacrifice lui-même, et qu'il est signifié aussi par les rites et les formules qui précèdent le sacrifice, ainsi que par ceux qui le suivent[2].

3. Le sacrifice commémore la mort du Christ, sa résurrection et son ascension, au moment où il transforme les dons précieux au corps même du Seigneur, ce corps qui est ressuscité et qui est monté au ciel[3].

4. Ce qui précède l'acte du sacrifice[4] rappelle ce qui s'est accompli avant la mort (du Sauveur) : son avènement, sa vie publique, sa parfaite manifestation. Ce qui suit l'acte du sacrifice rappelle « la promesse du Père », pour employer l'expression même (du Christ), c'est-à-dire la descente de l'Esprit sur les Apôtres, la conversion des nations à Dieu, opérée par ces derniers et leur société[5].

5. La mystagogie tout entière est comme un seul corps de récit, conservant du commencement à la fin son harmonie et son intégrité, en sorte que chacun des rites ou des formules apporte quelque complément à l'ensemble. Ainsi les psalmodies, telles qu'on peut les chanter au commencement de la mystagogie signifient la première période de l'œuvre rédemptrice du Christ ; ce qui vient après, lectures de

une précision fort intéressante à souligner chez un théologien oriental.

4. Là où nous traduisons, pour plus de clarté : « l'acte du sacrifice », Cabasilas dit toujours simplement : le sacrifice.

5. Sur cette expression, voir *supra*, p. 60, n. 3.

μετὰ τούτους, αἵ τε τῶν[β] ἱερῶν Γραφῶν ἀναγνώσεις καὶ τὰ ἄλλα, τὸν ἐφεξῆς.

6. Καὶ μὴν ἄλλη τις εἴρηται ἡ αἰτία τῶν Γραφῶν καὶ τῶν ψαλμῳδιῶν· προκαθάρσια τινὰ πρὸς τὰ μυστήρια, καὶ παρασκευάς· ἀλλ' οὐδὲν κωλύει καὶ τοῦτο κἀκεῖνο δύνασθαι, καὶ τὰ αὐτὰ καὶ τοὺς πιστοὺς ἁγιάζειν καὶ τὴν οἰκονομίαν σημαίνειν. Καθάπερ γὰρ τὰ ἱμάτια πληροῦσι μὲν τὴν χρείαν τῆς ἐνδύσεως καὶ καλύπτουσι τὸ σῶμα, τῷ δὲ τοιάδε εἶναι ἢ τοιάδε, καὶ ἐπιτηδεύματα σημαίνουσι καὶ βίον καὶ ἀξίωμα τῶν περικειμένων, οὕτω καὶ ἐπὶ τούτων ἔχει. Ὅτι μὲν γὰρ ὅλως θεῖαι Γραφαὶ καὶ θεόπνευστα ῥήματα τὰ ᾀδόμενα καὶ ἀναγινωσκόμενα τοὺς ἀναγινώσκοντας καὶ ᾄδοντας ἁγιάζει· ὅτι δὲ τοιαῦτα ἐξελέγησαν καὶ οὕτως ἐτάχθησαν, καὶ τὴν 404 D ἄλλην δύναμιν ἔχουσι καὶ ἀρκοῦσι πρὸς σημασίαν τῆς τοῦ Χριστοῦ παρουσίας καὶ πολιτείας. Ἐπεὶ οὐ μόνον τὰ ᾀδόμενα καὶ λεγόμενα ἀλλὰ καὶ τὰ τελούμενα τοῦτον ἔχει τὸν τρόπον, καὶ γίνεται μὲν ἕκαστον τῆς χρείας ἕνεκα τῆς ἐνισταμένης· σημαίνει δὲ καί τι τῶν τοῦ Χριστοῦ ἔργων ἢ πράξεων ἢ παθῶν· οἷόν ἐστιν ἡ εἰς τὸ θυσιαστήριον εἰσαγωγὴ τοῦ Εὐαγγελίου καὶ τῶν τιμίων δώρων.

7. Καὶ τἄλλα πάντα ἃ καὶ ἀρχομένοις ἡμῖν κατὰ μέρος εἴρηται, ἵνα μὴ τὸν λόγον μηκύνωμεν αὖθις ἕκαστα καταλέγοντες.

405 A   8. Τούτων οὖν οὕτως ἐχόντων, θεωρῶμεν τὴν ἱερουργίαν
405 B ἅπασαν κατὰ μέρος, καθ' ὅσον τῆς τοῦ Σωτῆρος οἰκονομίας εἰκόνα φέρει.

9. Καὶ πρῶτον τὰς ψαλμῳδίας.

β. αἵ τε τῶν om P

l'Écriture sainte ou autres textes, signifie la deuxième période.

6. On a, il est vrai, indiqué un autre motif des lectures et des psalmodies scripturaires, à savoir : elles sont une sorte de purification préalable et de préparation aux mystères. Mais rien n'empêche qu'elles puissent avoir les deux significations, et donc que les mêmes éléments à la fois sanctifient les fidèles et représentent l'œuvre rédemptrice. De même que les vêtements remplissent leur fonction d'habits et couvrent le corps, et que par le fait d'être tels ou tels, ils signifient aussi la profession, la condition et la dignité de ceux qui les portent, ainsi en est-il ici. En tant qu'Écritures divines et paroles inspirées, les chants et les lectures sanctifient ceux qui les lisent ou les chantent ; mais par le choix qui en a été fait et par l'ordre dans lequel on les a disposés, ils ont aussi l'autre signification et sont aptes à représenter l'avènement et la vie du Christ. De plus, non seulement les chants et les formules, mais encore les rites ont également ce rôle ; et chacun se fait en raison de l'utilité présente, mais en même temps il signifie quelque chose des œuvres du Christ, de ses actions ou de ses souffrances. Ainsi par exemple, le transfert de l'Évangile à l'autel, et celui des oblats.

7. Et tout le reste que nous avons dit en détail au début, (nous l'omettons) pour ne pas allonger notre traité par une nouvelle énumération[1].

8. Puisqu'il en est ainsi, contemplons maintenant toute la sainte liturgie, pièce par pièce, en tant qu'image de l'œuvre rédemptrice du Sauveur.

9. Et d'abord, les psalmodies (antiphones).

---

1. Dans la seconde rédaction ce chapitre a été amputé des passages qui ont été utilisés au chapitre I, 9-10, Cf. *Introd.*, p. 51.

ΙΖ΄. Ἐξήγησις τοῦ πρώτου ἀντιφώνου

1. Ἡ μὲν οὖν προτροπή ἐστιν εἰς δοξολογίαν ἀρχομένοις πρέπουσα· « Ἀγαθόν, φησί, τὸ ἐξομολογεῖσθαι τῷ Κυρίῳ »· ὁ ὕμνος πρὸς τὸν Θεὸν καὶ Πατέρα καὶ περὶ τοῦ Μονογενοῦς· « Ἀγαθὸν τὸ ἐξομολογεῖσθαι τῷ Κυρίῳ καὶ ψάλλειν τῷ ὀνόματί σου, Ὕψιστε », ὕψιστον τὸν Πατέρα λέγων, Κύριον τὸν Μονογενῆ· ἀγαθὸν τὸν Υἱὸν ὑμνεῖν, καὶ σὲ τὸν Πατέρα. Καὶ τί βούλεται ταῦτα; Πρὸς τὰ ἑξῆς τοῦ λόγου προοιμιάζεται. Μέλλει γὰρ κοινὸν αὐτοῖς ποιεῖσθαι τὸν ὕμνον. Τίνα τρόπον; Τὰ τοῦ Υἱοῦ βοήσει δι᾽ ὧν καὶ ὁ Πατὴρ ἐδοξάσθη.

2. Τίς γὰρ ἡ ἀφορμὴ τῆς ὑμνήσεως; Ἡ τοῦ Υἱοῦ κένωσις
405 C καὶ πτωχεία, τὰ διὰ σαρκὸς ἔργα καὶ πάθη· ταῦτα γὰρ ἔλεος καλεῖ καὶ ἀλήθειαν. Ἔλεος μὲν ὅτι πάντων ἀθλιώτατα διακειμένους καὶ ἐχθροὺς ὄντας καὶ πολεμίους αὐτῷ, διὰ πολλὴν χρηστότητα καὶ φιλανθρωπίαν, οὐ περιεῖδε, καὶ οὐ συνήλγησε μόνον τῆς συμφορᾶς ἡμῖν, ἀλλὰ καὶ αὐτῶν ἐκοινώνησε τῶν κακῶν, φθορᾶς καὶ θανάτου.

a. Ps. 91, 1
b. Cf. Phil. 2, 7

---

1. L'Antiphone des jours ordinaires de semaine est emprunté au *Ps.* 91. D'où les allusions faites par Cabasilas à ce psaume dans ce chapitre.

2. Miséricorde et vérité : ces deux idées, sur lesquelles Cabasilas va insister, répondent au verset 2 du même psaume 91, lequel fait partie lui aussi du premier Antiphone : « Il est bon de publier le matin votre miséricorde, et votre vérité durant la nuit. »

3. Cette dernière phrase commente en réalité cet « anéantissement » du Fils, dont Cabasilas vient de dire qu'il fait l'objet de l'hymne de louange. Commentaire remarquable dans sa brièveté, comme on peut s'en rendre compte par cet exposé plus didactique, mais substantiellement concordant de J. Huby : « En quoi a consisté exactement cet anéantissement ou, comme on dit en décalquant le terme grec, cette

Chapitre XVII

Explication du premier antiphone

1. La première psalmodie est une exhortation à glorifier Dieu, telle qu'il convient de la chanter au début : « Il est bon de rendre témoignage au Seigneur[a][1]. » C'est la louange adressée à Dieu le Père au sujet de son Fils unique : « Il est bon de rendre témoignage au Seigneur, et de célébrer ton nom, ô Très-Haut. » Le « Très-Haut » désigne Dieu le Père ; et le « Seigneur » désigne le Fils unique. Il est bon de louer le Fils et vous, ô Père. Qu'est-ce à dire ? C'est un prélude à ce qui va être dit ensuite. Car on va adresser au Père et au Fils une louange commune. Comment cela ? On proclamera les œuvres du Fils, par lesquelles le Père aussi a été glorifié.

2. Quel est en effet l'objet de l'hymne de louange ? L'anéantissement du Fils[b] et sa pauvreté, ses œuvres et ses souffrances dans la chair, car cela, il l'appelle miséricorde et vérité[2]. Miséricorde : car alors que nous nous trouvions dans l'état le plus misérable, que nous étions ses ennemis et en révolte contre lui, il ne nous a pas, à cause de son immense bonté et amour, regardés avec indifférence : il ne s'est pas contenté de compatir à notre malheur, mais il s'est lui-même associé à nos maux, à notre détresse, à notre mort[3].

Kénôse ? Il est clair, pour qui ne veut pas prêter à saint Paul une absurdité, que le Christ n'a pu se vider de sa divinité, nature et attributs essentiels de vie, science, puissance, bonté. Mais en prenant forme d'esclave et devenant semblable aux hommes, il a renoncé à toutes les prérogatives de gloire et d'honneur qui revenaient de droit à sa condition de Fils de Dieu fait homme. Il a apparu ici-bas comme l'un de nous ; le péché excepté, il a revêtu la forme de l'homme pécheur : il a pris toutes les infirmités de notre nature passible et corruptible, la faim, la soif, la souffrance, la mort (*Héb.* 2, 17 ; 4, 15). Le dépouil-

3. Καὶ οὐδὲ ἀνέστησε μόνον ἐκείνου τοῦ χαλεποῦ πτώματος, ἀλλὰ καὶ βασιλείας καὶ τῶν μεγίστων ἠξίωσεν ἀγαθῶν. Διὰ τοῦτο καὶ ὁ Παῦλος· « Ὅτε, φησίν, ἡ χρηστότης καὶ ἡ φιλανθρωπία ἐπεφάνη τοῦ Σωτῆρος ἡμῶν Θεοῦ », ὡς τηνικαῦτα πρῶτον φανερωθείσης ὅση τίς ἐστι. Καὶ ὁ Κύριος· « Οὕτως ἠγάπησεν ὁ Θεὸς τὸν κόσμον », τὴν ὑπερβολὴν τῆς ἀγάπης ἐμφαίνων τῷ ῥήματι τούτῳ.

4. Ἔλεος μὲν οὖν τούτων ἕνεκα, τὴν οἰκονομίαν καλεῖ.

405 D   **5.** Ἀλήθειαν δὲ ὅτι καθάπερ καὶ σκιαὶ καὶ τύποι πρὸς αὐτὴν τὰ παλαιὰ πάντα ἑώρων. Διὰ τοῦτο περὶ αὐτῆς ὁ προφήτης λέγων· « Ὤμοσε Κύριος, φησί, τῷ Δαβὶδ ἀλήθειαν. » Τίνα γὰρ τὰ ὠμωμοσμένα; Ἡ τοῦ Κυρίου διὰ σαρκὸς ἐπιδημία καὶ πολιτεία. « Ἐκ καρποῦ, φησί, τῆς κοιλίας σου θήσομαι ἐπὶ τοῦ θρόνου σου », αὐτὸν δηλῶν τὸν Σωτῆρα. Καὶ πόθεν δῆλον; Ὁ Γαβριὴλ ἐδίδαξεν ἐν οἷς τὸν ἀπόρρητον τόκον τῇ Παρθένῳ μηνύων καὶ τὸν τεχθησόμενον ἡλίκος ἔσται διδάσκων· « Δώσει αὐτῷ, φησί, Κύριος ὁ Θεὸς τὸν θρόνον Δαβὶδ τοῦ πατρὸς αὐτοῦ, καὶ βασιλεύσει ἐπὶ τὸν οἶκον Ἰακὼβ εἰς τοὺς αἰῶνας, καὶ τῆς βασιλείας αὐτοῦ οὐκ ἔσται τέλος. »

408 A   **6.** Ἀλλ' αὐτὴ ἡ ἀλήθεια καὶ « κρίσις ἐστὶ καὶ δικαιοσύνη »· τίνα λόγον; ὅτι ὁ Σωτὴρ ἐν αὐτῇ τὴν ἁμαρτίαν ἐκβαλὼν καὶ τὸν διάβολον ἀποκτείνας, οὐχ ὑπερβολῇ ἰσχύος, οὐδὲ τῷ νικᾶν δυνάμει τοῦτο ἐποίησεν· ἀλλὰ κρίσει καὶ δικαιοσύνῃ,

c. Tite 3, 4	f. Ps. 131, 11
d. Jn 3, 16	g. Lc 1, 32
e. Ps. 131, 1	h. Ps. 98, 4

lement, l'anéantissement n'est donc pas précisément dans le fait même de l'union hypostatique, dans l'assomption par le Fils de Dieu d'une nature humaine, mais dans l'assomption d'une nature humaine pauvre, souffrante, humiliée. » HUBY, *Saint Paul : Les Épîtres de la Captivité* (collection « Verbum Salutis »), Paris 1935, p. 288. M. DE LA TAILLE, *Mysterium fidei*, Paris 1921, p. 171, s'exprime de même : « ... En cela il s'est anéanti qu'il n'a pas eu, comme homme, la condition qui lui revenait par droit connaturel, à lui qui était Dieu. Alors que cet homme était Dieu et Seigneur de gloire, il n'a pas paru toute-

3. Non seulement il nous a relevés de cette triste déchéance, mais il nous a rendus dignes de son Royaume et des plus grands biens. Aussi Paul déclare-t-il : « Lorsque Dieu notre Sauveur a fait paraître sa bonté et son amour pour les hommes[c] », comme si cette bonté s'était alors pour la première fois manifestée dans toute son étendue. Et le Seigneur lui-même (l'a dit) : « Dieu a tellement aimé le monde[d] », exprimant par ce simple mot l'excès de son amour.

4. C'est donc pour ces motifs que l'œuvre rédemptrice est désignée par le nom de *miséricorde*.

5. Elle est ensuite appelée *vérité*, parce que tout l'Ancien Testament était orienté vers elle, comme le sont des ombres et des figures (vers la réalité). C'est pourquoi le prophète disait de cette œuvre rédemptrice : « Le Seigneur a juré à David la vérité[e][1]. » Quel est l'objet de ce serment ? La venue du Seigneur et sa vie dans la chair. « J'établirai sur son trône le fruit de ton sein[f] », déclare encore Dieu, annonçant par là le Sauveur. La preuve ? L'ange Gabriel nous l'a fait connaître lorsque, annonçant à la Vierge son mystérieux enfantement, il lui apprenait en même temps combien grand était Celui qu'elle allait enfanter : « Le Seigneur Dieu lui donnera le trône de David son père, et il régnera éternellement sur la maison de Jacob, et son règne n'aura pas de fin[g]. »

6. Mais cette vérité même est aussi « jugement et justice[h] ». Comment cela ? Parce que le Sauveur, expulsant le péché et mettant à mort le démon par cette œuvre rédemptrice, l'a fait non point par un éclat de force ou une victoire de domination, mais par le jugement et la

---

fois ici-bas en gloire de Dieu ou de Seigneur, mais en condition simplement humaine et en situation de serviteur... »

1. Il est assez curieux de constater que ce premier verset du psaume 131, auquel Cabasilas fait ici appel pour expliquer la *vérité* de l'œuvre rédemptrice dans le commentaire du premier antiphone, se retrouve, comme deuxième antiphone, à plusieurs fêtes de la sainte Vierge, par exemple au 8 septembre. Voir S. SALAVILLE, *Liturgies orientales*, II. *La Messe*, p. 68-69.

κατὰ τὸ εἰρημένον· « Δικαιοσύνη καὶ κρίμα ἑτοιμασία τοῦ
θρόνου σου », καθάπερ ἡμεῖς ἐν τοῖς δικαστηρίοις τοὺς
ἀντιδίκους αἱροῦμεν τῇ ψήφῳ τῶν δικαστῶν. Διὰ τοῦτο· « Νῦν
κρίσις ἐστί, φησί, τοῦ κόσμου τούτου· νῦν ὁ ἄρχων τοῦ κόσμου
τούτου ἐκβληθήσεται ἔξω. »

7. Ταῦτα εἰδὼς ὁ μακάριος Διονύσιος, « τὴν τῆς θεαρχικῆς
ἀγαθότητος ἀπειροτάτην φιλανθρωπίαν, φησί, τῆς ἀποστα-
τικῆς πληθύος », τῶν δαιμόνων δηλονότι, « τὸ καθ' ἡμῶν
408 B καταλῦσαι κράτος, οὐ κατὰ δύναμιν ὡς ὑπερισχύουσαν, κατὰ
δὲ τὸ μυστικῶς ἡμῖν παραδοθὲν λόγιον, ἐν κρίσει καὶ δικαιοσύνῃ ».

8. Ἐπεὶ τοίνυν τὸ ὑμνούμενον οὐ μόνον « ἔλεος καὶ
ἀλήθεια », ἀλλὰ « καὶ δικαιοσύνη ἐστὶ καὶ κρίσις », διὰ
τοῦτο ἐπήγαγεν ὁ Ψαλμῳδός· « Ὅτι εὐθὺς Κύριος ὁ Θεὸς
ἡμῶν καὶ οὐκ ἔστιν ἀδικία ἐν αὐτῷ. »

9. « Ἀγαθὸν τὸ ἀναγγέλλειν, φησί, τὸ πρωῒ τὸ ἔλεός σου
καὶ τὴν ἀλήθειάν σου κατὰ νύκτα. » Ἡμέρας καὶ νυκτὸς δεῖ,
φησί, τὸν Θεὸν ὑμνεῖν. Τοῦτο γάρ ἐστι τὸ « πρωῒ » καὶ
« κατὰ νύκτα »[a]. Ὅπερ ἀλλαχοῦ φησίν· « Ἐν παντὶ καιρῷ ».

10. Καὶ ταῦτα μὲν ἡ πρώτη.

**ΙΗ'. Τί σημαίνουσιν ἐν ταῖς ἀρχαῖς τῆς ἱερουργίας
ᾀδόμενα τὰ προφητικά**

1. Ἡ δὲ δευτέρα ψαλμῳδία αὐτὴν ἀνυμνεῖ τὴν βασιλείαν
408 C καὶ « τὴν εὐπρέπειαν καὶ τὴν δύναμιν » τοῦ Υἱοῦ τοῦ Θεοῦ,

α. Ἡμέρας usque ad κατὰ νύκτα om P

---

i. Ps. 88, 15   l. Ps. 91, 3
j. Jn 12, 31   m. Ps. 33, 2
k. Ps. 91, 16

a. Cf. Ps. 92, 1

---

1. Pseudo-Denys, *Hiérarchie ecclésiastique*, c. III, 3, 11 : *P G* 3,
441 AB.

justice, selon ce qui a été dit : « La justice et le jugement sont le fondement de votre trône[i] » : de même que
nous, dans les tribunaux, nous triomphons de la partie
adverse par le suffrage des juges. Voilà pourquoi le
Christ déclare : « C'est maintenant le jugement du monde ;
c'est maintenant que le prince de ce monde va être jeté
dehors[j]. »

7. Le bienheureux Denys, qui n'ignorait pas cette doctrine, dit que « l'amour infini de la bonté de Dieu a détruit
le pouvoir qu'avait sur nous le peuple transfuge », c'est-
à-dire le peuple des démons, « non point par sa force qui
est très supérieure, mais selon la parole qui nous a été
mystérieusement transmise, dans le jugement et dans la
justice[1] ».

8. Ainsi donc (l'œuvre rédemptrice) l'objet de nos
hymnes n'est pas seulement « miséricorde et vérité », mais
encore « justice et jugement », et c'est pourquoi le psalmiste
a ajouté : « Le Seigneur notre Dieu est juste, et il n'y a pas
en lui d'injustice[k]. »

9. « Il est bon de publier le matin votre miséricorde, et
votre vérité durant la nuit[1] », dit le psalmiste. Il faut louer
Dieu jour et nuit, car c'est cela « le matin » et « durant la
nuit ». « En tout temps », comme dit encore ailleurs le
psalmiste[m].

10. Telle est l'explication du premier antiphone.

Chapitre XVIII

(Deuxième antiphone)
Que signifient, en ce début de la liturgie,
les chants tirés des textes prophétiques

1. Le deuxième antiphone célèbre encore la royauté,
« la gloire et la puissance[a] » qui reviennent au Fils de

τὴν ἀπὸ τῆς κενώσεως καὶ πτωχείας αὐτῷ περιγενομένην.
2. ᾿Αλλὰ τίς ἐνταῦθα χρεία τῶν προφητικῶν τούτων
ῥημάτων; καὶ τί σημαίνουσι τῆς τοῦ Σωτῆρος οἰκονομίας;
3. Τὰς ἀρχὰς τῆς αὐτοῦ παρουσίας, ὅτε παρεγένετο μέν,
οὔπω δ' ἐφαίνετο τοῖς πολλοῖς, ὅτε « ἐν τῷ κόσμῳ ἦν, καὶ ὁ
κόσμος αὐτὸν οὐκ ἐγίνωσκεν », τὸν πρὸ τοῦ Ἰωάννου καιρόν,
πρὶν ἀφθῆναι τὸν λύχνον. Τότε γὰρ χρεία ἦν αὐτῷ ἔτι τῶν
προφητικῶν λόγων. Μετὰ δὲ ταῦτα αὐτὸς ἐφάνη ὁ προφη-
τευόμενος καὶ οὐκ ἦν ἔτι αὐτῶν τῶν προφητῶν[α] χρεία, ἀλλὰ
παρόντα αὐτὸν ὁ Ἰωάννης ἐδείκνυ, καὶ πρὸ τοῦ Ἰωάννου
ὁ Πατήρ. Διὰ τοῦτο· « Πάντες οἱ προφῆται, φησίν, ἕως
Ἰωάννου προεφήτευσαν. » Τοῦτον δὴ τὸν καιρὸν τὸν πρὸ τοῦ
408 D Ἰωάννου σημαίνουσι τὰ προφητικὰ ᾀδόμενα, ὅτι[β] καὶ τὰ
τίμια δῶρα, δι' ὧν ὁ Χριστὸς σημαίνεται, οὔπω εἰς μέσον
ἄγεται, ἀλλ' ἰδίᾳ ἀπόκειται συγκεκαλυμμένα.

Καὶ ταῦτα μὲν οὕτω. Θεωρῶμεν δὲ τοῦ ψαλμοῦ τὰ ῥήματα.

4. « Ὁ Κύριος ἐβασίλευσεν, εὐπρέπειαν ἐνεδύσατο. » Τὴν
ἐπίγνωσιν ἣν ἐπέγνωσαν αὐτὸν οἱ ἄνθρωποι καὶ ὑπετάγησαν,
βασιλείαν ἐκάλεσαν, ὅτε καὶ εὐπρεπῆ καὶ ὡραῖον καὶ δυνατὸν
αὐτὸν ἔγνωσαν, ὡς ἔδει γνῶναι. Τοῦτό ἐστιν ἐκεῖνο τὸ[γ] τοῦ
Σωτῆρος· « Ἐδόθη μοι πᾶσα ἐξουσία ἐν οὐρανῷ καὶ ἐπὶ γῆς »,
ὅτι μετὰ τῶν ἐν οὐρανῷ καὶ οἱ ἐν τῇ γῇ τὸν Δεσπότην ἐπέγνω-

α. προφητῶν : προφητικῶν P ‖ β. ὅτι : ὅτε P ‖ γ. τὸ om P

b. Jn 1, 10
c. Cf. Jn 5, 35
d. Cf. Jn 1, 29-34. Matth. 3, 13-17
e. Matth. 11, 13
f. Ps. 92, 1
g. Matth. 28, 18

1. Le psaume 92 fournit le texte du deuxième antiphone.
2. Allusion à l'expression employée par Jésus pour désigner le

Dieu en vertu de son anéantissement et de sa pauvreté[1].

2. Mais pourquoi employer ici ces textes prophétiques ? Et que signifient-ils à l'égard de l'œuvre rédemptrice ?

3. Ils signifient les débuts de l'avènement (du Sauveur), lorsqu'il était présent sur la terre, mais ne s'était pas encore montré à la foule ; « lorsqu'il était dans le monde, mais que le monde ne le connaissait pas[b] » : c'est-à-dire la période antérieure à Jean-Baptiste, avant que la lampe fût allumée[c][2]. A ce moment, le Christ avait encore besoin des textes prophétiques. Mais plus tard, le prophétisé se montra lui-même et alors il n'eut plus besoin des prophètes : Jean le montrait présent en personne et, sous les yeux de Jean-Baptiste, le Père aussi (le montrait)[d][3]. C'est pourquoi il est dit : « Tous les prophètes ont prophétisé jusqu'à Jean[e]. » Cette période antérieure à Jean-Baptiste est signifiée par ces chants tirés des textes prophétiques ; car les oblats, par quoi est signifié le Christ. ne sont pas encore apportés sous les yeux des fidèles, mais sont tenus à part et restent voilés[4].

Cela dit, considérons maintenant les paroles du psaume.

4. « Le Seigneur a régné, il s'est revêtu de gloire[f]. » La connaissance dont il fut l'objet de la part des hommes qui se soumirent à lui, on l'a appelée « royauté », puisqu'ils le connurent plein de splendeur, de beauté et de puissance, comme il fallait qu'il fût connu. Le Sauveur n'a-t-il pas déclaré : « Toute puissance m'a été donnée au ciel et sur la terre[g] » ? En effet, avec les habitants du ciel ceux de la terre

---

Précurseur : « Celui-là était la lampe qui chauffe et qui luit. » *Jn* 5, 35.

3. Il s'agit, on le voit, et du témoignage rendu par le Précurseur au Messie : « Voici l'Agneau de Dieu... », *Jn* 1, 29-34, et de la théophanie du Baptême, *Matth.* 3, 13-17.

4. Notons cette pensée sur les oblats, c'est-à-dire le pain et le vin, qui ne sont que symboles du Christ jusqu'à la consécration qui les changera au corps du Christ lui-même. Se reporter aux chapitres IV et V et aux notes qui y sont insérées sur la portée de l'oblation ou de l'offertoire.

σαν τὸν ἀληθινόν· ἐπεὶ καὶ τὰ ἑξῆς εἴ τις ἐπέλθοι, τὰ αὐτὰ πάντα εὑρήσει.

5. Καὶ τοίνυν τῆς βασιλείας ἐξηγούμενος τὸν τρόπον καὶ τῆς ἐξουσίας ὁ μὲν προφήτης· « Καὶ γὰρ ἐστερέωσε τὴν οἰκουμένην, ἥτις οὐ σαλευθήσεται », στερέωμα τὴν πίστιν 409 A λέγων. Ἔστησε τῇ πλάνῃ κλονουμένους, ἑαυτῷ συνέδησε. τοιοῦτος γὰρ ὁ πλανώμενος οὐδαμοῦ δύναται στῆναι. Ὁ δὲ Κύριος· « Πορευθέντες, φησί, μαθητεύσατε πάντα τὰ ἔθνη, βαπτίζοντες αὐτοὺς εἰς τὸ ὄνομα τοῦ Πατρὸς καὶ τοῦ Υἱοῦ καὶ τοῦ ἁγίου Πνεύματος », ὅπερ ἐστὶν ἡ διδασκαλία τῆς πίστεως.

6. Ἀλλ᾽ οὐκ ἀρκεῖ τοῦτο πρὸς τὴν βασιλείαν, ἡ πίστις· οὐδὲ ὑποτάγειεν ἂν τελείως τὰ ἔθνη τὸν τρόπον τοῦτον. Διὰ τοῦτο καὶ τὴν φυλακὴν τῶν ἐντολῶν προσθεῖναι δέησαν, ὁ μὲν προφήτης· « Τὰ μαρτύριά σου, φησίν, ἐπιστώθησαν σφόδρα », ὁ δὲ Κύριος τῷ περὶ τοῦ βαπτίσματος λόγῳ, τῶν ἐντολῶν τὸν λόγον προστίθησι, λέγων· « Διδάσκοντες αὐτοὺς τηρεῖν πάντα ὅσα ἐνετειλάμην ὑμῖν. » Ἅπερ γὰρ ὁ Σωτὴρ ἐντολάς, 409 B ὁ προφήτης μαρτύρια καλεῖ. Καὶ τοῦτο πανταχοῦ τῆς Γραφῆς εὑρήσεις μαρτύρια τοὺς τοῦ Θεοῦ νόμους καλούσης.

7. Μετὰ ταῦτα· « Τῷ οἴκῳ σου πρέπει ἁγίασμα, Κύριε », ἁγίασμα λέγων τὰς θυσίας, τὰ δῶρα, πᾶσαν λατρείαν τὴν ὀφειλομένην Θεῷ, ἃ πρέπειν τῷ οἴκῳ τοῦ Θεοῦ φάσκων δείκνυσι οὐ κενὸν ὄντα τὸν οἶκον τοῦτον, οὐδὲ τοῦ Θεοῦ ἔρημον, ἀλλ᾽ αὐτὸν ἐν ἑαυτῷ ἔχοντα τὸν οἰκοδεσπότην. Εἰ γὰρ κενὸς ἦν τοῦ Θεοῦ, οὐκ ἂν ἔπρεπεν αὐτῷ τὰ τῷ Θεῷ πρέποντα μόνῳ· τοῦτο καὶ ὁ Κύριος τοῖς εἰρημένοις προσέθηκεν, ἐπαγγειλάμενος ἔσεσθαι μετὰ τῆς Ἐκκλησίας ἀεί. Τὴν δὲ Ἐκκλησίαν οἶκον Θεοῦ ζῶντος ὁ Παῦλος καλεῖ· φησὶ γὰρ·

h. Ps. 92, 1
i. Matth. 28, 19
j. Ps. 92, 5
k. Matth. 28, 20
l. Ps. 92, 5

---

1. Tout en commentant le texte des Septante, légèrement différent

reconnurent leur véritable Souverain : en relisant la suite du psaume, nous y trouverons tout cela.

5. Et c'est pour expliquer le mode de cette royauté et de cette puissance que le prophète ajoute : « Car il a affermi l'univers, qui ne chancellera pas[h]. » Il appelle « affermissement » la foi. Le Sauveur a redressé ceux qui chancelaient dans l'erreur, il se les est attachés : c'est le propre des égarés de ne pouvoir se fixer nulle part[1]. Or, le Seigneur a dit : « Allez, enseignez toutes les nations, les baptisant au nom du Père, du Fils et du Saint-Esprit[i] », ce qui est l'enseignement de la foi.

6. Mais cela, c'est-à-dire la foi, ne suffit pas pour la royauté ; et par la seule foi les nations ne seraient pas parfaitement soumises. C'est pourquoi il a fallu ajouter l'observation des commandements. Le prophète l'a fait en ces termes : « Tes témoignages sont tout à fait dignes de foi[j]. » Et le Seigneur, lui, au précepte du baptême a ajouté l'obligation des commandements : « Apprenez-leur à garder tout ce que je vous ai commandé[k]. » Ce que le Sauveur appelle « commandements », le prophète l'appelle « témoignages ». A chaque page de l'Écriture, vous trouverez le terme de « témoignage » pour désigner les lois de Dieu.

7. Puis le psalmiste dit encore : « La sainteté convient à votre maison, Seigneur[l]. » Par « sainteté », il entend les sacrifices, les offrandes, tout le culte dû à Dieu. En affirmant que cela est dû à la maison de Dieu, il montre que cette maison n'est pas déserte et vide de Dieu, mais qu'elle possède en elle le maître de la maison en personne. Car si la maison de Dieu était vide, elle n'aurait aucun droit aux hommages qui ne conviennent qu'à Dieu seul. C'est la même affirmation que le Seigneur ajoute à ce qu'il vient de dire, en promettant d'être toujours avec son Église. Or, l'Église est appelée maison du Dieu vivant par Paul, quand il dit :

de l'hébreu, l'idée de Cabasilas s'adapte fort bien au sens de l'original hébreu, qui est : « Aussi le monde est ferme, il ne chancelle pas. »

« Ἵνα γνῷς πῶς δεῖ ἐν οἴκῳ Θεοῦ ἀναστρέφεσθαι, ἥτις ἐστὶν Ἐκκλησία Θεοῦ ζῶντος. » « Ἰδοὺ ἐγὼ μεθ' ὑμῶν 409 C εἰμι. » Καὶ ὅπερ ἐκεῖνος· « εἰς μακρότητα ἡμερῶν » εἶπεν, ὁ Κύριος· « Πάσας τὰς ἡμέρας, φησίν, ἕως τῆς συντελείας τοῦ αἰῶνος. »

8. Καὶ αὕτη μὲν ἡ ψαλμῳδία οὕτως ἀκριβὴς προφητεία ἐστί, τῶν διὰ τοῦ σταυροῦ καὶ τοῦ θανάτου τῷ Σωτῆρι κατωρθωμένων.

ΙΘ′. Ἐξήγησις τοῦ τρίτου ἀντιφώνου

1. Ἡ δὲ ἑξῆς ἀπάντησις εἶναι δοκεῖ ὡς ἤδη τοῦ Κυρίου παραγενομένου καὶ φαινομένου· διὰ τοῦτο πρὸς τῇ εἰσόδῳ τοῦ Εὐαγγελίου καὶ ἀναδείξει τάττεται καὶ ᾄδεται, δι' οὗ ὁ Χριστὸς σημαίνεται. Ὅτι δὲ τὴν τοῦ Χριστοῦ ἐπιφάνειαν ὁ προφήτης πρὸ τῶν ὀφθαλμῶν τῆς ψυχῆς ἔχων ταύτην ᾖσε τὴν ψαλμῳδίαν, δείκνυται μάλιστα μὲν ἀπὸ τῆς ἐν αὐτῷ χαρᾶς 409 D καὶ εὐφροσύνης· ἧς αὐτός τε φαίνεται γέμων καὶ τοὺς ἄλλους ἅπαντας εἰς κοινωνίαν καλεῖ· « Δεῦτε, ἀγαλλιασώμεθα τῷ Κυρίῳ. » Οὐ γὰρ ἦν χαίρειν ἄνθρωπον μὴ τοῦ Κυρίου ἐπιδημήσαντος, ὅτι τὴν χαρὰν ἡμῖν ὁ Χριστὸς ἐκόμισε μόνος, καὶ εἴ τις δὲ πρὶν ἐκεῖνον ἐλθεῖν εἰς τὴν γῆν ἔχαιρε, τὰ ἐκείνου μυηθεὶς ἔχαιρεν, ὥσπερ « ὁ Ἀβραὰμ ἠγαλλιάσατο, φησίν, ἵνα ἴδῃ τὴν ἡμέραν τὴν ἐμήν, καὶ εἶδε, καὶ ἐχάρη. » Καὶ αὐτὸς ὁ Δαβίδ· « Ἀπόδος μοι τὴν ἀγαλλίασιν τοῦ σωτηρίου σου. » Ἦν γὰρ ἀγαλλίασιν εἶχεν ἐν τῷ Χριστῷ πρὶν ἁμαρτῆ-

m. I Tim. 3, 15
n. Ps. 92, 5
o. Matth. 28, 20

a. Ps. 94, 1
b. Jn 8, 56
c. Ps. 50, 14

1. Le fait que ce commentaire du deuxième antiphone inclut le verset final du psaume 92, tandis qu'aujourd'hui cet antiphone ne comprend que le premier verset, permet de supposer qu'à la période litur-

« Tu sauras comment te conduire dans la maison de Dieu, qui est l'Église du Dieu vivant[m]. » « Voici que je suis avec vous » (dit le Seigneur). Et ce que le psalmiste exprime par les mots : « pour toute la durée des jours[n] », le Seigneur l'affirme : « tous les jours jusqu'à la consommation des siècles[o 1] ».

8. Cet antiphone est donc une exacte prophétie de ce que le Sauveur a réalisé par sa croix et par sa mort.

CHAPITRE XIX

Explication du troisième antiphone

1. L'antiphone suivant semble être une rencontre, comme si le Seigneur maintenant approchait et apparaissait. C'est pourquoi il est placé et chanté à peu près au moment de l'entrée et de l'ostension de l'Évangile, par quoi est figuré le Christ. Que le prophète ait chanté ce cantique en ayant devant les yeux de l'âme la manifestation du Christ, la preuve en est surtout dans la joie et l'allégresse qu'il en éprouve. Il est visiblement lui-même rempli de joie et il invite tous les autres à participer à cette joie : « Venez, réjouissons-nous pour le Seigneur[a]. » Car il ne saurait y avoir de joie pour l'homme, si le Seigneur n'était pas venu, puisque c'est le Christ seul qui nous a apporté la joie et que, si certains se sont réjouis avant que le Christ fût venu sur la terre, cette joie provenait d'une initiation à son mystère : ainsi, « Abraham tressaillit de joie à la pensée d'entrevoir mon jour ; il l'entrevit et en fut heureux[b] ». Et David lui-même s'écriait : « Rends-moi la joie de ton salut[c] » : la joie qu'il avait, avant son péché, dans le Christ

gique initiale la *psalmodie antiphonée* était le psaume tout entier. Voir S. SALAVILLE, *Liturgies orientales*, II. *La Messe*, p. 63. D'autre part, il est assez étrange que Cabasilas ne fasse pas la moindre allusion au tropaire *O Monogénès* qui depuis l'année 535 ou 536 a pris place après le deuxième antiphone, et qui chante précisément l'Incarnation du Verbe et son œuvre rédemptrice. Voir *ibid.*, p. 65-66.

σαι, ταύτην δι' ὧν ἥμαρτεν ἀποβαλών, ἀπολαβεῖν ἱκέτευε τὸν Θεόν.

2. Ὥσπερ οὖν εἰ ἔλεγε· « Δεῦτε καὶ φωτισθῶμεν », φωτὸς ἂν ἐμήνυε παρουσίαν· οὕτως εἰπών· « Δεῦτε, ἀγαλλιασώμεθα τῷ Κυρίῳ », δείκνυσιν αὐτὸν φανῆναι τὸν κομίζοντα τὴν χαράν.

412 A **3.** Ἔπειτα καὶ Σωτῆρα τὸν Κύριον τοῦτον καλεῖ. Σωτῆρα δέ, καὶ σωτηρίαν, καὶ σωτήριον, τὸν Χριστὸν ἡ Γραφὴ καλεῖ, ὅτι τῶν θεαρχικῶν ὑποστάσεων μόνος ὁ Υἱὸς αὐτουργὸς ἐγένετο τῆς σωτηρίας ἡμῶν· καὶ δι' ἑαυτοῦ τὸ πᾶν εἰργάσατο, καθάπερ εἶπε Παῦλος, « δι' ἑαυτοῦ καθαρισμὸν ποιησάμενος τῶν ἁμαρτιῶν ἡμῶν. » Ὃ καὶ αὐτὸς ἐδήλωσε τῷ παραδείγματι τοῦ καλοῦ ποιμένος, ὃς οὐκ ἔπεμψε τοὺς ζητήσοντας τὸ πρόβατον τὸ ἀπολωλός, ἀλλ' αὐτὸς ἐζήτησε, καὶ εὗρε, καὶ ἀνείλετο, καὶ ἐπὶ τῶν ὤμων ἐκόμισε. Διὰ τοῦτο καὶ τὴν προσηγορίαν ἐδέξατο τὴν τοῦτο δυναμένην, κληθεὶς Ἰησοῦς.

4. « Προφθάσωμεν τὸ πρόσωπον αὐτοῦ ἐν ἐξομολογήσει », πρόσωπον τὴν ἐπιφάνειαν αὐτοῦ λέγων. Μὴ ἀναμείνωμεν οἴκοι γενόμενον ἰδεῖν αὐτόν, ἀπαντήσωμεν ἐν ἐξομολογήσει, ἐν[α] δοξολογίᾳ δηλονότι, « καὶ ἐν ψαλμοῖς ἀλαλάζωμεν 412 B αὐτῷ[β] », Θεῷ πρέπουσαν ἀποδῶμεν αὐτῷ τὴν τιμήν. Ὁ μὲν « ἐν δούλου μορφῇ » φανῆναι κατεδέξατο· ἡμεῖς δὲ τὸν Δεσπότην μὴ ἀγνοήσωμεν, μὴ προσκόψωμεν τῇ σαρκί, μὴ παρενεχθῶμεν ἐπὶ τὸ ταπεινὰ περὶ τοῦ ὑψηλοῦ φρονεῖν, διὰ τὸ φαινόμενον. « Ὅτι Θεὸς μέγας Κύριος καὶ βασιλεὺς μέγας ἐπὶ πᾶσαν τὴν γῆν », ὁ ἐν ταύτῃ καλυπτόμενος τῇ σαρκί. Καὶ τὰ ἑξῆς δὲ θεοπρεπῆ προστίθησι πάντα.

5. Καὶ τοιαῦτα μὲν τὰ προφητικά, καὶ οὕτω κατὰ καιρὸν ᾄδονται.

α. ἐν om P ‖ β. αὐτῷ : αὐτόν P

---

d. Héb. 1, 3
e. Cf. Lc 15, 4-6. Matth. 18, 12.13

f. Ps. 94, 2
g. Cf. Phil. 2, 7
h. Ps. 94, 2.3

---

1. Encore une phrase qui semble bien supposer que le psaume était « antiphoné » en entier, tandis qu'aujourd'hui l'antiphone se borne

(entrevu), et qu'il avait perdue par son péché, il suppliait Dieu de la lui rendre.

2. De même donc que, s'il avait dit : « Venez, soyons illuminés », il aurait annoncé la venue de la lumière, de même en disant : « Venez, réjouissons-nous pour le Seigneur », il fait connaître l'apparition de Celui qui apporte la joie.

3. Il nomme ensuite Sauveur ce même Seigneur. Or l'Écriture appelle le Christ « Sauveur », « Salut » et « instrument de salut », parce que des trois personnes divines seul le Fils s'est fait l'artisan de notre salut. C'est par lui-même qu'il a tout opéré, comme l'a dit Paul : « ayant accompli par lui-même la purification des péchés[d] ». C'est ce que le Christ lui-même a montré dans la parabole du bon berger, qui n'a pas envoyé des gens pour chercher la brebis perdue, mais est allé en personne la chercher ; il l'a trouvée, il l'a chargée et il l'a rapportée sur ses épaules[e]. C'est pourquoi il a reçu un nom qui a cette signification, et il a été appelé Jésus.

4. « Accourons devant sa face en lui rendant témoignage[f] » : le psalmiste appelle « face » l'apparition (du Sauveur). N'attendons pas, pour le voir, qu'il soit venu chez nous, allons au-devant de lui en lui rendant témoignage, c'est-à-dire en le glorifiant. « Et acclamons-le dans nos hymnes », rendons-lui l'hommage qui convient à Dieu. Il a daigné paraître « sous la forme de l'esclave[g] » ; mais nous, ne méconnaissons pas notre Souverain, ne nous scandalisons pas de sa chair, ne nous laissons pas égarer, à cause des apparences, vers des pensées basses sur Celui qui est très haut. « Car c'est un grand Dieu que le Seigneur, un grand Roi sur toute la terre[h] », celui qui se cache dans cette chair. Et (le psaume) continue en ajoutant toutes sortes de louanges dignes de Dieu[i].

5. Tels sont les versets prophétiques, et c'est ainsi qu'ils sont opportunément chantés.

à quelques versets. Voir S. SALAVILLE, *Liturgies orientales*, II. *La Messe*, p. 63-70.

Κ'. Περὶ τῆς ἀναδείξεως τοῦ ἁγίου Εὐαγγελίου καὶ περὶ τοῦ τρισαγίου ὕμνου

1. Τούτων δὲ ᾀσθέντων, ὁ ἱερεὺς ἐν μέσῳ πρὸ τοῦ θυσια-
412 C στηρίου ἱστάμενος ὑψοῦ τὸ Εὐαγγέλιον αἴρει καὶ ἀναδείκνυσι,
τὴν ἀνάδειξιν τοῦ Κυρίου σημαίνων, ὅτε ἤρξατο φαίνεσθαι
τοῖς πολλοῖς. Διὰ γὰρ τοῦ Εὐαγγελίου ὁ Χριστὸς δηλοῦται,
ὥσπερ τὰ προφητικὰ βιβλία « Προφῆται » λέγονται, κατὰ τὸ
εἰρημένον ὑπὸ τοῦ Ἀβραὰμ πρὸς τὸν πλούσιον· « Ἔχουσι
Μωσέα καὶ τοὺς προφήτας », τὰ βιβλία λέγοντος.

2. Ἐπεὶ δέ, τοῦ προφητευομένου ἀναδεικνυμένου καὶ δι'
ἑαυτοῦ φαινομένου, τοῖς ῥήμασι τῶν προφητῶν οὐδεὶς ἀξιοῖ
προσέχειν, διὰ τοῦτο τοῦ Εὐαγγελίου ἀναδεικνυμένου, τὰ μὲν
προφητικὰ παύονται. Ἄιδομεν δέ, εἴ τι τῆς καινῆς ἐστι
διαθήκης. Ἢ γὰρ τὴν παναγίαν τοῦ Κυρίου Μητέρα, ἢ ἄλλους
τῶν ἁγίων ἐγκωμιάζομεν, ἢ αὐτὸν τὸν Χριστὸν ὑμνοῦμεν,
ὑπὲρ ὧν εἰς ἡμᾶς ἐπεδήμησεν, ἢ ἐπιδημήσας ἔπαθεν ἢ ἐποίησεν. Ἐφ᾽ οἷς ἑκάστοτε ἡ Ἐκκλησία πανηγυρίζει.

412 D **3.** Ἔπειτα καὶ αὐτὸν ὡς Τριάδα τὸν Θεὸν ἀνυμνοῦμεν,
οἷον αὐτὸν ἡμᾶς εἶναι ἐδίδαξεν ἡ ἐπιφάνεια τοῦ Σωτῆρος.
Ὁ δὲ ὕμνος οὗτος εἴληπται μὲν ἀπὸ τῶν ἀγγέλων, εἴληπται
δὲ καὶ^α ἀπὸ τῆς βίβλου τῶν ἱερῶν τοῦ προφήτου ψαλμῶν.

α. καὶ om P

---

a. Lc 16, 29

---

1. Toutes ces explications peuvent convenir approximativement
au Graduel et au Trait de la messe latine, avec cette différence que
ceux-ci sont plus variés que les Antiphones orientaux ; ils sont toujours, eux aussi, empruntés à l'Ancien Testament, et spécialement
aux Psaumes.
2. Allusion au fait miraculeux (raconté par S. JEAN DAMASCÈNE,
De fide orth., l. III, c. X, *P G* 94, 1021 A) qui aurait accompagné, sous
le patriarche Proclus (434-446), la révélation, par les anges, du *Trisa-*

Chapitre XX

De l'ostension du saint Évangile et de l'hymne Trisagion

1. Ces chants terminés, le prêtre, debout au milieu devant l'autel, élève l'Évangéliaire et le montre (au peuple), signifiant par là l'ostension du Sauveur quand il commença de se manifester aux foules. Car l'Évangile figure le Christ, tout comme les livres inspirés sont dits « les Prophètes », conformément à la parole d'Abraham au mauvais riche : « Ils ont Moïse et les Prophètes[a] », désignant ainsi l'ensemble de la Bible.

2. Maintenant que celui qui était annoncé par les prophètes est apparu et qu'il s'est montré en personne, personne ne croit devoir prêter une (exclusive) attention aux paroles des prophètes ; et c'est pourquoi, après l'ostension de l'Évangile, les textes prophétiques cessent[1]. Nous empruntons maintenant nos chants aux mystères du Nouveau Testament. Nous célébrons, en effet, ou bien la toute sainte Mère du Seigneur, ou bien tel autre parmi les saints, ou bien encore nous louons le Christ lui-même pour ce qui l'a fait venir parmi nous, pour ce qu'il a souffert et pour ce qu'il a fait, une fois venu jusqu'à nous. Ce sont ces mystères qui font sans cesse l'objet des fêtes de l'Église.

3. En outre, nous louons Dieu lui-même, en tant que Trinité, tel que nous l'a enseigné la manifestation du Sauveur. Cet hymne que nous lui adressons nous a été transmis par les anges[2] ; et il est également tiré du livre des chants

---

gion aux chrétiens de Constantinople. Voir S. Salaville, *Liturgies orientales*, II. *La Messe*, p. 74-75. Il est vrai que la « transmission par les anges » pourrait s'entendre de l'emprunt du triple *Sanctus* angélique rapporté dans Isaïe et dans l'Apocalypse, comme va le dire notre auteur.

Συνῆκται δὲ ὑπὸ τῆς τοῦ Χριστοῦ Ἐκκλησίας, καὶ ἀνετέθη τῇ
Τριάδι. Τὸ μὲν γὰρ « Ἅγιος » τρὶς βοώμενον, τῶν ἀγγέλων,
τὸ δὲ « Θεὸς καὶ ἰσχυρὸς καὶ ἀθάνατος », τοῦ μακαρίου
Δαβίδ, ἐν οἷς φησι· « Ἐδίψησεν ἡ ψυχή μου πρὸς τὸν Θεὸν
τὸν ἰσχυρὸν τὸν ζῶντα. » Τὸ δέξασθαι δὲ καὶ συνθεῖναι ταῦτα
ἐκείνοις, καὶ προσθεῖναι τὴν ἱκεσίαν, λέγω δὴ τὸ « Ἐλέησον
ἡμᾶς », τῆς Ἐκκλησίας τῶν Τριάδα τὸν ἕνα Θεὸν καὶ
εἰδότων καὶ κηρυττόντων, ἵνα δειχθῇ, τοῦτο μὲν ἡ πρὸς τὴν
καινὴν διαθήκην τῆς παλαιᾶς συμφωνία, τοῦτο δὲ τὸ καὶ
ἀγγέλους καὶ ἀνθρώπους μίαν Ἐκκλησίαν γενέσθαι, καὶ
413 A χορὸν ἕνα, διὰ τὴν τοῦ Χριστοῦ ἐπιφάνειαν, τοῦ ὑπερουρανίου
καὶ ἐπιγείου. Διὰ τοῦτο μετὰ τὸ ἀναδειχθῆναι καὶ εἰσενεχθῆναι τὸ Εὐαγγέλιον, τὸν ὕμνον ᾄδομεν τοῦτον, μονονοὺ
βοῶντες ὡς ὁ ἐπιδημήσας οὗτος μετὰ τῶν ἀγγέλων ἡμᾶς
ἔστησεν, εἰς ἐκεῖνον ἔταξε τὸν χορόν.
Καὶ ταῦτα μὲν οὕτως.

ΚΑ΄. Περὶ τῆς κατὰ τὸν ὕμνον εὐχῆς, καὶ περὶ τῶν ἐπιφωνημάτων τῶν ἱερῶν

1. Ὁ δὲ ἱερεὺς πρὸ μὲν τῆς ὑμνήσεως ταύτης ἱκετεύει τὸν
Θεὸν δέξασθαι τὸν ὕμνον καὶ χάριν ἀντιδοῦναι τοῖς ὑμνηταῖς.

b. Is. 6, 3. Apoc. 4, 8
c. Ps. 41, 3

1. On connaît la formule de ce *Trisagion*, que le rite romain a
conservé en latin et en grec dans la « messe des Présanctifiés » le
Vendredi Saint : « Dieu saint, saint et fort, saint et immortel, ayez
pitié de nous. » Bien qu'il s'adresse à la Trinité, comme l'affirme
Cabasilas et comme le montre l'oraison dite « du *Trisagion* » que le
prêtre récite à voix basse durant le chant du chœur, on s'explique
que certaines Églises aient parfois fait l'application de la formule
au Christ, en y intercalant l'addition « crucifié pour nous » ou d'autres,
suivant les mystères célébrés : « qui nous êtes apparu » à Noël ; « qui
pour nous avez été enseveli » le Samedi Saint ; « qui êtes monté aux
cieux », pour l'Ascension. De telles intercalations montrent bien
qu'elles visent uniquement le Verbe incarné. D'autre part, pour la

sacrés du prophète. Il a été recueilli par l'Église du Christ, qui l'a dédié à la Trinité. Car l'*Hagios* trois fois répété est l'acclamation des anges[b] ; les paroles « Dieu fort et immortel[1] » sont empruntées au bienheureux David, quand il dit : « Mon âme a eu soif du Dieu fort et vivant[c]. » Recueillir et réunir ces deux acclamations et y ajouter la supplication « Prends pitié de nous », ç'a été le rôle de l'Église, assemblée de ceux qui connaissent et proclament le mystère de la Trinité en un seul Dieu : il fallait montrer, d'une part, la concordance de l'Ancien Testament avec le Nouveau ; d'autre part, que les anges et les hommes sont devenus une seule Église, un chœur unique, par la manifestation du Christ, qui est à la fois du ciel et de la terre. Voilà pourquoi nous chantons cet hymne après l'ostension et l'entrée de l'Évangile, comme pour proclamer qu'en venant parmi nous le Christ nous a placés avec les anges et nous a établis dans les chœurs angéliques[2].

C'est assez sur ce sujet.

Chapitre XXI

De l'oraison qui accompagne l'hymne Trisagion et des acclamations sacrées (« Soyons attentifs ! Sagesse ! Debout ! »)

1. Avant ce chant (du *Trisagion*)[3], le prêtre supplie Dieu d'accueillir cet hymne et de répondre par le don de sa grâce

Pentecôte, les Arméniens font l'application de la formule au Saint-Esprit, puisqu'ils ajoutent : « qui êtes descendu sur les Apôtres ».

2. Cette belle idée d'Église unique, de chœur unique constitué par les anges et les hommes en vertu de l'Incarnation et de la Rédemption, est une idée familière à nombre d'anciens commentateurs liturgiques orientaux. On la trouve chez le Pseudo-Denys au Ve siècle, chez saint Maxime de Chrysopolis au VIIe, et, avec plus de relief peut-être encore, dans un commentaire liturgique nestorien du IXe siècle et dans l'*Expositio Liturgiae* de l'évêque syrien Denys Barsalibi au XIIe siècle.

3. Notons, du point de vue liturgique, cette expression de Caba-

Καὶ τίνα χάριν; τῷ ὕμνῳ κατάλληλον· « ἀγιάσαι αὐτῶν τὰς ψυχὰς καὶ τὰ σώματα », συγγνώμην παρασχόμενον ἡμαρτημένων, ὥστε « ἐν ὁσιότητι λατρεύειν αὐτῷ πάσας τὰς ἡμέ-
413 B ρας ». Καὶ τὴν αἰτίαν προστίθησιν· « Ὅτι ἅγιος εἶ καὶ ἁγίοις ἐπαναπαύῃ. » Τοῦ γὰρ ἀληθῶς ἁγίου, τὸ χαίρειν ἐνᵃ τοῖς ἁγίοις καὶ ἁγιάζειν. Καὶ τοῦτο ἐκβοήσας καὶ δοξολογίαν προσθείς, τῆς ὑμνήσεως τοῦ τρισαγίου πρὸς τὸν ἱερὸν λαὸν σύνθημα τοῦτο ποιεῖται· καὶ αὐτοὶ τῇ δοξολογίᾳ τὸ « Ἀμήν », κατὰ τὸ εἰωθός, ἐπειπόντες, τοῦ ὕμνου ἄρχονται.

2. Μετὰ δὲ τὸν ὕμνον, ὁ ἱερεὺς κελεύει πάντας μὴ ῥαθύμως ἑστάναι καὶ ἀμελῶς, ἀλλὰ τοῖς τελουμένοις καὶ ᾀδομένοις προσέχειν τὸν νοῦν· τὸ γὰρ « Πρόσχωμεν », τοῦτο δύναται. Εἶτα τὴν εἰρήνην εὔχεται πᾶσι, καὶ σοφίας ἀναμιμνήσκει, μεθ᾽ ἧς δεῖ τοῖς μυστηρίοις προσέχειν. Τίς δὲ ἡ σοφία; οἱ προσήκοντες τῇ τελετῇ λογισμοί, μεθ᾽ ὧν ὁρᾶν δεῖ καὶ
413 C ἀκούειν τὰ τελούμενα καὶ λεγόμενα, οἱ πίστεως γέμοντες, οἱ μηδὲν ἀνθρώπινον ἔχοντες. Τοῦτο γὰρ ἡ τῶν Χριστιανῶν σοφία, καὶ τοῦτο δύναται τὸ « σοφία », πολλαχοῦ τῆς ἱερουργίας ἐκβοώμενον τοῖς πιστοῖς παρὰ τοῦ ἱερέως, ἀνάμνησιςᵝ τῶν λογισμῶν τούτων. Οὕτω γὰρ ἀλλήλους ἀναμιμνήσκομεν ὁλόκληρον ἔννοιαν ἑνὶ ῥήματι πολλάκις ἐν ταῖς ψυχαῖς τῶν ἀκουόντων ἀνανεοῦντες.

3. Τίς δὲ ἡᵞ ἀνάγκη τῆς ἀναμνήσεως; Πολλὴ τῆς λήθης ἡ τυραννίς, καὶ οὐδὲν τῶν ἀνθρωπίνων παθῶν οὕτω συνεχῶς καὶ ῥᾳδίως ἐκτρέπει τὸν ἄνθρωπον ὡς τοῦτο τὸ πάθος. Ἐπεὶ δὲ μετὰ τῶν προσηκόντων λογισμῶν ἀναγκαῖον ἑστάναι, καὶ μετέχειν τῆς τελετῆς, καὶ τῶν ἱερῶν αὐτῆς ἀκουσμάτων καὶ θεαμάτων, εἴ γε μέλλοιμεν μὴ μάτην μετέχειν αὐτῶν, καὶ τὸν

α. ἐν om P ‖ β. ἀνάμνησις : ἀνάμνησιν P ‖ γ. ἡ om P

---

silas fixant le moment où se récite la prière dite « du Trisagion ». Aujourd'hui la rubrique porte une indication légèrement différente : « Pendant le chant du Trisagion ». On va voir, quelques lignes plus bas, qu'alors c'était, de fait, la doxologie finale de cette oraison qui, dite à haute voix en ekphônèse, donnait le signal de commencer le chant du Trisagion. Voir S. Salaville, Liturgies orientales, II. La Messe, p. 75.

à ceux qui vont le chanter. Quelle grâce ? Une grâce en harmonie avec l'hymne lui-même : « celle de sanctifier leurs âmes et leurs corps », en accordant le pardon des fautes commises, « afin qu'ils puissent le servir tous les jours dans la sainteté ». Et il ajoute ce motif : « Parce que tu es saint, et que tu te reposes parmi les saints. » Car c'est le propre du Saint par excellence, et de se réjouir dans les saints et d'opérer la sanctification. Après avoir fait tout haut cette proclamation, (le prêtre) ajoute une doxologie, ce qui est pour le peuple saint le signal du chant du *Trisagion :* et de fait, après avoir répondu à la doxologie l'*Amen* habituel, (les assistants) entonnent l'hymne.

2. L'hymne terminé, le prêtre invite tous les fidèles à se tenir debout sans négligence ou nonchalance, à prêter attention à ce qui s'accomplit et à ce qui se chante : car tel est le sens du *Proskhômen* (« Soyons attentifs »). Puis il souhaite à tous la paix et rappelle la *sagesse* avec laquelle il convient d'apporter son attention aux saints mystères. Quelle est cette sagesse ? C'est l'ensemble des pensées en accord avec la liturgie, avec lesquelles il faut voir les rites et écouter les paroles, pensées pleines de foi, qui n'ont rien qui vienne de l'homme. Telle est, en effet, la sagesse des chrétiens, et c'est ce que signifie l'acclamation « Sagesse », qui est redite par le prêtre aux fidèles en maints endroits de la liturgie : c'est un rappel de ces pensées-là. N'est-ce pas de cette manière que nous nous adressons des rappels les uns aux autres, en ravivant souvent d'un seul mot toute une sentence dans l'esprit de ceux qui nous écoutent ?

3. Quelle nécessité y a-t-il à ce rappel ? C'est que la tyrannie de l'oubli est grande : aucune tendance humaine ne distrait aussi fréquemment et aussi facilement l'homme que cette tendance-là. C'est donc avec des pensées appropriées que nous devons nous tenir debout et prendre part à la liturgie avec ses formules ou ses spectacles sacrés, si nous ne voulons pas y prendre part sans profit et y perdre

χρόνον τρίβειν εἰκῇ· τοῦτο δὲ οὐ ῥᾴδιον· διὰ τοῦτο χρεία μὲν
413 D ἡμᾶς αὐτοὺς παρ' ἡμῶν αὐτῶν ἐγρηγορέναι καὶ νήφειν·
χρεία δὲ τῆς ἔξωθεν ὑπομνήσεως, ἵνα συνεχῶς ὑπὸ τῆς
λήθης συλώμενον τὸν ἡμέτερον νοῦν, καὶ περιελκόμενον εἰς
ματαίας μερίμνας ἀναλαμβάνειν δυνώμεθα πάλιν.

4. Τοῦτο καὶ τὸ ᾆσμα βούλεται τὸ ἀδόμενον μεταξὺ τῶν
τιμίων δώρων εἰς τὸ θυσιαστήριον κομιζομένων· « Πᾶσαν
βιωτικὴν γὰρ, φησί, ἀποθώμεθα μέριμναν »· καὶ τοιαῦτα μὲν
τοῦτο δύναται τὸ ῥῆμα.

5. Ἔστι δὲ καὶ τὸ « ὀρθοὶ » ἐπιφώνημα παραίνεσιν ἔχον.
Τίς δὲ ἡ παραίνεσις; Ἐναγωνίους ἡμᾶς εἶναι βούλεται τῷ
Θεῷ καὶ τοῖς μυστηρίοις ἐντυγχάνοντας καὶ μὴ ῥᾳθύμως,
ἀλλὰ μετὰ σπουδῆς καὶ πάσης αἰδοῦς τὴν τοιαύτην ὁμιλίαν
416 A ποιεῖσθαι, εἴτε ὁρᾶν, εἴτε λέγειν, εἴτε ἀκούειν τί δεήσει τῶν
ἱερῶν· καὶ σημεῖον τοῦτο πρῶτον δεικνύναι τῆς σπουδῆς ταύτης, καὶ τῆς[δ] εὐλαβείας, τὴν ὄρθωσιν τοῦ σώματος, τὸ μὴ
καθημένους, ἀλλ' ἑστῶτας τοῦτο ποιεῖν· τοιοῦτον γὰρ τὸ
σχῆμα τῶν ἱκετευόντων, τοιοῦτον τὸ σχῆμα τῶν δούλων, οἳ
πρὸς τὸ νεῦμα τῶν δεσποτῶν ἅπαντα τὸν νοῦν ἔχουσιν, ἵνα
πρὸς τὴν διακονίαν ἑτοίμως, ἐπειδὰν τὸ κελευσθὲν ἁρπάσωσι,
εὐθὺς δράμωσιν· ἡμεῖς δὲ καὶ ἵκεται τῷ Θεῷ περὶ τῶν
μεγίστων, καὶ δοῦλοι δουλείαν παντοδαπήν.

6. Καὶ τῶν μὲν ῥημάτων τούτων οὗτος ὁ λόγος.

δ. τῆς om P

---

1. Cette mention de la dernière partie du *Cheroubikon* est à souligner ici, car Cabasilas omet d'en parler au chapitre XXIV, intitulé
pourtant « du transfert des oblats à l'autel », et l'on sait que ce transfert se fait solennellement au chant du *Cheroubikon*. Voir la première
note de ce chapitre XXIV.

2. Il est bien étonnant que Cabasilas ait omis ici de se référer au
psaume 123, v. 2 : « Comme l'œil du serviteur est fixé sur la main de
son maître, et l'œil de la servante sur la main de sa maîtresse, ainsi

mal à propos notre temps. Or, ce n'est pas chose aisée. Voilà pourquoi il faut que nous-mêmes, de notre côté, nous soyons vigilants et circonspects ; et d'autre part, un rappel du dehors nous est nécessaire, pour que nous puissions à nouveau ressaisir notre esprit constamment détourné par l'oubli et entraîné à de vaines préoccupations.

4. Telle est également la signification du tropaire qui est chanté pendant le transfert des oblats à l'autel : « Déposons toute préoccupation temporelle[1]. » C'est bien, en effet, le sens de ce mot « Sagesse ».

5. Le mot « Debout » est aussi un appel qui contient une exhortation. Quelle exhortation ? Elle veut que nous soyons prêts au combat quand nous nous entretenons avec Dieu et assistons aux saints mystères : ce n'est pas avec nonchalance, mais avec ferveur et avec un respect total, que nous devons avoir cet entretien, qu'il s'agisse de prêter nos regards, nos oreilles ou nos lèvres à quelqu'un des rites sacrés. La première marque de cette ferveur, de cette piété, c'est l'attitude droite du corps : ce n'est pas assis, mais debout, que nous devons accomplir ces actes. Car telle est l'attitude des suppliants ; telle est l'attitude des serviteurs qui ont l'esprit entièrement attentif au moindre signe de leur maître, prêts à courir à leur office dès qu'ils auront saisi l'ordre donné[2]. Ne sommes-nous pas nous-mêmes les suppliants de Dieu pour nos intérêts les plus importants, et ses serviteurs destinés à toutes sortes de services[3] ?

6. Telle est la signification de ces formules.

---

nos yeux se tiennent élevés vers Iahveh notre Dieu. » Ce texte biblique était certainement dans sa pensée.

3. « Les suppliants de Dieu » : à rapprocher de l'expression, plus audacieuse, affectionnée de saint Augustin : « nous sommes les mendiants de Dieu ». *Serm.* 53, 5 ; 56, 6, n° 9 ; 61, 4 ; 83, 2 ; 123, 5 ; *PL* 38, 366, 381, 410, 515, 686.

ΚΒ΄. Περὶ τῆς ἀναγνώσεως τῶν Γραφῶν, καὶ τῆς τάξεως αὐτῶν, καὶ τῆς σημασίας

416 B   **1.** Μετὰ δὲ τὸν τρισάγιον ὕμνον, ἀποστολικὸν ἀναγιγνώσκεται βιβλίον, εἶτα τὸ Εὐαγγέλιον αὐτό, πρότερον ὕμνου τῷ Θεῷ παρὰ τῆς Ἐκκλησίας ᾀσθέντος.

2. Διὰ τί δὲ πρὸ τῶν ἀναγνώσεων τῶν ἱερῶν Γραφῶν τὸν Θεὸν ὑμνοῦμεν; Ὅτι ἐπὶ πᾶσι τοῦτο δεῖ ποιεῖν, οἷς ἡμᾶς ἐκεῖνος ἑκάστοτε δωρούμενος διατελεῖ, μάλιστα δὲ ἐν[α] ἐπιτεύξει μεγάλου τινὸς ἀγαθοῦ, οἷόν ἐστι ἡ τῶν θείων λογίων ἀκρόασις. Ἀλλ' ἐπὶ μὲν τοῦ Ἀποστόλου μετὰ ἱκεσίας ὁ ὕμνος· πρόσκειται γὰρ τὸ « Ἐλέησον ». Ἐπὶ δὲ τοῦ Εὐαγγελίου καθαρὰν ἱκεσίαν[β] ποιούμεθα τὴν ὑμνῳδίαν, ἵνα μάθωμεν ὡς ὁ Χριστὸς διὰ τοῦ Εὐαγγελίου σημαίνεται· ὃν τοῖς εὑροῦσιν ἅπαν τὸ ζητούμενον ἐν χερσίν. Καὶ γὰρ ὁ Νυμφίος ἔνδον, καὶ οὐ χρεία ἱκετεύειν αὐτοὺς περὶ οὐδενός, πάντα ἔχοντας.

416 C   Ὥσπερ οὐδὲ νηστεύειν τοὺς υἱοὺς τοῦ Νυμφῶνος εἰκός, ἐφ' ὅσον μετ' αὐτῶν ἐστιν ὁ Νυμφίος· ἀλλὰ τοῦτο μόνον, σέβειν αὐτὸν καὶ ὑμνεῖν· ἐπεὶ καὶ ὁ τῶν ἀγγέλων ὕμνος, οἷον αὐτὸν οἱ προφῆται διδάσκουσι, διὰ τὸν αὐτὸν λόγον, τοῦτ' αὐτὸ μόνον ὕμνος ἐστίν, ἱκεσίας ἀπηλλαγμένος ἀπάσης.

3. Ἀλλὰ τί βούλεται ἐνταῦθα ἡ ἀνάγνωσις τῶν ἱερῶν Γραφῶν;

4. Εἰ μὲν[γ] τὴν χρείαν βούλει μαθεῖν, εἴρηται· παρασκευά-

α. ἐν : ἐπὶ P ‖ β. ἱκεσίαν : ἱκεσίας P ‖ γ. εἰ μὲν : εἰ μὲν γὰρ P

---

a. Matth. 9, 15

---

1. « Le livre apostolique » : on dit couramment aujourd'hui l'*Apostolos*. Le rite byzantin ne recourant, pour la messe normale, qu'aux écrits apostoliques *(Actes* et *Épîtres),* ce nom d'*Apostolos* est donné et à chaque péricope liturgique et au recueil complet. Voir S. SALAVILLE, *Liturgies orientales,* I, p. 183.

Chapitre XXII

Des lectures sacrées, de leur disposition et de leur signification

1. Après le *Trisagion*, on fait la lecture du livre apostolique[1], ensuite celle de l'Évangile : l'une et l'autre venant après que l'Église a chanté gloire à Dieu[2].

2. Pourquoi louons-nous Dieu avant les lectures sacrées ? Parce qu'il convient d'en agir ainsi avec Dieu pour tous les biens qu'il ne cesse de nous donner à toute occasion : et notamment pour l'obtention de quelque insigne faveur, comme celle d'entendre lire la parole divine. Pour l'Épître en particulier, cette louange se mêle de supplication, car l'on y joint la formule : « Prends pitié de nous. » Pour l'Évangile, notre supplication consiste purement et simplement dans l'hymne même : c'est pour nous apprendre que le Christ est figuré par l'Évangile : ceux qui le trouvent ont en même temps tout ce qu'ils peuvent demander. Car l'Époux s'y trouve renfermé ; et l'on n'a plus besoin de le supplier pour rien, quand on a tout. De même qu'il ne convient pas que « jeûnent les fils de l'Époux, tant que l'Époux est avec eux[a] » : ils n'ont qu'à l'adorer et le louer. C'est pour la même raison que l'hymne des anges, tel que nous l'enseignent les prophètes, n'est également qu'un hymne, exempt de toute supplication.

3. Que signifient, à ce moment de la liturgie, les lectures sacrées ?

4. Si vous voulez en savoir l'utilité pratique, je vous l'ai

---

2. L'Église a chanté gloire à Dieu soit par le *Trisagion*, soit par l'*Alleluia* intercalé entre l'Épître et l'Évangile. Cabasilas ne dit rien des *prokeimena* ou versets scripturaires placés avant et après l'Épître, sorte d'équivalent encore du Graduel latin. Voir S. Salaville, *Liturgies orientales*, II. *La Messe*, p. 80-81.

ζουσι γὰρ ἡμᾶς καὶ προκαθαίρουσι πρὸ τοῦ μεγάλου τῶν μυστηρίων ἁγιασμοῦ. Εἰ δὲ τὴν σημασίαν ζητεῖς, τὴν φανέρωσιν τοῦ Κυρίου δηλοῦσιν, ἣν ἐφανεροῦτο κατὰ μικρὸν μετὰ τὴν ἀνάδειξιν. Πρῶτον μὲν γὰρ τὸ Εὐαγγέλιον ἀναδείκνυται συνεπτυγμένον, τὴν ἐπιφάνειαν τοῦ Κυρίου σημαῖνον, καθ᾽ ἣν σιωπῶντα αὐτὸν ὁ Πατὴρ ἀνεδείκνυ, ὅτε οὐδὲν ἐκεῖνος φθεγγόμενος τῆς τοῦ κήρυκος ἐδεῖτο φωνῆς. Ταῦτα δὲ τῆς φανερώσεώς ἐστι σημαντικὰ τῆς τελεωτέρας, καθ᾽ ἣν δημοσίᾳ πᾶσιν ὡμίλει, καὶ ἑαυτὸν ἐδίδασκεν, οὐ μόνον ἐξ ὧν ἔλεγεν αὐτός, ἀλλὰ καὶ ὧν ἀποστόλους ἐδίδασκε λέγειν, πέμπων αὐτοὺς « εἰς τὰ πρόβατα τὰ ἀπολωλότα οἴκου Ἰσραήλ ». Διὰ τοῦτο ἀναγινώσκεται μὲν γράμματα ἀποστολικά, ἀναγινώσκεται δὲ αὐτὸ τὸ Εὐαγγέλιον.

5. Τί οὖν μὴ πρῶτον τὸ Εὐαγγέλιον; Ὅτι τελεωτέρας ἐστὶ φανερώσεως σημαίνειν^δ τὰ δι᾽ αὐτοῦ τοῦ Κυρίου, ἢ τὰ διὰ τῶν ἀποστόλων λεγόμενα. Ἐπεὶ δὲ οὐκ ἀθρόον ἐφάνη τοῖς ἀνθρώποις ὁ Κύριος ἡλίκος ἦν τὴν ἰσχύν, καὶ οἷος τὴν ἀγαθότητα — τοῦτο γὰρ τῆς δευτέρας αὐτοῦ παρουσίας —, ἀλλ᾽ ὁδῷ προβαίνων ἀπὸ τοῦ ἀφανεστέρου ἐπὶ τὸ φανερώτερον προῄει· τούτου χάριν τὴν ἀνάδειξιν αὐτοῦ κατὰ μικρὸν γενομένην δεικνύναι βουλομένοις, τὰ ἀποστολικὰ πρὸ τῶν Εὐαγγελίων ἀναγιγνώσκειν εἰκός. Διὰ τοῦτο γὰρ καὶ τὰ τῆς τελείας ἀναδείξεως αὐτοῦ σημαντικὰ τελευταῖα φυλάττεται, ὡς ἐν τοῖς ἑξῆς ἔσται δῆλον.

δ. σημαίνειν : σημεῖον P

b. Cf. Matth. 3, 14-17. Jn 1, 29-34
c. Matth. 10, 6

1. Allusion à la proclamation du Messie par Jean-Baptiste et à la voix du Père céleste lors du baptême de Jésus au Jourdain : « Celui-ci est mon Fils bien-aimé en qui je prends mes complaisances. » *Matth.* 3, 14-17 ; *Jn* 1, 29-34.

2. Cabasilas veut sans doute faire ici allusion aux acclamations dont la foule accompagne le transfert solennel des oblats à l'autel

déjà dite : elles nous préparent et nous purifient préalablement, avant la grande sanctification des divins mystères. Si vous en demandez la signification, elles nous font
connaître la manifestation du Sauveur, telle qu'elle se fit
peu à peu, après sa première apparition (aux hommes). En
effet, la première ostension de l'Évangile, livre fermé,
représente la première apparition du Sauveur, alors que,
tandis que lui-même gardait le silence, le Père le montrait et
que, ne prononçant pas lui-même une seule parole, il avait
besoin d'une autre voix pour le proclamer[b1]. Mais ici, ce
qui nous est signifié c'est sa manifestation plus parfaite,
au cours de laquelle il se mêlait à la foule, en public, et se
faisait connaître lui-même non seulement par ses paroles
personnelles, mais encore par celles qu'il apprenait à dire par
ses apôtres, en les envoyant « aux brebis perdues de la
maison d'Israël[c] ». Voilà pourquoi on lit aussi bien les écrits
apostoliques que l'Évangile lui-même.

5. Pourquoi pas l'Évangile en premier lieu ? Parce que
faire connaître ce qu'a dit le Seigneur en personne constitue
une manifestation plus parfaite que de faire connaître ce
qui a été dit par les Apôtres. Or, ce ne fut pas tout d'un
coup que le Seigneur montra aux hommes toute l'étendue
de sa puissance et la qualité de sa bonté — ce fut là l'effet
de sa seconde manifestation —; mais il procédait progres-
sivement, du plus obscur au plus éclatant. Voilà pourquoi,
si l'on veut montrer que sa manifestation s'est faite peu
à peu, il convient de lire les écrits apostoliques avant les
évangiles. Les textes révélateurs de sa suprême manifestation sont donc réservés pour la fin, comme la suite le
montrera[2].

(voir plus loin, chap. XXIV), mais aussi à l'*Hosanna* du *Sanctus*,
rappelant l'*Hosanna* de l'ultime manifestation des Rameaux, ou même
au récit de la Cène, suprême manifestation de la puissance et de
l'amour du Sauveur avant le sacrifice du Calvaire, et qui constituera
le cœur de l'Anaphore ou du Canon.

ΚΓ'. Περὶ τῶν μετὰ τὸ Εὐαγγέλιον αἰτήσεων

1. Μετὰ δὲ τὸ Εὐαγγέλιον ἀναγνωσθῆναι, εὔξασθαι μὲν κελεύει τὸ πλῆθος ὁ διάκονος. Εὔχεται δὲ αὐτὸς ὁ ἱερεὺς ἔνδον καθ᾽ ἑαυτὸν ἡσυχῇ τὰς εὐχὰς ἐκείνων ὑπὸ τοῦ Θεοῦ προσδεχθῆναι. Εἶτα τὸν Θεὸν δοξολογήσας μεγάλῃ βοῇ, κοινωνοὺς καὶ αὐτοὺς τῆς δοξολογίας λαμβάνει.

2. Τίς δὲ ἡ παρὰ πάντων εὐχὴ μάλιστα μετὰ τὸ Εὐαγγέλιον πρέπουσα; ἡ ὑπὲρ τῶν τηρούντων τὸ Εὐαγγέλιον, τῶν 417 B μιμησαμένων τὴν φιλανθρωπίαν τοῦ διὰ τοῦ Εὐαγγελίου σημαινομένου Χριστοῦ. Καὶ τίνες οὗτοι; Οἱ προστάται τῆς Ἐκκλησίας, οἱ λαῶν ποιμένες, οἱ τὴν πολιτείαν τάττοντες. Οὗτοι γάρ, εἰ σῴζουσι τὴν ἐπαγγελίαν, τὰ ἐκεῖσε γεγραμμένα καὶ τηροῦσι καλῶς καὶ διδάσκουσι, καὶ τὸ ὑστέρημα τοῦ Χριστοῦ κατὰ τὸν Ἀπόστολον ἀναπληροῦσι μετ᾽ ἐκεῖνον τὴν αὐτοῦ ποίμνην κατ᾽ ἐκεῖνον ποιμαίνοντες. Ἔτι δὲ καὶ κτίσται ἱερῶν οἴκων καὶ ἐπιμεληταὶ καὶ ἀρετῆς διδάσκαλοι καὶ εἴ τινες ὁπωσοῦν τῷ κοινῷ τῆς Ἐκκλησίας καὶ τοῖς ἱεροῖς λυσιτελεῖς εἰσιν, εἰς ἐκεῖνον τάττουσι τὸν χορόν, καὶ τῶν κοινῶν εἰσιν ἄξιοι τυγχάνειν εὐχῶν.

3. Μέλλων δ᾽ ἐπὶ τὴν θυσίαν ἤδη χωρεῖν, ᾗ παρεῖναι τοὺς ἀμυήτους οὐ θέμις, οὓς κατηχουμένους ἔτι καλοῦμεν, ὅτι 417 C μέχρις ἀκοῆς καὶ ὅσον διδασκαλία δύναται μόνον τὸν Χριστιανισμὸν ὑπεδέξαντο, τούτους ἐκβάλλει τοῦ χοροῦ τῶν πιστῶν, εὐχὴν ὑπὲρ αὐτῶν ἀναγνοὺς πρότερον. Ἡ δὲ εὐχὴ τελειωθῆναι

---

1. Remarquer l'ingénieuse adaptation du texte bien connu de saint Paul, *Col.* 1, 24 : « Ce qui manque aux souffrances du Christ, je l'achève dans ma chair au bénéfice de son corps qui est l'Église. »

2. « Saintes maisons » : l'expression s'applique aussi bien aux monastères qu'aux églises.

3. Il est permis de s'étonner que Cabasilas n'ait pas jugé utile de souligner l'idée d'intensité, d'instance, de continuité qu'implique le nom d'*ekténès* donné par la tradition liturgique à cette litanie diaco-

CHAPITRE XXIII

Des demandes qui se font après l'Évangile

1. Lorsque l'Évangile a été lu, le diacre invite la foule à prier. Le prêtre, de son côté, prie à voix basse, à part soi, pour que les prières des fidèles soient accueillies par Dieu. Puis, en prononçant à haute voix la doxologie finale, il les associe eux aussi à cette louange de Dieu.

2. Quelle est la prière du peuple, spécialement opportune après l'Évangile ? C'est la prière pour ceux qui sont fidèles à l'Évangile, pour ceux qui imitent la générosité du Christ figuré par l'Évangile. Et quels sont ceux-là ? Ceux qui sont préposés à l'Église, les pasteurs de peuples, ceux qui gouvernent l'État. Ceux-là, en effet, s'ils sont fidèles à leur engagement, gardent avec soin et enseignent les doctrines consignées dans l'Évangile et, selon le mot de l'Apôtre, « achèvent après le Christ ce qui manque au Christ », en gouvernant son troupeau selon son esprit[1]. Ce sont encore les fondateurs de saintes maisons[2], ceux qui en prennent soin, ceux qui tiennent école de vertu, et tous ceux qui de quelque manière se rendent utiles au bien commun de l'Église et à la religion : tous ceux-là peuvent trouver place en pareille litanie et méritent d'être l'objet des prières communes[3].

3. Comme on va maintenant arriver au sacrifice, auquel les non-initiés n'ont pas le droit d'assister, le prêtre congédie ceux que nous appelons encore Catéchumènes parce qu'ils n'ont reçu le christianisme que par enseignement et dans la mesure seulement que comporte la catéchisation : il les congédie du chœur des fidèles, non sans avoir préalablement récité pour eux une prière. Et sa prière, c'est que leur initia-

nale. Voir S. SALAVILLE, *Liturgies orientales*, II. *La Messe*, p. 85-87.

αὐτοὺς τοῦ βαπτίσματος ἀξιωθέντας κατὰ καιρόν· ἡ δὲ αἰτία τῆς εὐχῆς ἡ τοῦ Θεοῦ δόξα· « Ἵνα καὶ αὐτοὶ, φησί, σὺν ἡμῖν δοξάζωσι τὸ πάντιμον καὶ μεγαλοπρεπὲς ὄνομά σου. »

4. Ἣν καὶ ὡς δοξολογίαν ἀναβοήσας[α] καὶ κοινωνοὺς λαβὼν τῆς δοξολογίας τὸ πλῆθος τῶν πιστῶν, ἄλλην εὔχεται εὐχήν, ἐν ᾗ πρῶτον μὲν εὐχαριστεῖ τῷ Θεῷ, ὅτι ὅλως ἠξιώθη ἐνώπιον αὐτοῦ στῆναι καὶ χεῖρας αἴρειν πρὸς αὐτὸν ὑπὲρ ἑαυτοῦ καὶ τῶν ἄλλων· ἔπειτα ἱκετεύει ἀξιωθῆναι τοῦτο ποιεῖν ἀεὶ[β] μετὰ καθαροῦ συνειδότος. Ἡ δὲ αἰτία τῆς εὐχῆς 417 D καὶ ταύτης, ἡ τοῦ Θεοῦ δόξα· « Ὅτι σοὶ πρέπει, φησί, πᾶσα δόξα »· καὶ οὕτω[γ] κατὰ τὸ εἰωθὸς μετὰ τοῦ πλήθους δοξολογήσας, πάλιν ἐφ᾽ ἑαυτοῦ ὁ ἱερεὺς[δ] εὔχεται ὑπὲρ ἑαυτοῦ καὶ τοῦ πλήθους, ὥστε αὐτὸν μὲν ἀκατάκριτον παραστῆναι τῇ ἁγίᾳ τραπέζῃ καθαρὸν « μολυσμοῦ σαρκὸς καὶ πνεύματος »· τοὺς δὲ συνευχομένους πιστοὺς « τῶν μυστηρίων μετασχεῖν » ἀξιωθῆναι, χωρὶς ἐνοχῆς καὶ κατακρίσεως, καὶ πρὸς τούτοις τῆς βασιλείας τῶν οὐρανῶν κληρονομῆσαι· καὶ ἡ αἰτία τῆς εὐχῆς πάλιν ἡ τοῦ Θεοῦ δόξα, εἰς ἣν πάντα ποιεῖν ὁ Παῦλος ἐκέλευσε λέγων· « Πάντα εἰς δόξαν Θεοῦ ποιεῖτε. » Τοῦτο ὑμῖν[ε] ἔστω σκοπός φησι πανταχοῦ, τὸν Θεὸν δοξάζεσθαι. Οἱ γεωργοὶ τέλος ποιοῦνται τῶν πόνων τῶν καρπῶν τὴν φοράν, ἐφ᾽ οἷς αἰροῦνται πονεῖν· καὶ οἱ ἔμποροι τὸ κέρδος, καὶ ἄλλος 420 A ἄλλο τι· ὑμεῖς δὲ ἐν ἅπασιν οἷς ποιεῖτε τὴν δόξαν τοῦ Θεοῦ ζητεῖτε· δοῦλοι γάρ ἐσμεν, ταύτην ὀφείλοντες τῷ Δεσπότῃ

α. ἀναβοήσας : βοήσας P ‖ β. ἀεὶ om P ‖ γ. οὕτω om P ‖ δ. ὁ ἱερεὺς om P ‖ ε. ὑμῖν : ἡμῖν P

a. II Cor. 7, 1
b. I Cor. 10, 31

1. Il est aisé de reconnaître dans cette oraison et dans la suivante ce que les liturgistes appellent les deux « prières des fidèles » ou « sur les fidèles ». On peut noter qu'elles sont dans la même ligne de pensée que l'*Orate fratres* latin. Voir S. SALAVILLE, *Liturgies orientales*, II. *La Messe*, p. 94-97.

tion soit parachevée par le Baptême accordé en temps
opportun. Le motif de cette prière, c'est la gloire de Dieu :
« Afin qu'eux aussi glorifient avec nous ton nom très auguste
et très grand. »

(LITURGIE DES FIDÈLES)

4. En prononçant à haute voix cette doxologie, il fait
participer la foule des fidèles à sa prière. Puis il dit une autre
oraison, dans laquelle il rend d'abord grâces à Dieu d'avoir,
en somme, été jugé digne de se tenir devant lui, de lever
les mains vers lui et pour soi-même et pour les autres[1]. Il
demande ensuite d'être jugé digne d'accomplir toujours cet
acte religieux avec une conscience pure. Le motif de cette
prière ? encore la gloire de Dieu : « Parce qu'à toi convient
toute gloire. » Après avoir ainsi, comme d'habitude, glorifié
Dieu de concert avec la foule, le prêtre prie de nouveau,
à part soi, pour lui-même et pour la foule : qu'il se tienne
personnellement sans reproche à la sainte table, pur « de
toute souillure de la chair et de l'esprit[a][2] » ; quant aux fidèles
qui prient avec lui, qu'ils soient rendus dignes « de participer aux divins mystères » sans culpabilité et sans condamnation et, en outre, d'avoir part à l'héritage du royaume
des cieux. Le motif de cette prière, c'est encore la gloire de
Dieu, pour laquelle Paul commande de tout faire : « Faites
tout pour la gloire de Dieu[b]. » Que ce soit en tout votre but,
dit-il, que Dieu soit glorifié. Les agriculteurs se proposent
comme terme de leurs labeurs l'abondance des récoltes, et
c'est dans cet espoir qu'ils choisissent de peiner ; les négo-
ciants poursuivent le gain ; les autres travailleurs, quelque
fin analogue. Mais vous, en tout ce que vous faites, cherchez
la gloire de Dieu. Nous sommes, en effet, des esclaves qui

2. II *Cor.* 7, 1 : texte cité par la deuxième prière pour les fidèles
que Cabasilas commente dans ce passage.

τὴν διακονίαν, ὡς ἂν ὑπὲρ αὐτῆς καὶ κτισθέντες ὑπ᾽ αὐτοῦ
τὴν ἀρχὴν καὶ ὕστερον ἀγορασθέντες. Διὰ τοῦτο τὴν Ἐκκλησίαν εὑρήσεις τῆς δόξης τοῦ Θεοῦ φροντίζουσαν πανταχοῦ,
καὶ τοῦτ᾽ ἄνω καὶ κάτω βοῶσαν τὸ ῥῆμα, καὶ ταύτην διὰ
πάντων ὑμνοῦσαν, καὶ πάντα αὐτὴν ἡγουμένην, καὶ πρὸς
ταύτην πάντα ποιοῦσαν, τὰς εὐχάς, τὰς δεήσεις, τὰς μυήσεις,
τὰς παραινέσεις, πᾶν ἱερόν.
Καὶ ταῦτα μὲν οὕτως.

ΚΔ΄. Περὶ τῆς εἰς τὸ θυσιαστήριον εἰσαγωγῆς τῶν τιμίων δώρων

420 B   **1.** Ὁ δὲ ἱερεὺς βοῇ τὸν Θεὸν δοξολογήσας ἔρχεται ἐπὶ τὰ
δῶρα καὶ ἀνελόμενος ἐπὶ τῆς κεφαλῆς μάλα κοσμίως ἔξεισι·
καὶ οὕτως αὐτὰ κομίζων, ἐπὶ τὸ θυσιαστήριον εἰσάγει[a],
περιάγων ἐπίτηδες ἐν τῷ ναῷ διὰ τοῦ πλήθους σχολῇ καὶ
βάδην. Καὶ αὐτοὶ ᾄδουσι καὶ προσπίπτουσιν αὐτῷ σὺν αἰδοῖ
πάσῃ καὶ εὐλαβείᾳ, δεόμενοι μνήμης παρ᾽ αὐτῷ τυχεῖν, ἐν τῇ
τῶν δώρων προσαγωγῇ. Καὶ αὐτὸς χωρεῖ πεμπόμενος ὑπὸ
λαμπάσι καὶ θυμιάσμασι· καὶ οὕτως ἔχων τὸ θυσιάστηριον
εἰσέρχεται.

2. Ταῦτα δὲ γίνεται μὲν κατὰ χρείαν· ἔδει γὰρ ἐνεχθῆναι
καὶ τῷ θυσιαστηρίῳ ἀποτεθῆναι τὰ θύεσθαι μέλλοντα δῶρα,
καὶ τοῦτο σεμνῶς ὡς ἔξεστι καὶ κοσμίως. Οὕτω γὰρ εἰσήγοντο
τὰ δῶρα τοῦ Θεοῦ· ἐπεὶ καὶ οἱ βασιλεῖς, δῶρα προσάγειν
420 C   τῷ Θεῷ δεῆσαν αὐτοῖς, οὐκ ἄλλοις τὸ πρᾶγμα ἐπέτρεπον,
ἀλλ᾽ αὐτοὶ δι᾽ ἑαυτῶν κομίζοντες εἰσῆγον αὐτὰ ἐστεφα-
νωμένοι.

3. Δύναται δὲ αὐτὰ καὶ σημασίαν ἔχειν τῆς ἐσχάτης τοῦ
Χριστοῦ ἀναδείξεως, καθ᾽ ἣν μάλιστα τὴν βασκανίαν τῶν
Ἑβραίων ἀνῆψεν, ἡνίκα καὶ ὁδὸν ἐστείλατο τὴν ἀπὸ τῆς

α. εἰσάγει : ἄγει P

devons à notre Maître ce service pour lequel nous avons d'abord été créés par lui, puis plus tard rachetés. Voilà pourquoi vous constaterez que l'Église porte partout le souci de la gloire de Dieu, qu'elle proclame ce mot à tous les échos, qu'elle chante cette gloire sur tous les tons, que tout est là à son sens et qu'elle fait véritablement tout pour la gloire de Dieu : prières, supplications, initiations, exhortations, tout ce qu'il y a de sacré.

C'est assez sur ce sujet.

Chapitre XXIV

Du transfert des oblats à l'autel

1. Le prêtre, après avoir glorifié Dieu à haute voix, se rend à la prothèse, prend les oblats, les tient élevés avec beaucoup de respect à la hauteur de sa tête, et sort (du sanctuaire). Il les porte ainsi pour les introduire à l'autel, faisant à cet effet à travers la foule une lente et solennelle procession dans la nef. Les fidèles, tout en chantant, se prosternent sur son passage avec respect et vénération, le priant d'avoir un souvenir pour eux dans la présentation des dons sacrés. Le célébrant avance dans un cortège de lumières et d'encens, et c'est ainsi qu'il entre dans le sanctuaire.

2. Ce rite s'accomplit sans doute en vue d'une utilité pratique, car il fallait bien que fussent apportées et déposées sur l'autel les offrandes destinées au sacrifice ; et cela, avec toute la gravité et l'ordre convenables. C'est ainsi qu'étaient (jadis) introduits les dons destinés à Dieu : les souverains eux-mêmes, quand il leur fallait présenter à Dieu des offrandes, ne remettaient pas ce soin à d'autres, mais venaient eux-mêmes, couronne en tête, les apporter personnellement.

3. Les oblats peuvent encore signifier l'ultime manifestation du Christ, au cours de laquelle il excita au plus haut point la haine des Juifs, lorsqu'il entreprit le voyage de sa

πατρίδος ἐπὶ τὴν Ἱερουσαλήμ, ἐν ᾗ θύεσθαι ἔδει· ὅτε καὶ ὀχούμενος εἰσῄει τὴν πόλιν, ὑπὸ^β πολλῶν παραπεμπόμενος καὶ ὑμνούμενος^γ.

4. Δεῖ δὲ καὶ προσπίπτειν τηνικαῦτα τῷ ἱερεῖ καὶ δεῖσθαι, ἵνα ἡμῶν ἐν ταῖς εὐχαῖς ἐκείναις μνησθῇ. ῞Οτι οὐκ ἔστιν ἄλλος τρόπος ἱκεσίας οὕτω μεγάλα δυνάμενος καὶ βεβαίας παρεχόμενος ἡμῖν τὰς ἐλπίδας, ὥσπερ ὁ διὰ τῆς φρικώδους ταύτης θυσίας, ἢ τὰς ἀσεβείας καὶ τὰς ἀνομίας^δ τοῦ κόσμου ἐκαθάρισε δωρεάν.

5. Εἰ δέ τινες τῶν προσπιπτόντων εἰσιόντι μετὰ τῶν δώρων 420 D τῷ ἱερεῖ ὡς σῶμα Χριστοῦ καὶ αἷμα τὰ κομιζόμενα δῶρα προσκυνοῦσι καὶ διαλέγονται, ἀπὸ τῆς εἰσόδου τῶν προηγιασμένων δώρων ἠπατήθησαν, ἀγνοήσαντες τὴν διαφορὰν τῆς ἱερουργίας ταύτης καὶ ἐκείνης. Αὕτη μὲν γὰρ ἐν ταύτῃ τῇ εἰσόδῳ ἄθυτα ἔχει τὰ δῶρα καὶ οὔπω τετελεσμένα, ἐκείνη δὲ τέλεια, καὶ ἡγιασμένα, καὶ σῶμα καὶ αἷμα Χριστοῦ. Καὶ ταῦτα μὲν οὕτως.

ΚΕ΄. Περὶ τῶν μετὰ τὴν εἰσαγωγὴν τῶν δώρων καὶ εὐχῶν καὶ παραγγελίων πρὸς τὸ πλῆθος τοῦ ἱερέως

1. Ὁ δὲ ἱερεὺς τὰ μὲν δῶρα τίθησι ἐπὶ τῆς τραπέζης· αὐτὸς δέ, ὡς ἤδη πρὸς τῇ τελετῇ γενόμενος καὶ μέλλων τῆς φρικτῆς

β. ὑπὸ : καὶ ὑπὸ P ǁ γ. καὶ ὑμνούμενος om P ǁ δ. ἀσεβείας... ἀνομίας : ἀνομίας... ἀσεβείας P

1. A propos de cette confusion, qui, par suite d'une insuffisante instruction religieuse chez certains fidèles, n'est pas une hypothèse absolument chimérique, voir S. SALAVILLE, *Liturgies orientales*, II. *La Messe*, p. 106-107. Il est regrettable que Cabasilas n'ait pas cru devoir, en son commentaire de la *grande entrée*, faire la moindre allusion au tropaire dit *Cheroubikon*, dont la solennelle modulation accompagne ce rite : « Nous qui mystiquement représentons les Chérubins et qui chantons à la vivifiante Trinité l'hymne trois fois saint, déposons toute sollicitude du monde, afin de recevoir le Roi de l'univers, invisiblement escorté des armées angéliques. Alleluia. » On se souvient pourtant que, en expliquant l'acclamation « Sagesse » dès avant

patrie vers Jérusalem, où il devait être immolé; lorsque, enfin, porté par une monture, il entra dans la cité sainte, escorté et acclamé par la foule.

4. Il nous faut aussi, à ce moment-là, nous prosterner devant le prêtre et lui demander d'avoir un souvenir pour nous dans les prières qui vont avoir lieu. Car il n'y a pas d'autre moyen de supplication aussi puissant et nous assurant d'aussi fermes espérances, que celui qui se réalise par ce redoutable sacrifice, qui a gratuitement purifié le monde de ses impiétés et de ses iniquités.

5. Que si, parmi ceux qui se prosternent devant le prêtre portant les oblats, il en est qui adorent ces oblats comme étant le corps et le sang du Christ et s'adressent à eux comme tels, ceux-là ont été induits en erreur par l'*entrée des Présanctifiés*, méconnaissant la différence qui existe entre l'un et l'autre acte liturgique. A l'entrée dont il est question maintenant, les oblats ne sont pas encore consacrés comme sacrifice : tandis que, dans l'autre entrée, ils sont consacrés, sanctifiés, corps et sang du Christ[1].

C'est assez sur ce sujet.

Chapitre XXV

**Après le transfert des oblats,
prières et exhortations adressées par le prêtre
à la foule**

1. Le prêtre dépose les oblats sur la table. Alors, se voyant arrivé aux approches de la consécration et sur le

l'Évangile (ci-dessus, p. 149 s.), il la présentait comme équivalant précisément à l'expression : « Déposons toute sollicitude du monde », qui fait partie du *Cheroubikon*. — L'occasion lui eût été bonne de marquer encore plus nettement la distinction nécessaire entre la grande entrée de la liturgie normale et celle de la liturgie des Présanctifiés. Pour celle-ci, dont le rite romain a l'équivalent le Vendredi Saint, voir S. Salaville, *Liturgies orientales*, II. *La Messe*, p. 115-116.

421 A ἅπτεσθαι θυσίας, ἔτι ἑαυτὸν εὐτρεπίζει καὶ διὰ τῶν εὐχῶν
καθαίρει καὶ πρὸς τὴν ἱερουργίαν παρασκευάζει, καὶ οὐχ
ἑαυτὸν μόνον ἀλλὰ καὶ τὸ περιεστὸς πλῆθος καταρτίζει καὶ
διατίθησι πρὸς τὴν χάριν εὐχῇ καὶ τῇ πρὸς ἀλλήλους ἀγάπῃ
καὶ τῇ ὁμολογίᾳ τῆς πίστεως. Ἐν τούτοις δὲ τὸ πᾶν τῆς
ἑτοιμασίας ἐστί, καθ' ἣν ὁ Κύριος ἐκέλευσε λέγων· « Γίνεσθε
ἕτοιμοι.» Ἐνταῦθα γὰρ ἡ πίστις καὶ τὰ ἔργα· ἡ μὲν πίστις
διὰ τῆς ὁμολογίας φαινομένη, τὰ δὲ ἔργα διὰ τῆς ἀγάπης, ἥτις
τέλος ἐστὶν ἔργου παντὸς ἀγαθοῦ καὶ ἀρετῆς πάσης κεφάλαιον.
2. Ἀλλὰ ταῦτα μὲν μετ' ὀλίγον. Πρὸ δὲ τούτων τοὺς
περιεστῶτας πιστοὺς εὔχεσθαι κελεύει ὑπὲρ ὧν εὔχεσθαι τότε
δεῖ. « Ὑπὲρ τῶν προτεθέντων δώρων, φησί, τοῦ Κυρίου
δεηθῶμεν.» Ὑπὲρ τοῦ προκειμένου τὸν Θεὸν ἱκετεύσωμεν,
421 B ἵνα ἁγιασθῶσι τὰ δῶρα καὶ εἰς τέλος ἡμῖν ἡ ἐξ ἀρχῆς πρόθεσις
ἔλθῃ. Εἶτα καὶ ἄλλα προσθείς, ὑπὲρ ὧν δεῖ τὸν Θεὸν ἱκετεύειν
καὶ τελευταῖον « παραθέσθαι τῷ Κυρίῳ^a » κελεύσας « ἑαυτοὺς
καὶ ἀλλήλους καὶ πᾶσαν τὴν ζωήν », εἶτα καὶ αὐτὸς τὸ τῆς
εὐχῆς ἀκροτελεύτιον, ἣν ἐφ' ἑαυτοῦ πρὸς τὸν Θεὸν ἐποίησατο,
εἰς ἐπήκοον πάντων βοήσας κατὰ τὸ ἔθος καὶ δοξολογήσας,
καὶ αὐτοὺς λαβὼν τῆς δοξολογίας κοινωνούς, μετὰ τοῦτο
εἰρήνην τὴν πρὸς ἀλλήλους καὶ εὔχεται πᾶσι καὶ παραινεῖ.
Εἰπὼν γάρ· « Εἰρήνη πᾶσιν », ἐπάγει· « Ἀγαπήσωμεν
ἀλλήλους.» Ἐπεὶ δὲ εὔχεσθαι ὑπὲρ ἀλλήλων ἐντολή ἐστιν
ἀποστολική, διὰ τοῦτο καὶ ὁ λαὸς εὔχεται αὐτῷ^b τὴν αὐτὴν
421 C εἰρήνην, λέγοντες· « Καὶ τῷ πνεύματί σου.» Ἐπεὶ δὲ τῇ πρὸς
ἀλλήλους ἡμῶν ἀγάπῃ καὶ ἡ πρὸς Θεὸν ἀγάπη ἀκολουθεῖ, τῇ
δὲ πρὸς Θεὸν ἀγάπῃ καὶ ἡ πρὸς αὐτὸν τελεία καὶ ζῶσα πίστις
ἕπεται, διὰ τοῦτο τὴν ἀγάπην εἰπὼν καὶ ἀγαπᾶν ἀλλήλους
παραινέσας εὐθὺς τὴν ὁμολογίαν ἐπάγει τῆς πίστεως· « Ἵνα

α. κυρίῳ : θεῷ P ‖ β. αὐτῷ om P

a. Matth. 24, 44
b. Cf. Jac. 5, 16

1. Notons cette lumineuse expression : « que notre oblation du
début atteigne son terme », c'est-à-dire la consécration.

point de toucher au redoutable sacrifice, il intensifie sa préparation, se purifie par les prières et se dispose pour l'action sacrée. Il ne se borne pas à se préparer lui-même, il prépare aussi le peuple qui l'entoure, il le dispose à la grâce par la prière, par la charité mutuelle et par la profession de foi. C'est bien en cela que consiste le tout de la préparation à laquelle le Seigneur a invité, quand il a dit : « Soyez prêts[a]. » Nous avons là, en effet, et la foi et les œuvres : la foi, manifestée par la profession ; les œuvres, par la charité qui est le terme de toute œuvre bonne et le résumé de toute vertu.

2. Ce rappel de préparation aura lieu dans un instant. Auparavant, le prêtre invite les fidèles qui l'entourent à prier aux intentions qui doivent être celles du moment : « Pour les dons qui ont été offerts, prions le Seigneur », dit-il. Pour ce qui est imminent, supplions Dieu : afin que ces dons soient sanctifiés et que notre oblation du début atteigne son terme[1]. Il ajoute ensuite d'autres intentions, pour lesquelles il faut supplier Dieu ; il termine par la recommandation « de nous confier nous-mêmes, les uns les autres et toute notre vie, au Seigneur ». Arrivé à la phrase finale de l'oraison qu'il a adressée à Dieu pour son propre compte, il prononce tout haut, comme d'habitude, cette phrase finale en forme de doxologie, pour y associer les fidèles. Après quoi, il leur adresse à la fois un souhait et une exhortation de paix mutuelle. Après avoir dit : « Paix à tous », il ajoute : « Aimons-nous les uns les autres. » Prier les uns pour les autres étant un précepte apostolique[b], le peuple souhaite lui-même la même paix au prêtre, en disant : « Et avec votre esprit. » Comme l'amour de Dieu accompagne nécessairement notre charité mutuelle, et que l'amour de Dieu ne va pas sans une foi parfaite en lui et vivante, c'est la raison pour laquelle, après avoir rappelé la charité et recommandé de nous aimer les uns les autres, le prêtre introduit aussitôt la profession de foi : « Afin que dans un

ἐν ὁμονοίᾳ, φησίν, ὁμολογήσωμεν. » Καὶ οἱ πιστοὶ βοῶσιν· « Ὃν ὁμολογῆσαι δεῖ Θεόν, τὴν ἁγίαν Τριάδα. »

ΚϚʹ. Περὶ τῆς ὁμολογίας τῆς πίστεως, καὶ ὧν μετʼ αὐτὴν ὁ ἱερεὺς τοῖς πιστοῖς παραινεῖ καὶ εὔχεται, καὶ ὧν ἐκεῖνοι πρὸς αὐτὸν ἀποκρίνονται

1. Εἶτα ὁ ἱερεὺς ἔτι κελεύει πάντα ἀνειπεῖν ἃ περὶ Θεοῦ
421 D μαθόντες πιστεύουσι, τὴν ἀληθινὴν σοφίαν περὶ ἧς φησὶν ὁ Ἀπόστολος· « Σοφίαν δὲ λαλοῦμεν ἐν τοῖς τελείοις », ἣν σοφίαν ὁ κόσμος οὐκ ἔγνω, δηλονότι οἱ ἀπὸ τοῦ κόσμου σοφοὶ καὶ τῆς ἀπὸ τῶν αἰσθητῶν γνώσεως μεῖζον καὶ ὑψηλότερον οὔτε εἰδότες, οὔτε ὅλως εἶναι πιστεύοντες. Ἐν ταύτῃ τῇ σοφίᾳ κελεύει πάσας ἀναπετάσαι τὰς θύρας, τὰ στόματα ἡμῶν, τὰ ὦτα ἡμῶν.
2. Ἐν ταύτῃ, φησίν, ἀνοίξατε τῇ σοφίᾳ, ταῦτα διηνεκῶς καὶ λέγοντες καὶ ἀκούοντες, καὶ τοῦτο οὐ ῥαθύμως, ἀλλὰ σπουδαίως ποιεῖτε καὶ προσέχοντες ὑμῖν[α] αὐτοῖς. Καὶ αὐτοὶ πᾶσαν ἀναβοῶσι τὴν ὁμολογίαν τὸ τῆς πίστεως σύμβολον. Εἶτα ὁ ἱερεύς· « Στῶμεν καλῶς, στῶμεν μετὰ φόβου. » Ἐπὶ τῆς ὁμολογίας, φησί, ταύτης στῶμεν, μὴ διὰ πιθανολογίαν αἱρετικῶν σαλευώμεθα. Στῶμεν μετὰ φόβου, ὅτι πολὺς ὁ κίνδυνος
424 A τοῖς ἀμφιβολίαν τινὰ περὶ τῆς πίστεως ταύτης ἐν τῇ ψυχῇ

α. ὑμῖν : ἡμῖν P

---

a. I Cor. 2, 6

---

1. Une recherche excessive de symbolisme amène ici Cabasilas à commettre un contresens historique. L'exclamation : « Les portes ! Les portes ! », dans sa signification primitive, demande de fermer les portes pour empêcher les infidèles d'entendre le Symbole. Voir S. SALAVILLE, Liturgies orientales, II. La Messe, p. 119. Il est vrai que fermer les portes extérieures, c'est aussi, par le fait, ouvrir les portes intérieures (bouche et oreilles) auxquelles s'en tient notre commentaire.

même sentiment nous confessions... », dit-il. Et les fidèles achèvent la phrase à haute voix : « ce Dieu qu'il nous faut confesser, la sainte Trinité. »

Chapitre XXVI

De la confession de foi, des exhortations et souhaits que le prêtre adresse ensuite aux fidèles et des réponses que ceux-ci lui font

1. Le prêtre invite alors (les fidèles) à redire tout ce qu'on leur a enseigné et qu'ils croient au sujet de Dieu. C'est professer la véritable sagesse, de laquelle l'Apôtre dit : « La sagesse, nous la prêchons parmi les parfaits[a]. » Cette sagesse, que le monde n'a point connue, c'est-à-dire les sages de ce monde, qui ne connaissent rien de plus grand et de plus élevé que la science des objets sensibles et qui ne croient même pas à l'existence d'une science supérieure. C'est avec cette sagesse que le prêtre demande d'ouvrir toutes les portes, c'est-à-dire nos bouches et nos oreilles[1].

(L'ANAPHORE)

2. Avec cette sagesse, dit-il, ouvrez les portes, en professant et en déroulant sans interruption ces enseignements ; et cela, faites-le non pas avec nonchalance, mais avec empressement et attentifs à vous-mêmes. Les fidèles récitent tout haut en entier la confession de foi, le Symbole. Puis le prêtre : « Tenons-nous bien, tenons-nous avec crainte. » Sur cette confession de foi, dit-il, tenons-nous fermement, ne nous laissons pas ébranler par les discours insinuants des hérétiques. Tenons-nous avec crainte : car le danger est grand pour ceux qui ont accepté dans leur âme quelque hésitation au sujet de cette foi. En nous tenant

δεξαμένοις. Οὗτω δε βεβαίως ἑστώτων ἐν τῇ πίστει, φησί, καὶ ἡ τῶν δώρων ἡμῶν πρὸς τὸν Θεὸν προσαγωγὴ κατὰ λόγον γινέσθω. Τί δὲ κατὰ λόγον; τὸ « ᾽Εν εἰρήνῃ ». « Πρόσχωμεν, φησί, τὴν ἁγίαν ἀναφοράν, ἐν εἰρήνῃ προσφέρειν »· μέμνησθε γὰρ τῶν λόγων τοῦ Κυρίου· « ᾽Εὰν προσφέρῃς τὸ δῶρόν σου ἐπὶ τὸ θυσιαστήριον β καὶ μνησθῇς ὅτι ἔχει τις κατὰ σοῦ, διαλλάγηθι πρῶτον, εἶτα ἐλθὼν πρόσφερε τὸ δῶρόν σου. » Οἱ δὲ πιστοὶ ἀποκρίνονται· Προσφέρομεν, οὐ μόνον μετ᾽ εἰρήνης, ἀλλὰ καὶ αὐτὴν τὴν εἰρήνην ἀντί δώρου καὶ θυσίας ἑτέρας. ῎Ελεον γὰρ προσφέρομεν τῷ εἰπόντι· « ῎Ελεον θέλω, καὶ οὐ θυσίαν. » ῾Ο δὲ ἔλεος γέννημά ἐστι τῆς βεβαίας καὶ καθαρᾶς 424 B εἰρήνης. ῞Οταν γὰρ τὴν ψυχὴν οὐδὲν ἐνοχλῇ πάθος, οὐδὲν κωλύει ἐλέου γέμειν αὐτήν· ἀλλὰ καὶ « θυσίαν αἰνέσεως ».

3. Ταῦτα δὲ εἰπόντος, ὁ ἱερεὺς ὑπερεύχεται τὰ θειότατα καὶ μέγιστα πάντων· « ῾Η χάρις τοῦ Κυρίου ἡμῶν ᾽Ιησοῦ Χριστοῦ καὶ ἡ ἀγάπη τοῦ Θεοῦ καὶ Πατρὸς καὶ ἡ κοινωνία τοῦ ἁγίου Πνεύματος εἴη μετὰ πάντων ὑμῶν. » Καὶ αὐτοὶ δὲ τὰ αὐτὰ ὑπὲρ τοῦ ἱερέως εὐχόμενοι· « Καὶ μετὰ τοῦ πνεύματός σου » πρὸς αὐτὸν ἀποκρίνονται κατὰ τὴν εὔχεσθαι ὑπὲρ ἀλλήλων κελεύουσαν ἐντολήν.

4. ῾Η δὲ εὐχὴ αὐτὴ εἴ ληπται μὲν ἀπὸ τῶν ἐπιστολῶν τοῦ μακαρίου Παύλου. Προξενεῖ δὲ ἡμῖν τὰ ἀπὸ τῆς ἁγίας Τριάδος ἀγαθά, « πᾶν δώρημα τέλειον », καὶ ταῦτα ἀφ᾽ ἑκάστης τῶν μακαρίων ῾Υποστάσεων ἰδίῳ τινὶ ὀνόματι ὀνο-424 C μάζει· ἀπὸ μὲν τοῦ Υἱοῦ χάριν, ἀπὸ δὲ τοῦ Πατρὸς ἀγάπην, ἀπὸ δὲ τοῦ ἁγίου Πνεύματος κοινωνίαν. ῞Οτι μὲν γὰρ ὁ Υἱὸς μηδὲν εἰσενεγκοῦσιν ἀλλὰ καὶ ὀφείλουσιν ἔτι δίκας Σωτῆρα

β. ἐπὶ τὸ θυσιαστήριον om P

b. Matth. 5, 23
c. Matth. 9, 13
d. II Cor. 13, 13
e. Jac. 1, 17

1. La réponse des fidèles est celle ci : « La miséricorde de paix, le sacrifice de louange. » Cabasilas en fait la paraphrase.

ainsi fermes dans la foi, continue-t-il, que la présentation
(à Dieu) de nos dons se fasse comme il se doit. Qu'est-ce
à dire : comme il se doit ? C'est-à-dire : « dans la paix ».
« Soyons, dit-il, attentifs à offrir en paix la sainte oblation. »
Rappelez-vous les paroles du Seigneur : « Si tu es à offrir
ton présent à l'autel, et que tu te souviennes que quelqu'un
a quelque chose contre toi, réconcilie-toi d'abord, puis viens
et offre ton présent[b]. » Les fidèles répondent[1] : Non seulement nous offrons dans la paix, mais c'est la paix elle-même
que nous offrons en guise de présent et de second sacrifice.
Car nous offrons la miséricorde à Celui qui a dit : « Je veux
la miséricorde et non le sacrifice[c]. » Or, la miséricorde est
un fruit de la solide et authentique paix. Car lorsque nulle
passion ne trouble l'âme, rien n'empêche celle-ci d'être
remplie de miséricorde. Mais (nous offrons) aussi un « sacrifice de louange ».

3. Après ces paroles, le prêtre demande pour eux les plus
grands et les plus divins de tous les biens : « Que la grâce
de notre Seigneur Jésus-Christ, la dilection de Dieu le Père,
et la communication du Saint-Esprit soient avec vous tous. »
Et eux, retournant au prêtre son souhait : « Et avec votre
esprit », lui répondent-ils, conformément au précepte de
prier les uns pour les autres.

4. Ce souhait est tiré des épîtres du bienheureux Paul[d].
Il nous concilie les bienfaits de la sainte Trinité, c'est-à-dire
« tout don parfait[e] », et il les désigne d'un terme spécial,
selon chacune des personnes divines : du Fils, il nous
souhaite la grâce ; du Père, la dilection ; de l'Esprit-Saint,
la communication[2]. Le Fils s'est donné lui-même comme
Sauveur à nous qui non seulement ne lui apportions rien,

---

2. L'*Illatio*, c'est-à-dire la Préface mozarabe et gallicane, a, avec
quelques modifications, une formule trinitaire analogue : « Que la
grâce de Dieu le Père tout-puissant, et la dilection de Notre-Seigneur
Jésus-Christ, et la communication de l'Esprit-Saint soient toujours
avec vous tous. » Le peuple répond : « Et avec les hommes de bonne
volonté. » Voir S. SALAVILLE, *Liturgies orientales*, II. *La Messe*, p. 10.

παρέσχεν ἡμῖν ἑαυτόν· « Καὶ γὰρ ἀσεβῶν ὄντων ἔτι, φησίν, ὑπὲρ ἡμῶν ἀπέθανε »· ἡ περὶ ἡμᾶς αὐτοῦ πρόνοια χάρις ἐστίν. Ὅτι δὲ ὁ Πατὴρ διὰ τῶν τοῦ Υἱοῦ παθῶν διηλλάγη τῷ γένει τῶν ἀνθρώπων καὶ ἠγάπησε τοὺς ἐχθρούς, διὰ τοῦτο τὰ ἐκείνου πρὸς ἡμᾶς ἀγάπη καλεῖται. Ἐπεὶ δὲ τοῖς φιλιωθεῖσιν ἐχθροῖς ἔδει κοινωνῆσαι τῶν ἰδίων ἀγαθῶν « τὸν πλούσιον ἐν ἐλέει », τοῦτο ποιεῖ τὸ Πνεῦμα τὸ ἅγιον τοῖς ἀποστόλοις ἐπιδημῆσαν. Διὰ τοῦτο ἡ ἐκείνου πρὸς τοὺς ἀνθρώπους χρηστότης κοινωνία λέγεται.

5. Ἀλλ᾽ εἴποι τις ἂν ὅτι ταῦτα τὰ ἀγαθὰ τοῦ Σωτῆρος 424 D ἐπιδημήσαντος πάντα τοῖς ἀνθρώποις ἐδόθη· τίς οὖν ἔτι χρεία εὐχῆς περὶ τῶν ἤδη δοθέντων ἡμῖν; Πρόδηλον ἵνα ταῦτα λαβόντες μὴ ἀπολέσωμεν· ἀλλὰ μείνωμεν ἔχοντες διὰ τέλους. Διὰ τοῦτο οὐκ εἶπε· « Δοθείη πᾶσιν ὑμῖν ᵍ », ὡς ἤδη δοθέντα, ἀλλά· « Εἴη μετὰ πάντων ὑμῶν. » Μὴ ἀποσταίη, φησίν, ἀφ᾽ ὑμῶν ἡ δοθεῖσα χάρις.

6. Τοιαύτης δὲ αὐτοὺς ἀξιώσας εὐχῆς καὶ οὕτω τὰς ψυχὰς ἀναστήσας ἀπὸ τῆς γῆς, αἴρει τὰ φρονήματα καὶ φησίν· « Ἄνω σχῶμεν τὰς καρδίας », « τὰ ἄνω φρονῶμεν, μὴ τὰ ἐπὶ γῆς »· καὶ αὐτοὶ δὲ συντίθενται καὶ φασὶν ἐκεῖ τὰς καρδίας ἔχειν, « ὅπου ὁ θησαυρὸς ἡμῶν ἐστιν », οὗ ὁ Χριστός ἐστιν ἐν δεξιᾷ τοῦ Πατρὸς καθήμενος· « Ἔχομεν πρὸς τὸν Κύριον. »

425 A ### ΚΖ′. Περὶ τοῦ ἁγιασμοῦ τῶν δώρων καὶ τῆς πρὸ τούτου εὐχαριστίας

Οὕτω δὲ κάλλιστα καὶ ἱερώτατα διατεθέντας, τί λοιπὸν ἢ πρὸς εὐχαριστίαν τραπῆναι τοῦ χορηγοῦ τῶν ἀγαθῶν ἁπάν-

γ. ὑμῖν : ἡμῖν P

---

f. Rom. 5, 6
g. Éphés. 2, 4
h. Col. 3, 2
i. Matth. 6, 21

mais qui avions à son égard des dettes de justice : car « il est mort pour nous qui étions encore impies[f] » ; sa sollicitude à notre égard est donc grâce. Le Père, lui, par les souffrances de son Fils s'est réconcilié avec le genre humain et a comblé d'amour ceux qui étaient ses ennemis : voilà pourquoi ses bienfaits envers nous sont désignés sous le nom de dilection. Enfin, celui qui est « riche en miséricorde[g] » se devait de communiquer ses propres biens à ceux qui d'ennemis étaient devenus ses amis : c'est ce que fait le Saint-Esprit descendu sur les Apôtres ; c'est pourquoi sa bonté pour les hommes est appelée communication.

5. Mais, dira-t-on, ces biens ont tous été donnés aux hommes par le venue du Sauveur : alors, quel besoin encore d'un souhait pour des biens qui nous ont déjà été accordés ? C'est, manifestement afin que, les ayant reçus en effet, nous ne les perdions pas, mais que nous persistions à les garder jusqu'au bout. Aussi le prêtre ne dit-il pas : « Que vous soit donné à tous », puisque ces biens ont déjà été donnés, mais : « Que soit avec vous tous... » Que la grâce, qui vous a été accordée, ne s'éloigne pas de vous.

6. Après nous avoir gratifiés d'un pareil souhait et avoir ainsi détaché nos âmes de la terre, le prêtre élève nos sentiments et dit : « En haut les cœurs ! » « Ayons les sentiments d'en haut, et non ceux de la terre[h]. » Et les fidèles donnent leur adhésion et déclarent avoir leurs cœurs « là où est notre trésor[i] », là où est le Christ, qui est assis à la droite du Père. « Nous les avons vers le Seigneur. »

Chapitre XXVII

De la consécration des oblats
et de l'action de grâces qui la précède

Les fidèles une fois établis en de si excellentes et si saintes dispositions, que leur reste-t-il à faire sinon à passer

των Θεοῦ; ἄλλως τε τὸν πρῶτον ἱερέα μιμούμενος εὐχαρι-
στοῦντα τῷ Θεῷ καὶ Πατρὶ πρὸ τοῦ παραδοῦναι τὸ μυστήριον
τῆς κοινωνίας. Καὶ αὐτὸς πρὸ τῆς τελεστικῆς εὐχῆς, καθ᾽ ἣν
ἱερουργεῖ τὰ ἅγια, τὴν εὐχαριστίαν ταύτην ποιεῖται πρὸς τὸν
Θεὸν καὶ Πατέρα τοῦ Κυρίου ἡμῶν Ἰησοῦ Χριστοῦ· « Εὐχα-
ριστήσωμεν τῷ Κυρίῳ »· καὶ πάντων συνθεμένων καὶ·
« Ἄξιον καὶ δίκαιον » ἀνειπόντων, αὐτὸς ἐφ᾽ ἑαυτοῦ τὴν
εὐχαριστίαν προσφέρει τῷ Θεῷ· καὶ δοξολογήσας αὐτὸν καὶ
425 B μετὰ ἀγγέλων ἀνυμνήσας καὶ χάριτας ὁμολογήσας τῶν
ἀγαθῶν ἁπάντων τῶν ἐξ αἰῶνος ἡμῖν παρ᾽ αὐτοῦ γενομένων
καὶ τελευταῖον αὐτῆς τῆς ἀρρήτου καὶ ὑπὲρ λόγον ἡμῶν
ἕνεκα[α] τοῦ Σωτῆρος οἰκονομίας μνησθείς, εἶτα ἱερουργεῖ τὰ
τίμια δῶρα καὶ ἡ θυσία τελεῖται πᾶσα. Καὶ τίνα τρόπον; Τὸ
φρικτὸν ἐκεῖνο διηγησάμενος δεῖπνον καὶ ὅπως αὐτὸ παρέδωκε πρὸ τοῦ πάθους τοῖς ἁγίοις αὐτοῦ μαθηταῖς καὶ ὡς
ἐδέξατο ποτήριον καὶ ὡς ἔλαβεν ἄρτον καὶ εὐχαριστήσας
ἡγίασεν· καὶ ὡς εἶπε δι᾽ ὧν ἐδήλωσε τὸ μυστήριον, καὶ αὐτὰ
τὰ ῥήματα ἀνειπὼν εἶτα προσπίπτει, καὶ εὔχεται καὶ ἱκετεύει
τὰς θείας ἐκείνας φωνὰς τοῦ μονογενοῦς αὐτοῦ Υἱοῦ τοῦ
Σωτῆρος ἐφαρμόσαι καὶ ἐπὶ τῶν προκειμένων δώρων καὶ
425 C δεξάμενα τὸ πανάγιον αὐτοῦ καὶ παντοδύναμον Πνεῦμα
μεταβληθῆναι, τὸν μὲν ἄρτον εἰς αὐτὸ τὸ τίμιον αὐτοῦ καὶ
ἅγιον σῶμα, τὸν δὲ οἶνον εἰς αὐτὸ τὸ ἄχραντον αὐτοῦ καὶ
ἅγιον αἷμα. Τούτων δὲ ηὐγμένων[β] καὶ εἰρημένων, τὸ πᾶν τῆς
ἱερουργίας « ἤνυσται καὶ τετέλεσται » καὶ τὰ δῶρα ἡγιάσθη
καὶ ἡ θυσία ἀπηρτίσθη καὶ τὸ μέγα θῦμα καὶ ἱερεῖον τὸ ὑπὲρ
τοῦ κόσμου σφαγὲν ἐπὶ τῆς ἱερᾶς τραπέζης ὁρᾶται κείμενον·
ὁ γὰρ ἄρτος τοῦ Κυριακοῦ σώματος οὐκ ἔτι τύπος, οὐδὲ
δῶρον, εἰκόνα φέρων τοῦ ἀληθινοῦ δώρου, οὐδὲ γραφήν τινα
κομίζων[γ] ἐν ἑαυτῷ τῶν σωτηρίων παθῶν ὥσπερ ἐν πίνακι,

α. ἡμῶν ἕνεκα : ὑπὲρ ἡμῶν P ‖ β. γρ. ηὐγμένων in mg. P : εἰργασ-
μένων in textu P ‖ γ. φέρων... κομίζων : φέρων... κομιζων P

1. Début de la prière, selon la liturgie de saint Basile, que le

à l'action de grâces envers Dieu auteur de tous biens ?
imitant d'ailleurs le premier Prêtre, qui avant d'instituer
le sacrement de la communion rendait grâces à Dieu son
Père. Le célébrant, avant la prière décisive au cours de
laquelle il consacre les saintes espèces, adresse cette action
de grâces à Dieu, le Père de notre Seigneur Jésus-Christ :
« Rendons grâces au Seigneur » ; et tous les fidèles donnent
leur adhésion, en répondant : « C'est chose digne et juste. »
Le prêtre offre alors personnellement son action de grâces
à Dieu : il le glorifie, le loue avec les anges, le remercie pour
tous les bienfaits qui nous sont venus de Lui depuis l'origine.
Il mentionne en dernier lieu cette ineffable et incompréhen-
sible œuvre rédemptrice du Sauveur à notre égard ; puis il
consacre les précieux dons, et le sacrifice est tout entier
accompli. De quelle manière ? Voici : le prêtre raconte la
Cène redoutable, et comment le Christ, avant sa Passion,
confia à ces saints disciples ce sacrement, et comment il prit
la coupe, et comment il prit le pain et, après avoir rendu
grâces, les consacra ; il redit les paroles qu'il prononça pour
exprimer le mystère et, en répétant ces paroles, il se prosterne, il demande et supplie que s'appliquent aux oblats
qu'il a devant lui ces paroles divines du Fils unique, notre
Sauveur ; il supplie que ces dons, ayant reçu son très saint
et tout-puissant Esprit, soient transformés, le pain en son
précieux et saint corps, le vin en son sang immaculé et saint.
Après ces prières et ces paroles, le tout du rite sacré « est
achevé et accompli[1] », les dons sont consacrés, le sacrifice
est achevé, la grande offrande, la victime sacrée, immolée
pour le salut du monde, est exposée aux regards, là sur la
sainte table. Car le pain n'est plus la figure du corps du
Seigneur, ni une simple offrande, portant l'image de la véritable offrande, ou contenant en soi, comme en un tableau,
la représentation de la salutaire Passion : c'est maintenant

prêtre dit à la fin de la liturgie en se tournant vers la table de la
prothèse.

ἀλλ' αὐτὸ τὸ ἀληθινὸν δῶρον· αὐτὸ τοῦ Δεσπότου τὸ πανάγιον σῶμα τὸ πάντα ἀληθῶς ἐκεῖνα δεξάμενον τὰ ὀνείδη, τὰς ὕβρεις, τοὺς μώλωπας, τὸ σταυρωθέν, τὸ σφαγέν, « τὸ
425 D μαρτυρῆσαν ἐπὶ Ποντίου Πιλάτου τὴν κάλην ὁμολογίαν », τὸ ῥαπισθέν, τὸ αἰκισθέν, τὸ ἐμπτυσμάτων ἀνασχόμενον, τὸ χολῆς γευσάμενον. Ὁμοίως καὶ ὁ οἶνος αὐτὸ τὸ αἷμα τὸ ἐκπηδῆσαν σφαττομένου τοῦ σώματος, τοῦτο τὸ σῶμα, τοῦτο τὸ αἷμα τὸ συστὰν ἐκ Πνεύματος ἁγίου, τὸ γεννηθὲν ἀπὸ τῆς μακαρίας Παρθένου, τὸ ταφέν, τὸ ἀναστὰν τῇ τρίτῃ ἡμέρᾳ, τὸ ἀνελθὸν εἰς οὐρανοὺς καὶ καθεζόμενον ἐκ δεξιῶν τοῦ Πατρός.

ΚΗ΄. Πόθεν ἀσφαλῶς πιστεύομεν τὸ μυστήριον

1. Καὶ τίς ἡ πίστις;
2. Αὐτὸς εἶπε· « Τοῦτό ἐστι τὸ σῶμά μου », « Τοῦτο τὸ αἷμά μου. » Αὐτὸς καὶ τοῖς ἀποστόλοις ἐκέλευσε καὶ δι' ἐκείνων ἁπάσῃ τῇ Ἐκκλησίᾳ τοῦτο ποιεῖν. « Τοῦτο γάρ,
428 A φησί, ποιεῖτε εἰς τὴν ἐμὴν ἀνάμνησιν », οὐκ ἂν κελεύσας τοῦτο ποιεῖν, εἰ μὴ δύναμιν ἐνθήσειν ἔμελλε, ὥστε δύνασθαι τοῦτο ποιεῖν. Καὶ τίς ἡ δύναμις; Τὸ Πνεῦμα τὸ ἅγιον, ἡ ἐξ ὕψους τοὺς ἀποστόλους ὁπλίσασα δύναμις, κατὰ τὸ εἰρημένον πρὸς αὐτοὺς ὑπὸ τοῦ Κυρίου· « Ὑμεῖς δὲᵃ καθίσατε ἐν τῇ πόλει Ἱερουσαλήμ, ἕως οὗ ἐνδύσησθε δύναμιν ἐξ ὕψους. » Τοῦτο τὸ ἔργον ἐκείνης τῆς καθόδου. Οὐ γὰρ κατελθὸν ἅπαξ εἶτα ἀπολέλοιπεν ἡμᾶς, ἀλλὰ μεθ' ἡμῶν ἔστι καὶ ἔσται μεχρὶ παντός. Διὰ τοῦτο γὰρ ἔπεμψεν αὐτὸ ὁ Σωτήρ, ἵνα μένῃ μεθ' ἡμῶν εἰς τὸν αἰῶνα, « τὸ Πνεῦμα τῆς ἀληθείας, ὃ ὁ κόσμος οὐ δύναται λαβεῖν, ὅτι οὐ θεωρεῖ αὐτό, οὐδὲ γινώσκει αὐτό,

α. ὑμεῖς δὲ om P

XXVII. a. I Tim. 6, 13

XXVIII. a. Lc 24, 49. Cf. Act. 1, 8

1. Voir *note complémentaire* 1.

l'offrande véritable elle-même, c'est le corps même infiniment saint du Maître, ce corps qui a réellement reçu tous ces outrages, ces insultes, ces coups ; ce corps qui a été crucifié, immolé, « qui a rendu sous Ponce Pilate le meilleur témoignage[a] », qui a été souffleté, torturé, qui a enduré les crachats, qui a goûté au fiel. Pareillement, le vin est devenu le sang même qui a jailli du corps immolé. C'est ce corps, avec ce sang, formé par le Saint-Esprit, né de la bienheureuse Vierge, qui a été enseveli, qui le troisième jour est ressuscité, qui est monté aux cieux, et qui est assis à la droite du Père[1].

Chapitre XXVIII

D'où vient l'assurance de notre foi en ce mystère

1. En quoi consiste notre foi ?

2. Lui-même l'a dit : « Ceci est mon corps. Ceci est mon sang. » C'est lui-même qui a ordonné aux Apôtres, et par eux à toute l'Église, de faire cela. « Faites ceci, dit-il, en mémoire de moi. » Il n'aurait pas donné l'ordre de le faire s'il n'avait pas été prêt à communiquer la puissance nécessaire pour pouvoir le faire. Quelle est donc cette puissance ? C'est le Saint-Esprit, la puissance qui d'en haut arma les Apôtres, selon la parole que leur avait dite le Seigneur : « Pour vous, demeurez sur place dans la ville de Jérusalem, jusqu'à ce que vous soyez investis de la force d'en haut[a]. » Telle est l'œuvre de cette divine descente. Car, descendu une fois, le Saint-Esprit ne nous a pas ensuite abandonnés, mais il est avec nous et il y sera pour toujours. C'est pour cela que le Sauveur l'a envoyé, pour qu'il demeure avec nous à jamais : « l'Esprit de vérité, que le monde ne peut pas recevoir, parce qu'il ne le voit pas ni ne le connaît ;

ὑμεῖς δὲ γινώσκετε αὐτό, ὅτι παρ' ὑμῖν μένει, καὶ ἐν ὑμῖν
428 B ἔσται ». Τοῦτο διὰ τῆς χειρὸς καὶ τῆς γλώσσης τῶν ἱερέων
τὰ μυστήρια τελεσιουργεῖ.

3. Καὶ οὐ τὸ ἅγιον Πνεῦμα μόνον ἔπεμψεν ὁ Κύριος ἡμῖν,
ὥστε μένειν μεθ' ἡμῶν, ἀλλὰ καὶ αὐτὸς ἐπηγγείλατο μένειν
μεθ' ἡμῶν, ἕως τῆς συντελείας τοῦ αἰῶνος· ἀλλ' ὁ μὲν
Παράκλητος ἀοράτως πρόσεστιν, ὅτι σῶμα αὐτὸς οὐκ ἐφό-
ρεσεν. Ὁ δὲ Κύριος καὶ ὁρᾶται καὶ ἁφῆς ἀνέχεται διὰ τῶν
φρικτῶν καὶ ἱερῶν μυστηρίων, ὡς ἂν τὴν ἡμετέραν φύσιν καὶ
δεξάμενος καὶ φέρων εἰς τὸν αἰῶνα.

4. Αὕτη ἡ τῆς ἱερωσύνης δύναμις, οὗτος ὁ ἱερεύς. Οὐ γὰρ
ἅπαξ ἑαυτὸν προσαγαγὼν καὶ θύσας ἐπαύσατο τῆς ἱερωσύνης,
ἀλλὰ διηνεκῆ ταύτην λειτουργεῖ τὴν λειτουργίαν ἡμῖν, καθ' ἣν
καὶ παράκλητός ἐστιν ὑπὲρ ἡμῶν πρὸς τὸν Θεὸν δι' αἰῶνος, οὗ
428 C χάριν εἴρηται πρὸς αὐτόν· « Σὺ ἱερεὺς εἰς τὸν αἰῶνα. »

5. Διὰ τοῦτο οὐδεμία τοῖς πιστοῖς περὶ τοῦ ἁγιασμοῦ τῶν
δώρων ἀμφιβολία, οὐδὲ περὶ τῶν ἄλλων τελετῶν, εἰ κατὰ τὴν
πρόθεσιν καὶ τὰς εὐχὰς τῶν ἱερέων ἀποτελοῦνται.

Καὶ ταῦτα μὲν εἰς τοσοῦτον.

ΚΘ'. Περὶ ὧνᵃ ἡμῖν ἐνταῦθά τινες Λατῖνοι μέμφονται,
καὶ πρὸς τὴν μέμψιν ἀπολογία, καὶ λύσις

1. Ἐνταῦθα δέ τινες Λατῖνοι τῶν ἡμετέρων ἐπιλαμβά-
νονται. Φασὶ γάρ, μετὰ τὸν τοῦ Κυρίου λόγον, τὸ « Λάβετε,

α. ὧν : τῶν P

---

b. Jn 14, 17
c. Matth. 28, 20
d. Ps. 109, 4. Cf. Héb. 7, 17. 21

---

1. Ces propositions finales du chapitre XXVIII sont à noter pour
servir de solide terrain d'entente entre Grecs et Latins et aider à dissi-
per le malentendu qui a donné naissance à la trop fameuse controverse
de l'épiclèse. Tous les théologiens seront d'accord avec Cabasilas pour
voir dans le sacerdoce perpétuel du Christ, souverain Prêtre, et dans
la vertu du Saint-Esprit transmise aux Apôtres et à tous les prêtres, la

mais vous autres, vous le connaissez, parce qu'il demeure auprès de vous et qu'il sera en vous[b]. » C'est cet Esprit qui par la main et la langue des prêtres consacre les mystères.

3. Mais le Seigneur ne s'est pas contenté de nous envoyer le Saint-Esprit pour qu'il demeure avec nous : lui-même a promis de « demeurer avec nous jusqu'à la consommation du temps[c] ». Le Paraclet est présent invisiblement, parce qu'il n'a point porté un corps ; tandis que le Sauveur, par le moyen des redoutables et saints mystères, se prête à nos regards et à notre toucher, parce qu'il a reçu notre nature et qu'il la garde à jamais.

4. Telle est la vertu du sacerdoce, tel est le Prêtre. Car, après s'être offert une fois et s'être immolé, il n'a pas cessé son sacerdoce, mais il exerce perpétuellement pour nous cette liturgie, en vertu de laquelle il est à jamais notre avocat auprès de Dieu ; en raison de quoi il lui a été dit : « Tu es prêtre pour l'éternité[d]. »

5. Voilà pourquoi nul doute n'est possible aux fidèles touchant la consécration des oblats, ni pour les autres rites sacrés, s'ils sont accomplis selon l'intention requise et par les prières des prêtres.

En voilà assez à ce sujet[1].

Chapitre XXIX

Des reproches que nous font ici certains Latins. Réfutation de ces reproches et solution

1. *(L'objection)* — Certains Latins[2] s'en prennent ici aux nôtres. Après la parole du Seigneur : « Prenez et man-

cause efficiente de la consécration eucharistique et des autres rites sacrés, à la condition qu'ils soient accomplis selon l'intention requise et avec les formules prescrites par l'Église. Or, toute la discussion de l'épiclèse va porter là-dessus, en laissant croire que les Latins, ou du moins certains Latins, méconnaissent de pareils principes.

2. Voir *note complémentaire 2.*

φάγετε » καὶ τὰ ἑξῆς, πρὸς τὸ ἁγιασθῆναι τὰ δῶρα μηδεμιᾶς εὐχῆς ἔτι δεῖσθαι, ὡς^β ὑπὸ τοῦ Κυριακοῦ λόγου τελούμενα. Διὰ τοῦτο οἱ μετὰ τὸ ἀνειπεῖν ταῦτα τὰ ῥήματα ἄρτον καὶ

428 D οἶνον ὀνομάζοντες καὶ ὡς μήπω ἁγιασθεῖσιν εὐχόμενοι τὸν ἁγιασμόν, πρὸς τῷ ἀπιστίαν νοσεῖν, φασί, καὶ μάταιόν τι καὶ παρέλκον πρᾶγμα ποιοῦσιν. Ὅτι δὲ οὗτός ἐστιν ὁ λόγος, ὁ τὰ δῶρα τελειῶν, ὁ μακάριος, φασί, Χρυσόστομος μαρτυρεῖ λέγων ὅτι καθάπερ ὁ δημιουργικὸς λόγος, τὸ « Αὐξάνεσθε καὶ πληθύνεσθε », εἴρηται μὲν ἅπαξ ὑπὸ τοῦ Θεοῦ, ἐνεργεῖ δὲ ἀεί· οὕτω καὶ ὁ λόγος οὗτος ἅπαξ ῥηθεὶς ὑπὸ Σωτῆρος διὰ παντὸς ἐνεργεῖ. Οἱ τοίνυν τῇ ἑαυτῶν εὐχῇ θαρροῦντες μᾶλλον ἢ τῷ Κυριακῷ λόγῳ, πρῶτον μὲν ἀσθένειαν αὐτοῦ κατα-

429 A γινώσκουσιν, ἔπειτα ἑαυτοῖς θαρροῦντες φαίνονται μᾶλλον· καὶ τρίτον, ἀμφιβόλου πράγματος τῆς ἀνθρωπίνης εὐχῆς τὸ μυστήριον ἐξαρτῶσι, πρᾶγμα τοσοῦτον καὶ ὃ δεῖ βεβαιότατα πιστεύειν ἀμφιβολίας μεστὸν ἀποφαίνουσιν. Οὐ γὰρ ἀνάγκη τὸν εὐχόμενον καὶ εἰσακούεσθαι, κἂν ᾖ Παῦλος τὴν ἀρετήν.

2. Ταῦτα δὲ πάντα λύειν οὐ χαλεπόν.

3. Καὶ πρῶτον ἀπὸ τῶν τοῦ θείου Ἰωάννου ῥημάτων, οἷς ἰσχυρίζονται. Εἰ γὰρ κατὰ τὸν δημιουργικὸν λόγον καὶ οὗτος ὁ λόγος δύναται, σκοπῶμεν ἐκεῖνο.

4. Εἶπεν ὁ Θεός· « Αὐξάνεσθε καὶ πληθύνεσθε. » Τί οὖν; Μετὰ τὸν λόγον ἐκεῖνον οὐδενὸς πρὸς τοῦτο δεόμεθα καὶ χρεία ἡμῖν ἄλλου τινὸς πρὸς τὴν αὔξησιν οὐδεμία; ἢ καὶ γάμου καὶ συναφείας δεῖ καὶ τῆς ἄλλης ἐπιμελείας, καὶ τούτων

429 B χωρὶς οὐ δυνατὸν συνεστάναι τὸ γένος καὶ προχωρεῖν; Οὐκοῦν καθάπερ ἐκεῖ πρὸς παιδοποιίαν ἀναγκαῖον ἡγούμεθα τὸν

β. ὡς : ὡς ἂν P

a. Gen. 1, 22 ; 8, 17 ; 9, 7

1. Cabasilas fait allusion à S. JEAN CHRYSOSTOME, *De proditione Judae hom.* 1, 6 ; *P G* 49, 380.

gez », et la suite, il n'est plus besoin, disent-ils, d'aucune prière pour consacrer les oblats, puisqu'ils ont été consacrés par la parole du Seigneur. C'est pourquoi, continuent-ils, ceux qui après avoir répété ces paroles du Christ nomment encore le pain et le vin et implorent sur eux la consécration comme s'ils n'étaient pas déjà consacrés, ceux-là, outre qu'ils ont une foi malade, font au surplus chose vaine et superflue. Que ce soit cette parole (du Sauveur) qui consacre les oblats, disent-ils, le bienheureux Chrysostome l'atteste quand il déclare que, comme la parole créatrice « Croissez et multipliez-vous[a] » a été dite une fois par Dieu mais continue toujours d'être opérante, de même la parole de la Cène prononcée une fois par le Sauveur, continue de produire son effet[1]. Ceux-là donc qui se fient à leur propre prière plus qu'à la parole du Seigneur, ceux-là, d'abord, accusent d'impuissance cette parole, ensuite montrent qu'ils comptent davantage sur eux-mêmes, et en troisième lieu font dépendre le sacrement d'une chose incertaine, à savoir de l'humaine prière, et ils présentent ainsi comme pleine d'incertitude une chose si grande et à laquelle il faut accorder la foi la plus ferme. Car (déclarent ces Latins), il n'y a pas nécessité que le suppliant soit exaucé, eût-il même la vertu d'un Paul.

2. *(Réponse)* — Tous ces arguments, il n'est pas difficile de les réfuter.

3. A commencer par le passage du divin Jean (Chrysostome) sur lequel ils s'appuient. Examinons, en effet, si cette parole du Christ agit aussi à la manière de la parole créatrice.

4. Dieu a dit : « Croissez et multipliez-vous. » Quoi donc ? Après cette parole n'avons-nous plus besoin de rien à cette fin, et rien ne nous est-il plus nécessaire pour l'accroissement (de la race humaine) ? Ne faut-il pas le mariage et l'union conjugale, et tous les soins qui s'ensuivent, sans quoi il n'est pas possible que la race subsiste et se propage ? Ainsi donc, pour la procréation des enfants, nous estimons

γάμον καὶ μετὰ τὸν γάμον ὑπὲρ αὐτοῦ τούτου πάλιν εὐχόμεθα
καὶ οὐ δοκοῦμεν ἀτιμάζειν τὸν δημιουργικὸν λόγον, εἰδότες
αἴτιον μὲν αὐτὸν εἶναι τῆς γενέσεως, ἀλλὰ τὸν τρόπον τοῦτον
διὰ γάμου, διὰ τροφῆς, διὰ τῶν ἄλλων· οὕτω καὶ ἐνταῦθα
πιστεύομεν αὐτὸν εἶναι τὸν ἐνεργοῦντα τὸ μυστήριον τὸν τοῦ
Κυρίου λόγον· ἀλλ' οὕτω διὰ ἱερέως, δι' ἐντεύξεως αὐτοῦ καὶ
εὐχῆς. Οὐ γὰρ διὰ πάντων ἐνεργεῖν ἁπλῶς οὐδὲ ὁπωσδήποτε,
ἀλλὰ πόλλα τὰ ζητούμενα, ὧν χωρὶς οὐ ποιήσει τὰ ἑαυτοῦ.
Τὸν δὲ τοῦ Χριστοῦ θάνατον τίς οὐκ οἶδεν, ὡς αὐτός ἐστι μόνος
ὁ τὴν ἄφεσιν τῶν ἁμαρτιῶν εἰσενεγκὼν εἰς τὸν κόσμον; Ἀλλὰ
κἀκεῖνο γινώσκομεν, ὅτι μετὰ τὸν θάνατον ἐκεῖνον καὶ
429 C πίστεως χρεία καὶ μετανοίας καὶ ἐξομολογήσεως καὶ τῆς τῶν
ἱερέων εὐχῆς· καὶ οὐκ ἔστι λυθῆναι τῶν ἁμαρτιῶν ἄνθρωπον
μὴ τούτων ἡγησαμένων. Τί οὖν; Ἀτιμάζομεν τὸν θάνατον
ἐκεῖνον καὶ ἀσθένειαν αὐτοῦ καταγινώσκομεν, ὅτι νομίζομεν
μὴ ἀρκεῖν τὰ παρ' ἐκείνου, ἐὰν μὴ καὶ τὰ παρ' ἡμῶν αὐτῶν
εἰσενέγκωμεν; Οὐδαμῶς.

5. Οὐκοῦν οὐδὲ τοῖς εὐχομένοις ὑπὲρ τοῦ τελειωθῆναι τὰ
δῶρα τὰ τοιαῦτα ἐγκαλεῖν εὔλογον· ἐπεὶ οὐδὲ τῇ εὐχῇ θαρροῦντες ἑαυτοῖς θαρροῦσιν, ἀλλὰ τῷ δώσειν ἐπαγγειλαμένῳ
Θεῷ. Τοὐναντίον μὲν γὰρ ὁ τῆς εὐχῆς ἀπαιτεῖ λόγος. Τοῦτο
γάρ ἐστι τὸ ποιοῦν τὴν εὐχὴν τοῖς εὐχομένοις τὸ μὴ θαρρεῖν
ἑαυτοῖς περὶ τῶν ζητουμένων, ἀλλὰ παρὰ τῷ Θεῷ μόνῳ
429 D πιστεύειν εὑρήσειν αὐτά. Καὶ τοῦτο βοᾷ ὁ εὐχόμενος, δι' ὧν
ἑαυτὸν ἀφείς, εἰς τὸν Θεὸν καταφεύγει, ὡς τῆς ἑαυτοῦ κατέγνω
δυνάμεως καὶ διὰ τοῦτο τῷ[γ] Θεῷ πᾶν[δ] ἐπιτρέπει. Οὐκ
ἐμόν, φησί, τοῦτο οὐδὲ τῆς ἐμῆς ἰσχύος, ἀλλὰ σοῦ δεῖται καὶ
σοὶ τὸ πᾶν ἀνατίθημι.

6. Καὶ μάλισθ' ὅταν τὰ ὑπὲρ φύσιν καὶ πάντα νικῶντα
λόγον εὐχώμεθα, οἷα τὰ τῶν μυστηρίων. Τότε γὰρ τῷ Θεῷ
μόνῳ θαρρεῖν τοὺς εὐχομένους πᾶσα ἀνάγκη. Ταῦτα γὰρ οὔτε

γ. τῷ om P ‖ δ. πᾶν : τὸ πᾶν P

le mariage nécessaire, et, après le mariage, nous prions encore à cette intention, sans pour cela paraître mépriser la parole créatrice, sachant bien qu'elle est la cause de la génération, mais par ces moyens qui sont le mariage, l'alimentation et le reste. Et de même, ici, nous croyons que la parole du Seigneur est celle-là même qui accomplit le mystère, mais par le moyen du prêtre, par son intervention et par sa prière. Cette parole n'agit pas par tous simplement et n'importe comment ; mais plusieurs conditions sont exigées, faute desquelles elle ne produira pas son effet. La mort du Christ : qui ne sait que c'est elle seule qui a apporté au monde la rémission des péchés ? Mais nous savons aussi que même après cette mort il est besoin de la foi, de la pénitence, de la confession et de la prière du prêtre ; et il n'y a pas moyen pour l'homme d'être absous de ses péchés, si ces actes n'ont pas été posés au préalable. Quoi donc ? Est-ce que nous mésestimons cette mort, est-ce que nous l'accusons d'impuissance, en pensant que ce qui vient d'elle ne suffit pas, si nous n'apportons pas aussi ce qui est de nous ? Nullement.

5. Il n'est donc pas fondé en raison d'adresser pareils reproches à ceux qui prient pour la consécration des oblats : en se fiant à leur prière, ce n'est pas à eux-mêmes qu'ils se fient, mais à Dieu qui a promis de donner (le résultat). C'est bien plutôt le contraire qu'exige l'idée même de la prière. Car, pour les suppliants, le fait d'adresser leur prière équivaut à ne point se fier à eux-mêmes au sujet des choses demandées, et à croire qu'ils les obtiendront de Dieu seul. Celui qui prie proclame, en s'abandonnant lui-même pour recourir à Dieu, qu'il reconnaît son impuissance personnelle et qu'il s'en remet donc de tout à Dieu. Ceci n'est pas mien, dit-il, ni de ma vertu propre, mais a besoin de vous, Seigneur, et je vous confie le tout.

6. Et il en est ainsi surtout quand il s'agit de demander des choses qui sont au-dessus de la nature et de toute compréhension, comme sont les sacrements. Car alors il est de toute nécessité, pour les suppliants, de compter sur Dieu

ἐνθυμηθῆναι δυνατὸν ἦν ἄνθρωπον μὴ τοῦ Θεοῦ διδάξαντος, οὔτε ἐπιθυμῆσαι μὴ ἐκείνου παραινέσαντος· οὔτε προσδοκῆσαι λαβεῖν μὴ <παρὰ>ᵉ τοῦ ἀψευδοῦς τοῦτο ἐλπίσαντος. Ὥστε οὐδὲ εὔξασθαι περὶ τούτων ἐτόλμησεν ἂν οὐδείς, εἰ μή· αὐτὸς ἔδειξεν ἀσφαλῶς ὡς ἄρα αἰτεῖσθαι ταῦτα βούλεται καὶ χορηγεῖν τοῖς αἰτοῦσιν ἑτοίμωςᶜ ἔχει. Διὰ τοῦτο οὐδὲ ἀμφίβολος

432 A   ἐνταῦθα ἡ εὐχὴ οὐδὲ τὸ πέρας ἄδηλον ἔχει, αὐτοῦ τοῦ δοῦναι Κυρίου διὰ πάντων δείξαντος ὅτι βούλεται δοῦναι.

7. Διὰ τοῦτο τῶν μυστηρίων τὸν ἁγιασμὸν τῇ εὐχῇ τοῦ ἱερέως πιστεύομεν, οὐχ ὡς ἀνθρωπίνῃ τινὶ ἀλλ᾽ ὡς Θεοῦ δυνάμει θαρροῦντες. Οὐ γὰρ διὰ τὸν εὐχόμενον ἄνθρωπον, ἀλλὰ διὰ τὸν ἐπακούοντα Θεόν· οὐδ᾽ ὅτι ἐκεῖνος ἐδεήθη, ἀλλ᾽ ὅτι ἡ ἀλήθεια ἐπηγγείλατο δώσειν.

8. Ὅτι δὲ ὁ Χριστὸς ἔδειξεν ὡς ταύτην ἀεὶ βούλεται διδόναι τὴν χάριν ἡμῖν, οὐδὲ λόγου δεῖται. Διὰ τοῦτο γὰρ εἰς τὴν γῆν ἦλθε καὶ ἐτύθη καὶ ἀπέθανε. Διὰ τοῦτο θυσιαστήρια καὶ ἱερεῖς καὶ πᾶσα κάθαρσις καὶ πᾶσαι ἐντολαὶ καὶ διδασκαλίαι καὶ παραινέσεις, ἵνα τὴν τράπεζαν παραθῇⁿ ταύτην ἡμῖν. Διὰ τοῦτο καὶ τοῦ Πάσχα ἐπιθυμῆσαι ἔλεγεν ἐκείνου,

432 B   ὅτι τοῦτο ἔμελλε τηνικαῦτα παραδιδόναι τὸ ἀληθινὸν Πάσχα τοῖς μαθηταῖς· διὰ τοῦτο ἐκέλευσε· « Τοῦτο ποιεῖτε εἰς τὴν ἐμὴν ἀνάμνησιν », ὅτι τοῦτο βούλεται ἱερουργεῖσθαι ἀεὶ παρ᾽ ἡμῶν.

9. Τίς οὖν ἔτι περὶ τοῦ ζητουμένου τοῖς εὐχομένοις ἀμφιβολία γένοιτ᾽ ἄν, εἰ λήψονται ὃ δέονται μὲν οὗτοι λαβεῖν, ὁ δὲ δοῦναι δυνάμενος διδόναι ἐπιθυμεῖ;

10. Οὕτως οἱ τὸν ἁγιασμὸν τῶν δώρων τῇ εὐχῇ πιστεύοντες οὔτε τοῦ Σωτῆρος τὰς φωνὰς περιορῶσιν, οὔτε ἑαυτοῖς θαρροῦσινᶿ, οὔτε ἀμφιβόλου πράγματος τὸ μυστήριον ἐξαρ-

---

ε. <παρὰ> addidi ‖ ζ. ἑτοίμως om P ‖ η. παραθῇ : παραθείη lect dub P ‖ θ. οὔτε ἑαυτοῖς θαρροῦσιν om P

seul. Ces réalités-là, l'homme était incapable même de les imaginer, si Dieu ne les avait pas enseignées ; il ne pouvait pas non plus en concevoir le désir, si Dieu ne l'y avait exhorté ; il ne pouvait pas s'attendre à les recevoir s'il ne l'avait espéré de Celui qui ne trompe pas. Aussi personne n'aurait-il osé même prier pour ces choses-là, si (Dieu) lui-même n'avait indiqué avec certitude qu'il veut qu'elles lui soient demandées et qu'il est prêt à les accorder à ceux qui les demandent. En conséquence, ni la prière n'est ici douteuse, ni son résultat incertain, le Maître du don ayant de toutes manières fait connaître qu'il veut donner.

7. Voilà pourquoi nous confions la consécration dans ce sacrement à la prière du prêtre, comptant non pas sur une puissance humaine, mais sur celle de Dieu. (Nous sommes assurés du résultat) non pas à cause de l'homme qui prie, mais à cause de Dieu qui exauce ; non point parce que l'homme a sollicité, mais parce que Dieu, la Vérité même, a promis de donner.

8. Que le Christ ait manifesté sa volonté de nous accorder toujours cette grâce, cela n'a pas besoin de démonstration. Car c'est pour cela qu'il est venu sur la terre, qu'il a été immolé et qu'il est mort. C'est pour cela qu'il y a des autels, des prêtres, toutes sortes de purifications, toutes sortes de préceptes, d'enseignements et d'exhortations : tout cela a pour but de nous présenter cette table. Si le Sauveur affirmait « désirer cette Pâque », c'est parce qu'il devait alors confier à ses disciples cette Pâque véritable. S'il leur ordonna : « Faites ceci en mémoire de moi », c'est parce qu'il veut que ce rite sacré soit accompli toujours parmi nous.

9. Quelle incertitude pourrait-il donc y avoir, de la part des suppliants, au sujet du bienfait sollicité, s'il est entendu qu'ils recevront ce qu'ils demandent, eux, de recevoir, et que Celui-là désire donner, qui peut donner ?

10. Ainsi donc, ceux qui confient à la prière la consécration des oblats, ceux-là ni ne méprisent les paroles du Sauveur, ni ne comptent sur eux-mêmes, ni ne font dépendre

τῶσι τῆς ἀνθρωπίνης εὐχῆς, ὡς οἱ Λατῖνοι μάτην ἡμῖν
ἐγκαλοῦσιν.

11. Ἐπεὶ καὶ τὸ πανάγιον μύρον, ὃ τῇ θείᾳ κοινωνίᾳ
ὁ μακάριος Διονύσιός φησιν « ὁμοταγὲς » εἶναι, τῇ εὐχῇ
τελεῖται καὶ ἁγιάζεται. Καὶ ὡς εἴη τελεστικὸν καὶ ἁγιαστι-
κόν, οὐδεμία τοῖς εὐσεβέσιν ἀμφιβολία.

432 C   12. Καὶ ἡ τοῦ ἱερέως χειροτονία καὶ ἡ τοῦ ἀρχιερέως τὸν
ἴσον τρόπον διὰ τῆς εὐχῆς ἱερουργεῖται. « Εὐξώμεθα γάρ,
φησίν, ὑπὲρ αὐτοῦ, ἵνα ἔλθῃ ἐπ' αὐτὸν ἡ χάρις τοῦ παναγίου
Πνεύματος », μετὰ τὴν ἐπίθεσιν τῆς χειρὸς ὁ χειροτονῶν πρὸς
τὸν κλῆρον βοᾷ. Καὶ ἐν[ι] τῇ τῶν Λατίνων δὲ Ἐκκλησίᾳ
τελουμένῃ χειροτονίᾳ τοῦ ἀρχιερέως, μετὰ τὸ ἐπιχέαι τὸ
μύρον ἐπὶ τῆς κεφαλῆς τοῦ χειροτονουμένου, ὁ τελῶν εὔχεται
τὴν χάριν τοῦ ἁγίου Πνεύματος πλουσίαν ἐπ' αὐτὸν κατελθεῖν.

13. Καὶ ἄφεσις ἁμαρτιῶν τοῖς μετανοοῦσι διὰ τῆς εὐχῆς
τῶν ἱερέων δίδοται.

14. Καὶ τὸ τελευταῖον τοῦ ἐλαίου μυστήριον ὡσαύτως
ἡ τῶν ἱερέων εὐχὴ τελεσιουργεῖ· ὃ καὶ ἴασιν σωματικῆς νόσου
καὶ ἄφεσιν ἁμαρτιῶν τοῖς τελουμένοις δύναται, ὡς ἡ ἀπο-
432 D   στολικὴ παράδοσις ἔχει· « Ἀσθενεῖ γάρ τις ἐν ὑμῖν, φησί,
προσκαλεσάτω τοὺς πρεσβυτέρους τῆς Ἐκκλησίας καὶ προ-
σευξάσθωσαν ὑπὲρ αὐτοῦ, ἀλείψαντες αὐτὸν ἐλαίῳ ἐν τῷ
ὀνόματι τοῦ Κυρίου[κ], καὶ ἡ εὐχὴ τῆς πίστεως σώσει τὸν
κάμνοντα καὶ ἐγερεῖ αὐτὸν ὁ Κύριος κἂν ἁμαρτίας ᾖ πεποιη-
κώς, ἀφεθήσεται αὐτῷ. »

15. Οἱ τοίνυν τὴν εὐχὴν ἐν τοῖς μυστηρίοις ἀποδοκιμά-
ζοντες πρὸς ταῦτα τί ἐροῦσιν;

ι. ἐν : ἡ ἐν P ‖ κ. ἐν τῷ ὀνόματι τοῦ Κυρίου om P

b. Jac. 5, 14.15

1. PSEUDO-DENYS, *Hiérarchie ecclésiastique*, c. IV, 1 et 3, 3 : *PG* 3,
472 D et 476 C.

2. Cabasilas parle de l'onction faite au candidat au sacerdoce
comme s'il s'agissait d'une pratique générale. En réalité, l'usage de
l'onction — particulièrement de l'onction de la tête — dans les ordi-
nations, soit d'évêques, soit de prêtres, est d'origine tardive et est

le sacrement d'une chose incertaine, à savoir de l'humaine prière, comme nous le reprochent futilement les Latins.

11. La preuve en est encore que le très saint chrême, que le bienheureux Denys déclare être « du même ordre » que la divine communion[1], est lui aussi consacré et sanctifié par la prière. Qu'il soit efficace et sanctifiant, il n'y a aucun doute pour les âmes fidèles.

12. Et de la même façon l'ordination du prêtre et aussi celle de l'évêque sont opérées par la prière. « Prions pour lui, afin que vienne sur lui la grâce du très saint Esprit », s'écrie, en s'adressant au clergé, le pontife ordinant après l'imposition des mains. Même dans l'Église latine, pour l'ordination de l'évêque, c'est après avoir répandu le chrême sur la tête du candidat, que l'évêque consécrateur implore sur celui-ci une abondante effusion de la grâce du Saint-Esprit[2].

13. La rémission des péchés est aussi accordée aux pénitents par la prière des prêtres.

14. Le suprême sacrement de l'Onction[3], c'est également la prière des prêtres qui le confère, ce sacrement qui a le pouvoir d'opérer en ceux qui le reçoivent et la guérison de la maladie corporelle et la rémission des péchés, comme l'affirme la Tradition des Apôtres : « Quelqu'un parmi vous est-il malade, dit-elle, qu'il appelle les presbytres de l'Église et qu'ils prient pour lui, en l'oignant d'huile au nom du Seigneur ; la prière de la foi guérira le malade, le Seigneur le relèvera et, s'il a commis des péchés, ils lui seront pardonnés[b]. »

15. Ceux-là donc qui réprouvent la prière dans les sacrements, que répondront-ils à tous ces arguments ?

---

limitée à un petit nombre de Sacramentaires. Cf. H. Leclercq, art. *Onctions dans l'ordination*, dans *DACL* XII, 2130-2147.

3. « Le suprême sacrement de l'Onction » : καὶ τὸ τελευταῖον τοῦ ἐλαίου μυστήριον. L'expression est spécialement à noter comme équivalent de notre *Onction des malades* ; car les Grecs n'ont pas, en général, cette notion si précise. Voir M. Jugie, *Theol. orient.*, t. III, p. 476-479.

16. Εἰ γὰρ ἄδηλον τὸ παρὰ τῶν εὐχῶν, ὡς αὐτοὶ λέγουσιν, ἄδηλον μὲν ὁ ἱερεύς, εἰ τοῦτο ἔστιν ὃ καλεῖται· ἄδηλον δὲ τὸ μύρον, εἰ δύναται ἁγιάζειν· καὶ οὕτως οὐδὲ τὸ μυστήριον συνεστάναι δύναται τῆς ἱερᾶς κοινωνίας οὔτε ἱερέως ἀληθῶς ὄντος οὔτε θυσιαστηρίου. Οὔτε γὰρ παρὰ ἰδιώτου λεγόμενον τὸν τοῦ Κυρίου λόγον τελεσιουργὸν εἶναι φαῖεν ἂν οὐδ' αὐτοί, οὔτε χωρὶς θυσιαστηρίου.

433 A **17.** Καὶ γὰρ καὶ τὸ θυσιαστήριον ἐν ᾧ δεῖ τιθέναι τὸν ἄρτον τῷ μύρῳ ἁγιάζεται, ὃ δὴ μύρον διὰ τῶν εὐχῶν τελεσιουργεῖται.

18. Ἔτι δὲ ἁμαρτιῶν ἄφεσιν τίς ἡμῖν δώσει βεβαίως, τῶν ἱερέων καὶ τῆς αὐτῶν δεήσεως ἀμφιβαλλομένων;

19. Καὶ οὐδὲν ὅλως ἄλλο λοιπὸν ἢ πάντα τὸν Χριστιανισμὸν ἐκ μέσου ποιῆσαι, ταῖς καινοτομίαις ἀκολουθοῦντας αὐτῶν. Φαίνεται τοίνυν ὡς ἐκείνοις μᾶλλον εἰ ταῦτα ἀξιοῦσιν ἐν ἀμφιβόλῳ κεῖται τὰ τῆς ἀρετῆς, καὶ πολὺν ἔχει τὸ πρᾶγμα κίνδυνον ἀλλότρια τῶν πατρικῶν παραδόσεων καὶ τῆς ἐν αὐταῖς ἀσφαλείας ἐπινοοῦσιν.

20. Ὅτι μὲν γὰρ εὐχομένοις ὁ Θεὸς ἐπινεύει καὶ δίδωσι Πνεῦμα ἅγιον τοῖς αἰτοῦσιν αὐτὸν καὶ οὐδὲν ἀδυνατεῖ τοῖς μετὰ πίστεως αὐτοῦ δεομένοις, αὐτὸς εἶπεν ὁ Θεὸς καὶ οὐδεμία μηχανὴ μὴ ταῦτα ἀληθῆ εἶναι. Ὅτι δὲ διηγουμένοις ὁτιοῦν τῶν λογίων συμβαίνει τι τοιοῦτον, οὐδαμοῦ λέγεται.

---

1. Cette phrase atteste clairement les outrances de la polémique. Il ne saurait venir à l'idée de personne que l'efficacité de la parole du Sauveur « Ceci est mon corps » soit telle, en soi, qu'il suffise au « premier venu » de la prononcer, sans être prêtre et sans célébrer dans le cadre rituel établi par l'Église, pour assurer la consécration. — Quant à la comparaison avec les autres sacrements, tout en admettant le fond commun euchologique dont parle Cabasilas, on est bien obligé de constater, avec S. Thomas, *Somme théologique*, IIIe Partie, quest. 78, art. 1, que « le sacrement de l'Eucharistie diffère en deux choses des autres sacrements. D'abord, le premier s'accomplit dans la consécration de la matière tandis que les autres s'opèrent dans l'usage de la matière consacrée. Ensuite, dans le Baptême, la Confirmation, l'Ordre, etc., la consécration constitue seulement une bénédiction, d'où la matière consacrée reçoit instrumentalement une vertu spiri-

16. Si, comme ils le disent, incertain est l'effet des prières, il sera également incertain que le prêtre soit véritablement ce qu'on dit qu'il est ; il sera incertain que le chrême ait la vertu de consacrer ; et ainsi le sacrement de la divine Communion ne peut même pas subsister, puisqu'il n'y a véritablement ni prêtre ni autel. Car même eux (les Latins) n'oseraient pas prétendre que la parole du Seigneur est efficace, si elle est prononcée par le premier venu, ou sans autel[1].

17. De fait, l'autel, sur lequel il faut placer le pain, est lui aussi sanctifié par le chrême, lequel est lui-même consacré par les prières.

18. En outre, qui nous donnera avec certitude le pardon des péchés, si le caractère des prêtres et de leur supplication est également mis en doute ?

19. Il ne reste vraiment plus rien d'autre à faire qu'à supprimer tout le christianisme, si l'on suit leurs innovations. Il est donc manifeste que pour eux, s'ils soutiennent ces idées, c'est le tout de la vertu qui est mis en doute, et cette position comporte un grave danger, puisqu'on invente des choses étrangères à la tradition des Pères et dépourvues de la sécurité de cette tradition.

20. Que Dieu acquiesce à qui le prie et donne le Saint-Esprit à qui le lui demande, que rien ne soit impossible à ceux qui le prient avec foi, Dieu lui-même l'a dit, et cela ne peut pas ne pas être vrai. Que pareil résultat soit assuré à ceux qui récitent simplement tel ou tel texte, cela n'est dit nulle part[2].

---

tuelle qui peut être attachée à un instrument inanimé par l'instrument animé qu'est le ministre ; mais dans l'Eucharistie, la consécration implique le changement miraculeux, que Dieu seul peut opérer, de la substance du pain et du vin ». Cabasilas accepterait certainement cette lucide distinction, qui n'est pas sans apporter des nuances importantes aux analogies euchologiques indiquées par lui pour les divers rites sacramentels.

2. Même malentendu : aucun théologien latin ne saurait jamais

433 B **21.** Καὶ τὸ μὲν εὐχῇ τὰ μυστικὰ τελεῖν οἱ Πατέρες παρέ-
δοσαν, ἀπὸ τῶν ἀποστόλων καὶ τῶν ἐκείνους ἐκδεξαμένων
παραλαβόντες· τά τε ἄλλα, καθάπερ ἔφην, καὶ τὴν ἱερὰν
εὐχαριστίαν μετὰ πολλοὺς ἄλλους καὶ Βασίλειος ὁ μέγας καὶ
Ἰωάννης ὁ Χρυσόστομος, οἱ μεγάλοι τῆς Ἐκκλησίας διδάσκα-
λοι· οἷς τοὺς ἀντιλέγοντας οὐδὲ λόγου τινὸς ἀξιοῦν χρῆ τοὺς
εὐσεβεῖν βουλομένους. **22.** Τὸν δὲ τοῦ Κυρίου περὶ τῶν μυστηρίων λόγον, ἐν
εἴδει διηγήσεως λεγόμενον, πρὸς ἁγιασμὸν τῶν δώρων
ἀρκεῖν οὐδεὶς οὔτε τῶν ἀποστόλων οὔτε τῶν διδασκάλων
εἰπὼν[λ] φαίνεται· ἀλλ' ὅτι μὲν ἅπαξ ὑπὸ τοῦ Κυρίου ῥηθεὶς
αὐτῷ τῷ ὑπ' ἐκείνου ῥηθῆναι καθάπερ ὁ δημιουργικὸς λόγος
ἀεὶ ἐνεργεῖ, καὶ ὁ μακάριός φησι Ἰωάννης. Ὅτι δὲ νῦν ὑπὸ
433 C τοῦ ἱερέως λεγόμενος διὰ τὸ ὑπ' ἐκείνου λέγεσθαι τοῦτο δύναται, οὐδαμόθεν ἔστι μαθεῖν· ἐπεὶ οὐδ' αὐτὸς ὁ δημιουργικὸς
λόγος ἐνεργεῖ, ὅτι ἐφ' ἑκάστῳ τῶν γινομένων ὑπό τινος ἀνθρώπου λέγεται, ἀλλ' ὅτι ἐστὶν ἅπαξ ὑπὸ τοῦ Θεοῦ εἰρημένος.

Λ'. Ὅτι καὶ τῇ Ἐκκλησίᾳ Λατίνων ἡ τελετὴ κατὰ τὸν αὐτὸν ἡμῖν τελεῖται τρόπον

1. Ὁ δὲ παντελῶς αὐτοὺς ἐπιστομίζει, ὅτι καὶ ἡ τῶν
Λατίνων Ἐκκλησία, εἰς ἣν ἀναφέρειν δοκοῦσι, μετὰ τὸν τοῦ
Κυρίου λόγον εὔχεσθαι ὑπὲρ τῶν δώρων οὐ παραιτοῦνται.
Λανθάνει δὲ αὐτοὺς ὅτι τε οὐκ εὐθὺς μετὰ τὸν λόγον εὔχονται

λ. εἰπὼν : εἰπεῖν P

---

avoir exclu de la confection des sacrements, y compris le sacrement
de l'autel, le rôle des formules de prière, ainsi que de l'esprit de prière
de la part du ministre. Aucun ne saurait sérieusement avoir voulu
attribuer à la simple articulation matérielle d'une parole, à l'exclusion
de l'intention qui suppose elle-même cet esprit de prière et ce cadre
de prière, une vertu que certains auteurs qualifieraient, en ce cas, de
vertu magique. Il est seulement regrettable que parfois certaines
façons de s'exprimer aient pu donner prise à de pareils malentendus.

21. Que les sacrements opèrent par la prière, c'est la tradition des Pères, qui ont reçu cette doctrine des Apôtres et de leurs successeurs : tous les sacrements en général, comme je viens de le dire, et spécialement la sainte Eucharistie. C'est ce qu'affirment, après tant d'autres, Basile le Grand et Jean Chrysostome, ces illustres docteurs de l'Église. Ceux qui les contredisent ne méritent aucune considération de la part de ceux qui veulent être fidèles à Dieu.

22. Quant à la parole du Seigneur sur les saints mystères, parole dite sous forme narrative, qu'elle suffise pour la consécration des oblats, nul parmi les apôtres ni parmi les docteurs ne l'a manifestement jamais dit. Mais que, dite une fois par le Seigneur, du fait d'avoir été dite par lui, elle agisse toujours comme la parole créatrice, le bienheureux Jean Chrysostome le déclare. Et que maintenant, prononcée par le prêtre, du fait d'être dite par le prêtre, elle ait cette efficacité, cela n'est enseigné nulle part ; car la parole créatrice non plus n'agit point parce qu'elle est dite par un homme, à propos de chaque événement, mais parce qu'elle a été dite une fois par Dieu[1].

CHAPITRE XXX

Que dans l'Église latine la consécration se fait de la même manière que chez nous

1. Ce qui ferme décidément la bouche à nos adversaires, c'est que l'Église latine elle aussi, à laquelle ils prétendent s'en rapporter, ne se dispense pas, après les paroles du Seigneur, de prier pour les oblats. Un détail leur échappe, c'est que les Latins ne formulent pas cette prière immédiatement après les paroles (du Christ) et qu'ils ne demandent

---

1. Voir *note complémentaire 3.*

καὶ ὅτι οὐ σαφῶς ἁγιασμὸν αἰτοῦνται καὶ μεταβολὴν εἰς τὸ Κυριακὸν σῶμα, ἀλλ' ἑτέροις χρῶνται ὀνόμασι πρὸς τοῦτο

433 D φέρουσι καὶ τὰ αὐτὰ δυναμένοις.

2. Τίς δὲ ἡ εὐχή; « Κέλευσον ἀνενεχθῆναι τὰ δῶρα ταῦτα ἐν χειρὶ ἀγγέλου εἰς τὸ ὑπερουράνιόν σου θυσιαστήριον. »

3. Λεγέτωσαν γὰρ τί ἐστιν αὐτὸ τὸ « ἀνενεχθῆναι τὰ δῶρα »;

4. Ἢ γὰρ τοπικὴν μετάθεσιν αὐτοῖς εὔχονται ἀπὸ τῆς γῆς καὶ τῶν κάτω τόπων εἰς τὸν οὐρανόν, ἢ ἀξίαν τινὰ καὶ τὴν ἀπὸ τῶν ταπεινοτέρων ἐπὶ τὰ ὑψηλότερα μεταβολήν.

5. Ἀλλ' εἰ μὲν τὸ πρῶτον, τί τὸ ὄφελος ταύτης ἡμῖν τῆς εὐχῆς ἀφ' ἡμῶν ἀρθῆναι τὰ ἅγια, ἃ παρ' ἡμῖν εἶναι καὶ ἐν ἡμῖν μένειν καὶ εὐχόμεθα καὶ πιστεύομεν, ὡς τοῦτο ὂν τὸ εἶναι τὸν Χριστὸν « μεθ' ἡμῶν ἕως τῆς συντελείας τοῦ αἰῶνος »; Πῶς δὲ οὐ πιστεύουσιν, εἰ σῶμα Χριστοῦ τοῦτο γιγνώσκουσιν, ὅτι καὶ ἐν ἡμῖν ἐστι καὶ ὑπερουράνιόν ἐστι καὶ ἐν δεξιᾷ τοῦ Πατρὸς κάθηται, τρόπον ὃν οἶδεν αὐτός; Πῶς

436 A δ' ἂν εἴη τὸ μήπω ὑπερουράνιον αὐτὸ τὸ σῶμα τοῦ Χριστοῦ τὸ ὑπερουράνιον; Πῶς δὲ καὶ ἀνενεχθήσεται ἐν χειρὶ ἀγγέλου τὸ ὑπὲρ πᾶσαν ἀρχὴν καὶ ἐξουσίαν καὶ δύναμιν καὶ πᾶν ὄνομα ὀνομαζόμενον;

6. Εἰ δὲ ἀξίαν τινὰ αὐτοῖς εὔχονται καὶ τὴν ἐπί τι βέλτιον μεταβολήν, οὐκ οἶδα εἴ τινα καταλείψουσιν ἀσεβείας ὑπερβολήν, εἴ γε καὶ αὐτὸ τὸ σῶμα τοῦ Χριστοῦ[a] εἶναι γινώσκουσι

α. τοῦ Χριστοῦ om P

---

a. Matth. 28, 20

---

1. On reconnaît ici l'oraison *Supplices te rogamus*, qui dans le Canon romain précède immédiatement le *Memento* des défunts. Il est nécessaire que le lecteur ait ici cette oraison sous les yeux : « Nous t'en supplions, Dieu tout-puissant, ordonne que ces offrandes soient portées par les mains de ton saint Ange sur ton autel sublime, en présence de ta divine majesté : afin que nous tous, qui participerons à ce sacrifice par la réception du Corps infiniment saint et du Sang de ton Fils, nous soyons remplis de bénédiction céleste et de grâce. » Il faut reconnaître que, malgré la vivacité de l'argumen-

pas expressément la consécration et la transformation (des oblats) au corps du Seigneur ; mais ils emploient d'autres expressions qui ont la même portée et une signification identique.

2. Quelle est leur prière ? « Ordonne que ces dons soient portés par les mains de ton ange à ton autel supracéleste[1]. »

3. Qu'ils me disent donc ce que veut dire l'expression : « que les dons soient portés ».

4. Ou bien ils sollicitent pour les oblats une translation locale, de la terre et des régions inférieures jusqu'au ciel ; ou bien une élévation de dignité, une transformation d'un état humble à un état éminent.

5. Dans le premier cas, quelle utilité y a-t-il pour nous à demander que soient emportées loin de nous les saintes espèces, que nos prières et notre foi nous assurent être chez nous et demeurer en nous, puisque c'est en cela même que consiste « la permanence du Christ avec nous jusqu'à la consommation des temps[a] » ? Et, s'ils reconnaissent que c'est le corps du Christ, comment peuvent-ils ne pas croire qu'il est tout à la fois et en nous et supracéleste, et qu'il est assis à la droite du Père d'une manière que, lui, il connaît ? Comment, ce qui n'est pas encore supracéleste serait-il le corps même du Christ, lequel est supracéleste ? Et comment pourra être emporté en haut, de la main d'un ange, ce qui est célébré comme étant au-dessous de toute autorité, de toute puissance, de toute domination, de tout nom ?

6. Si, au contraire, c'est une élévation de dignité que (cette prière latine) sollicite en même temps que leur transformation en une réalité supérieure, je ne vois pas comment ils échapperont à une monstreuse impiété, ceux qui, reconnaissant déjà la présence du corps du Christ,

tation controversiste, ce chapitre renferme un bon nombre de considérations utiles, qui peuvent aider à éclairer l'idée théologique du sacrifice de l'autel.

194 LA DIVINE LITURGIE

καὶ ἐπί τι βέλτιον καὶ ἁγιώτερον ἥξειν αὐτὰ πιστεύουσιν.

7. Ὅθεν δῆλοι πάντως εἰσὶν ἄρτον ἔτι καὶ οἶνον μήπω δεξάμενα τὸν ἁγιασμὸν εἰδότες αὐτά· καὶ διὰ τοῦτο εὔχονται μὲν ὑπὲρ αὐτῶν ὡς ἔτι δεομένων εὐχῆς, εὔχονται δὲ ἀνενεχθῆναι ὡς ἔτι κείμενα κάτω, καὶ εἰς τὸ θυσιαστήριον ὡς μήπω
436 B τεθειμένα, ἵνα ἐκεῖ τεθέντα τυθῶσι. Δεῖται δὲ ἀγγέλου χειρὸς ὡς τῆς δευτέρας ἱεραρχίας τῆς ἀνθρωπίνης, κατὰ τὸν θεῖον Διονύσιον, ὑπὸ τῆς πρώτης ἱεραρχίας τῶν ἀγγέλων βοηθουμένων β.

8. Αὐτὴ ἡ εὐχὴ οὐδὲν ἕτερόν ἐστι δυναμένη τοῖς δώροις ἢ τὴν εἰς τὸ Κυριακὸν σῶμα καὶ αἷμα μεταβολήν. Οὐ γὰρ δὴ τόπον ὑπὲρ τὸν οὐρανὸν τῷ Θεῷ ἐξῃρημένον, ἐν ᾧ δεῖ θύειν, τὸ θυσιαστήριον ἐκεῖνο νομιστέον. Οὕτω γὰρ οὐ πολὺ διοίσομεν τῶν ἐν Ἱεροσολύμοις λεγόντων ἢ ἐν τῷ ὄρει τῆς Σαμαρείας εἶναι τὸν τόπον ὅπου δεῖ τὸν Θεὸν προσκυνεῖν. Ἀλλ' ἐπεί, κατὰ τὸν μακάριον Παῦλον, « εἷς Θεός, εἷς καὶ μεσίτης Θεοῦ καὶ ἀνθρώπων Ἰησοῦς Χριστός », πάντα τὰ μεσιτείαν δυνάμενα τὸν ἁγιασμὸν ἡμῖν ἔχοντα μόνος ἐστὶν αὐτὸς ὁ Σωτήρ. Τίνα δὲ τὰ μεσιτείαν δυνάμενα καὶ ἁγιάζοντα; Ἱερεύς,
436 C ἱερεῖον, θυσιαστήριον. Καὶ γὰρ καὶ τὸ θυσιαστήριον ἁγιάζει, κατὰ τὸν τοῦ Κυρίου λόγον, τὸ θυσιασθῆναι γ· « Τὸ θυσιαστήριον γάρ, φησί, τὸ ἁγιάζον τὸ δῶρον. »

9. Οὐκοῦν ἐπεὶ μόνος αὐτός ἐστιν ὁ ἁγιάζων, μόνος ἂν εἴη ἱερεύς, καὶ ἱερεῖον, καὶ θυσιαστήριον.

10. Καὶ ὅτι μὲν ὁ ἱερεὺς καὶ ἱερεῖον, αὐτὸς εἶπεν· « Ὑπὲρ αὐτῶν γάρ, φησίν, ἐγὼ ἁγιάζω ἐμαυτόν. »

11. Ὅτι δὲ καὶ θυσιαστήριον, ὁ ἱερώτατος μαρτυρεῖ Διονύσιος λέγων ἐν τῷ Περὶ τοῦ μύρου λόγῳ· « Εἰ γάρ ἐστι τὸ θειότατον ἡμῶν θυσιαστήριον Ἰησοῦς, ἡ θεαρχικὴ τῶν

β. βοηθουμένων : βοηθουμηνως (?) P ‖ γ. τὸ θυσιασθῆναι om P

b. Cf. Jn 4, 20.21   d. Matth. 23, 19
c. I Tim 2, 5   e. Jn 17, 19

1. Pseudo-Denys, Hiérarchie eccl., c. V, 2, PG 3, 501-504.

croient pourtant que cette réalité va passer à quelque chose de meilleur et de plus saint.

7. De toute évidence, les Latins savent donc fort bien que le pain et le vin n'ont pas encore reçu la consécration : c'est pourquoi ils prient pour ces oblats comme pour des éléments qui ont encore besoin de prières et ils demandent que ces oblats, comme se trouvant encore en bas, soient emportés en haut ; que, comme offrandes non encore offertes, ils soient portés à l'autel pour y devenir sacrifice. Et il est besoin d'une main angélique, en ce sens que, pour emprunter les expressions du divin Denys[1], la première hiérarchie, la hiérarchie angélique, vient au secours de la seconde, la hiérarchie humaine.

8. Cette prière ne peut signifier rien d'autre pour les oblats que leur transformation au corps et au sang du Seigneur. L'autel en question ne doit pas être imaginé comme un lieu réservé à Dieu et situé au-dessus du ciel, un lieu où il faut offrir le sacrifice. S'il en était ainsi, nous ne différerions pas beaucoup de ceux qui disent que le lieu où il faut adorer Dieu se trouve à Jérusalem ou sur la montagne de Samarie[b]. Mais puisque, selon la parole du bienheureux Paul, « il n'y a qu'un Dieu et qu'un médiateur entre Dieu et les hommes, Jésus-Christ[c] », tout ce qui opère la médiation, tout ce qui nous confère la sanctification, c'est le Sauveur, lui seul. Or, quelles sont les choses qui opèrent la médiation et qui sanctifient ? Ce sont : le prêtre, la victime, l'autel. Car, suivant la parole du Seigneur, l'autel aussi sanctifie l'immolation : « L'autel, dit-il, sanctifie l'offrande[d]. »

9. Puisque c'est le Christ seul qui sanctifie, seul il peut être et le prêtre et la victime et l'autel.

10. Qu'il soit le prêtre et la victime, lui-même l'a dit : « Je me sacrifie moi-même pour eux[e]. »

11. Qu'il soit aussi l'autel, le très saint Denys l'atteste dans son *Traité sur le Chrême :* « Si notre divin autel est Jésus, celui qui est la divine consécration des esprits

θείων νόων ἀφιέρωσις, ἐν ᾧ κατὰ τὸ λόγιον ἀφιερούμενοι καὶ ὁλοκαυτούμενοι μυστικῶς τὴν προσαγωγὴν ἔχομεν, ὑπερκοσμίοις ὀφθαλμοῖς ἐποπτεύσωμεν αὐτὸ τὸ θειότατον θυσιαστήριον. »

436 D **12.** Εἰς τοῦτο τὸ ὑπερουράνιον θυσιαστήριον τὰ δῶρα εὔχεται ἀνενεχθῆναι ὁ ἱερεύς, ὅπερ ἐστὶν ἁγιασθῆναι, εἰς αὐτὸ τὸ ὑπερουράνιον σῶμα τοῦ Κυρίου μεταβληθῆναι, οὐ τόπον ἀμείψαντα καὶ ἀπὸ τῆς γῆς γεγενημένα εἰς τὸν οὐρανόν, ἐπεὶ ὁρῶμεν αὐτὰ παρ' ἡμῖν ὄντα ἔτι, καὶ μετὰ τὴν εὐχὴν οὐδὲν ἧττον.

13. Ἐπεὶ γὰρ τὸ θυσιαστήριον ἁγιάζει τὰ τεθέντα αὐτῷ δῶρα, ταῦτόν ἐστιν εὔξασθαι τοῖς δώροις ἁγιασθῆναι καὶ ἐν τῷ θυσιαστηρίῳ τεθῆναι.

14. Τίς δὲ ὁ ἁγιασμὸς ὃν ἁγιάζει τὸ θυσιαστήριον; Τὰ τεθέντα αὐτῷ[δ] δῶρα, ὃν αὐτὸς ὁ ἱερεὺς ἡγίασεν ἑαυτὸν τῷ[ε] προσενεχθῆναι τῷ Θεῷ καὶ τυθῆναι.

15. Ἐπεὶ γὰρ ὁ αὐτός ἐστι καὶ ἱερεὺς καὶ θυσιαστήριον καὶ ἱερεῖον, ταῦτόν ἐστι ὑπὸ τοῦ ἱερέως ἐκείνου ἱερουργηθῆναι καὶ εἰς τὸ ἱερεῖον ἐκεῖνο μεταβληθῆναι καὶ ἐν τῷ θυσιαστηρίῳ 437 A ἐκείνῳ τῷ ὑπερουρανίῳ ἀνατεθῆναι[ϛ]. Διὰ τοῦτο εἴ τι τῶν τριῶν ἀπολαβὼν εὔξαιο, τὸ πᾶν ηὔξω, τὸ ζητούμενον ἔχεις, τὴν θυσίαν ἐτέλεσας.

16. Οἱ μὲν παρ' ὑμῖν[η] ἱερεῖς, ὡς ἱερεῖον τὸν Χριστὸν βλέποντες, εὔχονται τοῖς δώροις τὴν ἐν ἐκείνῳ θέσιν ῥήμασι διαφόροις καὶ λόγοις ἓν καὶ τὸ αὐτὸ πρᾶγμα εὐχόμενοι. Τούτου χάριν οἱ παρ' ἡμῖν ἱερεῖς, μετὰ τὸ εὔξασθαι τοῖς δώροις τὴν εἰς τὸ θεῖον σῶμα καὶ αἷμα μεταβολήν, μνησθέντες τοῦ

δ. αὐτῷ om P ‖ ε. τῷ : τὸ P ‖ ζ. καὶ ἐν τῷ θυσιαστηρίῳ usque ad ἀνατεθῆναι om P ‖ η. ὑμῖν : ἡμῖν P

f. Cf. Jn 17, 19

1. *Hiérarchie eccl.*, c. IV, 12, col. 484-485.
2. Allusion à *Jn* 17, 19. Le texte complet : « Je me sacrifie moi-même pour eux, afin qu'ils soient eux aussi sanctifiés en vérité » accentue la relation directe entre le sacrifice et la sanctification. Le

célestes, en qui nous-mêmes, selon les termes de l'auteur, consacrés et mystiquement offerts en holocauste, nous bénéficions d'une présentation (à Dieu), contemplons avec des yeux tout spirituels cet autel divin[1]. »

12. Le prêtre prie pour que les oblats soient transportés jusqu'à cet autel supracéleste, c'est-à-dire pour qu'ils soient consacrés, transformés au corps supracéleste lui-même du Seigneur sans changer de lieu et sans être passés de la terre au ciel, puisque nous continuons à les voir parmi nous et, même après la prière, tout aussi bien.

13. Puisque l'autel sanctifie les offrandes qu'on y a mises, demander pour les oblats d'être placés sur l'autel, c'est la même chose que de demander leur sanctification.

14. Or, quelle est la sanctification que confère l'autel ? C'est celle des offrandes qui y ont été placées, celle dont le (divin) prêtre s'est sanctifié lui-même[f2] par le fait d'être offert à Dieu et immolé.

15. Puisque c'est le même (Christ) qui est prêtre, autel et victime, c'est la même chose pour les oblats d'être consacrés par ce prêtre, d'être transformés en cette victime et d'être transportés à cet autel supracéleste. Si donc, prenant à part l'un de ces trois faits vous en sollicitiez la réalisation, vous avez en fait sollicité le tout, vous possédez ce que vous demandiez, vous avez accompli le sacrifice.

16. Vos prêtres, considérant le Christ comme victime, demandent pour les oblats qu'ils soient placés en lui : c'est, par des expressions et des formules différentes, demander absolument la même chose que nous. Voilà pourquoi nos prêtres à nous, après avoir sollicité la transformation des oblats au corps et au sang divins, ayant fait mention de

---

grec emploie de part et d'autre le même verbe ἁγιάζω qui, dans le vocabulaire rituel de l'Ancien Testament, signifie à la fois *sacrifier* et *sanctifier*. La Vulgate a conservé le jeu de mots : « Et pro eis ego *sanctifico* meipsum, ut sint et ipsi *sanctificati* in veritate. » Sacrifice et sanctification : cette association d'idées, on le voit, sert également de base à toute l'argumentation de Cabasilas.

ὑπερουρανίου θυσιαστηρίου, οὐκ ἔτι εὔχονται εἰς αὐτὸ
ἀνενεχθῆναι τὰ δῶρα· ἀλλ᾽ ὡς ἤδη ἀνενεχθέντων ἐκεῖ καὶ
προσδεχθέντων εὔχονται ἀντικαταπεμφθῆναι ἡμῖν τὴν χάριν
καὶ τὴν δωρεὰν τοῦ ἁγίου Πνεύματος. « Εὐξώμεθα, φησί,
ὑπὲρ τῶν ἁγιασθέντων δώρων. » Ἵνα ἁγιασθῇ; Οὐδαμῶς·
437 B ἡγίασται γάρ· ἀλλ᾽ ἵνα ἁγιαστικὰ ἡμῖν[θ] γένωνται, ἵνα ὁ ἁγιάσας αὐτὰ Θεὸς καὶ ἡμᾶς δι᾽ αὐτῶν ἁγιάσῃ.

17. Φανερὸν τοίνυν ὡς τὸ ἀτιμάζειν τὴν ὑπὲρ τῶν δώρων
εὐχὴν μετὰ τὸν τοῦ Κυρίου λόγον οὐδὲ τῆς Ἐκκλησίας τῶν
Λατίνων ἐστὶν ἁπλῶς, ἀλλ᾽ ἐνίων ὀλίγων καὶ νεωτέρων, οἵοι
καὶ τἆλλα αὐτὴν ἐλυμήναντο· εἰς οὐδὲν ἕτερον εὐκαιροῦντες
« ἢ λέγειν τι καὶ ἀκούειν καινότερον ».

18. Καὶ ταῦτα μὲν περὶ τῆς εὐχῆς.

ΛΑ΄. Τίνος χάριν ὁ ἱερεὺς εἰς τὸν ἁγιασμὸν τῶν δώρων οὐ τὸν Υἱόν, ἀλλὰ τὸν Πατέρα καλεῖ;

1. Ἀλλὰ τίνος χάριν οὐ τὸν Υἱὸν ἐπὶ τὸ ἁγιάσαι τὰ δῶρα
καλεῖ ὁ ἱερεὺς ἱερέα τε ὄντα καὶ ἁγιάζοντα, καθάπερ εἴρηται,
ἀλλὰ τὸν Πατέρα;

θ. ἡμῖν : ἡμῶν P

g. Act. 17, 21

1. Cabasilas signale ici la litanie diaconale qui vient, dans l'Anaphore byzantine, après l'épiclèse et les deux *Mementos* qui la suivent.
De fait, quoi qu'il en soit du fond de l'argumentation de notre polémiste, il faut reconnaître que cette litanie orientale contient d'inté-
ressantes formules à mettre en parallèle avec celles de l'oraison latine
Supplices te rogamus. « Pour les dons précieux qui ont été offerts et
consacrés, prions le Seigneur. — Pour que notre Dieu, plein d'amour
pour les hommes, *qui a reçu en odeur de suavité ces offrandes à son
saint et supracéleste autel,* nous envoie en retour sa divine grâce et le
don du Saint-Esprit, prions le Seigneur. » Voir S. SALAVILLE, *Liturgies
orientales,* II. *La Messe,* p. 46, où l'on trouvera aussi l'oraison secrète
dite pendant ce temps par le prêtre byzantin.

2. Voir *note complémentaire 4.*

l'autel supracéleste, ne demandent plus que les oblats y soient transportés ; mais, puisqu'ils y ont déjà été portés et reçus, ils demandent que nous soient envoyés en retour la grâce et le don du Saint-Esprit. « Prions, dit (le diacre), pour les dons consacrés[1]. » Pour qu'ils soient consacrés ? Nullement, car ils le sont déjà ; mais afin qu'ils deviennent sanctifiants pour nous : afin que Dieu, qui les a sanctifiés, nous sanctifie nous-mêmes par eux.

17. Il est donc manifeste que mépriser la prière pour les oblats après les paroles du Sauveur, n'est point le fait de l'Église latine en général, mais seulement de quelques rares novateurs, qui lui ont causé des dommages sur d'autres points encore : ce sont des gens qui n'ont d'autre passe-temps que « de dire ou d'écouter quelque chose de nouveau[g] ».

18. Et voilà pour la prière (eucharistique)[2].

CHAPITRE XXXI

Pour quelle raison, en vue de la consécration des oblats, le prêtre invoque-t-il non pas le Fils, mais le Père

1. Pour quel motif le prêtre, en vue de consacrer les oblats, invoque-t-il non pas le Fils, qui est prêtre et sanctificateur, comme il a été dit, mais bien le Père[3] ?

3. Il ne s'agit pas d'une invocation spéciale, mais plutôt du fait que l'ensemble du Canon ou de l'Anaphore s'adresse directement au Père, depuis ce que nous appelons la Préface jusqu'au *Pater*. Ainsi, d'ailleurs, pour ne donner que l'exemple de la formule initiale qui commande tout le reste, nous disons : « Il est vraiment juste de te rendre grâces, Seigneur saint, *Père tout-puissant...*, par Jésus-Christ Notre-Seigneur... » Dans l'Anaphore byzantine, si l'on fait abstraction des longues parenthèses que constituent les deux Mementos, tout le texte des prières qui suivent les paroles du Sauveur est commandé par

437 C 2. Ἵνα μάθῃς ὅτι τὸ ἁγιάζειν ὁ Σωτὴρ οὐχ ὡς ἄνθρωπος ἔχει, ἀλλ' ὡς Θεός· καὶ διὰ τὴν δύναμιν τὴν θείαν, ἣν κοινὴν κέκτηται μετὰ τοῦ Πατρός.

3. Τοῦτο καὶ αὐτὸς ὁ Κύριος δηλῶσαι βουλόμενος, ὅτε ἐτέλει τὸ μυστήριον, εἰς τὸν οὐρανὸν ἔβλεπε καὶ τῷ Πατρὶ ἀνεδείκνυ τὸν ἄρτον. Διὰ τὸν αὐτὸν λόγον καὶ ἔνια τῶν θαυμάτων οὕτω φαίνεται ποιῶν ἐν σχήματι τῆς πρὸς τὸν Θεὸν εὐχῆς ἵνα δείξῃ ὡς οὐ φύσεως ἐστὶ ἀνθρωπίνης τὰ τοιαῦτα, καθ' ἣν Μητέρα ἔσχεν ἐπὶ τῆς γῆς, ἀλλὰ τῆς αὐτοῦ θεότητος, καθ' ἣν τὸν Θεὸν εἶχε Πατέρα. Καὶ ὅτε δὲ ἔμελλεν ἐπὶ τὸν σταυρὸν ἀναβαίνειν, βουλόμενος σημᾶναι τὰς δύο θελήσεις αὐτοῦ, τὴν θείαν καὶ τὴν ἀνθρωπίνην, τὴν μὲν θέλησιν τῆς ἑαυτοῦ θεότητος τῷ Πατρὶ ἀνετίθει, τὴν δὲ
437 D θέλησιν τῆς ἀνθρωπότητος ἑαυτοῦ θέλησιν ἔλεγεν εἶναι· « Οὐχ ὡς ἐγὼ θέλω, φησίν, ἀλλ' ὡς σύ », καὶ· « Μὴ τὸ θέλημά μου, ἀλλὰ τὸ σὸν γενέσθω. » Ὅτι γὰρ καὶ αὐτὸς ταύτην ἤθελε τὴν θέλησιν, ἣν ἀπεκλήρου τῷ Πατρί, δῆλος μὲν ἦν καὶ ἀπ' αὐτῶν τούτων τῶν ῥημάτων, ἐν οἷς δοκεῖ διαιρεῖν τὴν ἑαυτοῦ θέλησιν τῆς θελήσεως τοῦ Πατρός. Τὸ γάρ· « Μὴ τὸ θέλημά μου, ἀλλὰ τὸ σὸν γενέσθω » συντιθεμένου[a] ἦν καὶ τὰ αὐτὰ βουλομένου. Δῆλος δὲ ἦν, ὅτε ἐπετίμα τῷ Πέτρῳ ἀπευχομένῳ τὸν σταυρὸν αὐτοῦ καὶ τὸν θάνατον· καὶ ἔτι ἐν οἷς ἔλεγεν· « Ἐπιθυμίᾳ ἐπεθύμησα τοῦτο τὸ πάσχα φαγεῖν μεθ' ὑμῶν πρὸ τοῦ με παθεῖν. » Τοῦ πρὸς τῷ πάθει πάσχα, φησίν, ἐπεθύμησα, μονονοὺ λέγων· Ἐπιθυμίᾳ ἐπεθύμησα αὐτὰ τὰ πρόθυρα τοῦ πάθους ἰδεῖν.

Καὶ ταῦτα μὲν εἰς τοσοῦτον.

α. συντιθεμένου : συντεθειμένου P

a. Matth. 26, 39
b. Lc 22, 42
c. Cf. Matth. 16, 22.23
d. Lc 22, 15

la formule : « Nous t'offrons ce sacrifice spirituel et non sanglant », directement rattachée à l'anamnèse et répétée au début du Memento, formule qui continue de s'adresser au Père.

2. C'est pour nous apprendre que ce pouvoir de sanctifier, le Sauveur le détient non pas en tant qu'homme, mais comme Dieu et en raison de la puissance divine qu'il possède en commun avec le Père.

3. C'est afin de nous montrer cela que le Seigneur lui-même, lorsqu'il instituait le sacrement, levait les yeux au ciel et offrait le pain à son Père[1]. C'est aussi pour le même motif que nous le voyons accomplir plusieurs de ses miracles dans une attitude de prière à Dieu : il veut montrer que de tels prodiges ne sont pas l'œuvre de sa nature humaine, selon laquelle il eut une mère sur la terre, mais bien de sa divinité, selon laquelle il a Dieu pour Père. Et près de monter sur la croix, voulant nous faire connaître ses deux volontés, la divine et l'humaine, il rapportait à son Père la volonté de sa propre divinité et il donnait comme la sienne propre celle de son humanité : « Non pas comme je veux, dit-il, mais comme tu veux[a]. » Et encore : « Que ce ne soit pas ma volonté mais la tienne qui se fasse[b]. » Mais que lui-même voulait cette volonté que le Père lui assignait, la chose est manifeste par ces paroles mêmes où il semble distinguer sa propre volonté de celle du Père. Car la formule « Que ce ne soit pas ma volonté, mais la tienne qui se fasse » était une formule d'adhésion et l'expression d'un vouloir identique. Il le montrait aussi dans les reproches qu'il adressait à Pierre repoussant avec horreur l'idée de sa croix et de sa mort[c]. Et encore lorsqu'il s'écriait : « J'ai vivement désiré manger cette Pâque avec vous avant de souffrir[d]. » J'ai désiré cette Pâque aux approches de ma Passion : c'est comme s'il disait : J'ai désiré d'un grand désir voir l'approche de ma Passion.

En voilà assez sur ce sujet.

1. Comparez Bossuet, *Explication de quelques difficultés...*, n° 20, éd. « Classiques Garnier », p. 560 : « Au fond toutes ces prières des liturgies ne sont autre chose qu'une explication de ce que les Évangélistes et l'Apôtre ont dit en six lignes : Jésus ' prit du pain en ses mains sacrées, il rendit grâces dessus, il le bénit ' ; par ce moyen,

440 A   ΛΒ'. Περὶ τῆς θυσίας αὐτῆς, καὶ τί ἐστι τὸ δεχόμενον
          τὴν θυσίαν

1. Περὶ δὲ τῆς θυσίας αὐτῆς ἄξιον ἐκεῖνο ζητεῖν.

2. Ἐπεὶ γὰρ οὐ τύπος θυσίας οὐδὲ αἵματος εἰκών, ἀλλὰ
ἀληθῶς σφαγὴ καὶ θυσία, ζητῶμεν τί τὸ θυόμενον, ὁ ἄρτος
ἢ τὸ τοῦ Κυρίου σῶμα; δηλονότι πότε τὰ δῶρα θύεται πρὸ
τοῦ ἁγιασθῆναι ἢ μετὰ τὸ ἁγιασθῆναι;

3. Καὶ εἰ μὲν ὁ ἄρτος τὸ θυόμενον, πρῶτον μὲν τίς ἄρτου
θυσία γένοιτ' ἄν; Ἔπειτα οὐ τοῦτο ἡμῖν ἐστι[α] τὸ μυστήριον
ἄρτον ἰδεῖν σφαττόμενον, ἀλλὰ τὸν Ἀμνὸν τοῦ Θεοῦ τὸν
αἴροντα τῇ σφαγῇ τὴν ἁμαρτίαν τοῦ κόσμου.

4. Εἰ δὲ αὐτὸ θύεται τὸ Κυριακὸν σῶμα, μάλιστα μὲν οὐδὲ
δυνατόν· οὐ γὰρ σφαγῆναι ἔτι ἢ πληγῆναι δύναται, ἀκήρατον
440 B ἤδη καὶ ἀθάνατον γενόμενον. Εἰ δὲ ἐξῆν τι τοιοῦτον αὐτὸ
ἐνεγκεῖν, ἔδει καὶ τοὺς σταυροῦντας εἶναι καὶ τἆλλα συνελθεῖν
ἅπαντα, ἃ τὴν θυσίαν ἐκείνην εἰργάσατο· εἴγε οὐ τύπος
σφαγῆς, ἀλλὰ σφαγὴ ἀληθὴς ὑπόκειται εἶναι.

5. Ἔπειτα πῶς ὁ Χριστὸς ἅπαξ ἀπέθανε καὶ ἐγερθεὶς
« οὐκέτι ἀποθνήσκει », καὶ « ἅπαξ ἔπαθεν ἐπὶ συντελείᾳ τοῦ

α. ἐστι om P

a. Jn 1, 29
b. Cf. Rom. 6, 9
c. Rom. 6, 9

disent les Grecs dans leurs liturgies, ' il le montrait à son Père ' ; car
n'est-ce pas le lui montrer et le mettre devant ses yeux, que de rendre
grâces dessus et de le bénir, comme il a fait ? Toutes les liturgies
expliquent de quelle sorte il montrait au Père ce pain qu'il tenait
en ses mains : ce fut, disent-elles toutes d'un commun accord, ' en
levant les yeux au ciel '. Toutes les fois que Jésus bénissait, ou rendait
grâces, ou priait devant le peuple, nous voyons la même action, et
ses yeux ainsi levés vers son Père. Les Églises ont entendu sur ce

Chapitre XXXII

Du sacrifice proprement dit : ce sur quoi il porte

1. Au sujet du sacrifice proprement dit, voilà une question qui mérite d'être examinée.

2. Puisqu'il s'agit non pas d'une figure de sacrifice ni d'une image de sang, mais d'une véritable immolation et d'un vrai sacrifice, demandons-nous quel est l'objet sacrifié, le pain, ou le corps du Christ ? En d'autres termes, à quel moment les dons sont-ils sacrifiés, avant leur consécration ou après ?

3. Si c'est le pain qui est l'objet sacrifié, d'abord que pourrait bien être un sacrifice de pain ? Ensuite, le mystère ne consiste pas à voir immoler le pain, mais bien « l'Agneau de Dieu qui par son immolation ôte le péché du monde[a] ».

4. Mais, d'autre part, si c'est le corps même du Seigneur qui est sacrifié, cela surtout ne paraît même pas possible. Car ce corps ne peut plus être immolé ni frappé, étant désormais hors d'atteinte et immortel[b]. Et même si cela n'était pas impossible, il faudrait et les bourreaux pour le crucifier, et le concours de tous les autres éléments qui opérèrent ce sacrifice sanglant, étant donné qu'il s'agit non d'une figure de sacrifice, mais d'un sacrifice véritable.

5. De plus, comment cela se pourrait-il puisque le Christ, « mort une seule fois et ressuscité, ne meurt plus[c] » ? Il a souffert « une seule fois quand les temps furent accom-

fondement, et leur tradition l'a confirmé, qu'il fit la même chose en bénissant le pain. Il en fit autant sur le calice, et montra ces dons à son Père, sachant ce qu'il en voulait faire et lui rendant grâces de la puissance qu'il lui donnait pour l'exécuter. Le Père, qui le lui avait inspiré, et qui ne voulait pas qu'il épargnât rien pour témoigner son amour aux hommes, regarda avec complaisance ces dons qui allaient devenir une si grande chose... »

αἰῶνος », καὶ « ἅπαξ λέγεται προσενεχθεὶς εἰς τὸ πολλῶν ἀνενεγκεῖν ἁμαρτίας »;

6. Εἰ γὰρ καθ' ἑκάστην τελετὴν αὐτὸς θύεται, καθ' ἑκά-στην[β] ἀποθνήσκει.

7. Τί οὖν πρὸς ταῦτα ἔστιν εἰπεῖν;

8. Ἡ θυσία οὔτε πρὸ τοῦ ἁγιασθῆναι τὸν ἄρτον οὔτε μετὰ τὸ ἁγιασθῆναι τελεῖται, ἀλλ' ἐν αὐτῷ τῷ ἁγιάζεσθαι. Οὕτω γὰρ ἀνάγκη πάντας συντηρεῖσθαι τοὺς πιστευομένους περὶ αὐτῆς λόγους καὶ μηδένα διαπίπτειν.

9. Τίνας δὴ λέγω λόγους;

440 C **10.** Τὸ τὴν θυσίαν ταύτην μὴ εἰκόνα καὶ τύπον εἶναι θυσίας, ἀλλὰ θυσίαν ἀληθινήν, τὸ μὴ ἄρτον εἶναι τὸ τεθυμένον, ἀλλ' αὐτὸ τοῦ Χριστοῦ τὸ σῶμα· καὶ πρὸς τούτοις τὸ μίαν εἶναι τὴν τοῦ Ἀμνοῦ τοῦ Θεοῦ[γ] θυσίαν καὶ ἅπαξ γεγενημένην.

11. Καὶ πρῶτον ἴδωμεν, εἰ μὴ τύπος ἀλλὰ πρᾶγμα θυσίας ἡ τελετή.

12. Τίς γὰρ ἡ τοῦ προβάτου θυσία, ἡ ἀπὸ τοῦ μὴ ἐσφαγμέ-νου πάντως εἰς τὸ ἐσφαγμένον μεταβολή, τοῦτο καὶ ἐνταῦθα γίνεται. Ὁ γὰρ ἄρτος ἄθυτος ὢν μεταβάλλει τότε εἰς τὸ τεθυμένον. Μεταβάλλει γὰρ ἀπὸ τοῦ ἄρτου μὴ ἐσφαγμένου εἰς αὐτὸ τὸ σῶμα τοῦ Κυρίου τὸ σφαγὲν ἀληθῶς. Ὅθεν καθάπερ ἐπὶ τοῦ προβάτου ἡ μεταβολὴ θυσίαν ἀληθῶς ἐργάζεται, οὕτω καὶ ἐνταῦθα διὰ τὴν μεταβολὴν ταύτην 440 D θυσία τὸ τελούμενον ἀληθές· μεταβάλλει γὰρ οὐκ εἰς τύπον, ἀλλ' εἰς πρᾶγμα σφαγῆς, εἰς αὐτὸ τὸ σῶμα Κυρίου τὸ τεθυμένον.

13. Ἀλλ' εἰ μὲν ἄρτος μένων ἐγένετο τεθυμένος, ὁ ἄρτος ἂν ἦν ὁ δεξάμενος τὴν σφαγὴν καὶ ἦν ἂν ἡ σφαγὴ τότε ἄρτου θυσία.

14. Ἐπεὶ δὲ ἀμφότερα μετεβλήθη καὶ τὸ ἄθυτον καὶ ὁ ἄρτος καὶ γέγονεν ἀντὶ μὲν ἀθύτου τεθυμένος, ἀντὶ δὲ ἄρτου σῶμα Χριστοῦ, διὰ τοῦτο ἡ σφαγὴ ἐκείνη οὐκ ἐν τῷ ἄρτῳ,

β. καθ' ἑκάστην : καθ' ἡμέραν P ‖ γ. τοῦ Θεοῦ om P

---

d. Héb. 9, 26.28

plis » et il a été, nous dit-on, offert une « seule fois pour ôter les péchés de la multitude[d] ».

6. Pourtant, si à chaque liturgie il est lui-même sacrifié, il meurt chaque fois.

7. Que répondre à toutes ces questions ?

8. Le sacrifice ne s'accomplit ni avant la consécration du pain, ni après cette consécration, mais au moment même de la consécration. C'est ainsi qu'il faut sauvegarder toutes les notions que la foi nous propose au sujet du sacrifice, sans en laisser tomber aucune.

9. Quelles sont ces notions ?

10. Que ce sacrifice n'est pas une image ou une figure de sacrifice, mais un sacrifice véritable ; que ce n'est pas le pain qui est l'objet sacrifié, mais le corps même du Christ ; et, en outre, qu'il n'y a qu'un seul et unique sacrifice de l'Agneau de Dieu et qu'il a été accompli une seule fois.

11. Et d'abord, voyons si le rite sacré est bien non pas une figure, mais une réalité de sacrifice.

12. Le sacrifice de la brebis, c'est le changement qui se fait de l'état de brebis non immolée à l'état de brebis immolée. Or, c'est ce qui se passe également ici. Le pain, de simple pain non sacrifié qu'il était, est changé en objet sacrifié. Il est changé, en effet, de simple pain non immolé, au corps du Christ qui a été réellement immolé. Ainsi donc, comme pour la brebis, le changement d'un état à l'autre opère véritablement le sacrifice, de même ici, par ce changement, le sacrifice est réellement accompli. Il y a changement, non pas en figure, mais en réalité de sacrifice, changement au corps sacrifié du Seigneur.

13. Si c'était le pain qui, tout en restant pain, devenait l'objet sacrifié, ce serait le pain qui serait l'objet de l'immolation, et ce serait alors l'immolation du pain qui serait sacrifice.

14. Mais le changement a porté sur les deux choses : sur le fait d'être non sacrifié, et sur le pain lui-même ; d'objet non sacrifié le pain est devenu objet sacrifié, de simple pain il est devenu corps du Christ. Il s'ensuit que cette

ἀλλ' ὡς ἐν ὑποκειμένῳ θεωρουμένη τῷ σώματι τοῦ Χριστοῦ, οὐ τοῦ ἄρτου ἀλλὰ τοῦ Ἀμνοῦ τοῦ Θεοῦ θυσία καὶ ἔστι καὶ λέγεται.

15. Φανερὸν δὲ ὅτι τούτων ὑποκειμένων οὐδὲν ἀναγκάζει πολλὰς γίνεσθαι τὰς προσαγωγὰς τοῦ Κυριακοῦ σώματος. Ἐπεὶ γὰρ ἡ θυσία αὐτὴ γίνεται, οὐ σφαττομένου τηνικαῦτα 441 A τοῦ Ἀμνοῦ, ἀλλὰ τοῦ ἄρτου μεταβαλλομένου εἰς τὸν σφαγέντα Ἀμνόν, πρόδηλον ὡς ἡ μὲν μεταβολὴ γίνεται, ἡ δὲ σφαγὴ οὐ γίνεται τότε, καὶ οὕτω τὸ μεταβαλλόμενον πολλὰ καὶ ἡ μεταβολὴ πολλάκις· τὸ δὲ εἰς ὃ μεταβάλλεται, οὐδὲν κωλύει ἓν καὶ τὸ αὐτὸ εἶναι, καθάπερ σῶμα ἓν οὕτω καὶ σφαγὴν τοῦ σώματος μίαν[δ].

Καὶ ταῦτα μὲν περὶ τούτων.

ΛΓ'. Περὶ τῶν μετὰ τὴν θυσίαν εὐχῶν καὶ τίς ὁ λόγος καθ' ὃν ἐνταῦθα μνημονεύει τῶν ἁγίων καὶ τῆς Παναγίας ἐξαιρέτως

1. Ὁ δὲ ἱερεύς, τῆς θυσίας τελεσθείσης, καὶ τὸ ἐνέχυρον τῆς τοῦ Θεοῦ φιλανθρωπίας προκείμενον ὁρῶν τὸν Ἀμνὸν

δ. οὕτω καὶ σφαγὴν τοῦ σώματος μίαν post corr P

---

1. Rapprochez cette pensée de S. JEAN CHRYSOSTOME, *In Epist. ad Hebr.*, hom. 17, n° 3, *PG* 63, 131 : « Quoi donc ? Est-ce que nous n'offrons pas tous les jours ? Nous offrons, il est vrai, mais nous faisons la commémoration de sa mort ; *et cette oblation est une, et non plusieurs...* » S. AUGUSTIN, *Epist.* 98, n° 9, *PL* 33, 363-364, exprime une idée analogue, que l'on peut résumer en ces termes : Le sacrifice eucharistique est l'oblation de la chair du Christ immolée. Un scolastique du XIIe siècle, BANDINUS, n'a fait que reprendre cette idée, quand il a écrit (*Sentent.*, lib. IV, dist. 12, *PL* 192, 1097) : « Dicitur hoc sacrificium immolatio Christi. Immolatur enim Christus quotidie, non essentia sui, quia semel mortuus est et jam non moritur, sed *sacramentali repraesentatione.* » Cf. S. THOMAS, *Somme théologique*, IIIᵃ, quest. 83, art. 1.

2. Voir *note complémentaire 5.*

immolation, considérée non dans le pain, mais dans le corps du Christ qui tient lieu de sujet (aux espèces du pain), est appelée et est réellement le sacrifice, non pas du pain, mais de l'Agneau de Dieu.

15. Dans ces conditions, rien n'oblige évidemment à faire un grand nombre d'oblations du corps du Seigneur. Puisque ce sacrifice a lieu non point par l'immolation actuelle de l'Agneau, mais par la transformation du pain en l'Agneau immolé, il est clair que le changement s'opère, mais que l'immolation ne s'accomplit pas présentement[1]. Ainsi la chose changée tient lieu d'un grand nombre, et le changement se réalise un grand nombre de fois. Mais la réalité en laquelle se produit cette transformation, rien n'empêche qu'elle soit une seule et même chose, un corps unique, et unique aussi l'immolation de ce corps.

Voilà ce qui concernait ce sujet[2].

(MÉMOIRE DES SAINTS, DES VIVANTS ET DES DÉFUNTS)

Chapitre XXXIII

Des prières après le sacrifice[3] et de la raison pour laquelle le prêtre fait ici mémoire des saints et tout particulièrement de la sainte Vierge

1. Une fois le sacrifice accompli, le prêtre, voyant là sous ses yeux le gage du divin amour, l'Agneau de Dieu, le

---

3. « Des prières après le sacrifice », dit littéralement Cabasilas. Trop littéralement conservée dans la traduction, l'expression pourrait prêter à équivoque, l'idée complète du sacrifice de la Messe impliquant aussi la Communion. Elle montre du moins avec quelle assurance notre Byzantin maintient son équation : Consécration = Sacrifice.

αὐτοῦ, ὡς ἤδη τοῦ μεσίτου λαβόμενος καὶ μεθ' ἑαυτοῦ τὸν παράκλητον ἔχων, γνωρίζει τὰ ἑαυτοῦ αἰτήματα πρὸς τὸν 441 B Θεόν, ἐκχεῖ τὴν δέησιν μετὰ χρηστῆς ἤδη καὶ βεβαίας ἐλπίδος, καὶ ὧν προτιθεὶς τὸν ἄρτον ἐμνήσθη, καὶ ὑπὲρ ὧν τὰς προτελείους εὐχὰς ἐποιήσατο καὶ τὰ δῶρα προσήνεγκε, καὶ προσδεχθῆναι αὐτὰ ἱκέτευε, ταῦτα προσδεχθέντα, εὔχεται εἰς ἔργον ἐκβῆναι.

2. Τίνα δὲ ταῦτα;

3. Κοινὰ καὶ ζῶσι καὶ ἀπελθοῦσι, τὸ τὴν χάριν ἀντικαταπεμφθῆναι ἀντὶ τῶν δώρων παρὰ τοῦ δεξαμένου ταῦτα Θεοῦ· ἰδίᾳ δὲ τοῖς μὲν ἀπελθοῦσι ψυχῶν ἀνάπαυσιν καὶ βασιλείας κληρονομίαν μετὰ τῶν τετελειωμένων ἁγίων· τοῖς δὲ ζῶσι τὸ μετασχεῖν τῆς ἱερᾶς τραπέζης καὶ ἁγιασθῆναι, καὶ μηδένα « εἰς κρῖμα ἢ εἰς κατάκριμα » μετασχεῖν· ἄφεσιν ἁμαρτιῶν, εἰρήνην, εὐετηρίαν, χορηγίαν τῶν ἀναγκαίων, τὸ βασιλείας τελευταῖον ἀξίους φανῆναι παρὰ τῷ Θεῷ.

441 C **4.** Ἐπεὶ δὲ οὐ μόνον ἱκέσιος αὐτὴ ἡ προσαγωγὴ τῆς θυσίας ἀλλὰ καὶ χαριστήριος, καθάπερ ἐν τοῖς προοιμίοις τῆς τελετῆς, ἡνίκα ὁ ἱερεὺς ὡς δῶρα ἀνατίθησι τῷ Θεῷ τὰ προσαγόμενα καὶ τὴν εὐχαριστίαν ἐμφαίνει καὶ τὴν ἱκεσίαν, οὕτω καὶ νῦν τυθέντων καὶ τελειωθέντων τῶν δώρων, καὶ εὐχαριστεῖ δι' αὐτῶν τῷ Θεῷ καὶ ἱκεσίαν προσάγει, καὶ τίθησι μὲν τὰς ἀφορμὰς τῆς εὐχαριστίας, προστίθησι δὲ τὰς ὑποθέσεις τῆς ἱκεσίας.

5. Καὶ τίνες αἱ ἀφορμαὶ τῆς εὐχαριστίας; Οἱ ἅγιοι, καθάπερ καὶ πρότερον εἴρηται. Ἐν τούτοις γὰρ ἡ Ἐκκλησία τὸ ζητούμενον εὗρε καὶ τῆς εὐχῆς ἔτυχε τῆς βασιλείας τῶν οὐρανῶν.

6. Τίνες δὲ αἱ ὑποθέσεις τῆς ἱκεσίας; Οἱ μήπω τελειωθέντες, οἱ δεόμενοι εὐχῆς.

---

1. Voir chap. X.

prend désormais pour médiateur et, ayant ainsi avec soi
son avocat, il expose à Dieu ses requêtes et épanche maintenant sa prière avec une bonne et ferme espérance. Les
intentions qu'il a commémorées à la prothèse, pour lesquelles il a fait les prières de la préparation et présenté les
offrandes en suppliant qu'elles soient agréées, il demande,
maintenant que les offrandes ont été agréées, que tout cela
obtienne son effet.

2. Quels sont ces effets ?

3. Ils sont communs aux vivants et aux défunts, à savoir
qu'en échange des oblations la grâce soit envoyée par Dieu
qui les a agréées ; spécialement, que soient accordés aux
défunts le repos de leur âme et l'héritage du Royaume en
union avec les Saints arrivés au terme ; aux vivants, la
participation à la table sainte et la sanctification, et que
nul ne communie « pour son jugement ou pour sa condamnation » ; la rémission des péchés, la paix, l'abondance des
fruits de la terre, la concession des biens nécessaires et enfin
la suprême faveur de paraître devant Dieu dignes du
Royaume (éternel).

4. Puisque la présentation du sacrifice n'est pas seulement impétratoire, mais encore eucharistique, de même
qu'aux débuts de la liturgie, au moment où il élève vers
Dieu les oblats en offrande, le prêtre exprime tout ensemble
l'action de grâces et la supplication, de même maintenant,
une fois les oblats offerts en sacrifice et consacrés, le prêtre
par eux rend grâces à Dieu en même temps qu'il le supplie.
Il expose aussi les motifs de l'action de grâces et il formule
les objets de la supplication.

5. Les motifs de l'action de grâces ? Ce sont les Saints,
ainsi qu'il a été dit ci-dessus[1]. Car en eux l'Église a trouvé
ce qu'elle demandait ; en eux elle a obtenu l'effet de sa
prière, le royaume des cieux.

6. Les objets de la supplication ? Ce sont les hommes qui
n'ont pas encore atteint le terme, ceux qui ont besoin de
prière.

441 D 7. Καὶ περὶ μὲν τῶν ἁγίων ἔτι « Προσάγομέν σοι, φησί, τὴν λογικὴν ταύτην λατρείαν ὑπὲρ τῶν ἐν πίστει ἀναπαυσαμένων, προπατόρων ᵃ, πατέρων, πατριαρχῶν, ἀποστόλων, κηρύκων, προφητῶν, εὐαγγελιστῶν, μαρτύρων, ὁμολογητῶν, ἐγκρατευτῶν, καὶ παντὸς πνεύματος ἐν πίστει τετελειωμένου, ἐξαιρέτως τῆς παναγίας, ἀχράντου, ὑπερευλογημένης, ἐνδόξου ᵝ Δεσποίνης ἡμῶν Θεοτόκου καὶ ἀειπαρθένου Μαρίας », καὶ ἑξῆς καταλέγει τὸν τῶν ἁγίων ἁπάντων σύλλογον. Οὗτοί εἰσιν αἱ ἀφορμαὶ τῆς πρὸς Θεὸν εὐχαριστίας τῇ Ἐκκλησίᾳ. Ὑπὲρ τούτων προσάγει τὴν λογικὴν ταύτην λατρείαν ὡς χαριστήριον τῷ Θεῷ· καὶ πάντων ἐξαιρέτως τῶν ἄλλων ὑπὲρ τῆς μακαρίας τοῦ Θεοῦ μητρός, ὡς οὔσης ἁγιωσύνης ἐπέκεινα πάσης. Διὰ τοῦτο οὐδὲν αὐτοῖς εὔχεται ὁ ἱερεύς, ἀλλὰ μᾶλλον
444 A αὐτὸς παρ᾽ ἐκείνων εἰς τὰς εὐχὰς δεῖται βοηθεῖσθαι. Ὅτι οὐχ ἱκέσιον ἀλλὰ χαριστήριον, ὡς εἴρηται, ποιεῖται ὑπὲρ αὐτῶν τὴν τῶν δώρων προσαγωγήν.

8. Μετὰ δὲ ταῦτα καὶ τὴν ἱκεσίαν δείκνυσι καὶ καταλέγει περὶ ὧν ἱκετεύει, καὶ εὔχεται πᾶσι τὴν σωτηρίαν, καὶ εἴ τι προσῆκόν ἐστιν ἑκάστῳ καὶ κατάλληλον ἀγαθόν· ἐν οἷς καὶ ταῦτά φησιν· « Ἔτι προσάγομέν σοι τὴν λογικὴν ταύτην λατρείαν ὑπὲρ τῆς οἰκουμένης, ὑπὲρ τῆς ἁγίας καθολικῆς καὶ ἀποστολικῆς Ἐκκλησίας, ὑπὲρ τῶν ἐν σεμνῇ πολιτείᾳ διαγόντων, ὑπὲρ τῶν πιστοτάτων καὶ φιλοχρίστων βασιλέων ἡμῶν. » Καὶ τοιαῦτα εὔχεται.

9. Καὶ οὕτω μὲν ὁ μακάριος Ἰωάννης, διπλοῦν τὸ σχῆμα τῆς ἱερᾶς ταύτης λατρείας εἶναι σημαίνων, χαριστήριον καὶ ἱκέσιον, χωρὶς μὲν τίθησιν ὑπὲρ ὧν εὐχαριστεῖ, χωρὶς δὲ

α. προπατόρων : προπρων P ‖ β. ὑπερευλογημένης ἐνδόξου om P

1. Le texte liturgique, tel qu'il est cité ici par Cabasilas, présente quelques légères variantes, sans importance pour le sens, avec le texte aujourd'hui courant : soit que ces variantes aient existé dans les manuscrits de son temps, soit qu'il fasse ces citations de mémoire : προσάγομεν au lieu de προσφέρομεν, puis quelques interversions dans telles ou telles formules. Voir S. SALAVILLE, *Liturgies orientales*, II. *La Messe*, p. 34. Cf. P. DE MEESTER, *La divine liturgie de saint Jean*

7. Pour les saints, le prêtre dit encore : « Nous vous offrons ce sacrifice spirituel pour ceux qui reposent dans la foi : pères, ancêtres, patriarches, apôtres, prédicateurs, prophètes, évangélistes, martyrs, confesseurs, continents ; et pour toute âme consommée dans la foi ; très particulièrement pour la toute-sainte, immaculée, bénie par-dessus tout, notre glorieuse Dame, Mère de Dieu et toujours vierge, Marie[1]. » Puis il rappelle l'assemblée de tous les saints[2]. Ce sont eux qui constituent pour l'Église le motif de l'action de grâces envers Dieu. C'est pour eux qu'elle présente ce sacrifice spirituel en action de grâces à Dieu ; et, au-dessus de tous les autres, pour la bienheureuse Mère de Dieu, parce qu'elle surpasse toute autre sainteté. Voilà pourquoi le prêtre ne demande rien pour les saints ; bien plutôt sollicite-t-il d'être lui-même secouru par eux dans ses supplications. Tant il est vrai, comme il a été dit, que la présentation des dons sacrés se fait pour eux non point comme impétratoire, mais comme eucharistique.

8. Le célébrant énonce ensuite la supplication. Il énumère ceux pour lesquels il supplie ; il demande pour tous le salut et tous les biens nécessaires ou utiles à chacun. Il dit notamment : « Nous vous offrons encore ce sacrifice spirituel pour tout l'univers, pour la sainte Église catholique et apostolique, pour ceux qui mènent une vie pieuse, pour nos Souverains très fidèles et amis du Christ. » Telles sont les prières du prêtre.

9. Le bienheureux Jean (Chrysostome), montrant le double aspect de ce saint sacrifice, eucharistique et impétratoire, place séparément ceux pour qui l'on rend grâces

---

Chrysostome (Paris-Rome 1907), p. 146-148. — Les « ancêtres », προπάτορες, sont les ancêtres du Sauveur selon la chair ; les « pères », πατέρες, peuvent désigner à la fois les ancêtres de Notre-Seigneur « d'Adam jusqu'à saint Joseph », et les saints Pères des premiers siècles.

2. En fait, il n'y a ensuite mention que de saint Jean-Baptiste, des Apôtres, et du saint ou des saints du jour, du moins dans le texte actuel. Voir S. SALAVILLE, *Liturgies orientales*, II. *La Messe*, p. 34-35.

444 B ὑπὲρ ὧν ἱκετεύει. Ὁ δὲ θεῖος Βασίλειος τῇ ἱκεσίᾳ παρα-
μίγνυσι τὴν εὐχαριστίαν. Καὶ τοῦτο ποιεῖ πανταχοῦ τῆς
ἱερουργίας· καὶ τὰς εὐχὰς ἂν εὕροις σχεδὸν ἁπάσας καὶ τοῦτο
κἀκεῖνο δυναμένας. Μέμνηται δὲ καὶ τῶν ἁγίων, ὧν ὁ ἅγιος
Ἰωάννης, καὶ κατ' αὐτὸν τῆς ἱερουργίας τὸν τόπον, ἀλλ' οὐ
τὸν αὐτὸν τρόπον. Εὐξάμενος γὰρ ἀξιωθῆναι πάντας τῆς
κοινωνίας τῶν μυστηρίων « μὴ εἰς κρῖμα ἢ εἰς κατάκριμα »,
ἐπάγει· « ἀλλ' ἵνα εὕρωμεν χάριν μετὰ πάντων τῶν ἁγίων
τῶν ἀπ' αἰῶνός σοι εὐαρεστησάντων, προπατόρων⁷, πατρῶν,
πατριαρχῶν » καὶ τὰ ἑξῆς· εἶτα « ἐξαιρέτως τῆς παναγίας ».
Ἀλλὰ καὶ ταῦτα τὰ ῥήματα ἔχει μὲν ἱκεσίαν, ἐμφαίνει δὲ
εὐχαριστίαν· καὶ γὰρ εὐεργέτην τοῦ γένους κηρύττει τὸν Θεόν,
ἐν οἷς μέμνηται τῶν παρ' αὐτοῦ τελειωθέντων καὶ ἁγιασθέντων
444 C ἀνθρώπων, μονονοὺ λέγων· Ἵνα δῷς ἡμῖν χάριν, ἣν τοῖς
ἁγίοις κατέθου πρότερον, ἵνα ἁγιάσῃς ὥσπερ καὶ ἄλλους
φθάσας ἡγίασας τῶν ὁμογενῶν ἡμῖν.
10. Καὶ περὶ μὲν τούτων ἀρκείτω ταῦτα.

ΛΔ'. Περὶ ὧν ὁ ἱερεὺς ἕνεκα ἑαυτοῦ εὔχεται ὑπὲρ τῶν ἱερῶν
δώρων καὶ ὑπὲρ ὧν τοῖς πιστοῖς εὔχεσθαι κελεύει

1. Ὁ δὲ ἱερεύς, μετὰ τὸ πᾶσιν εὔξασθαι τὰ δέοντα, καὶ
ὑπὲρ ἑαυτοῦ εὔχεται ὑπὸ τῶν δώρων ἁγιασθῆναι.
2. Τίνα ἁγιασμόν; Ἄφεσιν λαβεῖν ἁμαρτιῶν. Τοῦτο γὰρ
προηγουμένως τῶν δώρων τούτων τὸ ἔργον. Καὶ πόθεν δῆλον;
444 D Ἐξ ὧν ὁ Κύριος εἶπε τοῖς ἀποστόλοις, τὸν ἄρτον δεικνύς·
« Τοῦτό ἐστι τὸ σῶμά μου, τὸ ὑπὲρ ὑμῶν κλώμενον εἰς
ἄφεσιν ἁμαρτιῶν » καὶ ἐπὶ τοῦ ποτηρίου ὁμοίως.

γ. προπατόρων : προπρων P

---

1. Voir *note complémentaire* 6.

et séparément ceux pour qui l'on supplie. Le divin Basile mêle l'action de grâces à la supplication ; il en agit ainsi, d'ailleurs, tout au long de la sainte liturgie, et nous pouvons trouver chez lui presque toutes les prières avec cette double intention. Il mentionne les mêmes saints que saint Jean, au même endroit de la liturgie, mais pas de la même manière. Après avoir demandé que tous soient rendus dignes de communier aux saints mystères, « non pas pour leur jugement ou leur condamnation », il ajoute : « mais que nous trouvions grâce avec tous les saints, qui de tout temps vous ont été agréables : ancêtres, pères, patriarches, etc. » Puis : et « particulièrement la Toute-Sainte ». Ces paroles renferment une supplication mais expriment aussi l'action de grâces : elles proclament Dieu bienfaiteur du genre humain et parmi les bienfaits de Dieu, elles mentionnent les hommes à qui Il a donné perfection et sainteté. C'est comme si l'on disait : Donnez-nous la grâce que vous avez auparavant accordée aux Saints ; sanctifiez-nous comme vous avez déjà tant de fois sanctifié des gens de notre race.

10. C'est assez sur ce sujet[1].

CHAPITRE XXXIV

**Ce que le prêtre demande pour lui-même
et pour les dons sacrés, et des intentions
pour lesquelles il fait prier les fidèles**

1. Après avoir sollicité pour tous les grâces opportunes, le prêtre prie aussi pour lui-même et demande d'être sanctifié par les dons sacrés.

2. Quelle est cette sanctification ? C'est de recevoir la rémission de ses péchés. Car tel est principalement l'effet de ces dons. La preuve en est dans les paroles que le Seigneur dit aux Apôtres en leur montrant le pain : « Ceci est mon corps, qui est rompu en votre faveur pour la rémission des péchés », et dans les paroles analogues prononcées sur le calice.

3. « Μνήσθητι, Κύριε, φησί, καὶ τῆς ἐμῆς ἀναξιότητος καὶ συγχώρησόν μοι πᾶν πλημμέλημα ἑκούσιόν τε καὶ ἀκούσιον, καὶ μὴ διὰ τὰς ἐμὰς ἁμαρτίας κωλύσῃς τὴν χάριν τοῦ παναγίου σου Πνεύματος ἀπὸ τῶν προκειμένων δώρων. »

4. Ἄφεσιν ἁμαρτιῶν δίδωσι τὸ Πνεῦμα τὸ ἅγιον τοῖς τούτων κοινωνοῦσι τῶν δώρων. Αὕτη ἡ χάρις, φησί, μὴ κωλυθήτω ἐπ' ἐμοῦ ἀπὸ τῶν δώρων διὰ τὰς ἐμὰς ἁμαρτίας. Διττῶς γὰρ λέγεται ἐνεργεῖν ἐν τοῖς τιμίοις δώροις ἡ χάρις, ἕνα μὲν τρόπον καθ' ὃν αὐτὰ ἁγιάζεται, ἕτερον δὲ καθ' ὃν ἡ χάρις δι' αὐτῶν ἡμᾶς ἁγιάζει.

5. Τὸν μὲν οὖν πρῶτον τρόπον ἐν τοῖς δώροις τὴν χάριν
445 A ἐνεργεῖν, οὐδὲν δύναται κωλύειν τῶν ἀνθρωπίνων κακῶν. Ἀλλὰ καθάπερ ὁ ἁγιασμὸς αὐτῶν οὐκ ἔστιν ἀνθρωπίνης ἀρετῆς ἔργον, οὕτως οὐδὲν κωλύεσθαι δυνατὸν αὐτὸν ὑπὸ κακίας ἀνθρώπων.

6. Ὁ δεύτερος δὲ καὶ τῆς ἡμετέρας δεῖται σπουδῆς. Διὰ τοῦτο καὶ ὑπὸ τῆς ἡμῶν κωλύεται ῥαθυμίας. Ἁγιάζει γὰρ ἡ χάρις διὰ τῶν δώρων ἡμᾶς, ἐὰν πρὸς τὸν ἁγιασμὸν ἐπιτηδείως ἔχοντας λάβῃ, ἃ δὲ ἀπαρασκευάστοις ἐμπέσῃ, οὔτε ὄφελος ἤνεγκεν οὐδὲν καὶ μυρίαν ἡμῖν ἐνέθηκε βλάβην. Ταύτην τὴν χάριν, εἴτε ἄφεσις ἁμαρτιῶν ἐστι μόνον, εἴτε μετ' ἐκείνης καὶ ἄλλη δωρεὰ διδομένη τοῖς μετὰ καθαροῦ συνειδότος τὸ ἱερὸν τοῦτο δειπνούντων[α] δεῖπνον, εὔχεται ὁ ἱερεὺς μὴ κωλυθῆναι ἀπὸ τῶν δώρων, ὡς δυναμένην κωλυθῆναι δι' ἀνθρωπίνην κακίαν.

445 B **7.** Ταύτην τὴν εὐχὴν εὔχεται καὶ μετ' ὀλίγα σὺν παντὶ τῷ πλήθει κοινῇ· εὐξάμενος γὰρ ἅπασιν ὁμόνοιαν ὥστε « ἐν ἑνὶ στόματι καὶ μιᾷ καρδίᾳ δοξάζειν » τὸν Θεὸν καὶ, οὕτω διατεθεῖσιν ἐπαγγειλάμενος, « τὰ ἐλέη τοῦ μεγάλου Θεοῦ καὶ Σωτῆρος ἡμῶν Ἰησοῦ Χριστοῦ », εἶτα κελεύει δεηθῆναι τοῦ

α. δειπνούντων om P

---

1. Cette formule ne se trouve plus actuellement à cet endroit que dans l'Anaphore de saint Basile. Voir *Liturgies orientales*, II. *La Messe*, p. 43. Elle a disparu de celle de saint Jean Chrysostome, où il semble bien qu'elle devait figurer encore au temps de Cabasilas.

3. « Souviens-toi aussi, Seigneur, de mon indigne personne, dit le prêtre. Pardonne-moi toute faute, volontaire et involontaire ; et de ces offrandes ici présentes n'écarte pas, à cause de mes péchés, la grâce de ton Esprit très saint[1]. »

4. Le Saint-Esprit donne la rémission de leurs péchés à ceux qui communient à ces dons sacrés. Que cette grâce, dit le prêtre, ne soit pas, en ce qui me concerne, écartée de ces dons à cause de mes péchés. On sait que la grâce agit de deux manières dans les dons sacrés : premièrement, en tant qu'ils sont eux-mêmes sanctifiés ; secondement, en ce que par eux la grâce nous sanctifie.

5. L'action de la grâce sur les dons, celle de la première manière, exige notre zèle, et c'est pourquoi notre négligence peut lui faire obstacle. La grâce, en effet, nous sanctifie par les dons sacrés, à condition qu'elle nous trouve convenablement disposés pour la sanctification. Mais si elle tombe sur des âmes non préparées, elle ne nous apporte aucun profit et nous accable au contraire d'un immense dommage. Cette grâce — soit qu'elle consiste dans la rémission des péchés seulement, soit qu'elle amène avec elle tout autre don accordé à ceux qui, avec une conscience pure, prennent part à ce banquet sacré — cette grâce, le prêtre demande qu'elle ne soit pas écartée des dons, parce que de fait elle peut être écartée par la malice humaine.

7. Cette même prière, le célébrant la fait aussi, quelques instants après, de concert avec l'assemblée, en souhaitant à tous la concorde, afin de « glorifier Dieu d'une seule bouche et d'un seul cœur », et en promettant aux âmes ainsi disposées « les miséricordes de notre grand Dieu et Sauveur Jésus-Christ[2] ». Il invite ensuite les fidèles à faire à Dieu

---

2. Voir pour l'ensemble de ces formules, S. SALAVILLE, *Liturgies orientales*, II. *La Messe*, p. 43-47. On y remarquera que la litanie « Prions le Seigneur pour les dons qui ont été sanctifiés », etc., que Cabasilas quelques lignes plus bas attribue au prêtre, est normalement proclamée par le diacre, cependant que le prêtre récite à voix basse

Θεοῦ τὴν εἰρημένην εὐχήν, ἣν αὐτὸς εὔξατο, πάντας τοὺς ἁγίους εἰς ἐπικουρίαν καλέσαντας. Τοῦτο γάρ ἐστι τὸ μνημονεῦσαι πάντων τῶν ἁγίων τὸ καλέσαι, τὸ δεηθῆναι.

8. Καὶ τί φησι; « Δεηθῶμεν τοῦ Κυρίου ὑπὲρ τῶν ἁγιασθέντων δώρων », οὐχ ἵνα αὐτὰ δέξωνται τὸν ἁγιασμόν, διὰ τοῦτο γὰρ ἁγιασθέντα αὐτὰ εἶπον ἵνα μὴ σὺ τοῦτο νομίσῃς, ἀλλ' ἵνα αὐτοῦ ἡμῖν μεταδοῖεν· τοῦτο γάρ ἐστι « τὸν φιλάνθρωπον Θεόν, τὸν προσδεξάμενον αὐτά, τὴν χάριν ἡμῖν ἀντικατα-
445 C πέμψαι ». Εὐξώμεθα, φησίν, ὑπὲρ τῶν δώρων ἵνα εἰς ἡμᾶς ἐνεργὰ γένωνται, ἵνα μὴ ἀδυνατήσῃ πρὸς ταύτην τὴν χάριν, καθάπερ ὅτε μετὰ τῶν ἀνθρώπων ἐφαίνετο τὸ πᾶν τὸ δυνάμενον τοῦτο σῶμα, ἔστιν ἐν αἷς τῶν πόλεων οὐκ ἐδύνατο σημεῖα ποιεῖν διὰ τὴν ἀπιστίαν αὐτῶν.

9. Οὕτω δὲ ταῦτα πρὸς τὸ πλῆθος βοήσας, εἶτα καὶ αὐτὸς ἐφ' ἑαυτοῦ ἡσυχῇ εὔχεται, περὶ τῶν αὐτῶν τὸν Θεὸν ἱκετεύων ὥστε « μεταλαβεῖν μὲν τῶν φρικτῶν μυστηρίων μετὰ καθαροῦ συνειδότος », ἀπολαῦσαι δὲ τῆς ἱερᾶς ταύτης[β] τραπέζης « ἁμαρτιῶν ἄφεσιν, Πνεύματος ἁγίου κοινωνίαν, βασιλείας κληρονομίαν καὶ μὴ εἰς κρῖμα ἢ εἰς κατάκριμα ».

10. Εἶτα εὐξάμενος ἅπασι τὴν τοῦ Θεοῦ βοήθειαν καὶ τὴν φυλακήν, κελεύει καὶ αὐτοὺς εὔξασθαι « τὴν ἡμέραν πᾶσαν τελείαν, ἁγίαν, εἰρηνικὴν καὶ ἀναμάρτητον » διενεγκεῖν,
445 D φρουρὸν ἔχοντας « ἄγγελον εἰρήνης πιστὸν » διὰ τὸν ἄγγελον τοῦ ψεύδους, ᾧ τὰ αὐτῶν πιστεύειν οὐκ ἀσφαλές. Εὐχόμεθα δὲ περὶ τοῦ φύλακος ἀγγέλου, οὐχ ἵνα τότε ἡμῖν δοθῇ, δέδοται γὰρ ἐξ ἀρχῆς ἑκάστῳ τῶν πιστῶν ἄγγελος, ἀλλ' ἵνα ἐνεργὸς ᾖ καὶ τὰ αὐτοῦ ποιῇ, καὶ φρουρῇ, καὶ πρὸς τὴν εὐθεῖαν ὁδὸν ἡμᾶς ὁδηγῇ, καὶ μὴ ἀποστῇ μηνίσας διὰ τὰς ἁμαρτίας ἡμῶν.

β. ταύτης om P

a. Cf. Matth. 13, 58. Mc 6, 5-6

l'oraison de signification identique également rappelée un peu plus loin. Ce n'est pas la seule fois, du reste, où Cabasilas suppose la célébration de la messe sans assistance de diacre.
1. Voir S. SALAVILLE, *Liturgies orientales*, II. *La Messe*, p. 46-47.

ladite prière que lui-même a faite, après qu'ils ont invoqué le secours de tous les saints. Car commémorer tous les saints, c'est les invoquer, les prier.

8. Que dit le prêtre ? « Prions le Seigneur pour les dons qui ont été sanctifiés », non point afin qu'ils reçoivent la sanctification — car je les ai appelés « sanctifiés » pour exclure de votre esprit une pareille pensée —, mais pour qu'ils puissent nous communiquer à nous cette sanctification. C'est bien ce qu'on veut dire quand on demande « au Dieu de bonté, qui a agréé ces dons, de nous envoyer en retour la grâce ». Prions pour les dons, dit le prêtre : pour qu'ils aient en nous leur efficacité, qu'ils ne soient pas rendus impuissants à produire cette grâce, de même qu'au temps où l'on pouvait voir ce corps tout-puissant (du Seigneur) parmi les hommes, il y eut des bourgades où il ne pouvait opérer de miracles à cause de leur manque de foi[a].

9. Après avoir adressé à la foule ces appels à haute voix le prêtre de son côté prie lui-même à voix basse, suppliant Dieu aux mêmes intentions[1] : il demande « de participer aux redoutables mystères avec une conscience pure », de trouver à cette table sacrée « la rémission des péchés, la communication du Saint-Esprit, l'héritage du Royaume ; et de ne point communier pour son jugement ou sa condamnation ».

10. Puis, après avoir souhaité à tous le secours et la protection de Dieu, il les invite à demander eux aussi que « la journée tout entière soit parfaite, sainte, paisible et sans péché » et qu'ils aient pour gardien « un fidèle ange de paix », à cause de l'ange du mensonge, à qui il n'est pas sûr de confier leurs intérêts. Si notre prière fait mention de l'ange gardien, ce n'est pas pour demander qu'il nous soit donné — car dès l'origine un ange a été donné à chacun des fidèles —, mais pour qu'il soit vigilant, qu'il remplisse son rôle, qu'il nous garde, qu'il nous dirige dans la voie droite, et qu'il ne s'éloigne pas, irrité par nos péchés.

11. Πρὸς τούτοις « ἄφεσιν ἁμαρτιῶν » καὶ πάντα « τὰ καλὰ καὶ συμφέροντα ταῖς ψυχαῖς ἡμῶν, καὶ εἰρήνην τῷ κόσμῳ », καὶ ἔτι πρὸς τὸ μέλλον ἀσφάλειαν, « ἐν εἰρήνῃ καὶ μετανοίᾳ » διενεγκόντας « τὸν ὑπόλοιπον τῆς ζωῆς χρόνον », ὥστε εἶναι τὰ τέλη τοῦ βίου Χριστιανοῖς πρέποντα, εἶτα « ἑαυτοὺς παραθέσθαι τῷ Θεῷ καὶ ἀλλήλους καὶ πᾶσαν αὐτῶν τὴν ζωήν, τὴν ἑνότητα τῆς πίστεως καὶ τὴν κοινωνίαν τοῦ ἁγίου Πνεύματος αἰτησαμένους ».

12. Τί δὲ βούλεται « ἡ τῆς πίστεως ἑνότης καὶ ἡ τοῦ ἁγίου Πνεύματος κοινωνία », καὶ τίνος ἕνεκα τούτων ἐνταῦθα δεόμεθα, διὰ πολλῶν εἴρηται πρότερον.

448 A **ΛΕ΄. Περὶ τῆς Θεοῦ παραδότου εὐχῆς καὶ τῆς κλίσεως τῶν κεφαλῶν καὶ τῆς μετὰ τοῦτο εὐχαριστίας καὶ δεήσεως πρὸς τὸν Θεὸν καὶ δοξολογίας**

1. Ἀλλ᾽ οὕτως αὐτοὺς οἰκοδομήσας καὶ πανταχόθεν εἰς τὸ ἀγαθὸν συγκροτήσας, ὡς ἤδη τελείους καὶ τῆς θείας υἱοθεσίας ἀξίους γενομένους, ἱκετεύει τὸν Θεὸν ἀξιωθῆναι τὴν εὐχὴν ἐκείνην εὔχεσθαι σὺν αὐτῷ « μετὰ παρρησίας » ἐν ᾗ τολμῶμεν Πατέρα καλεῖν αὐτόν. Εὐξαμένων δὲ αὐτῶν μετ᾽ αὐτοῦ πάντων, αὐτὸς τὸ ἀκροτελεύτιον ἐκβοήσας εἰς δοξολογίαν τοῦ Θεοῦ τὴν εὐχὴν κατακλείει.

1. Voir la série des formules de cette litanie, dans S. SALAVILLE, *op. cit.*, vol. II, p. 46-47.

2. Voir le chapitre XIV, « Du dépôt que nous confions à Dieu », consacré à commenter cette belle formule de la litanie : « Confions-nous nous-mêmes, et les uns les autres, et notre vie tout entière à Dieu », à expliquer ensuite ce qu'il faut entendre par l'unité de la foi et la communication du Saint-Esprit. Voir *note complémentaire 7*.

3. Bien que le mot ne soit donné, à notre connaissance, par aucun dictionnaire, nous comprenons παραδότου comme le génitif du substantif παραδότης (cf. δότης dans la Septante, *Prov.* 22, 8 et dans le N.T., II *Cor.* 9, 7).

4. L'oraison secrète du célébrant, parallèle à la litanie diaconale dont il vient d'être question, se conclut par une *ekphônèse* qui sert

11. (Le prêtre nous invite), en outre, à solliciter « le pardon de nos péchés », l'ensemble « des biens utiles à nos âmes, la paix pour le monde » et même la sécurité pour l'avenir, à demander « de passer dans la paix et la pénitence le reste de notre vie », pour que la fin de notre existence terrestre soit celle qui convient à des chrétiens. Il nous recommande enfin de « nous confier nous-mêmes et les uns les autres à Dieu, avec notre vie tout entière, après avoir demandé l'unité de la foi et la communication du Saint-Esprit[1] ».

12. Que signifie « cette unité de la foi et cette communication du Saint-Esprit », et pour quel motif les sollicitons-nous à ce moment-là, c'est ce qui a déjà été dit abondamment plus haut[2].

(PRÉPARATION A LA COMMUNION)

Chapitre XXXV

L'Oraison dominicale[3], l'inclination des têtes, ensuite l'action de grâces et la prière qui l'accompagnent, la doxologie

1. Après avoir ainsi procédé à l'édification des fidèles et les avoir de toutes manières animés au bien, estimant maintenant leur préparation achevée et les jugeant eux-mêmes dignes de la divine adoption, (le prêtre) supplie Dieu de daigner accepter que nous disions « en toute confiance » avec lui cette prière où nous osons lui donner le nom de Père. Tout le peuple la dit avec le prêtre et celui-ci prononçant à haute voix les derniers mots en forme de doxologie, conclut la prière adressée à Dieu[4].

de prologue au *Pater* : « Et daigne accepter, Seigneur, que nous osions t'invoquer avec confiance et sans condamnation, toi, Dieu le Père

2. Μετὰ τοῦτο τὴν εἰρήνην εὔχεται πᾶσιν. Οὕτω δὲ τῆς εὐγενείας διὰ τῆς εὐχῆς[α] ἀναμνήσας καὶ Πατέρα καλέσας τὸν 448 B Θεόν, εἶτα καὶ ὡς Δεσπότην ἐπιγινώσκειν κελεύει καὶ τὰ δούλων πρὸς αὐτὸν ἐπιδείκνυσθαι, καὶ κλῖναι τὰς κεφαλὰς αὐτῷ, καὶ τούτῳ τῷ σχήματι τὴν δουλείαν ὁμολογῆσαι. Καὶ κλίνουσιν οὐ μόνον ὡς φύσει Δεσπότῃ καὶ Δημιουργῷ καὶ Θεῷ, ἀλλὰ καὶ ὡς ὠνητοὶ δοῦλοι τῷ πριαμένῳ τοῦ αἵματος τοῦ Μονογενοῦς, ὑπὲρ οὗ καὶ διπλοῦς δούλους ἡμᾶς ἐκτήσατο καὶ υἱοὺς ἐποιήσατο τοὺς αὐτούς. Καὶ γὰρ καὶ τὴν δουλείαν ηὔξησεν ἡμῖν καὶ μείζονα ἔδειξε καὶ τὴν υἱοθεσίαν εἰργάσατο τὸ ἓν καὶ τὸ αὐτὸ αἷμα.

3. Πάντων δὲ κλινόντων τὰς κεφαλάς, ὁ ἱερεὺς ἐφ' ἑαυτοῦ τῷ Θεῷ χάριτας τῆς τῶν ὄντων δημιουργίας ὁμολογήσας εὔχεται τὰ συμφέροντα πᾶσι, μνησθεὶς πρὸς αὐτὸν[β] καὶ τοῦ 448 C ὀνόματος τοῦ Μονογενοῦς καὶ τῆς αὐτοῦ χάριτος καὶ φιλανθρωπίας, ὡς οὕτω τὰ αἰτήματα ληψόμενος κατὰ τὴν αὐτοῦ τοῦ Σωτῆρος θείαν[γ] ἐπαγγελίαν· « Πάντα γάρ, φησίν, ὅσα ἂν αἰτήσητε τὸν Πατέρα ἐν τῷ ὀνόματί μου, δώσει ὑμῖν. » Εἶτα δοξολογίαν προσθεὶς εἰς ἐπήκοον τοῦ περιεστῶτος πλήθους, ὑμνεῖ τὴν παναγίαν Τριάδα καὶ λαβὼν κοινωνοὺς τῆς δοξολογίας.

4. Εἶτα πάλιν εἰς ἑαυτὸν ἐπιστρέφει καὶ ἡσυχῇ καθ' ἑαυτὸν εὔχεται. Εὐχόμενος δὲ αὐτὸν καλεῖ τὸν Χριστόν, τὸ σφάγιον, τὸν ἱερέα, τὸν ἄρτον, ἵνα αὐτὸς δι' ἑαυτοῦ τοῖς δούλοις ἑαυτοῦ μεταδῷ.

α. διὰ τῆς εὐχῆς : δι' αὐτῆς P ‖ β. αὐτὸν : ἑαυτὸν P ‖ γ. θείαν om P

---

a. Jn 16, 23

---

céleste, et dire : » Et le chœur ou le président du chœur récite tout haut : « Notre Père, qui es aux cieux, ... mais délivre-nous du mal. » Après ces mots, le célébrant ajoute à haute voix cette doxologie, dont l'usage liturgique doit remonter assez haut, car on la trouve transcrite de mémoire par les copistes d'anciens manuscrits grecs de l'Évangile : « Parce qu'à toi appartient la royauté, la puissance et la gloire, Père, Fils et Saint-Esprit, maintenant et toujours et dans les siècles des

2. Après quoi, il souhaite à tous la paix. Il vient de leur rappeler par la prière leur titre de noblesse en nommant Dieu leur Père : voici maintenant qu'il les invite à le reconnaître aussi pour leur souverain Maître et à montrer à son égard des sentiments de serviteur en inclinant la tête devant lui en faisant, par cette attitude, profession d'être à son service. Ils s'inclinent, en effet, non pas seulement comme des êtres nés serviteurs le font devant leur Maître, leur Créateur et leur Dieu, mais comme des serviteurs achetés s'inclinent devant Celui qui les a acquis au prix du sang de son Fils unique ; en vertu de ce sang, il nous possède à double titre : il nous a acquis comme esclaves et en même temps il a fait de nous ses enfants. Car c'est le même et unique sang qui a renforcé et multiplié les liens de notre servitude et qui a opéré l'adoption divine.

3. Cependant que les fidèles inclinent la tête, le prêtre à part soi exprime sa reconnaissance à Dieu pour avoir créé les êtres et demande pour tous les bienfaits opportuns : il rappelle au Seigneur le nom, la grâce et l'amour du Fils unique, en vue d'assurer par là l'acceptation de ses requêtes, conformément à la divine promesse du Sauveur lui-même : « Tout ce que vous demanderez à mon Père en mon nom, il vous l'accordera[a][1]. » Ces paroles sont suivies d'une doxologie : (le prêtre) la prononce de façon à être entendu par l'assemblée debout, il célèbre ainsi la très sainte Trinité, en associant tout le monde à cette glorification de Dieu.

4. Après quoi, il se recueille en lui-même et prie de nouveau à part soi et à voix basse. Dans sa prière, il invoque le Christ personnellement, lui qui est la Victime, le Prêtre, le Pain, pour que lui-même, par lui-même, se donne à ses serviteurs[2].

---

siècles. » Le Chœur : « Amen. » Voir S. Salaville, *Liturgies orientales*, II. *La Messe*, p. 48.

1. Le *textus receptus* grec de *S. Jean*, 16, 23 porte : « Tout ce que vous demanderez à mon Père, il vous l'accordera en mon nom. »

2. Voir *note complémentaire 8*.

ΛϚ'. Περὶ ὧν ὁ ἱερεὺς πρὸς τὸ πλῆθος βοᾷ τὰ ἅγια ὑψῶν
καὶ ὧν ἐκεῖνοι πρὸς αὐτὸν ἀντιβοῶσιν

1. Καὶ μέλλων ἐπὶ τὴν τράπεζαν καὶ αὐτὸς χωρεῖν καὶ
448 D ἄλλους συγκαλεῖν, ἐπεὶ οὐ πᾶσιν ἁπλῶς ἔξεστιν ἡ κοινωνία
τῶν μυστηρίων, καὶ αὐτὸς οὐ πάντας καλεῖ, ἀλλὰ τὸν ζωοποιὸν ἄρτον λαβὼν καὶ ἀναδείξας, τοὺς ἀξίους αὐτοῦ μεθέξον-
τας εἰς τὴν μετουσίαν καλεῖ· « Τὰ ἅγια, φησί, τοῖς ἁγίοις »,
μονονοῦ λέγων· Ἰδοὺ ὁ τῆς ζωῆς ἄρτος ὃν ὁρᾶτε. Οὐκοῦν
δράμετε μεταληψόμενοι, ἀλλ' οὐ πάντες, ἀλλ' εἴ τις ἅγιος. Τὰ
γὰρ ἅγια τοῖς ἁγίοις ἐφεῖται μόνοις. Ἁγίους δὲ τοὺς τελείους
τὴν ἀρετὴν ἐνταῦθά φησιν, ἀλλὰ καὶ ὅσοι πρὸς τὴν τελειότητα
ἐκείνην ἐπείγονται μέν, λείπονται δὲ ἔτι. Καὶ τούτους γὰρ
οὐδὲν κωλύει τῶν ἁγίων μυστηρίων ἐν μεθέξει γινομένους
ἁγιάζεσθαι καὶ τοῦτο τὸ μέρος ἁγίους εἶναι, ὥσπερ καὶ ἡ
449 A Ἐκκλησία πᾶσα ἁγία λέγεται καὶ ὁ μακάριος Ἀπόστολος
πρὸς δῆμον ὁλόκληρον γράφων· « Ἀδελφοὶ ἅγιοι, φησί,
κλήσεως ἐπουρανίου μέτοχοι. » Ἅγιοι γὰρ καλοῦνται διὰ τὸν
ἅγιον οὗ μετέχουσι καὶ ᾧ σώματος καὶ αἵματος κοινωνοῦσι.
Μέλη γὰρ τοῦ σώματος ὄντες ἐκείνου, σάρκες ἐκ τῶν σαρκῶν
αὐτοῦ καὶ ὀστᾶ ἐκ τῶν ὀστῶν αὐτοῦ, ἕως ἐσμεν αὐτῷ συνημ-
μένοι καὶ τὴν ἁρμονίαν φυλάττομεν, ζῶμεν τὴν ζωὴν καὶ τὸν
ἁγιασμὸν ἕλκοντες διὰ τῶν μυστηρίων ἀπὸ τῆς κεφαλῆς
ἐκείνης καὶ τῆς καρδίας. Ἐπειδὰν δὲ ἀποτμηθῶμεν καὶ τῆς
ὁλότητος ἐκπέσωμεν τοῦ παναγίου σώματος, μάτην τῶν
ἱερῶν γευόμεθα μυστηρίων· οὐ γὰρ διαβήσεται ἡ ζωὴ πρὸς τὰ
νεκρὰ καὶ ἀποκοπέντα μέλη.

a. Héb. 3, 1

1. On sait que la formule *Sancta sanctis* est restée longtemps
également en usage dans les liturgies occidentales. Leclercq, article
Messe du *DACL*, XI, 688.

Chapitre XXXVI

De la proclamation que le prêtre adresse à la foule en élevant les saintes espèces, et de la réponse qu'y font les fidèles

1. Sur le point de s'approcher lui-même de la (sainte) table et d'y convoquer les autres, le prêtre, sachant bien que la communion des saints mystères n'est pas indifféremment permise à tous, n'y invite pas tout le monde. Il prend le Pain de vie et, le montrant au peuple, il appelle à la communion ceux qui sont en état d'y participer dignement : « Les choses saintes aux saints », s'écrie-t-il. Comme pour dire : Voici sous vos yeux le Pain de vie. Accourez donc pour le recevoir, non pas tous, mais ceux qui en sont dignes. Car les choses saintes ne sont permises qu'aux saints[1]. Le prêtre donne ici le nom de saints non pas seulement aux âmes de vertu parfaite, mais aussi à tous ceux qui s'efforcent de tendre à cette perfection, mais ne l'ont pas encore atteinte. Ceux-là, rien ne les empêche, en participant aux saints mystères, d'être sanctifiés et, de ce point de vue, d'être saints. C'est en ce sens que l'Église tout entière est appelée sainte, et que le bienheureux Apôtre, écrivant à l'ensemble du peuple chrétien, s'exprime ainsi : « Frères saints, qui entrez en partage d'une vocation céleste[a]. » Les fidèles sont en effet appelés saints en raison de la chose sainte à laquelle ils participent, et de Celui au corps et au sang duquel ils communient. Membres de ce corps, chair de sa chair et os de ses os, tant que nous lui restons unis et que nous sommes en consonance avec lui, nous avons la vie, attirant à nous, par les mystères, la sainteté qui découle de cette Tête et de ce Cœur. Mais si nous venons à nous séparer, si nous nous détachons de l'ensemble de ce corps très saint, c'est en vain que nous goûtons aux saints mystères : la vie ne passera plus aux membres morts et amputés.

2. Τί δὲ τὸ ἀποκόπτον τοῦ ἁγίου σώματος ἐκείνου ταῦτα τὰ μέλη; « Αἱ ἁμαρτίαι ὑμῶν, φησί, διιστῶσι ἀνὰ μέσον ἐμοῦ 449 B καὶ ὑμῶν. »

3. Τί οὖν; πᾶσα ἁμαρτία νεκρὸν ποιεῖ τὸν ἄνθρωπον;

4. Οὐδαμῶς, ἀλλ' ἡ πρὸς θάνατον μόνον. Διὰ τοῦτο γὰρ καὶ πρὸς θάνατον λέγεται· « ἔστι γὰρ ἁμαρτία οὐ πρὸς θάνατον » κατὰ τὸν μακάριον Ἰωάννην. Διὰ τοῦτο τοὺς μεμυημένους, εἰ μὴ τὰ τοιαῦτα πλημμελοῖεν, οἷα τοῦ Χριστοῦ διαστῆσαι καὶ θάνατον ἐνεγκεῖν, οὐδὲν τὸ κωλῦον κοινωνοῦντας τῶν μυστηρίων τοῦ ἁγιασμοῦ μετέχειν, καὶ πράγματος ἕνεκα καὶ ὀνόματος, ὡς ἂν ἔτι ζῶντα μέλη καὶ συνημμένους τῇ κεφαλῇ.

5. Διὰ τοῦτο καὶ τοῦ ἱερέως βοήσαντος· « Τὰ ἅγια τοῖς ἁγίοις », οἱ πιστοὶ ἀντιβοῶσι· « Εἷς ἅγιος, εἷς Κύριος Ἰησοῦς Χριστός, εἰς δόξαν Θεοῦ Πατρός. » Ὅτι οὐδεὶς οἴκοθεν ἔχει 449 C τὸν ἁγιασμόν, οὐδ' ἔργον ἀνθρωπίνης ἐστὶν ἀρετῆς, ἀλλ' ἐξ ἐκείνου πάντες καὶ δι' ἐκεῖνον. Καὶ καθάπερ εἰ πολλὰ κάτοπτρα τεθείη ὑπὸ τὸν ἥλιον, πάντα μὲν λάμπει καὶ ἀκτῖνας ἀφίησι, καὶ δόξεις πολλοὺς ἡλίους ὁρᾶν, εἷς δὲ ἀληθῶς ὁ ἐν πᾶσιν ἀστράπτων ἥλιος· οὕτω καὶ ὁ μόνος ἅγιος, εἰς τοὺς πιστοὺς χεόμενος, ἐν πολλαῖς μὲν φαίνεται ψυχαῖς καὶ πολλοὺς δείκνυσιν ἁγίους[a], ἔστι δὲ εἷς καὶ μόνος ἅγιος· οὐδὲν ἧττον εἰς δόξαν Θεοῦ Πατρός. Τὸν γὰρ Θεὸν οὐδεὶς ἐδόξαζε τὴν αὐτῷ προσήκουσαν δόξαν. Ὅθεν ὀνειδίζων πρὸς τοὺς Ἰουδαίους ἔλεγεν· « Εἰ Θεός εἰμι ἐγώ, ποῦ ἐστιν ἡ δόξα μου; » Ἀλλὰ μόνος ὁ Μονογενὴς ἀπέδωκεν αὐτῷ τὴν ὀφειλομένην δόξαν. Διὸ καὶ πρὸς τῷ πάθει γενόμενος ἔλεγεν πρὸς τὸν Πατέρα· « Ἐγώ σε ἐδόξασα ἐπὶ τῆς γῆς. » Πῶς γὰρ ἐδόξα-
449 D σεν; Οὐκ ἄλλως ἢ τὸν ἁγιασμὸν ἐπιδειξάμενος τὸν ἐκείνου τοῖς ἀνθρώποις, ἅγιος φανεὶς ὥσπερ αὐτός ἐστιν ἅγιος ὁ Πατήρ. Εἴτε γὰρ ὡς Πατέρα τοῦ ἁγίου τούτου νοήσομεν

α. ἁγίους : ἀγγέλους P

b. Is. 59, 2
c. I Jn 5, 16-17
d. Mal. 1, 6
e. Jn 17, 4

2. Et qu'est-ce qui détache ces membres de ce très saint corps ? « Ce sont vos péchés, dit le Seigneur, qui ont mis une séparation entre moi et vous[b]. »

3. Quoi donc ? Est-ce que tout péché donne la mort à l'homme ?

4. Non, mais seulement le péché qui conduit à la mort, et c'est pourquoi il est en effet dit mortel. Car « il y a des péchés qui ne vont pas à la mort », selon le bienheureux Jean[c]. Et c'est pour cette raison que ceux qui ont été baptisés, s'ils n'ont pas commis des fautes de nature à les séparer du Christ et à leur causer la mort, rien ne les empêche, en communiant aux saints mystères, de participer à la sanctification, en réalité comme en paroles, puisqu'ils continuent d'être des membres vivants et unis à la Tête.

5. Aussi, à la proclamation du prêtre : « Les choses saintes aux saints », les fidèles font-ils à haute voix cette réponse : « Un seul saint, un seul Seigneur, Jésus-Christ, à la gloire de Dieu le Père. » Car personne n'a de soi-même la sainteté, et elle n'est pas le résultat de l'humaine vertu, mais tous (la reçoivent) de Lui et par Lui. C'est comme si beaucoup de miroirs étaient placés au-dessous du soleil : ils brillent tous et émettent des rayons, vous croiriez voir beaucoup de soleils, alors qu'en réalité il n'y a qu'un seul soleil qui brille en tous. De même, (Jésus-Christ) le seul saint, s'écoulant (pour ainsi dire) dans les fidèles, se montre en beaucoup d'âmes et fait apparaître chez beaucoup la sainteté ; il est pourtant le seul et unique Saint, avant tout « pour la gloire de Dieu le Père ». Car personne n'a rendu à Dieu la gloire qui lui est due. Aussi Dieu adressait-il aux Juifs ce reproche : « Si je suis Dieu, où est ma gloire[d] ? » Seul, le Fils unique lui a rendu la gloire qui lui revient. C'est pourquoi aux approches de la Passion, lui-même disait au Père : « Je vous ai glorifié sur la terre[e]. » Comment l'a-t-il glorifié ? Pas autrement qu'en manifestant aux hommes la sainteté du Père : il est apparu saint, comme le Père lui-même est saint. Si en effet nous voyons en Dieu le Père

15

τὸν Θεόν, δόξα τοῦ Πατρὸς ἡ τοῦ Υἱοῦ λαμπρότης ἐστίν·
εἴτε ὡς Θεὸν διὰ τὴν ἀνθρωπότητα, δόξα τοῦ Δημιουργοῦ
πάντως ἡ τοῦ δημιουργήματος ἀξία ἢ ἀρετή.

ΛΖ'. Τί σημαίνει τὸ θερμὸν ὕδωρ ἐμβαλλόμενον εἰς τὰ μυστήρια

1. Οὕτω δὲ συγκαλέσας τοὺς πιστοὺς εἰς τὸ ἱερὸν δεῖπνον,
αὐτὸς πρῶτος αὐτοῦ μεταλαμβάνει καὶ ὅσοι τῶν ὁμοταγῶν,
καὶ ὅσοι περὶ τὸ βῆμα, θερμὸν ὕδωρ πρότερον εἰς τὸ ποτήριον
452 A ἐμβαλὼν σημασίας ἕνεκα τῆς τοῦ ἁγίου Πνεύματος ἐπὶ τὴν
Ἐκκλησίαν καθόδου. Κατῆλθε γὰρ τότε τῆς οἰκονομίας
τελεσθείσης τοῦ Σωτῆρος ἁπάσης· νῦν δὲ ἐπιδημεῖ, τῆς
θυσίας ἀνενεχθείσης καὶ τελειωθέντων τῶν δώρων τοῖς γε
ἀξίως κοινωνοῦσιν αὐτῶν.
2. Τῆς γὰρ τοῦ Χριστοῦ οἰκονομίας ἁπάσης κατὰ τὴν
ἱερὰν τῆς εὐχαριστίας τελετὴν ἐν τῷ ἄρτῳ καθάπερ ἐν πίνακι
γραφομένης, καὶ γὰρ καὶ βρέφος αὐτὸν ὡς ἐν τύπῳ θεωροῦμεν
καὶ εἰς θάνατον ἀγόμενον, καὶ σταυρούμενον, καὶ τὴν πλευρὰν
κεντούμενον· εἶτα καὶ αὐτὸν τὸν ἄρτον εἰς ἐκεῖνο τὸ πανάγιον

1. Un mot d'explication préalable s'impose. C'est, au surplus, un
rite assez mystérieux que ce rite du *Zéon* ou de la goutte d'eau chaude
(littéralement : eau bouillante) que le prêtre ou le diacre verse dans
le calice avant la communion. « Bénissez, Seigneur, le *zéon* », dit le
diacre. « Bénie soit la ferveur (ἡ ζέσις) de tes saints en tout temps,
maintenant et toujours, et dans les siècles des siècles. Amen », répond
le prêtre en bénissant. Le diacre, au moyen d'une petite cuiller, verse
un peu d'eau chaude en forme de croix dans le calice, en disant : « La
ferveur de la foi, remplie de l'Esprit-Saint. Amen. » Puis il s'incline
et se retire un peu derrière l'autel pour se préparer à la communion. —
Les liturgistes fournissent l'explication suivante de ce rite, ainsi que
de la formule de la commixtion qui l'a précédé : *Plénitude de la foi
du Saint-Esprit :* « Nous devons croire que l'Esprit-Saint, par l'opération duquel Jésus-Christ s'est incarné et subsiste sous les espèces du
pain et du vin, s'y trouve également présent et avec elles est communiqué à toute l'Église... L'eau bouillante versée dans le calice et les
paroles qui accompagnent cet acte signifient également que le Saint-

de ce Saint, l'éclat du Fils est la gloire du Père ; si, d'autre part, nous considérons (le Fils) dans son humanité comme Dieu, la dignité et la sainteté du Chef-d'œuvre sont de toute manière la gloire du Créateur.

Chapitre XXXVII

Que signifie l'eau chaude que l'on verse dans les saintes espèces[1]

1. Après avoir ainsi convoqué les fidèles à l'auguste banquet, le prêtre y communie lui-même le premier ; puis tous ceux qui sont comme lui du rang sacerdotal et ceux qui entourent l'autel. Mais le célébrant a auparavant versé dans le calice de l'eau chaude, pour symboliser la descente du Saint-Esprit sur l'Église. Car il y descendit après que toute l'œuvre rédemptrice du Sauveur eut été achevée ; maintenant, il vient lorsque le sacrifice a été offert et que les dons sacrés ont atteint leur perfection pour ceux-là au moins qui peuvent communier dignement.

2. Toute l'œuvre rédemptrice du Christ, en effet, est reproduite sur le pain au cours des rites de la sainte liturgie comme sur une tablette : en symbole, nous le voyons petit enfant, puis conduit à la mort, puis crucifié, puis transpercé au côté ; ensuite, nous assistons à la transformation du

Esprit se communique aux fidèles par la communion au corps et au sang de Jésus-Christ. » P. de Meester, *La divine liturgie...*, notes 62 et 63, p. 234. — Certains veulent voir dans le *zéon* un nouveau symbole de l'eau et du sang jaillis du côté du Sauveur percé par la lance ; et tous, un rappel de la ferveur de foi qu'il faut apporter à la communion. Voir *Liturgies orientales*, II. *La Messe*, p. 55-56. — On va voir que Cabasilas s'attache uniquement au symbolisme du Saint-Esprit et présente ce rite comme l'expression liturgique d'une Pentecôte eucharistique. — Le lecteur se souvient que notre auteur avait signalé ce rite du *Zéon* au § 9 du chapitre I qui avait pour thème la signification générale de la liturgie.

σῶμα, τὸ ταῦτα ἀληθῶς ὑπομεῖναν καὶ ἀναστάν, καὶ ἀνα-
ληφθέν, καὶ καθήμενον ἐν δεξιᾷ τοῦ Πατρός, μεταβαλλόμενον
ἔδει καὶ τὸ[α] τέλος τούτων ἁπάντων μετὰ ταῦτα πάντα
452 B σημαίνεσθαι, ἵνα ὁλόκληρος ἡ μύησις γένηται τοῦ μυστηρίου,
τῇ πραγματείᾳ πάσῃ καὶ οἰκονομίᾳ τοῦ ἀποτελέσματος
προστεθέντος.

3. Τί γὰρ τὸ ἔργον καὶ ἀποτέλεσμα τῶν τοῦ Χριστοῦ
παθῶν καὶ ἔργων καὶ λόγων[β]; Εἴ τις πρὸς ἡμᾶς αὐτὰ θεωρεῖ,
οὐδὲν ἕτερον ἢ ἡ τοῦ ἁγίου Πνεύματος εἰς τὴν Ἐκκλησίαν
ἐπιδημία. Οὐκοῦν ἔδει μετ' ἐκεῖνα σημανθῆναι καὶ αὐτήν. Καὶ
δὴ σημαίνεται τοῦ ζέοντος ὕδατος ἐγχεομένου τοῖς μυστηρίοις.

4. Τὸ μὲν γὰρ ὕδωρ, τοῦτο αὐτό τε ὕδωρ ὂν καὶ πυρὸς
μετέχον, τὸ Πνεῦμα σημαίνει τὸ ἅγιον, ὃ καὶ ὕδωρ λέγεται καὶ
ὡς πῦρ[γ] ἐφάνη τότε τοῖς τοῦ Χριστοῦ μαθηταῖς ἐμπεσόν.

5. Ὁ δὲ καιρὸς οὗτος τὸν καιρὸν ἐκεῖνον σημαίνει. Τότε
μὲν γὰρ κατῆλθε μετὰ τὸ πληρωθῆναι τὰ κατὰ Χριστὸν
ἅπαντα, νῦν δὲ τελειωθέντων τῶν δώρων τὸ ὕδωρ ἐπεισάγεται
τοῦτο.

452 C **6.** Διὰ δὲ τῶν μυστηρίων καὶ[δ] ἡ Ἐκκλησία σημαίνεται,
« σῶμα οὖσα Χριστοῦ καὶ μέλη ἐκ μέρους »· ἥτις καὶ τότε
ἐδέξατο τὸ Πνεῦμα τὸ ἅγιον, μετὰ τὸ ἀναληφθῆναι τὸν
Χριστὸν εἰς τοὺς οὐρανούς· καὶ νῦν δέχεται τὴν δωρεὰν τοῦ
ἁγίου Πνεύματος, προσδεχθέντων τῶν δώρων εἰς τὸ ὑπερουράνιον θυσιαστήριον, ἀντικαταπέμποντος αὐτὴν ἡμῖν τοῦ
προσδεξαμένου ταῦτα Θεοῦ, κατὰ τὰ προειρημένα, ὅτι μεσίτης
ὁ αὐτὸς καὶ τότε καὶ νῦν καὶ τὸ αὐτὸ Πνεῦμα.

α. τὸ om P ‖ β. ἔργων καὶ λόγων post corr P ‖ γ. πῦρ : ὕδωρ P ‖
δ. καὶ om P

---

a. I Cor. 12, 27

pain lui-même en ce corps très saint qui a réellement enduré ces souffrances, qui est ressuscité, qui est monté au ciel et qui est assis à la droite du Père. Il fallait que le terme suprême de tous ces mystères fût aussi signifié après tout le reste, afin que fût complète la célébration du mystère, l'effet définitif venant ainsi s'ajouter à l'ensemble de l'action et de l'œuvre rédemptrice.

3. Aussi bien, quel est le résultat et l'effet des souffrances du Christ, de ses actes et de ses discours ? Si on les considère par rapport à nous, ce n'est rien d'autre que la descente du Saint-Esprit sur l'Église. Il fallait donc que cette descente du Saint-Esprit fût, elle aussi, signifiée après les autres mystères. Elle l'est précisément par l'acte de verser l'eau chaude dans les saintes espèces.

4. Cette eau, qui à la fois est de l'eau et participe à la nature du feu, signifie l'Esprit-Saint, qui est aussi parfois appelé eau et qui apparut comme du feu lorsqu'il tomba sur les disciples du Christ.

5. Le moment présent (de la sainte liturgie) signifie ce moment (de la Pentecôte) : alors, le Saint-Esprit descendit après que tous les mystères du Christ eurent été accomplis ; maintenant, les dons sacrés ayant atteint leur suprême perfection, on y ajoute cette eau.

6. De plus, les saints mystères signifient encore l'Église parce qu'elle est « le corps du Christ » et que (les fidèles) sont « les membres du Christ, chacun pour sa part[a] ». A la Pentecôte, elle a reçu l'Esprit-Saint après que le Christ fut monté au ciel ; maintenant, elle reçoit le don du Saint-Esprit après que les oblats ont été acceptés à l'autel céleste ; Dieu, qui a agréé ces dons, nous envoie en retour l'Esprit-Saint, comme il a été dit : car le Médiateur est le même, aujourd'hui comme alors, et c'est aussi le même Saint-Esprit[1].

---

1. Voir *note complémentaire* 9.

ΛΗ′. Κατὰ τίνα λόγον τὰ μυστήρια σημαντικὰ
τῆς Ἐκκλησίας εἰσί

1. Σημαίνεται δὲ ἡ Ἐκκλησία ἐν τοῖς μυστηρίοις οὐχ ὡς
ἐν συμβόλοις, ἀλλ᾽ ὡς ἐν καρδίᾳ μέλη καὶ ὡς ἐν ῥίζῃ τοῦ φυτοῦ
452 D κλάδοι[α], καὶ καθάπερ ἔφη ὁ Κύριος, ὡς ἐν ἀμπέλῳ κλή-
ματα. Οὐ γὰρ ὀνόματος ἐνταῦθα κοινωνία μόνον ἢ ἀναλογίας
ὁμοιότης, ἀλλὰ πράγματος ταυτότης.

2. Καὶ γὰρ σῶμα καὶ αἷμα Χριστοῦ[β] τὰ μυστήρια· ἀλλὰ
τῇ Ἐκκλησίᾳ Χριστοῦ ταῦτα βρῶσίς ἐστι καὶ πόσις ἀληθινή·
καὶ τούτων μετέχουσα οὐ πρὸς ἀνθρώπινον αὐτὰ μεταβάλλει
σῶμα, καθάπερ ἄλλο τι σιτίον, ἀλλ᾽ αὐτὴ μεταβάλλεται πρὸς
ἐκεῖνα τῶν κρειττόνων ὑπερνικώντων. Ἐπεὶ καὶ σίδηρος
ὁμιλήσας πυρὶ αὐτὸς γίνεται πῦρ, οὐ τῷ πυρὶ δίδωσιν εἶναι
σίδηρον· καὶ καθάπερ τὸν πυρακτωθέντα σίδηρον οὐ σίδηρον,
ἀλλὰ πῦρ ἀτεχνῶς ὁρῶμεν, τῶν τοῦ σιδήρου ἰδιωμάτων ὑπὸ
τοῦ πυρὸς παντελῶς ἀφανιζομένων, οὕτω καὶ τὴν τοῦ Χριστοῦ
Ἐκκλησίαν εἴ τις ἰδεῖν δυνηθείη, κατ᾽ αὐτὸ τοῦτο καθ᾽ ὅσον
453 A αὐτῷ ἥνωται καὶ τῶν αὐτοῦ μετέχει σαρκῶν, οὐδὲν ἕτερον
ἢ αὐτὸ μόνον τὸ Κυριακὸν ὄψεται σῶμα. Διὰ τοῦτον τὸν
λόγον· « Ὑμεῖς ἐστε σῶμα Χριστοῦ » γράφει Παῦλος, « καὶ
μέλη ἐκ μέρους. » Οὐ γὰρ τὴν τοῦ Χριστοῦ περὶ ἡμᾶς πρόνοιαν
καὶ παιδαγωγίαν καὶ νουθεσίαν καὶ τὴν ἡμῶν ὑποταγὴν πρὸς
αὐτὸν δηλῶσαι βουλόμενος, τὸν[γ] μὲν κεφαλήν, ἡμᾶς δὲ σῶμα
προσεῖπεν, ὥσπερ οὓς καὶ ἡμεῖς τῶν συγγενῶν ἢ φίλων μέλη
καλοῦμεν ὑπερβολῇ χρώμενοι· ἀλλ᾽ αὐτὸ ἐκεῖνο σημαίνων

α. κλάδοι : κλάδος P ‖ β. Χριστοῦ om P ‖ γ. τὸν : τὸ P

a. I Cor. 12, 27

1. La même idée, au sujet de l'*assimilation* de l'aliment eucharistique, se trouve exprimée dans le *De vita in Christo*, livre IV, col. 597 B;
trad. Broussaleux, p. 107-109.

Chapitre XXXVIII

De quelle manière les saints mystères signifient-ils l'Église ?

1. L'Église est signifiée dans les saints mystères, non pas comme en des symboles, mais bien comme dans le cœur sont signifiés les membres, comme en la racine d'un arbre ses branches et, selon l'expression du Seigneur, comme en la vigne les sarments. Car il n'y a pas seulement ici communauté de nom ou similitude d'analogie, mais identité de réalité.

2. En effet, les saints mystères sont le corps et le sang du Christ, qui pour l'Église du Christ sont véritable nourriture et véritable breuvage. En y participant, ce n'est pas elle qui les transforme au corps humain, comme nous faisons pour les aliments ordinaires, mais c'est elle-même qui est transformée en eux, les éléments supérieurs ayant la suprématie[1]. Étant donné que le fer, mis en contact avec le feu, devient feu lui-même et ne fait pas devenir fer le feu, de même que le fer incandescent ne paraît pas à nos regards du fer mais simplement du feu, les propriétés du fer ayant complètement disparu sous l'action du feu : de même, si l'on pouvait voir l'Église du Christ en tant qu'elle lui est unie et qu'elle participe à son corps charnel, on ne verrait rien d'autre que le corps du Sauveur. C'est pour cette raison que Paul écrit : « Vous êtes le corps du Christ et ses membres, chacun pour sa part[a]. » S'il l'a appelé Tête, et nous corps, ce n'est pas pour montrer la sollicitude du Christ à notre égard, ni son rôle d'éducateur et de censeur ainsi que notre sujétion à son endroit, tout comme nous disons par hyperbole de certaines personnes qu'elles sont les membres de leurs parents ou de leurs amis. Non : il a voulu signifier cela même qu'il disait, à savoir que, les fidèles

ὅπερ ἔλεγεν, ὅτι τοὺς πιστοὺς ἤδη διὰ τὸ αἷμα τοῦτο ζῶντας τὴν ἐν τῷᵈ Χριστῷ ζωὴν καὶ τῆς κεφαλῆς ὡς ἀληθῶς ἐκείνης ἐξηρτημένους, καὶ τοῦτο περικειμένους τὸ σῶμα.

3. Διὰ ταῦτα οὐδὲν ἀπεικὸς ἐνταῦθα διὰ τῶν μυστηρίων τὴν Ἐκκλησίαν σημαίνεσθαι.

453 B **ΛΘ′. Περὶ τῆς ἐπὶ τὴν κοινωνίαν κλήσεως τῶν πιστῶν καὶ ἃ προσφωνοῦσι τοῖς δώροις φανεῖσιν οἱ πιστοί**

1. Ὁ δὲ ἱερεὺς μετασχὼν τῶν ἁγιασμάτων πρὸς τὸ πλῆθος ἐπιστρέφεται καὶ δείξας τὰ ἅγια καλεῖ τοὺς μετασχεῖν βουλομένους, καὶ προσιέναι κελεύει « μετὰ φόβου Θεοῦ καὶ πίστεως », μήτε καταφρονοῦντας διὰ τὸ φαινόμενον, μήτε ἐνδοιάζοντας διὰ τὸ ὑπὲρ λόγον εἶναι τὸ πιστευόμενον, ἀλλ' ἐπιγινώσκοντας τὴν ἀξίαν αὐτῶν καὶ ὡς εἴη ζωῆς αἴτια αἰωνίου τοῖς μεταλαμβάνουσι πιστεύοντας προσιέναι.

2. Αὐτοὶ δὲ τὴν εὐλάβειαν ἐπιδεικνύμενοι καὶ τὴν πίστιν καὶ προσκυνοῦσιν καὶ εὐλογοῦσι καὶ θεολογοῦσι τὸν ἐν αὐτοῖς νοούμενον Ἰησοῦν, καὶ ἵνα λαμπρὰ γένηται ἡ δοξολογία ἀπὸ
453 C τῶν προφητικῶν αὐτὴν ποιοῦνται ῥημάτων· « Εὐλογημένος ὁ ἐρχόμενος ἐν ὀνόματι Κυρίου· Θεὸς Κύριος, καὶ ἐπέφανεν ἡμῖν. » « Ἐγὼ ἦλθον, φησίν, ἐν τῷ ὀνόματι τοῦ Πατρός μου καὶ οὐ λαμβάνετέ με· ἐάν τις ἔλθῃ ἐν τῷ ὀνόματι τῷ ἰδίῳ, ἐκεῖνον λήψεσθε. » Τοῦτο τοῦ γνησίου Δεσπότου, τοῦτο τοῦ Μονογενοῦς, τὸν Πατέρα ἐπιφημίζειν. Ἐκεῖνο τοῦ δραπέτου δούλου τὸ αὔθαδες, ἡ ἀποστασία. Ταῦτα εἰδὼς ὁ Προφήτης

δ. τῷ om P

a. Ps. 117, 26.27
b. Jn 5, 43

1. Formule par laquelle le diacre invite les fidèles à s'approcher pour la communion.
2. Réponse des fidèles à l'invitation du diacre, au moins dans certaines églises.

vivant dès maintenant, par ce sang, la vie dans le Christ, dépendant réellement de cette Tête, et étant revêtus de ce Corps, **3.** il n'est donc pas hors de propos de voir là l'Église signifiée par les divins mystères.

(LA COMMUNION)

CHAPITRE XXXIX

**De l'appel des fidèles à la communion
et de l'acclamation que les fidèles
adressent aux saintes espèces
quand elles leur sont montrées**

1. Le prêtre, après avoir communié aux saints mystères, se retourne vers le peuple et, montrant les saintes espèces, il invite ceux qui désirent communier ; il leur demande de s'approcher « avec crainte de Dieu et avec foi[1] », sans témoigner ni du mépris à cause des humbles apparences, ni de l'incertitude parce que l'objet de notre foi est au-dessus de la raison, mais en reconnaissant la dignité de ce sacrement, et en croyant qu'il est cause de vie éternelle pour ceux qui le reçoivent.

2. Les fidèles, pour montrer leur respect et leur foi, adorent, en bénissant et proclamant la divinité de ce Jésus que leur esprit sait présent sous ces espèces. Et pour donner plus d'éclat à leur doxologie, ils l'empruntent aux paroles de l'auteur inspiré : « Béni soit Celui qui vient au nom du Seigneur. Le Seigneur est Dieu, il a fait briller sur nous sa lumière[a][2]. » Jésus lui-même n'a-t-il pas dit : « Je suis venu au nom de mon Père, et vous ne me recevez pas ; si un autre venait en son nom personnel, vous le recevriez[b]. » C'est le propre du Maître légitime, du Fils unique, de louer le Père. Au contraire, le propre de l'esclave transfuge, c'est l'arrogance et la défection. Le prophète, qui n'ignorait pas

234 LA DIVINE LITURGIE

καὶ μαθὼν τὸ ἀποδιαστέλλον τὸν καλὸν ποιμένα τοῦ λύκου
πόρρωθεν εὐλογεῖ τὸν ἐρχόμενον ἐν ὀνόματι Κυρίου, Κύριον
τὸν Πατέρα λέγων, καὶ τὸν ἐπιφανέντα τοῦτον αὐτὸν εἶναί
φησι τὸν Θεόν. Τούτοις καὶ αὐτοὶ τοῖς λογίοις χρώμενοι ὡς
νῦν αὐτοῖς τὸν Χριστὸν ἐρχόμενον καὶ φαινόμενον εὐλογοῦσιν.

453 D **Μ΄. Περὶ τῆς ὑπὲρ αὐτῶν εὐχῆς τοῦ ἱερέως ἣν ἐκφωνεῖ
μετὰ τὴν μετάληψιν αὐτοῖς**

1. Εἶτα μετασχοῦσι τῶν μυστηρίων εὔχεται ὁ ἱερεὺς τὴν
παρὰ τοῦ Θεοῦ σωτηρίαν καὶ εὐλογίαν. Καὶ τίς ἡ εὐχή;
« Σῶσον, ὁ Θεός, τὸν λαόν σου, καὶ εὐλόγησον τὴν κληρονομίαν σου. »

2. Καὶ τοῦτο τὸ ῥῆμα προφητικόν. Οἷον ὁ αὐτὸς Προφήτης
καὶ ἀλλαχοῦ φησι· « Δώσω σοι ἔθνη τὴν κληρονομίαν σου καὶ
τὴν κατάσχεσίν σου τὰ πέρατα τῆς γῆς », ὡς ἀπὸ τοῦ Πατρὸς
πρὸς τὸν Υἱὸν εἰρημένον. Ὅπερ γὰρ ὡς Θεὸς εἶχεν ἐξ ἀρχῆς,
ὡς ἄνθρωπος ἐκληρονόμησεν ὕστερον.

3. Τί οὖν, ἐπεὶ καὶ δημιουργὸς ἡμῶν ἐστιν ὁ αὐτός, οὐ·
« Τὰ ἔργα σου, φησίν, εὐλόγησον », ὧν αὐτὸς εἶ ποιητής,
456 A ἀλλά· « τὴν κληρονομίαν σου »; Ἵνα δυσωπήσῃ μᾶλλον, τῆς
πτωχείας ἣν ὑπὲρ ἡμῶν ἐπτώχευσεν ἀναμνήσας αὐτόν. Ὑπὲρ
τούτων ἱκετεύω, φησίν, ὑπὲρ ὧν αὐτὸς ἠνέσχου μετὰ τῶν
δούλων γενέσθαι καὶ λαβεῖν ἐντολήν, καὶ στῆναι μετὰ τῶν
λαμβανόντων, ὁ πάντα ἔχων· καὶ ἀκοῦσαι κληρονόμος ᾧ
μηδὲν ἐπίκτητον.

4. Ἄλλως τε τὸ[a] μνησθῆναι τῆς ἀκριβεστέρας πρὸς τὸν

α. τὸ : τῷ P

---

a. Ps. 27, 9
b. Ps. 2, 8

---

1. Voir S. SALAVILLE, *Liturgies orientales*, II. *La Messe*, p. 66.
2. Sur la « pauvreté », le dépouillement, les anéantissements du

cela et qui savait ce qui fait la différence entre le bon pasteur et le loup, bénit de loin Celui qui vient au nom du Seigneur ; il donne au Père le nom de Seigneur et, Celui-là même qui s'est manifesté (à nous), il le proclame Dieu. Ce sont ces expressions qu'emploient eux aussi les fidèles pour bénir le Christ en tant qu'il vient et se manifeste maintenant.

Chapitre XL

De la prière que le prêtre dit à haute voix sur les fidèles qui viennent de communier

1. Ensuite le prêtre implore de Dieu salut et bénédiction pour les fidèles qui ont communié aux saints mystères[1]. Quelle est cette prière ? « Sauve, ô Dieu, ton peuple, et bénis ton héritage[a]. »

2. C'est encore une parole de l'auteur inspiré. Et le même auteur dit encore, dans un autre passage, ces mots qu'il prête au Père s'adressant à son Fils : « Je te donnerai les nations pour héritage et, pour domaine, les extrémités de la terre[b]. » Car ce qu'il possédait dès le commencement comme Dieu, comme homme il en a reçu l'héritage plus tard.

3. Mais, puisque le Fils est lui-même notre Créateur, pourquoi donc le prêtre ne dit-il pas : « Bénis tes œuvres », dont tu es toi-même l'auteur, mais bien : « ton héritage » ? C'est afin de mieux le fléchir, en lui rappelant la pauvreté dans laquelle il a voulu se faire pauvre pour nous. Je te supplie, dit le prêtre, en faveur de ceux pour qui tu as daigné, toi qui possèdes toutes choses, te mettre au nombre des serviteurs, recevoir des ordres et te tenir parmi ceux qui en reçoivent, et t'entendre donner le titre d'héritier, toi qui n'avais rien à acquérir[2].

4. D'ailleurs, le rappel de notre plus étroite relation avec

Christ, ce que théologiens et exégètes appellent la *Kénôse*, voir la note au chapitre XVII.

Χριστὸν[β] οἰκειώσεως ἡμῶν εἰς ἔλεον αὐτὸν[γ] ἐφέλκεται μᾶλλον. Ἀκριβεστέρα δὲ οἰκείωσις ἡ κληρονομία τῆς δημιουργίας· πολλῷ τῷ μέσῳ καὶ πολὺ βέλτιον ἡμᾶς ἐκτήσατο κληρονομήσας ἢ πρότερον εἶχε δημιουργήσας. Ἀπὸ μὲν γὰρ τῆς δημιουργίας τῆς φύσεως ἁπλῶς τῶν ἀνθρώπων ἐκράτει, ἀπὸ δὲ τῆς κληρονομίας τοῦ λόγου καὶ τῆς προαιρέσεως κατέστη Δεσπότης, ὅπερ ἐστὶν ἀνθρώπων ἄρχειν ὡς ἀληθῶς. 456 B Ἐκεῖνο γὰρ κοινόν ἐστι καὶ τοῖς ἀλόγοις καὶ τοῖς ἀψύχοις. Φύσει γὰρ πάντα ὑποτάσσεται τῷ Θεῷ ὡς δημιουργήματα τῷ δημιουργῷ.

5. Ἀλλὰ πῶς κατὰ τὴν κληρονομίαν τοῦ λόγου καὶ τῆς προαιρέσεως κατέστη Δεσπότης; Ὅτι κατελθόντι εἰς τὴν γῆν καὶ σταυρωθέντι καὶ ἀναστάντι τὸν λόγον τὸν ἡμέτερον ὑπετάξαμεν αὐτῷ καὶ τὴν θέλησιν· τὸν μὲν λόγον ὅτι ἔγνωμεν αὐτὸν Θεὸν ἀληθινὸν καὶ τῆς κτίσεως ἁπάσης Δεσπότην· τὴν δὲ θέλησιν ὅτι ἠγαπήσαμεν αὐτὸν καὶ τὴν αὐτοῦ δεσποτείαν καὶ τὸν αὐτοῦ ζυγὸν μετὰ χαρᾶς ἐπὶ τῶν αὐχένων ἠνέγκαμεν.

6. Οὕτω τελείως τοὺς ἀνθρώπους ὁ Θεὸς ἔλαβεν, οὕτως ἀληθῶς ἐκτήσατο. Ταύτης τῆς κτήσεως Ἡσαΐας ὁ προφήτης πόρρωθεν ἐπιθυμῶν ἔλεγε· « Κύριε ὁ Θεὸς ἡμῶν, κτῆσαι ἡμᾶς. »

456 C 7. Τοῦτο ἡ κληρονομία ἦν λέγεται λαβεῖν παρὰ τοῦ Πατρὸς ὁ Μονογενής. Καὶ τοιαύτη μὲν ἡ εὐχή.

ΜΑ'. Περὶ τῆς μετὰ ταῦτα εὐχαριστίας καὶ δοξολογίας

1. Ἐνταῦθα δὲ ἡ ἱερουργία συμπληροῦται ἅπασα καὶ ἡ τῆς θείας εὐχαριστίας τελετὴ πέρας λαμβάνει. Τά τε γὰρ δῶρα

β. Χριστὸν : θεὸν P ‖ γ. αὐτὸν om P

c. Cf. Is. 26, 13

1. *Is.* 26, 13, paraît bien être le texte visé ici par Cabasilas, mais la citation n'est pas verbale et ne semble faite que de mémoire. Le prophète s'exprime en ces termes : « Seigneur notre Dieu, d'autres maîtres

le Christ l'incline davantage vers la miséricorde. Or, l'héritage établit un rapport plus étroit que la création. Le Fils nous a acquis d'une manière bien différente et beaucoup mieux en héritant de nous, qu'il ne nous possédait auparavant du fait de nous avoir créés. Par la création, il avait simplement le domaine sur la nature de l'homme ; par l'héritage, il a été constitué maître de son intelligence et de sa volonté, ce qui est véritablement avoir empire sur les hommes. Le premier titre de propriété est commun même aux êtres irraisonnables et inanimés : par nature toutes choses sont soumises à Dieu, comme des créatures au Créateur.

5. Mais comment (le Seigneur) a-t-il été constitué par héritage maître de notre intelligence et de notre volonté ? C'est parce que nous les avons soumises l'une et l'autre à Celui qui est descendu sur la terre, qui a été crucifié, qui est ressuscité : notre intelligence, parce que nous l'avons reconnu comme vrai Dieu et comme souverain maître de toute créature ; notre volonté, parce que nous l'avons aimé et que nous avons accepté son autorité et pris son joug avec joie sur nos épaules.

6. C'est ainsi que Dieu a pris parfaite possession de l'homme, c'est ainsi qu'il se l'est véritablement acquis. C'est cette possession que le prophète Isaïe désirait de loin, quand il disait : « Seigneur notre Dieu, prends possession de nous [c1]. »

7. Tel est l'héritage que, au dire de l'Écriture, le Fils unique a reçu du Père. C'est ce qui est rappelé dans cette prière.

Chapitre XLI

Action de grâces et doxologie

1. A ce moment la liturgie sacrée est totalement accomplie et le rite de la divine Eucharistie prend fin : les oblats

ont dominé sur nous, c'est grâce à vous seul que nous pouvons célébrer votre nom. »

ἡγίασται καὶ τὸν ἱερέα ἡγίασε καὶ πάντα τὸν περὶ αὐτὸν χορόν, καὶ δι' αὐτῶν τὸ λοιπὸν τῆς ἐκκλησίας ἐτέλεσε καὶ ἡγίασε πλήρωμα.

2. Διὰ τοῦτο εἰς εὐχαριστίαν τοῦ Θεοῦ καὶ δοξολογίαν αὐτός τε ὁ ἱερεὺς καταλήγει καὶ οἱ περιεστῶτες πιστοί. Καὶ ὁ μέν· « Εὐλογητὸς ὁ Θεός, φησί, πάντοτε, νῦν καὶ ἀεί, καὶ εἰς τοὺς αἰῶνας τῶν αἰώνων. Ἀμήν[α]. »

456 D   3. Τὸ δὲ πλῆθος ᾄδουσι τὸ προοίμιον τῆς ᾠδῆς ἀπὸ τῶν προφητικῶν ῥημάτων λαβόντες· « Πληρωθήτω τὸ στόμα ἡμῶν αἰνέσεως, Κύριε, ὅπως ἂν ὑμνήσωμεν τὴν δόξαν σου. » Οὐκ ἐσμεν ἱκανοί, φησί, Δέσποτα, οὐδὲ ὕμνον σοι προσενεγκεῖν, ὑπὲρ τῶν ἀγαθῶν ὧν ἡμᾶς ἠξίωσας, ἀλλὰ σὺ καὶ τοῦτο δός. Τίνα τρόπον; Πληρώσας τὸ στόμα ἡμῶν αἰνέσεως καὶ ὥσπερ εὐχὴν δίδως τοῖς εὐχομένοις, ἵν' εἰδῶμεν τίνα δεῖ καὶ ὅπως αἰτεῖσθαι· οὕτω καὶ πρὸς τὸν ὕμνον τὸν σὸν δίδου δύναμιν τῷ στόματι.

4. Εἶτα εὔχονται τὸν ἁγιασμόν, ὃν ἔλαβον ἔχοντες, μεῖναι καὶ μὴ προδοῦναι τὴν χάριν, μηδὲ ἀπολέσαι τὴν δωρεάν, ὑπὸ τῆς ἐκείνου βοηθούμενοι χειρός· « Τήρησον ἡμᾶς ἐν τῷ σῷ ἁγιασμῷ »· τί ποιοῦντας; — Δεῖ γὰρ καὶ τῶν παρ' ἡμῶν. —

457 A   « Ὅλην τὴν ἡμέραν μελετῶντας τὴν δικαιοσύνην σου »· δικαιοσύνην λέγοντες τὴν ἐνθεωρουμένην τοῖς μυστηρίοις σοφίαν τοῦ Θεοῦ καὶ φιλανθρωπίαν, ὥσπερ ὁ Παῦλος ἐξέλαβεν· « Οὐ γὰρ ἐπαισχύνομαι, φησί, τὸ Εὐαγγέλιον τοῦ Χριστοῦ· δικαιοσύνη γὰρ Θεοῦ ἐν αὐτῷ ἀποκαλύπτεται εἰς πάντας καὶ ἐπὶ πάντας τοὺς πιστεύοντας »· ταύτης ἡ μελέτη

α. Ἀμήν om P

a. Ps. 70, 8
b. Cf. Rom. 1, 16

1. Dans la suite de ce chapitre, Cabasilas commente un chant de communion célèbre, introduit dans la liturgie par le patriarche Sergius vers 624 et disparu de l'usage habituel peu après l'époque de Cabasilas. Voici la traduction de cet hymne : « Que notre bouche se remplisse de louange, Seigneur, afin que nous célébrions ta gloire,

ont été sanctifiés, ils ont eux-mêmes sanctifié le prêtre et tous ceux qui l'entourent ; puis, par leur intermédiaire, ils ont aussi perfectionné et sanctifié le reste de l'assemblée.

2. Voilà pourquoi le célébrant et les fidèles autour de lui vont terminer par une action de grâces à Dieu et une doxologie. « Béni soit Dieu en tout temps, maintenant et toujours, et dans les siècles des siècles. Amen », (s'écrie) le prêtre.

3. Et la foule entonne le cantique, dont le début s'inspire des paroles de l'écrivain sacré[a][1] : « Que notre bouche se remplisse de louange, Seigneur, afin que nous célébrions ta gloire. » Nous ne sommes même pas dignes, ô Maître, de t'offrir notre hymne pour les bienfaits dont tu as daigné nous combler ; mais toi, accorde-nous cette faveur. De quelle manière ? En remplissant de louange notre bouche : comme tu as donné à ceux qui prient la grâce de la prière pour que nous sachions qui prier et comment prier, de même, en vue de l'hymne de ta louange, donne la force à nos lèvres.

4. Les fidèles demandent ensuite que la sainteté qu'ils ont reçue demeure en eux et que, moyennant le secours de la main de Dieu, ils ne trahissent pas la grâce et ne perdent pas le don accordé. « Garde-nous dans ta sainteté. » En quoi faisant ? — car il est besoin aussi de notre concours. « En méditant durant toute la journée ta justice. » La justice désigne ici la sagesse de Dieu et son amour contemplés dans les saints mystères, ainsi que le comprenait Paul quand il écrivait : « Je ne rougis pas de l'Évangile du Christ, car en lui la justice de Dieu se manifeste à tous et pour tous les croyants[b][2]. » La méditation de cette justice a la vertu de

---

parce que tu nous as jugés dignes de participer à tes saints mystères. Garde-nous dans ta sainteté toute la journée et dans la méditation de ta justice. » Voir S. SALAVILLE, *Liturgies orientales*, II. *La Messe*, p. 68.

2. Encore une citation peu littérale. Le texte scripturaire (*Rom.* 1, 16) porte : « Je ne rougis pas de l'Évangile, lequel est une force divine pour le salut de tous les fidèles... En effet, en lui se manifeste la justice de Dieu qui, produite par la foi, augmente aussi la foi. »

τῆς δικαιοσύνης τὸν ἁγιασμὸν ἐν ἡμῖν δύναται συντηρεῖν. Καὶ γὰρ καὶ τὴν εἰς Θεὸν πίστιν αὔξει καὶ τὴν ἀγάπην ἀνάπτει, καὶ οὐδὲν ἐᾷ πονηρὸν ἐπεισελθεῖν τῇ ψυχῇ· οὐκ ἄρα μάτην ἐν τοῖς ἔμπροσθεν ἐλέγομεν ὅτι χωρὶς τῶν πρεπόντων τοῖς μυστηρίοις λογισμῶν, οὐκ ἔστι τὸν ἁγιασμὸν συνεστάναι καὶ παραμένειν ἡμῖν.

ΜΒ′. Περὶ τῶν κεκοιμημένων, εἰ ἁγιάζονται

457 Β ἀπὸ τῶν τῆς τραπέζης δώρων[α] ὁμοίως τοῖς ζῶσι

1. Κἀκεῖνο δὲ πρὸς τοῖς εἰρημένοις ἐξετάσαι τῶν ἀναγκαίων.

2. Διττῶς γὰρ ἁγιάζουσα φαίνεται ἡ θεία αὕτη καὶ ἱερὰ τελετή. Ἕνα μὲν τρόπον τῇ μεσιτείᾳ· προσφερόμενα γὰρ τὰ δῶρα αὐτῷ τῷ προσφέρεσθαι ἁγιάζει τοὺς προσφέροντας καὶ ὑπὲρ ὧν προσφέρουσι, καὶ ἵλεων αὐτοῖς ἐργάζονται τὸν Θεόν. Ἕτερον δὲ τῇ μεταλήψει, ὅτι βρῶσις ἡμῖν γίνεται καὶ πόσις κατὰ τὸν τοῦ Κυρίου λόγον ἀληθινή.

3. Τούτων τῶν τρόπων ὁ μὲν πρῶτος κοινὸς γίνεται καὶ ζῶσι καὶ τεθνηκόσι· καὶ γὰρ ὑπὲρ ἀμφοτέρων τῶν γενῶν ἡ θυσία προσφέρεται· ὁ δὲ δεύτερος μόνοις ἔξεστι τοῖς ζῶσιν· οὐ γὰρ ἐσθίειν ἔτι καὶ πίνειν οἱ νεκροὶ δύνανται. Τί οὖν; Διὰ 457 C τοῦτο οὐδὲ ἁγιάζονται τοῦτον τὸν ἁγιασμὸν ἀπὸ τῆς μεταλήψεως καὶ ἔλαττον ἐνταῦθα ἔχουσιν τῶν ζώντων οἱ τεθνηκότες; Οὐδαμῶς. Καὶ γὰρ καὶ αὐτοῖς ὁ Χριστὸς ἑαυτοῦ μεταδίδωσι τρόπον ὃν οἶδεν αὐτός.

4. Καὶ ἵνα γένηται δῆλον, θεωρῶμεν τὰ αἴτια τοῦ ἁγιασμοῦ,

α. δώρων om P

---

1. Voir note complémentaire 10.
2. Notons cette proposition, où Cabasilas veut enfermer tout l'essentiel de ce qu'il va développer.

conserver en nous la sainteté reçue. Car elle augmente la foi en Dieu, enflamme l'amour et ne laisse pénétrer en l'âme rien de mauvais. Ce n'est donc pas sans utilité que nous indiquions, dans ce qui précède, la nécessité de réflexions dignes des divins mystères afin de voir la sainteté s'établir et demeurer en nous[1].

(PARENTHÈSE THÉOLOGIQUE)

Chapitre XLII

Les défunts sont–ils sanctifiés par les dons de l'autel de la même manière que les vivants ?

1. Nouvelle question, qu'il faut ajouter aux explications précédentes.

2. Ces rites divins et sacrés se montrent sanctifiants de deux manières. La première, c'est par médiation : les dons offerts, du seul fait d'être offerts, sanctifient ceux qui les offrent, ainsi que ceux pour qui on les offre, et leur rendent Dieu propice. La seconde manière, c'est par la communion, au moyen de laquelle ces offrandes deviennent pour nous un véritable aliment et un véritable breuvage, selon la parole du Seigneur.

3. De ces deux manières, la première est commune aux vivants et aux défunts, car le sacrifice est offert pour l'une et l'autre catégorie. Mais la seconde manière n'est permise qu'aux vivants, puisque les morts ne peuvent plus manger ni boire. Quoi donc alors ? Les défunts vont-ils pour cela ne point bénéficier de cette sanctification qui résulte de la communion, et se trouver ici moins avantagés que les vivants ? Nullement. Car le Christ se communique aussi à eux, d'une manière que lui seul connaît[2].

4. En vue de le démontrer, considérons quelles sont les

16

εἰ μὴ καὶ αἱ ψυχαὶ ἔχουσι τῶν τεθνηκότων ὥσπερ τῶν ζώντων.

5. Τίνα δὲ τὰ αἴτια τοῦ ἁγιασμοῦ; ἆρα τὸ σῶμα ἔχειν, τὸ ποσὶ δραμεῖν ἐπὶ τὴν τράπεζαν, τὸ χερσὶ λαβεῖν τὰ ἅγια, τὸ δέξασθαι τῷ στόματι, τὸ φαγεῖν, τὸ πιεῖν; Οὐδαμῶς. Πολλοῖς γὰρ ταῦτα ἐπιδεξαμένοις[β] καὶ οὕτω προσεληλυθόσι τοῖς μυστηρίοις, οὔτε γέγονε πλέον οὐδὲν καὶ ἀπῆλθον μυρίων ὄντες ὑπεύθυνοι κακῶν.

6. Ἀλλὰ τίνα τοῦ ἁγιασμοῦ τὰ αἴτια τοῖς ἁγιαζομένοις; καὶ τίνα ἐστὶν ἃ παρ' ἡμῶν ὁ Χριστὸς ἀπαιτεῖ; Ψυχῆς κάθαρσις, ἀγάπη πρὸς Θεόν, πίστις, ἐπιθυμία τοῦ μυστηρίου, 457 D προθυμία πρὸς τὴν μετάληψιν, ὁρμὴ ζέουσα, τὸ διψῶντας δραμεῖν. Ταῦτά ἐστιν ἃ τὸν ἁγιασμὸν ἐφέλκεται τοῦτον· καὶ μεθ' ὧν τοὺς προσερχομένους ἀνάγκη τοῦ Χριστοῦ μετασχεῖν καὶ ὧν χωρὶς ἀδύνατον.

7 Ἀλλὰ ταῦτα πάντα οὐ σωματικά, ἀλλὰ τῆς ψυχῆς ἐξήρτηται μόνης. Οὐκοῦν οὐδὲν κωλύει καὶ τὰς ψυχὰς ταῦτα δύνασθαι τῶν τεθνηκότων ὥσπερ τῶν ζώντων.

8. Εἰ τοίνυν αἱ μὲν ψυχαὶ πρὸς τὸ μυστήριον ἑτοίμως ἔχουσι καὶ παρεσκευασμένως, ὁ δὲ ἁγιάσας καὶ τελέσας[γ] Κύριος ἁγιάζειν ἀεὶ βούλεται καὶ ἑαυτὸν ἑκάστοτε μεταδιδόναι ἐπιθυμεῖ, τί τὸ κωλύσον τὴν μετουσίαν; Πάντως οὐδέν.

460 A 9. Οὐκοῦν εἴποι τις ἄν· Εἴ τις καὶ τῶν ζώντων τὰ μὲν ἐν τῇ ψυχῇ ἀγαθὰ ἔχοι τὰ εἰρημένα, μὴ προσέλθοι δὲ τοῖς μυστηρίοις, ἕξει τὸν ἐκεῖθεν ἁγιασμὸν[δ] οὐδὲν ἧττον;

10. Οὐ πᾶς· ἀλλ' εἴ τις οὐ δύναται προσιέναι σωματικῶς ὥσπερ αἱ τῶν τεθνηκότων ψυχαί· οἷοι γεγόνασιν οἱ ἐν « ἐρημίαις πλανώμενοι καὶ ὄρεσι καὶ σπηλαίοις καὶ ταῖς ὀπαῖς τῆς γῆς », οἷς θυσιαστήριον καὶ ἱερέα ἰδεῖν ἀμήχανον ἦν. Τούτους

β. ἐπιδεξαμένοις : ἐπιδειξαμένοις P ‖ γ. ἁγιάσας καὶ τελέσας : ἁγιάσαι καὶ τελέσαι P ‖ δ. ἐκεῖθεν ἁγιασμὸν : ἁγιασμὸν ἐκεῖθεν P

a. Héb. 11, 38

causes de cette sanctification, pour voir si les âmes des défunts ne les possèdent pas aussi bien que celles des vivants.

5. Quelles sont donc les causes de cette sanctification ? Est-ce le fait d'avoir un corps ? d'user de nos pieds pour aller à la table sainte ? de recevoir dans les mains les espèces sacrées ? de les recevoir dans la bouche ? de les manger ? de les boire ? Nullement. Car plusieurs de ceux qui les reçoivent de la sorte, qui s'approchent ainsi des divins mystères, n'en retirent aucun bénéfice et s'en retournent, au contraire, coupables d'innombrables crimes.

6. Mais quelles sont donc alors, pour ceux qui sont sanctifiés, les causes de cette sanctification ? et quelles sont les conditions que le Christ exige de nous ? Pureté de l'âme, amour de Dieu, foi, désir du sacrement, ardeur pour la communion, élan fervent, empressement assoiffé : voilà ce qui attire cette sanctification, voilà les dispositions avec lesquelles il faut s'approcher pour communier au Christ et sans lesquelles c'est impossible.

7. Or, ces conditions ne sont pas choses corporelles, mais dépendent seulement de l'âme. Rien donc n'empêche les âmes des défunts de les réaliser comme celles des vivants.

8. En conséquence, si les âmes se trouvent convenablement disposées et préparées au sacrement ; si, d'autre part, le Seigneur, qui a sanctifié et consacré, veut toujours sanctifier et désire continuer à se donner lui-même, qu'est-ce qui empêchera la participation ? Rien absolument.

9. Alors, dira quelqu'un, si un vivant a dans son âme les bonnes dispositions susdites, mais n'accède pas aux saints mystères, il aura néanmoins la sanctification qui provient du sacrement ?

10. Pas n'importe qui ; mais celui-là seulement qui se trouve dans l'impossibilité matérielle d'y accéder, tout comme les âmes des défunts. C'était le cas, par exemple, de ceux qui vivaient « perdus dans la solitude des déserts, dans les montagnes, les grottes et les cavernes de la terre[a] », et qui n'avaient aucun moyen de voir un autel et un prêtre.

γὰρ αὐτὸς^ε ὁ Χριστὸς τὸν ἁγιασμὸν ἀφανῶς ἡγίαζε τοῦτον. Πόθεν δῆλον; Ὅτι ζωὴν εἶχον ἐν ἑαυτοῖς· οὐκ ἂν ἔχοντες, εἰ μὴ τοῦ μυστηρίου τούτου μετεῖχον. Αὐτὸς γὰρ ὁ Χριστὸς εἶπεν· « Ἐὰν μὴ φάγητε τὴν σάρκα τοῦ Υἱοῦ τοῦ ἀνθρώπου καὶ πίητε αὐτοῦ τὸ αἷμα, οὐκ ἔχετε ζωὴν ἐν ἑαυτοῖς. » Καὶ ἵνα τοῦτο σημάνῃ, πολλοῖς τῶν ἁγίων τούτων ἀγγέλους ἔπεμψε τὰ δῶρα κομίζοντας.

460 B   **11.** Εἰ δέ τις δυνάμενος οὐ προσέλθοι τῇ τραπέζῃ, τοῦτον τοῦ παρ' αὐτοῖς ἁγιασμοῦ τυχεῖν παντελῶς ἀδύνατον· οὐχ ὅτι οὐ προσῆλθεν ἁπλῶς, ἀλλ' ὅτι δυνάμενος οὐ προσῆλθε· καὶ διὰ τοῦτο δῆλός ἐστιν ὅτι τῶν ὀφειλομένων ἀγαθῶν τοῖς μυστηρίοις ἔρημον ἔχει τὴν ψυχήν.

12. Τίς γὰρ ὁρμὴ καὶ προθυμία περὶ τὴν τράπεζαν παρὰ τῷ δυναμένῳ ῥαδίως^ζ δραμεῖν ἐπ' αὐτὴν καὶ μὴ βουλομένῳ; Τίς δὲ πίστις πρὸς Θεὸν παρὰ τῷ μὴ φοβουμένῳ τὴν ἐν τοῖς ῥήμασι τοῦ Κυρίου κειμένην ἀπειλήν, τοῖς τὸ δεῖπνον τοῦτο περιορῶσι; Πῶς δ' ἂν πιστευθείη φιλεῖν, ὃ λαβεῖν ἐξὸν οὐ λαμβάνει;

13. Διὰ τοῦτο οὐδὲν καινόν, εἰ σωμάτων ἀπολελυμέναις
460 C ψυχαῖς ὁ Χριστός, αἷς τοιαύτην πονηρίαν οὐδεμίαν ἐγκαλεῖν ἔχει, τῆς τραπέζης μεταδίδωσι ταύτης. Ἐκεῖνο μὲν γὰρ καινὸν καὶ ὑπερφυὲς εἰ φθορᾷ συζῶν ἄνθρωπος ἀκηράτου φάγοι σώματος· τὸ δὲ οὐσίαν ἀθάνατον τὴν ψυχὴν ἀθανάτου μεταλαβεῖν τὸν κατάλληλον αὐτῇ τρόπον τί θαυμαστόν; Εἰ δὲ τὸ καινὸν τοῦτο καὶ ὑπερφυὲς διὰ φιλανθρωπίαν ἄφατον καὶ σοφίαν ἀπόρρητον ἐξεῦρεν ὅπως ἀνύσει, τὸ εἰκὸς καὶ τὸ ἀκόλουθον ποιεῖν πῶς οὐ πιστευθήσεται;

ε. αὐτὸς om P ‖ ζ. ῥᾳδίως om P

---

b. Jn 6, 53

---

1. Voir *note complémentaire* 11.

A ceux-là le Christ lui-même procurait de manière invisible cette sanctification. Comment le savons-nous ? C'est qu'ils avaient en eux la vie ; or, ils ne l'auraient pas eue s'ils n'avaient point participé à ce divin mystère. N'est-ce pas le Christ lui-même qui a dit : « Si vous ne mangez la chair du Fils de l'homme et si vous ne buvez son sang, vous n'avez pas la vie en vous[b]. » Et c'est pour le signifier qu'à plusieurs de ces saints Dieu envoya des anges pour leur porter les dons (consacrés).

11. Mais si, quoiqu'il en eût la possibilité, quelqu'un ne s'approchait pas de la sainte table, il ne pourrait absolument pas obtenir la sanctification que procurent ces dons consacrés : non pas du simple fait de ne pas y accéder, mais parce que, en ayant la possibilité, il refuse d'y accéder ; car il montre par là qu'il a l'âme dénuée des bonnes dispositions exigées pour le sacrement.

12. En effet, quel empressement et quelle ardeur pour la table sainte, de la part de celui qui, pouvant y venir facilement, n'en a point la volonté ? Quelle foi envers Dieu, chez celui qui ne redoute pas la menace contenue dans les paroles du Seigneur, chez ceux qui dédaignent ce divin repas ? Comment pourrait-on croire à l'amour de quiconque, ayant la faculté de recevoir ce sacrement, ne le reçoit pas ?

13. Aussi n'y a-t-il rien d'étonnant si le Christ fait participer à cette table sainte les âmes dégagées de leur corps, auxquelles il n'a aucune mauvaise volonté de ce genre à reprocher. Ce qui est extraordinaire et surnaturel, c'est qu'un homme vivant dans la corruption puisse se nourrir d'une chair impérissable ; mais qu'une âme de nature immortelle participe à un aliment immortel, de la manière qui lui est propre, quoi d'étonnant ? Et si cette première chose étrange et qui passe les bornes de la nature, Dieu dans son ineffable amour et sa mystérieuse sagesse a trouvé moyen de la réaliser, comment ne croirait-on pas qu'il accomplit aussi la seconde, qui est vraisemblable et logique[1] ?

ΜΓ΄. Ὅτι τῇ ψυχῇ τοῦ μεταλαμβάνοντος
προηγουμένως ὁ ἁγιασμὸς ἐνίεται

460 D 1. Ἐπεὶ καὶ αὐτοῖς τοῖς ἔτι μετὰ σώματος ζῶσι δίδοται
μὲν τὸ δῶρον διὰ τοῦ σώματος, ἀλλ᾽ εἰς τὴν οὐσίαν πρῶτον
χωρεῖ τῆς ψυχῆς καὶ διὰ τῆς ψυχῆς ἐπὶ τὸ σῶμα διαβαίνει· καὶ
τοῦτο δηλῶν ὁ μακάριος Ἀπόστολος· « Ὁ κολλώμενος τῷ
Κυρίῳ, φησίν, ἓν πνεῦμά ἐστιν »· ὡς ἐν τῇ ψυχῇ προηγουμένως τῆς ἑνώσεως ταύτης καὶ τῆς συναφείας συνισταμένης.
2. Ἐκεῖ γὰρ κυρίως ὁ ἄνθρωπος· ἐκεῖ καὶ ὁ ἁγιασμὸς
ὁ ἀπὸ τῶν ἀρετῶν καὶ τῆς ἀνθρωπίνης σπουδῆς· καὶ τὸ
ἁμαρτάνον ἐκεῖ καὶ τὸ δεόμενον τῆς ἰατρείας τῆς παρὰ τῶν
δώρων ἐκεῖνο. Τῷ σώματι δὲ πάντα ἀπὸ τῆς ψυχῆς γίνεται·
καὶ ὥσπερ ἀπὸ τῶν πονηρῶν διαλογισμῶν τῶν ἀπὸ τῆς
καρδίας ἐξερχομένων μολύνεται, οὕτω καὶ ὁ ἁγιασμὸς
461 A ἐκεῖθεν αὐτῷ, καθάπερ ὁ ἀπὸ τῆς ἀρετῆς, οὕτω καὶ ὁ ἀπὸ τῶν
μυστηρίων. Ἐνίοις δὲ καὶ σωματικαὶ νόσοι συμβαίνουσιν,
αἰτίαν ἔχουσαι τὴν κακοήθειαν τῆς ψυχῆς· ὃ σημάναι βουλόμενος ὁ Σωτὴρ τῷ θεραπεῦσαι τὴν τοῦ νοσοῦντος ψυχήν,
ὅπερ ἦν τῶν ἁμαρτιῶν αὐτὴνᵃ ἀπολῦσαι, τὸ σῶμα τῆς
ἀρρωστίας ἀνέστησεν.
3. Εἰ τοίνυν οὐδὲ πρὸς τὴν ὑποδοχὴν τοῦ ἁγιασμοῦ δεῖται
τοῦ σώματος ἡ ψυχή, ἀλλὰ ταύτης μᾶλλον ἐκεῖνο.
4. Τί πλέον τῆς τελετῆς ἔχουσιν αἱ μετέχουσαι σώματος
ψυχαὶ τῶν ἀπηλλαγμένων, ὅτι τὸν ἱερέα ὁρῶσιν καὶ παρ᾽ αὐτοῦ
τὰ δῶρα δέχονται; Ἀλλὰ καὶ κἀκεῖναι τὸν αἰώνιον ἔχουσιν
ἱερέα πάντα ταῦτα αὐταῖς γινόμενον, ὃς καὶ τῶν ἔτι ζώντων

α. αὐτὴν om. P

a. I Cor. 6, 17
b. Matth. 15, 11-20
c. Cf. Matth. 9, 2-8. Mc 2, 5-12. Lc 5, 20-25

Chapitre XLIII

C'est principalement à l'âme du communiant qu'est conférée la sanctification

1. Si ceux qui vivent encore dans le corps reçoivent le don sacré par le moyen du corps, il pénètre du moins tout d'abord dans la substance de l'âme et, par l'âme, passe au corps. C'est ce que veut nous dire le bienheureux Apôtre quand il dit : « Celui qui s'unit au Seigneur est avec lui un seul esprit[a] », parce que cette union et ce rapprochement s'accomplissent principalement dans l'âme.

2. C'est là en effet qu'est principalement l'homme ; c'est là aussi que réside la sanctification qui s'acquiert par les vertus et par l'activité humaine ; et c'est là qu'est le foyer du péché, et donc ce qui a besoin de la guérison qu'apporte le don sacré. Au corps, au contraire, tout vient par l'âme : de même qu'il est souillé par les mauvaises pensées qui sortent du cœur[b], de même c'est de là aussi que lui vient la sanctification, celle des saints mystères comme celle de la vertu. Il est même des hommes à qui surviennent des maladies corporelles ayant pour cause la dépravation morale de l'âme. C'est ce que voulait indiquer le Sauveur, lorsque, pour guérir l'âme d'un malade, c'est-à-dire dégager cette âme de ses péchés, il libérait le corps de son infirmité[c].

3. Ainsi donc, pour recevoir la sanctification l'âme n'a pas besoin du corps ; mais c'est bien plutôt ce. ui-ci qui a besoin de celle-là.

4. Quel avantage revient-il donc du rite sacré aux âmes encore unies au corps, sur celles qui en sont dégagées, du fait que les premières voient le prêtre et reçoivent de lui les dons sacrés ? Les secondes n'ont-elles pas aussi le Prêtre éternel, devenu aussi tout pour elles, Celui qui, d'autre part, distribue la communion à ceux parmi les vivants qui

τοῖς ὡς ἀληθῶς λαμβάνουσι μεταδίδωσιν. Οὐ γὰρ πάντες οἷς δίδωσιν ὁ ἱερεὺς ἀληθῶς μεταλαμβάνουσιν[β]· ἀλλ' ἐκεῖνοι 461 B μόνοι πάντως οἷς αὐτὸς δίδωσιν ὁ Χριστός. Ὁ μὲν γὰρ ἱερεὺς πᾶσιν ἁπλῶς τοῖς προσιοῦσιν· ὁ δὲ Χριστὸς τοῖς ἀξίοις τοῦ μετασχεῖν. Ὅθεν δῆλον ὡς ὁ τελῶν τὰς ψυχὰς τὸ μυστήριον καὶ ἁγιάζων καὶ ζῶντας καὶ τεθνηκότας μόνος τις[γ] αὐτός ἐστιν ὁ Σωτήρ.

5. Ἐκ δὴ τῶν εἰρημένων ἁπάντων ἐκεῖνο γίνεται δῆλον ὅτι πάντα ὅσα εἰς τὴν ἱερὰν ἥκει τελετὴν κοινά ἐστι καὶ ζῶσι καὶ τεθνηκόσι. Καὶ γὰρ καὶ τὰ αἴτια τοῦ ἁγιασμοῦ ψυχικὰ ὄντα ἀγαθὰ καὶ ἀμφοτέροις πρόσεστι· καὶ τὸ προηγουμένως καὶ οἰκείως ἔχον πρὸς τὸν ἁγιασμὸν τὸ αὐτό· καὶ ὁ ἁγιάζων ἱερεὺς ὁ αὐτός. Τοῦτο μόνον τοῖς ἐν σώματι ζῶσι προσὸν οὐ μέτεστι τοῖς ἀπελθοῦσι τὸ καὶ τοὺς ἀναξίους τῶν μυστηρίων ἁγιάζεσθαι δοκεῖν, ὅτι τὰ δῶρα τῷ στόματι δέχονται. Ἐκεῖ 461 C γὰρ οὐδὲ προσιέναι δυνατόν, εἴ τις ἀπαρασκευάστως ἔχει, ἀλλὰ μόνοις ἔξεστι τοῖς ἀξίοις ἡ μετουσία· τοῦτο δὲ οὐ προστίθησιν ἁγιασμὸν τοῖς ζῶσιν· ἀλλὰ τοὐναντίον κόλασιν ἔχει τὴν ἐσχάτην. Καὶ διὰ τοῦτο τοῦ γένους τῶν ζώντων εἶναι πλεονέκτημα πολλοῦ δεῖ.

6. Ἔτι δὲ καὶ δι' ἐκεῖνον τὸν λόγον φανερὸν γίνεται ὅτι οὐ μόνον ἔξεστι καὶ οὐδὲν ἔχει κώλυμα, ἀλλ' ὅτι καὶ ἀναγκαίως ἀκολουθεῖ ταῖς ψυχαῖς ἐκείναις ἡ τῶν ἱερῶν δώρων μετάληψις. Εἰ μὲν γὰρ καί τι ἕτερον ἦν τὸ τὰς ψυχὰς εὐφραῖνον καὶ

β. μεταλαμβάνουσιν : λαμβάνουσιν P ǁ γ. τις om P

---

1. Les mots entre parenthèses assurent l'exactitude de la pensée. Le traducteur latin insère avec raison cette note : « Lisez ceci avec précaution, car Cabasilas et les Grecs en général professent une doctrine très orthodoxe sur la présence réelle du corps du Christ dans l'Eucharistie. Peut-être faut-il entendre le mot *véritablement* dans le sens de : dignement et avec fruit. » (*P G* 150, 462.)

2. La proposition rectifie la phrase qui précède : toujours, on le voit, dans le même sens de communion fructueuse, sanctifiante. Mais on voit par là aussi que la conséquence déduite par Cabasilas dépasse les prémisses quand il l'applique aux défunts, pour qui la commu-

le reçoivent véritablement (et avec fruit)[1] ? Car ce ne sont pas tous ceux à qui le prêtre (humain) donne (l'Eucharistie), qui communient véritablement (et avec fruit), mais ceux-là uniquement à qui le Christ la donne. Le prêtre, lui, donne sans distinction le sacrement à tous ceux qui se présentent ; le Christ, à ceux qui sont dignes de communier. Par où il est manifeste qu'il n'y en a qu'un seul qui dans le sacrement perfectionne les âmes et les sanctifie[2], celles des vivants et celles des défunts : c'est le Sauveur.

5. De tout ce qui vient d'être dit il ressort donc que tous les éléments qui se trouvent dans le rite sacré sont communs aux vivants et aux défunts. Les causes de la sanctification, étant des biens d'âmes, concernent les uns comme les autres, identique est l'élément qui est principalement et proprement en rapport avec la sanctification ; identique, le Prêtre qui sanctifie. La seule chose qui est chez les vivants unis à un corps et qui n'existe pas chez les trépassés, c'est que même ceux qui sont indignes des saints mystères paraissent être sanctifiés parce que leur bouche reçoit le don consacré. Dans l'au-delà, l'accès même est impossible à qui se trouverait en état d'impréparation, et c'est aux seuls dignes que la participation est permise. Mais ce fait (de pouvoir s'approcher du sacrement de manière indigne) ne confère pas aux vivants la sanctification ; il leur vaut, au contraire, le pire châtiment. En conséquence, il s'en faut de beaucoup que cela soit un avantage de la catégorie des vivants.

6. En outre, et pour la même raison, on voit que la communion aux dons sacrés non seulement est possible à ces âmes (des défunts) et que rien ne l'empêche, mais qu'elle les accompagne nécessairement. Si en effet il y avait dans l'au-delà quelque autre principe de leur joie et de leur

nion sacramentelle, ni même la communion spirituelle, n'est plus possible. Toute la suite de l'argumentation se trouve ainsi compromise.

ἀναπαῦον ἐκεῖ, ἣν ἂν ἐκεῖνο γέρας ταῖς ἀξίαις τῆς καθαρό
τητος καὶ οὐκ ἃ ἐδέησε ταύτης τῆς τραπέζης ἐξ ἀνάγκης
αὐταῖς. Νῦν δὲ τὸ πᾶσαν τρυφὴν καὶ μακαριότητα τοῖς ἐκεῖ
γενομένοις ἐργαζόμενον, εἴτε παράδεισον εἴποις, εἴτε κόλπους
461 D Ἀβραάμ, εἴτε λύπης καὶ ὀδύνης ἁπάσης καθαροὺς καὶ
φωτεινοὺς καὶ χλοεροὺς καὶ ἀναψύχοντας τόπους, εἴτε τὴν
βασιλείαν αὐτήν, οὐδὲν ἕτερόν ἐστιν ἢ τοῦτο τὸ ποτήριον καὶ
οὗτος ὁ ἄρτος.

7. Ταῦτα γὰρ ὁ μεσίτης, ὁ πρόδρομος ὑπὲρ ἡμῶν εἰς τὰ
ἅγια, ὁ μόνος ἄγων εἰς τὸν Πατέρα, ὁ μόνος τῶν ψυχῶν ἥλιος
νῦν μὲν οὕτω φαινόμενος καὶ μετεχόμενος, ὡς ἠθέλησεν
αὐτός, τοῖς δεσμίοις τῆς σαρκός, τότε δὲ ὀφθησόμενος καὶ
μεταληφθησόμενος ἄνευ παραπετασμάτων, ὅτε « ὀψόμεθα
αὐτόν, φησί, καθώς ἐστιν »· ὅτε ὡς πτῶμα συγκαλέσει τοὺς
ἀετούς· ὅτε « περιζώσεται καὶ ἀνακλινεῖ αὐτούς, καὶ παρελ
θὼν διακονήσει αὐτοῖς »· ὅτε ἐπὶ τῶν νεφελῶν ἀστράψει καὶ
464 A δι' αὐτοῦ « λάμψουσιν οἱ δίκαιοι ὡς ὁ ἥλιος ». Τούτῳ τοὺς
μὴ συννημένους, ὥσπερ οἶδε συνάπτειν ἡ τράπεζα, ἀναπαύ

d. Héb. 8, 6 ; 9, 15 ; 12, 24
e. Héb. 6, 20
f. Héb. 2, 10. Jn 14, 6
g. I Jn 3, 2
h. Cf. Matth. 24, 28. Lc 17, 37
i. Cf. Lc 12, 37
j. Matth. 24, 30
k. Matth. 13, 43

1. Allusion à la parole du Sauveur concernant le second avènement du Messie, *Matth.* 24, 28 : « Où que soit le cadavre, les aigles
s'assemblent. » Cf. *Lc* 17, 37 : « Où est le cadavre, là les aigles s'assemblent. » — Il est intéressant de signaler un commentaire de saint Jean
Chrysostome, d'ordre purement moral, sur ce *logion* évangélique :
« C'est à l'union mutuelle que cette terrible et redoutable Victime
nous invite. Elle nous commande de nous approcher d'elle avec un
esprit de charité qui, nous rendant des aigles, nous fasse voler jusqu'au

repos, cela même constituerait la récompense pour celles qui sont dignes et pures, et alors il n'y aurait pas nécessairement besoin, pour elles, de cette table sainte. Mais en fait, ce qui procure à ceux de l'au-delà toute joie et toute félicité — que vous donniez à cet au-delà le nom de paradis, ou de sein d'Abraham, ou de lieux exempts de toute douleur et de tristesse, ou de régions lumineuses, verdoyantes et rafraîchissantes, soit même que vous l'appeliez le Royaume proprement dit —, ce n'est rien d'autre que cette coupe et ce pain.

7. Tout cela en effet (cette unique cause de la félicité de ces âmes), c'est le Médiateur[d], celui qui est entré pour nous en précurseur dans le sanctuaire[e], le seul qui conduit au Père[f], le seul soleil des âmes, qui maintenant brille et se donne de la manière qu'il a voulue, dans les liens de la chair ; plus tard il se fera voir et se donnera sans voile, quand « nous le verrons tel qu'il est[g] », selon le mot (de saint Jean), lorsqu'il rassemblera les aigles autour du corps mort[h][1], lorsqu'il « se ceindra, les fera mettre à table et passera pour les servir[i][2] », lorsqu'il apparaîtra rayonnant sur les nuées du ciel[j] et que par lui « les justes brilleront comme le soleil[k] ». Ceux qui ne lui sont pas unis, de cette union que sait nouer la participation à la même table, sont dans l'impossibilité

---

ciel même. *Car là où sera le corps mort, là aussi seront les aigles.* Il appelle son corps un corps mort parce que, s'il ne fût pas mort, nous ne nous serions jamais relevés. Il nous appelle aussi des aigles, parce que celui qui s'approche de ce corps doit être tout céleste et ne plus tenir à la terre ; qu'il ne doit pas se traîner ni ramper ici-bas, mais se porter en haut d'un vol continuel, regarder le Soleil de justice, et avoir l'œil de l'entendement clairvoyant. Car cette table est la table des aigles et non des corneilles. » — Voir dans le *De vita in Christo* la même pensée, avec référence au même texte (l. IV, *P G* 150, 623 D ; trad. Broussaleux, p. 137).

2. Expression de Notre-Seigneur encore (*Lc* 12, 37) pour symboliser la récompense réservée aux serviteurs vigilants.

σεως τυγχάνειν ἤ τι λαβεῖν ἀγαθόν, ἢ μικρὸν ἢ μεῖζον ἐκεῖ, παντελῶς ἀδύνατον.

ΜΔ′. Περὶ τῆς τοῦ Χριστοῦ μεσιτείας

1. Μεσίτης γάρ ἐστι δι' οὗ πάντα γέγονε τὰ παρὰ τοῦ Θεοῦ δοθέντα ἡμῖν ἀγαθά· μᾶλλον δὲ δίδοται ἀεί. Οὐ γὰρ ἅπαξ μεσιτεύσας καὶ παραδοὺς ἅπαντα ἡμῖν, ὑπὲρ ὧν ἐμεσίτευσεν, ἀπηλλάγη, ἀλλ' ἀεὶ μεσιτεύει οὐ λόγοις τισὶ καὶ δεήσεσιν, ὥσπερ οἱ πρεσβευταὶ ποιοῦσιν, ἀλλὰ πράγματι. Τί δὲ τὸ πρᾶγμα; Τὸ συνάπτειν ἑαυτῷ καὶ δι' ἑαυτοῦ τῶν οἰκείων μεταδιδόναι χαρίτων κατὰ τὴν ἀξίαν ἑκάστου καὶ τὸ τῆς καθάρσεως μέτρον.

2. Καὶ καθάπερ τὸ φῶς δι' ἑαυτοῦ τὸ ὁρᾶν τοῖς ὁρῶσι 464 B παρέχον, οἷς ἂν ἐπιλίποι, καὶ τὸ ὁρᾶν ἐπιλείπει, οὕτω καὶ τὴν μετὰ τοῦ Χριστοῦ συνουσίαν ἀνάγκη διηνεκῆ ταῖς ψυχαῖς εἶναι, εἴγε μέλλοιεν ζῆν ὅλως καὶ ἀναπαύεσθαι. Οὔτε γὰρ χωρὶς φωτὸς ὀφθαλμὸς δύναται βλέπειν, οὔτε χωρὶς τοῦ Χριστοῦ ζωὴν ἀληθινὴν καὶ εἰρήνην ἐνεῖναι ταῖς ψυχαῖς δυνατόν, ὅτι αὐτός ἐστι ὁ τῷ Θεῷ καταλλάττων μόνος, ὁ τὴν εἰρήνην ταύτην ποιῶν· ἧς χωρὶς ἐχθροὺς ὄντας τοῦ Θεοῦ τῶν ἀγαθῶν τῶν αὐτοῦ μετέχειν ὁπωσοῦν οὐδεμία ἐστὶν ἐλπίς.

3. Εἴτε οὖν οὐδὲ τὴν ἀρχὴν συνήφθη τις τῷ Χριστῷ, εἴτε συναφθεὶς οὐκ ἔμεινε συνημμένος, ἐχθρός ἐστιν ἔτι καὶ τῶν θείων ἀλλότριος ἀγαθῶν.

4. Τί γὰρ τὸ καταλλάξαν τῇ φύσει τῶν ἀνθρώπων τὸν Θεόν; Πάντως ὅτι ἄνθρωπον εἶδε τὸν Υἱὸν αὐτοῦ τὸν ἀγαπη-464 C τόν· οὕτω καὶ ἑκάστῳ σπένδεται τῶν ἀνθρώπων, εἴ τις τὴν μορφὴν κομίζει τοῦ Μονογενοῦς καὶ τὸ ἐκείνου φορεῖ σῶμα,

---

1. Voir *note complémentaire* 12.

absolue de jouir, dans l'au-delà, du repos ou d'y recevoir quelque bien que ce soit, plus ou moins considérable[1].

Chapitre XLIV

La médiation du Christ

1. Le Christ, en effet, est le Médiateur par qui nous sont venus tous les biens qui nous ont été donnés ou, plutôt, qui nous sont sans cesse donnés par Dieu. Car il ne s'est pas contenté de remplir une fois son rôle de Médiateur en nous livrant tous les biens en vue desquels il le remplissait, et de se retirer ensuite : non, il intervient sans cesse, et non point en paroles et en requêtes comme font les ambassadeurs, mais en action. Cette action, quelle est-elle ? Nous unir à lui et, à travers sa personne, nous faire part des grâces qui lui sont propres, selon le mérite de chacun et selon le degré de sa purification.

2. La lumière fournissant par elle-même à l'œil la possibilité de la vision, ceux à qui elle vient à faire défaut sont privés de la vue : ainsi l'union continuelle avec le Christ est-elle nécessaire aux âmes, si elles veulent pleinement vivre et jouir du repos. Ni sans lumière l'œil ne peut voir, ni sans le Christ les âmes ne peuvent posséder en elles la vie véritable et la paix. Car c'est lui seul qui réconcilie avec Dieu, lui seul qui produit cette paix sans laquelle nous restons ennemis de Dieu, sans aucun espoir de participer d'une façon ou d'une autre aux biens venus de Lui.

3. Si donc quelqu'un n'a pas été initialement réuni au Christ (par le Baptême), ou si, une fois réuni à Lui, il n'a point persisté dans cette union, celui-là est encore ennemi et, par conséquent, étranger aux divines richesses.

4. Qu'est-ce, en effet, qui a réconcilié Dieu avec le genre humain ? Uniquement ceci : Dieu a vu fait homme son Fils bien-aimé. De même, il se réconcilie avec chaque homme individuellement, si celui-ci revêt la forme du Fils unique,

καὶ ἓν πνεῦμα μετ᾽ αὐτοῦ φαίνεται. Τούτων δὲ χωρὶς ἕκαστος αὐτὸς ἐφ᾽ ἑαυτοῦ ὁ ἄνθρωπός ἐστιν ὁ παλαιὸς ὁ τῷ Θεῷ ἀπηχθημένος, ὁ πρὸς αὐτὸν οὐδὲν κοινὸν ἔχων.

5. Εἰ τοίνυν χρὴ πιστεύειν γίνεσθαι ταῖς ψυχαῖς ἀνάπαυσιν ἀπὸ τῆς εὐχῆς τῶν ἱερέων καὶ τῆς προσαγωγῆς τῶν ἱερῶν δώρων, πιστευτέον πρὸ τούτου καὶ κατὰ τοῦτον αὐτὸ γίνεσθαι τὸν τρόπον, καθ᾽ ὃν μόνον ἄνθρωπον ἀναπαύεσθαι δυνατόν. Τίς δὲ ὁ τρόπος, εἴρηται τῷ διηλλάχθαι Θεῷ καὶ μὴ ἐχθροὺς εἶναι. Τοῦτο δὲ πῶς; Τὸ ἀνακραθῆναι Θεῷ καὶ ἓν γενέσθαι πνεῦμα μετὰ τοῦ ἠγαπημένου, ἐν ᾧ μόνῳ ηὐδόκησεν ὁ Πατήρ· ἀλλὰ τοῦτο τῆς ἱερᾶς τραπέζης τὸ ἔργον, ὃ κοινὸν ἐδείχθη διὰ τῶν εἰρημένων καὶ ζῶσιν ὁμοίως καὶ τεθνηκόσι.

464 D ### ΜΕ'. Ὅτι τελεώτερος τοῖς κεκοιμημένοις ὁ ἁγιασμὸς γίνεται

1. Ἔχουσι δέ τι πλέον εἰς ἁγιασμὸν τῶν ἐν σώματι ζώντων αἱ γυμναὶ σωμάτων ψυχαί· καθαίρονται μὲν γὰρ καὶ ἁμαρτιῶν ἄφεσιν λαμβάνουσι διὰ τῶν εὐχῶν τῶν ἱερέων καὶ τῆς μεσιτείας τῶν δώρων, τῶν ἔτι ζώντων οὐδὲν ἔλαττον. Ἁμαρτάνουσι δὲ οὐδέν, οὐδὲ προστιθέασιν ἐγκλήματα νέα τοῖς παλαιοῖς, ὥσπερ τὸ πλεῖστον ἔχει τῶν ζώντων, ἀλλὰ μόνον ἢ παντελῶς ἀφίενται πάσης εὐθύνης, ἢ γοῦν ἀφαιροῦσι τῶν ἐγκλημάτων ἀεί· καὶ οὕτω πρὸς τὴν μετουσίαν τοῦ Σωτῆρος ἑτοιμότερον ἔχουσι καὶ κάλλιον οὐ μόνον τῶν 465 A πλειόνων ἐν σώματι ζώντων, ἀλλὰ καὶ σφῶν αὐτῶν, εἰ μετὰ σώματος ἦσαν. Καὶ αὐτὸ δὲ τοῦτο μόνον τὸ γυμνὰς εἶναι σώματος ἐπιτηδειοτέρας δίδωσιν εἶναι πολλῷ πρὸς τὴν

---

1. Voir *note complémentaire* 13.

est porteur de Son corps et se montre un seul esprit avec Lui. Sans ces conditions, tout individu demeure par soi-même le vieil homme, l'homme détestable à Dieu et n'ayant rien de commun avec Lui.

5. Si donc il faut croire que le repos est procuré aux âmes par la prière des prêtres et par la présentation des dons sacrés, nous devons d'abord croire que cela se réalise de cette seule façon selon laquelle il est possible à l'homme de jouir (du repos). Quelle est cette façon ? On vient de le dire : c'est d'être réconcilié avec Dieu, de ne pas être son ennemi. Et comment cela ? En étant uni à Dieu[1], en devenant un seul esprit avec le Bien-Aimé, en qui seul le Père s'est complu. Or, c'est là l'effet de la sainte table et, comme on l'a dit et montré, cet effet est pareillement obtenu et par les vivants et par les morts.

CHAPITRE XLV

Que la sanctification s'opère plus parfaite pour les défunts

1. Les âmes dégagées de leur corps possèdent, relative-ment à la sanctification, un avantage sur celles qui vivent encore dans le corps. Assurément, tout comme les vivants, elles sont purifiées et reçoivent la rémission de leurs péchés par les prières des prêtres et par la médiation des dons sacrés. Mais elles ne pèchent plus et n'ajoutent pas de nouveaux péchés aux anciens, comme c'est le cas pour la plupart des vivants. Leur avantage, c'est ou bien d'être complètement absoutes de toute culpabilité, ou au moins d'être à jamais affranchies du péché : de la sorte, elles se trouvent beaucoup mieux préparées à la communion du Sauveur, non seulement que la plupart de ceux qui vivent dans un corps, mais même mieux qu'elles ne le seraient elles-mêmes si elles étaient avec leur corps. Le seul fait d'être dégagées du corps leur assure une bien meilleure dis-

μετουσίαν τῶν μυστηρίων ἢ δυνατὸν ἦν τὸ σῶμα περικειμένας.

2. Πολλῶν γὰρ οὐσῶν καὶ διαφόρων ἐκεῖ τῶν μονῶν, ἵνα πᾶν μέτρον ἀρετῆς τιμηθῇ καὶ μηδὲν ἄμισθον ᾖ παρὰ τῷ δικαίῳ καὶ φιλανθρώπῳ κριτῇ, καθάπερ οἱ τῶν μεγίστων ἄξιοι γερῶν καὶ τέλειοι καὶ τῆς τελείας μακαριότητος κληρονόμοι, Παῦλος καὶ εἴ τις κατ᾽ ἐκεῖνον, καθαρώτερον αὐτῆς ἀπολαύουσιν ἀναλύσαντες ἢ ὅτε τῷ βίῳ τούτῳ παρῆσαν, οὕτω καὶ τῆς μετρίας τοὺς πρὸς τοιαύτην ἀνάπαυσιν τεταγμένους εἰκὸς ἄμεινον τυγχάνειν ἀπελθόντας ἐνθένδε ἢ μετὰ σώματος ζῶντας.

3. Ἐδείχθη δὲ ὡς πᾶσα ψυχῶν ἀνάπαυσις καὶ πᾶν ἆθλον 465 B ἀρετῆς, καὶ μικρὸν καὶ μεῖζον, οὐδέν ἐστιν ἕτερον ἢ ὁ ἄρτος οὗτος καὶ τοῦτο τὸ ποτήριον καταλλήλως ἑκατέρῳ γένει, ζώντων λέγω καὶ νεκρῶν, μεταλαμβανόμενον. Διὰ τοῦτο γὰρ καὶ ὁ Κύριος τὴν ἐν τῷ μέλλοντι τῶν δικαίων ἀπόλαυσιν δεῖπνον ἐκάλεσεν, ἵνα δείξῃ ταύτης τῆς τραπέζης μηδὲν εἶναι πλέον ἐκεῖ.

4. Οὕτω καὶ ὑπὲρ τῶν ἀπελθόντων, ὥσπερ ὑπὲρ τῶν ζώντων ἐστὶν ἡ θεία τῆς εὐχαριστίας ἱερουργία· καὶ διττῶς ἁγιαζομένων ἐκείνων, ὡς εἴρηται, διττῶς καὶ αὐτοὶ ἁγιάζονται καὶ οὐδετέρως ἔλαττον ἔχουσι τῶν ζώντων οἱ μεταστάντες, ἀλλ᾽ ἔστιν ὅπως καὶ μεῖζον.

a. Jn 14, 2

1. *Sortis de cette vie* : le grec ἀναλύσαντες s'inspire manifestement du texte de saint Paul, *Phil.* 1, 23 : τὸ ἀναλῦσαι καὶ σὺν Χριστῷ εἶναι.

2. C'est-à-dire par la *médiation* et par la *communion*, comme il a été dit au début du chapitre XLII.

position à participer aux divins mystères qu'il ne leur serait possible si elles étaient revêtues du corps.

2. En effet ; il y a dans l'au-delà un grand nombre de « demeures différentes[a] », afin que tous les degrés de vertu soient honorés et que rien ne reste sans rémunération de la part du Juge qui est à la fois juste et bon. C'est pourquoi, comme ceux-là qui sont dignes des plus grandes récompenses, les parfaits, les héritiers de la parfaite béatitude, un Paul ou tout autre de semblable mérite, jouissent de cette béatitude plus purement, une fois sortis de cette vie[1], que lorsqu'ils étaient en ce monde, de même, ceux qui, placés dans cette région du repos, y ont hérité d'une béatitude moyenne, en jouissent normalement mieux après avoir quitté la terre que lorsqu'ils vivaient dans le corps.

3. Or nous avons montré que tout repos des âmes, toute récompense de la vertu, quelle que soit leur mesure, ne sont rien d'autre que ce pain et cette coupe, reçus en partage selon le mode adapté à chaque catégorie, je veux dire à celle des vivants et à celle des morts. Car voici pourquoi le Seigneur lui-même a désigné sous le nom de banquet le bonheur futur des justes : il voulait montrer que dans l'au-delà il n'y avait rien de plus que cette table sainte.

4. Ainsi la divine liturgie de l'Eucharistie est-elle aussi pour les défunts, comme elle est pour les vivants. Ceux-ci étant sanctifiés de deux manières, comme il a été dit[2], ceux-là le sont aussi doublement. Les trépassés n'ont aucune infériorité à l'égard des vivants ; d'une certaine manière, au contraire, ils ont un avantage[3].

3. Voir *note complémentaire* 14.

465 C MΣʹ. Πῶς ἀεὶ τὰ δῶρα ταῦτα δεκτά εἰσι τῷ Θεῷ

1. Ἐφεξῆς δὲ κἀκεῖνο σκοπῶμεν· ὅτι μὲν γὰρ ἀπὸ τῆς τελετῆς ἁγιάζονται πάντες οἱ πιστοί, δῆλον ἀπὸ τῶν εἰρημένων· εἰ δὲ καὶ πάντοτε, ζητεῖν ἄξιον.

2. Ἐπεὶ γὰρ δώρων ἐστὶ προσαγωγὴ ἡ ἱερουργία, τὰ δῶρα δὲ οὐ πάντοτε δεκτὰ παρὰ τῷ Θεῷ, ἀλλ᾽ ἔστιν ἃ διὰ τὴν πονηρίαν τῶν προσαγόντων καὶ μισοῦνται, καὶ ἀποπέμπονται· καὶ τούτου πολλαὶ μὲν παρὰ τοῖς παλαιοῖς, πολλαὶ δὲ παρὰ τοῖς ἐν χάριτι ζῶσιν αἱ ἀποδείξεις, ζητῶμεν μή ποτε καὶ ταῦτα τὰ δῶρα ἐνίοτε μάτην ἱερουργοῦνται, μὴ ἁγιαζόμενα ὡς ἄδεκτα κατὰ τὴν ἐπαγγελίαν τῆς τελετῆς, ὡς ἂν οὐκ ἀεὶ παρὰ ἀγαθῶν ἀνδρῶν, ἀλλ᾽ ἔστιν ὅτε καὶ πονηρῶν προσφερόμενα.

3. Ὅτι γὰρ ὁ Θεὸς καὶ ταῦτα τὰ δῶρα ἀποστρέφεται,
465 D ὅταν ὁ προσάγων ἐναγὴς ᾖ, δῆλον ἐξ ὧν ἡ Ἐκκλησία τοῦτο ποιεῖ. Καὶ γὰρ οὓς οἶδε θανάσιμα ἁμαρτάνοντας, οὐκ ἐᾷ τὰ τοιαῦτα δωροφορεῖν· κἂν τολμήσωσιν, οὐ παραδέχεται ἀλλ᾽ ἀποδιώκει μετὰ τῶν δώρων. Ἀλλ᾽ ἐπεὶ οὐ πάντας τοὺς τοιούτους ἡ Ἐκκλησία οἶδε καλῶς, ἀλλ᾽ οἱ πλείους λανθάνουσι καὶ τὰ δῶρα αὐτῶν ἡ θεία τράπεζα δέχεται, τί χρὴ περὶ ἐκείνων τῶν δώρων γινώσκειν; Ἆρα ἄδεκτα παρὰ τῷ Θεῷ καὶ ἁγιασμοῦ παντὸς ἔρημα; Καὶ εἰ τοῦτο δοθείη, ἄδηλον πότε ἅγια, τοῦ τρόπου τῶν προσαγόντων ὡς ἐπὶ τὸ πλεῖστον ἢ ἀμφιβαλλομένου ἢ παντελῶς ἀγνοουμένου, καὶ οὕτως ἀμφιγνοοῦντας καὶ χωρὶς πίστεως προσερχομένους τοῖς μυστηρίοις ἀνάγκη μηδὲν παρ᾽ αὐτῶν τοὺς πιστοὺς ὠφελεῖσθαι.

---

1. L'expression vaut la peine qu'on souligne le texte grec : οὓς οἶδε θανάσιμα ἁμαρτάνοντας.

Chapitre XLVI

Comment ces dons sacrés sont toujours agréables à Dieu

1. Voici que nous avons autre chose à considérer. De ce qui vient d'être dit, il ressort que tous les fidèles sont sanctifiés par le rite sacré. Le sont-ils toujours ? c'est une question qui mérite examen.

2. La sainte liturgie est une présentation de dons. Or les dons ne sont pas toujours agréés par Dieu : il y en a qui, à cause de la perversité de ceux qui les présentent, sont objet d'aversion et sont repoussés ; les exemples en sont nombreux chez les anciens (sous la Loi), nombreux aussi chez ceux qui vivent sous le régime de la grâce. Demandons-nous donc si parfois ces dons ne sont pas consacrés en vain, n'étant pas sanctifiés parce que non agréés, selon l'expression de la liturgie, du fait qu'ils ne seraient pas toujours offerts par des hommes vertueux, mais quelquefois par des mauvais.

3. Que Dieu rejette même ces dons lorsque celui qui les présente est coupable, cela ressort du fait que l'Église en agit ainsi. Ceux qu'elle sait être en état de péché mortel[1], elle ne les laisse pas présenter ces offrandes ; et s'ils en ont l'audace, elle ne les accepte pas, mais elle les exclut avec leurs offrandes. Cependant, comme l'Église ne connaît pas toujours parfaitement tous les criminels de ce genre, que la plupart même restent ignorés, et que la table divine reçoit aussi leurs offrandes, que faut-il donc penser de ces dons ? Est-ce qu'ils sont non agréés par Dieu et privés de toute sanctification ? S'il en est ainsi, nous ne pouvons plus savoir quand ils seront consacrés, car les dispositions de ceux qui les présentent demeurent pour nous la plupart du temps ou incertaines ou même complètement inconnues et, les fidèles s'approchant ainsi des mystères dans l'incertitude et donc sans foi, il est fatal qu'ils n'en retirent aucun profit.

4. Τί οὖν πρὸς ταῦτα ἔστιν εἰπεῖν;

468 A 5. Ὅτι διττῆς οὔσης τῆς τῶν δώρων προσαγωγῆς, τῆς μὲν πρώτης τοῦ οἴκοθεν αὐτὰ κομίζοντος εἰς τὰς τῶν ἱερέων χεῖρας· τῆς δὲ δευτέρας τῆς Ἐκκλησίας πρὸς τὸν Θεόν.

6. Ἡ μὲν πρώτη προσαγωγή, ὅταν πονηρὸς ὁ προσάγων ᾖ, ματαία καὶ οὐδὲν αὐτῆς ὄφελος τῷ προσφέροντι διὰ τὸ πονηρὸν αὐτὸν εἶναι· οὐ γὰρ δὴ τὰ προσαγόμενα αὐτὰ δι' ἑαυτὰ παρὰ τῷ Θεῷ βδελυκτά, ὅτι πᾶν κτίσμα Θεοῦ καλόν.

7. Τὴν δὲ δευτέραν παρὰ ἀγαθῶν ἀνδρῶν γινομένην καὶ ὑπὲρ τῆς τοῦ Θεοῦ δόξης καὶ τῶν ἁγίων καὶ τῆς σωτηρίας τῆς οἰκουμενικῆς καὶ πάσης ἁπλῶς δικαίας αἰτήσεως, οὐδὲν κωλύει εὐπρόσδεκτον εἶναι. Οὐ γὰρ ἐνετέθη τις μολυσμὸς τοῖς δώροις ἀπὸ τῶν χειρῶν τοῦ ἐξ ἀρχῆς αὐτὰ προσενεγκότος, ἀλλὰ καθαρὰ μένοντα καὶ ὑπὸ καθαρῶν ἀναφερόμενα καὶ
468 B ἁγιάζονται καὶ ἁγιάζουσι τοὺς προσερχομένους. Ἐν οὐδενὶ γάρ ποτε τῶν ἀλόγων ἢ τῶν ἀψύχων ῥυπαρία τις τῆς ἁμαρτίας ἐντεθῆναι δύναται, ὅτι ἡ ἁμαρτία προαιρέσεώς ἐστι νόσημα καὶ μόνων ἂν εἴη τῶν λογικῶν τὸ ἀπὸ τῆς ἁμαρτίας μολύνεσθαι.

8. Τί οὖν, εἰ ἀεὶ καθαρὰ τὰ δῶρα τὰ παρὰ τῶν πονηρῶν προσαγόμενα, ὁ νόμος τῆς Ἐκκλησίας οὐ παραδέχεται; Ἵνα τοὺς προσάγοντας ἐντρέψῃ, ἵνα μάθωσι τῆς τοῦ Θεοῦ ὀργῆς, ἣν αὐτοῖς ἐμήνισε, τὴν ὑπερβολήν, ὃς καὶ τὰ αὐτοῦ κτίσματα οἷς οὐδὲν ἐγκαλεῖν ἔχει, δι' αὐτοὺς ἀποστρέφεται καὶ μισεῖ· καὶ ταῦτα μαθόντες φοβηθῶσι καὶ διορθώσωνται τὸν βίον· αὐτῶν δὲ τῶν δώρων οὐδεμίαν καταγινώσκει κακίαν. Διὰ

---

1. Pour être exact dans son argumentation, Cabasilas devrait dire ici : « qu'elle soit faite par des hommes (des prêtres) vertueux ou par des coupables ». On verra qu'à la fin du chapitre il est bien réduit à en venir là. Pour le moment, son raisonnement reste un peu confus et embarrassé. Ou plutôt, il ne l'est qu'en apparence et par suite de la confusion qu'il semble maintenir dans l'esprit du lecteur entre la première oblation, celle du simple fidèle, et la seconde, celle de l'Église par le prêtre. La première peut n'être pas agréée par Dieu ; la seconde le sera toujours. Seulement ici, notre théologien continue de suivre le sort de l'oblation qui, non agréée par Dieu dans sa première étape à cause du mauvais état moral du fidèle qui la fait, se trouve

4. Que répondre à ces difficultés ?

5. Qu'il y a deux présentations des dons : la première est faite par le fidèle qui les apporte de sa maison et les remet entre les mains des prêtres ; la seconde est celle que l'Église fait à Dieu.

6. La première présentation, lorsque celui qui présente est coupable, est nulle et d'aucun profit pour l'offrant, du fait qu'il est coupable, car ce ne sont pas les choses présentées qui sont elles-mêmes répugnantes pour Dieu, puisque toute créature de Dieu est bonne.

7. Quant à la seconde présentation, si elle est faite par des hommes vertueux[1], pour la gloire de Dieu et des saints, pour le salut du monde et, en général, pour toute intention légitime, rien n'empêche qu'elle soit bien accueillie. Car nulle souillure n'a été infligée aux dons par les mains de celui qui a fait l'oblation initiale : quand ils demeurent purs, et qu'ils sont offerts par des mains pures, ils sont sanctifiés et ils sanctifient ceux qui s'en approchent. Car la souillure du péché ne saurait jamais jeter son infection en aucun des êtres dépourvus de raison ou inanimés : le péché est un mal de la volonté, et il n'y a que les êtres raisonnables qui puissent être souillés par le péché.

8. Si les offrandes sont toujours pures, même présentées par des hommes mauvais, pourquoi donc la loi de l'Église n'accepte-t-elle pas ces dernières ? C'est afin de faire honte à ceux qui les présentent, afin qu'ils connaissent l'excès de la colère de Dieu soulevée contre eux, qui lui fait rejeter et avoir en aversion, à cause d'eux, ses propres créatures auxquelles il n'a rien à reprocher. C'est pour que cette leçon leur inspire la crainte et les amène à l'amendement de leur vie. Mais aux offrandes elles-mêmes Dieu ne reproche aucune malice. Aussi rien n'empêche que ces offrandes

---

reprise, dans sa seconde étape, également par un prêtre coupable. C'est cette supposition qui va provoquer la nouvelle objection, à quoi la dernière partie du chapitre apportera la réponse décisive.

τοῦτο οὐδὲν κωλύει δεκτὰ γίνεσθαι ταῦτα καὶ ἁγιάζεσθαι τὴν
468 C δευτέραν προσαγωγὴν ποιουμένων ἀνδρῶν ἀγαθῶν.

9. Ἀλλ᾽ εἴποι τις ἄν· Καὶ μὴν οὐ πάντες οἱ προσάγοντες
ἱερεῖς ἀγαθοί, ἀλλ᾽ ἔνιοι καὶ πονηρίαν νοσοῦσι τὴν ἐσχάτην·
ὅθεν εἰς τὴν αὐτὴν ἀπορίαν περιΐσταται ὁ λόγος ἡμῖν. Ὅταν
γὰρ τύχῃ καὶ ἀμφοτέρους τοὺς προσαγωγέας εἶναι θεοστυ-
γεῖς, ἐνδέχεται γάρ, πόθεν ὑπάρξει τοῖς δώροις τὸ εἶναι Θεῷ
κεχαρισμένα καὶ δεκτὰ καὶ ἅγια καὶ ἁγιαστικά; Οὐδαμόθεν·
ἀλλὰ τότε μὲν ἀληθῶς ἄδεκτα. Ἀεὶ δὲ ἀμφίβολα, διὰ τὸ
ἀμφιβάλλεσθαι τοὺς τρόπους τῶν δωροφορούντων αὐτὰ καὶ
ἱερουργούντων᾽. « Οὐδεὶς γὰρ οἶδε βεβαίως, φησί, τὰ τοῦ
ἀνθρώπου, εἰ μὴ τὸ πνεῦμα τὸ ἐν αὐτῷ »· καὶ οὕτω πολλὴ
μὲν περὶ τὴν τελετὴν ἀπιστία καὶ ἀμφιβολία· τὸ δὲ βέβαιον
οὐδαμοῦ· καὶ ἡ μετάληψις τῶν ἁγιασμάτων οὐδὲν ὄφελος
οἴσει τοῖς πιστοῖς μεταλαμβάνουσι χωρὶς πίστεως.

468 D 10. Ταῦτα εἴποι καὶ ἀπορήσειεν ἄν, εἴ τις οἴεται τὸν
ἱερέα αὐτὸν εἶναι τὸν κύριον τῆς τῶν δώρων τούτων προσα-
γωγῆς· οὐκ ἔστι δέ· ἀλλὰ τὸ μὲν τὴν προσαγωγὴν αὐτῶν
κυρίως ἐργαζόμενον ἡ χάρις ἐστὶν ἡ ἁγιάζουσα. Τοῦτο γὰρ
ἐστι προσενεχθῆναι αὐτὰ τὸ ἁγιασθῆναι· ὁ δ᾽ ἑκάστοτε
ἱερουργῶν ὑπηρέτης ἐστὶν ἐκείνης. Εἰσφέρει γὰρ οὐδὲν
οἴκοθεν, οὐδέτι τολμᾷ ποιεῖν ἢ λέγειν ἀπὸ τῆς ἑαυτοῦ
κρίσεως καὶ τῶν λογισμῶν· ἀλλ᾽ ἐκεῖνα μόνον ἃ παρέλαβεν
ἐκεῖθεν, εἴτε πρᾶγμά ἐστιν, εἴτε λόγος, εἴτε ἔργον, κατὰ τὸν
τρόπον ὃν ἐκελεύσθη, κομίσας ἀποδίδωσι τῷ Θεῷ· καὶ οὕτω
τὰ δῶρα κατὰ τὸ ἀρέσκον τῷ Θεῷ ἀεὶ προσφερόμενα ἀνάγκη
ἀρεστὰ αὐτῷ ἀεὶ καὶ δεκτὰ εἶναι.

11. Τί γὰρ εἰ τὰ καθ᾽ ἑαυτὸν φαῦλός ἐστιν ὁ κομίζων; Οὐ
469 A γὰρ προστίθησιν οὐδὲν ἡ φαυλότης ἐκείνου τοῖς δώροις, οὐδὲ

α. ἱερουργούντων : ἱερολογούντων P

---

a. I Cor. 2, 11

---

1. C'est-à-dire le fidèle offrant initial, et le prêtre qui, après avoir
reçu l'offrande du fidèle, la présente lui-même à Dieu sur l'autel.

soient agréées et consacrées lorsque la seconde oblation est faite par des hommes vertueux.

9. Mais précisément, dira quelqu'un, les prêtres qui font l'oblation ne sont pas tous bons, il s'en trouve qui sont infectés de la pire des perversités ; en sorte que notre raisonnement retombe dans la même difficulté. Lorsqu'il arrive que ceux qui présentent dans les deux cas[1] sont en horreur à Dieu — car le cas se présente —, d'où viendra aux dons la faveur d'être agréables à Dieu, accueillis, saints et sanctifiants ? De nulle part, mais ils seront alors réellement non agréés. Nous voilà donc toujours dans le doute, à cause de l'incertitude où nous sommes des dispositions de ceux qui font l'oblation initiale et de ceux qui la consacrent. Car, dit l'Écriture, nul « ne connaît sûrement l'intime de l'homme, si ce n'est l'esprit qui est en cet homme[a] ». Et ainsi subsistent une grande défiance et une grande incertitude au sujet du rite liturgique ; il n'y a rien de sûr nulle part. Or, sans la foi, la communion aux saintes espèces n'apportera aux fidèles aucun secours.

10. On pourrait parler de la sorte, et il y aurait lieu d'être perplexe, si l'on pensait que le prêtre en personne est le maître souverain de cette présentation des dons. Mais il ne l'est pas. Ce qui opère principalement cette présentation, c'est la grâce qui sanctifie : car pour les dons, être présentés équivaut à être sanctifiés. Dans chaque cas particulier, le célébrant n'est que le serviteur de la grâce. Il n'apporte rien de son propre fonds et n'ose plus rien faire ou dire d'après son propre jugement et ses propres pensées. Il n'offre que ce qu'il a d'abord reçu : chose, parole ou action, il la rend à Dieu, et de la manière qui a été prescrite. Et ainsi les dons qui sont toujours présentés à Dieu comme il Lui plaît Lui sont-ils nécessairement toujours agréables et sont-ils toujours acceptés.

11. Qu'importe si, en ce qui le concerne, celui qui fait l'oblation est un homme pervers ? Sa perversité n'affecte en rien les dons et ne rend pas mauvaise la présentation,

χείρω ποιεῖ τὴν προσαγωγήν, ὥσπερ οὐδὲ ἰατρικὸν φάρμακον κωλύεται εἶναι ὑγιεινόν, ὅτι ἰδιώτης ἄνθρωπος καὶ τῆς τέχνης οὐδὲν ἐπαΐων αὐτὸ συνέθηκεν, εἰ μόνον ἰατροῦ κελεύσαντος καὶ τὴν κατασκευὴν ἅπασαν ἐκδόντος αὐτῷ συνέθηκε. Γένοιτο γὰρ ἂν οὐ διὰ τὴν ἀμάθειαν τοῦ ὑπηρετήσαντος μάταιον, ἀλλὰ διὰ τὴν τέχνην τοῦ ἐκδεδωκότος σωτήριον. Ἀπὸ μὲν γὰρ τοῦ ὑπηρέτου ἀνεπιστημοσύνης οὐδὲν ἔλαβεν· ἀπὸ δὲ τῆς τοῦ ἰατροῦ τέχνης πᾶσαν ἐδέξατο τὴν κατασκευήν.

12. Οὕτω κἀνταῦθα τὸ πᾶν ἡ χάρις ἐργάζεται. Ὁ δὲ ἱερεὺς ὑπηρέτης ἐστὶ μόνον, οὐδ' αὐτὸ τὸ ὑπηρετεῖν οἴκοθεν ἔχων. Καὶ τοῦτο γὰρ παρὰ τῆς χάριτος αὐτῷ. Τοῦτο γάρ ἐστιν ἡ ἱερωσύνη δύναμις ὑπηρετική τις τῶν ἱερῶν.

ΜΖ'. Ὅσον εἰσὶ δεκτά

1. Ἀλλ' ὅτι μὲν πάντας τοὺς πιστοὺς ἁγιάζει πάντα τὰ δῶρα καὶ πάντοτε, πάντοτε ὄντα δεκτὰ τῷ Θεῷ, δῆλον ἀπὸ τῶν εἰρημένων. Ἑπόμενον δὲ θεωρῆσαι καὶ ὅσον εἰσὶ δεκτά.

2. Τί γὰρ τῷ δώρῳ τὸ δεκτὸν εἶναι καὶ ἐπὶ τῶν ἀνθρώπων; Τί ποιοῦντες τὰ δῶρα δέχεσθαι αὐτὰ λέγονται; Ἆρ' ὅτι ταῖς χερσὶ λαμβάνομεν καὶ κόλπον αὐτοῖς ὑπέχομεν; Οὐδαμῶς. Πολλὰ γὰρ οὐδὲ κομίσαι τοὺς λαμβάνοντας οὐδὲ ὑποδέξασθαι δυνατόν· ὥσπερ εἰ ἀγρὸς εἴη τὸ διδόμενον ἢ οἰκία ἤ τι τοιοῦτον.

3. Ἀλλὰ τί ἂν εἴη τὸ δέχεσθαι ἐπὶ πάντων τῶν δώρων; Τὸ μετὰ τῶν ἰδίων τάξαι, τὸ οἰκειώσασθαι, ταῦτα δεκτὰ λέγονται.

tout comme un remède ne perdrait pas sa salutaire efficacité
pour avoir été composé par un simple particulier qui n'entend rien aux secrets de l'art, pourvu que cet homme l'ait
composé conformément aux prescriptions d'un médecin qui
lui en a indiqué toute la préparation. Un tel remède serait
en fait, non point certes inefficace à cause de l'ignorance du
subalterne qui l'administre, mais, bien au contraire, salutaire à cause de la compétence de celui qui l'a prescrit. De
l'ignorance du serviteur, le remède n'a rien gardé, mais de
la compétence du médecin il a reçu toute son efficacité.

12. C'est ainsi qu'à l'autel la grâce opère tout. Le prêtre
n'est qu'un serviteur, et qui ne tient même pas de son propre
fonds ce titre de serviteur, car cela aussi lui vient de la
grâce. Le sacerdoce n'est pas autre chose que le pouvoir
d'accomplir le service des choses sacrées.

Chapitre XLVII

Dans quelle mesure ces dons sacrés sont-ils agréés

1. Que tous les dons (de l'autel) sanctifient tous les
fidèles, et cela toujours, étant toujours agréés par Dieu,
cette conclusion ressort de ce qui vient d'être dit. Il
convient de considérer maintenant dans quelle mesure
sont agréés ces dons.

2. Même parmi les hommes, qu'est-ce que c'est, pour un
don, d'être agréé ? Ceux qui les reçoivent, que doivent-ils
faire des dons, pour qu'il soit dit qu'ils les acceptent ?
Est-il nécessaire de les prendre dans nos mains ou de les
mettre dans notre sein ? Nullement : il y a beaucoup de
choses que ceux qui les reçoivent ne peuvent ni porter ni
soutenir : par exemple, si ce qui est donné est un champ,
une maison ou un autre bien de ce genre.

3. Mais, pour n'importe quels dons, qu'est-ce qui fera
l'acceptation ? Le fait de les placer avec nos biens propres,
de nous les approprier : voilà les dons qu'on dit agréés.

4. Ὁ δὲ Θεὸς ταῦτα τὰ δῶρα οὕτως οἰκειοῦται, ὥστε αὐτὰ σῶμα καὶ αἷμα ποιεῖται τοῦ Μονογενοῦς. Εἰ τοίνυν τῆς οἰκειώσεως ταύτης ἴσον οὐδέν ἐστιν ἐνθυμηθῆναι, οὐδὲ ὅσον 469 C εἰσὶ δεκτὰ μέτρον εὑρεῖν δυνατόν.

5. Ἔτι δὲ καὶ ἀπὸ τῆς ἀντιδόσεως δῆλον γίνεται ὅσον ἀποδέχεται τὸ δοθὲν ὁ λαβών.

6. Τίς οὖν ἐνταῦθα ἡ ἀντίδοσις; Αὐτὸ πάλιν τὸ σῶμα τοῦ Χριστοῦ καὶ τὸ αἷμα· λαμβάνων γὰρ παρ' ἡμῶν ἄρτον καὶ οἶνον ὁ Θεὸς αὐτὸν ἀντιδίδωσι τὸν Υἱόν. Καὶ πόθεν δῆλον, φησίν, ὅτι ὡς δῶρα ταῦτα ἡμῖν ἀντὶ τῶν προσαγομένων παρὰ τοῦ Θεοῦ δίδοται. Ἐξ ὧν αὐτὸς ὁ ταῦτα περικείμενός φησι πρὸς ἡμᾶς· « Λάβετε », λέγων· οὕτω γὰρ μηνύεται τὸ δῶρον. Ταύτῃ τῇ φωνῇ καὶ ὁ διδοὺς καὶ ὁ δεχόμενος καὶ τὸ διδόμενον σημαίνεται.

7. Ἔστι καὶ ἄλλως τι λαβεῖν ὡς παρακαταθήκην, ᾧ χρῆσθαι τοὺς λαβόντας οὐ θέμις.

8. Σὺ δ' ἵνα μὴ τοῦτο νομίσῃς, ἀλλ' ἴδῃς[α] ὅτι σόν ἐστι, καὶ χρήσασθαι ἐκέλευσε· « Φάγετε », λέγων.

469 D 9. Οὕτω δεκτὰ τῷ Θεῷ τὰ δῶρα καὶ μετὰ τοσαύτης ὑπερβολῆς.

10. Διὰ τοῦτο ἁγιάζουσιν ἀεὶ πάσας Χριστιανῶν ψυχὰς καὶ ζώντων καὶ τεθνηκότων τὰς ἀτελεῖς ἔτι καὶ δεομένας ἁγιασμοῦ. Οἱ γὰρ τελειωθέντες ἅγιοι μετὰ τῶν ἀγγέλων ἑστῶτες καὶ εἰς τὴν οὐράνιον ἱεραρχίαν ἤδη τελέσαντες οὐκ ἔτι δέονται τῆς ἐπιγείου ἱεραρχίας.

α. ἴδῃς : εἴδῃς P

4. Or Dieu s'approprie si bien ces dons sacrés (de l'autel), qu'il en fait le corps et le sang de son Fils unique. Si donc on ne peut rien imaginer qui égale une telle appropriation, l'on ne saurait non plus trouver de mesure selon laquelle ces dons sont agréés.

5. C'est aussi par le don accordé en retour, que l'on voit à quel point celui qui reçoit agrée la chose donnée.

6. Quel est donc ici le don en retour ? C'est précisément le corps et le sang du Christ : Dieu, prenant chez nous le pain et le vin, nous donne en retour son Fils. Et comment, dira-t-on, savons-nous que ce don nous est octroyé par Dieu pour nos offrandes ? Par la parole que nous adresse Celui qui a été revêtu de ce corps. « Prenez », dit-il, car c'est ainsi qu'il nous exprime le don qu'il nous fait. Dans cette parole se trouvent signifiés et Celui qui donne, et Celui qui accepte, et ce qui est donné.

7. Il y a encore une autre manière de recevoir : c'est de recevoir comme un dépôt, dont les détenteurs n'ont pas le droit de se servir.

8. Pour que tu ne penses pas à un dépôt de ce genre, mais que tu voies que ce don est à toi, Il a aussi commandé de s'en servir : « Mangez », dit-il.

9. Voilà comment Dieu agrée les dons (de l'autel) et avec quel excès de générosité.

10. Voilà pourquoi ils sanctifient toujours les âmes chrétiennes, celles des vivants, et aussi celles des défunts, celles qui sont imparfaites et qui ont encore besoin de sanctification : car pour les saints qui sont consommés dans la perfection, qui se tiennent avec les anges, et qui ont désormais pris rang dans la hiérarchie céleste, ceux-là n'ont plus besoin de l'intervention de notre hiérarchie terrestre.

ΜΗ΄. Τίς ὁ λόγος καθ᾽ ὃν καὶ τοὺς ἁγίους
τοῖς δώροις τούτοις δεξιούμεθα καὶ θεραπεύομεν

1. Τούτῳ δὲ ἀκόλουθον ἐκεῖνο ζητῆσαι.

472 A   **2.** Εἰ γὰρ ταῦτα τὰ ἅγια ἀνατίθεται μὲν τῷ Θεῷ, ἁγιάζει
δὲ τοὺς ἁγιασμοῦ δεομένους, τίνος ἕνεκα καὶ τοὺς ἡγιασμένους
ἤδη καὶ πάντα τελείους ταύτῃ τῇ δωροφορίᾳ δεξιοῦσθαι
πιστεύομεν καί, ἐπειδὰν αὐτῶν τι δεηθέντες εἰς ἐπικουρίαν
καλέσωμεν, τὴν τῶν δώρων τούτων ὑπισχνούμεθα λειτουργίαν, ὥσπερ ἢ αὐτοῖς ταῦτα ἀναθήσειν μέλλοντες ἢ ὑπὲρ
αὐτῶν, ἵνα γένωνται βελτίους;

3. Ὅτι καὶ ἕτερός ἐστι τρόπος τῆς δωροφορίας ταύτης,
ἢ πρόσθεν ἔφην, καθ᾽ ὃν τὰ δῶρα ταῦτα καὶ τῶν ἁγίων
γίνεται, ὅταν ὡς εὐχαριστήρια τῷ Θεῷ προσάγωνται ὑπὲρ
τῆς αὐτῶν δόξης ἧς αὐτοὺς ἐδόξασε καὶ ὑπὲρ τῆς τελειώσεως
ἧς αὐτοὺς ἐτελείωσεν. Ἔστι μὲν γὰρ τοῦ Θεοῦ τὰ δῶρα ὡς
αὐτῷ ἀνατιθέμενα· ἔστι δὲ καὶ τῶν δεομένων βοηθείας πιστῶν
472 B   ὡς βοηθήματα· ἔστι δὲ καὶ τῶν ἁγίων, ὅτι αὐτῶν χάριν
ἀνατίθεται τῷ Θεῷ.

4. Τὸ γὰρ ἐμὴν χάριν δοθὲν ἐγὼ λαμβάνω, κἂν ὁστισοῦν
ὁ δεχόμενος ᾖ· οὐ γὰρ πάντα τὰ διδόμενα ἡμῖν ὁθενοῦν ταῖς
χερσὶ λαμβάνομεν ταῖς ἡμετέραις μόναις, ἀλλὰ καὶ ταῖς τῶν
φίλων καὶ ταῖς τῶν οἰκείων καὶ ἁπλῶς πάντων οἷς ὁ δωρούμενος ἵν᾽ ἡμᾶς εὐφράνῃ δωρεῖται. Διὰ τοῦτο καὶ ὁ Κύριος,
τῶν πτωχῶν λαμβανόντων, ὅτι οἱ χορηγοῦντες αὐτοῖς αὐτοῦ

---

1. Nous employons ces termes plutôt que celui de *messe*, en vue
de mieux nous conformer au vocabulaire usuel des Orientaux. Mais
c'est bien une messe qu'on promet en l'honneur d'un saint pour
obtenir son intercession.

Chapitre XLVIII

Quelle est la raison pour laquelle nous faisons bénéficier les saints de ces dons sacrés et pourquoi nous les offrons en leur honneur

1. Cette question qui s'enchaîne à la précédente, examinons-la.

2. Si ces éléments sacrés, d'une part sont offerts à Dieu et, d'autre part, sanctifient ceux qui ont besoin de sanctification, pourquoi ceux-là qui sont déjà sanctifiés et absolument parfaits, les croyons-nous bénéficier de cette oblation ? Et pourquoi, lorsque nous les appelons à notre secours pour obtenir quelque faveur, leur promettons-nous l'offrande liturgique[1] de ces dons, comme s'il s'agissait de les leur offrir à eux, ou de l'offrir pour eux, afin qu'ils deviennent meilleurs ?

3. C'est qu'il y a un autre mode de cette oblation, comme je l'ai dit plus haut, et selon lequel ces dons appartiennent aussi aux saints : c'est lorsqu'ils sont présentés à Dieu en action de grâces pour cette gloire dont il les a glorifiés et pour la perfection qu'il a réalisée en eux. Si, en effet, les dons sacrés appartiennent à Dieu, en tant que c'est à lui qu'ils sont offerts, ils appartiennent aussi, à titre de secours, aux fidèles qui ont besoin de secours ; et ils appartiennent également aux saints, en tant qu'ils sont offerts à Dieu à cause d'eux.

4. Tout don fait à cause de moi, c'est moi qui le reçois, quel que soit celui à qui il est fait. Les choses qui nous sont données de divers côtés, ce n'est pas seulement de nos propres mains que nous les prenons, mais aussi par celles de nos amis ou de nos proches et, en général, par tous ceux à qui le donateur les confère pour nous être agréable. Voilà pourquoi le Seigneur, quand les pauvres reçoivent, déclare

χάριν τοῦτο ποιοῦσιν, αὐτὸς λαμβάνειν φησίν. Οὕτω καὶ οἱ ἅγιοι ταῦτα τὰ δῶρα λαμβάνουσιν, ὅτι αὐτῶν χάριν ἀνατίθεται τῷ Θεῷ. Ὥσπερ γὰρ διὰ τὴν τοῦ Χριστοῦ ἀγάπην ἐκεῖνο γίνεται, οὕτω διὰ τὴν τῶν ἁγίων ἀγάπην τοῦτο. Ὅτι μὲν γὰρ σφόδρα φιλοῦμεν αὐτούς, τὰ αὐτῶν ἀγαθὰ ἡμέτερα λογιζόμεθα καὶ συγχαίρομεν αὐτοῖς τῆς εὐδαιμονίας, ὡς 472 C καὶ αὐτοὶ μετέχοντες τῶν ἀγαθῶν. Οὕτω δὲ χαίροντες ταῖς παρὰ τοῦ Κυρίου δεδομέναις αὐτοῖς δωρεαῖς, εὐχαριστοῦμεν τῷ δεδωκότι καὶ τὰ χαριστήρια προσάγομεν δῶρα.

5. Οὐ διὰ τοῦτο δὲ μόνον αὐτοὶ τὰ δῶρα λαμβάνουσιν ὅτι διὰ τὴν αὐτῶν ἀγάπην ἡ δωροφορία γίνεται, ἀλλ' ὅτι καὶ αὐτὸ τοῦτο τῶν ἡδίστων καὶ σφόδρα κεχαρισμένων αὐτοῖς, λέγω δὴ τὸ τὸν Θεὸν δι' αὐτοὺς χάριτας δέχεσθαι καὶ δοξάζεσθαι. Ὥσπερ γὰρ μέγιστον ἁμάρτημα τῶν πονηρῶν ἀνθρώπων τὸ βλασφημεῖσθαι τὸ ὄνομα τοῦ Θεοῦ δι' αὐτούς, οὕτω μέγα κατόρθωμα καὶ περισπούδαστον τοῖς ἁγίοις τὸ δι' αὐτοὺς τὸν Θεὸν δοξάζεσθαι. Τοῦτο καὶ μετὰ σώματος ζῶσι διηνεκὴς ἀγὼν ἦν, καὶ μεταστᾶσιν εἰς τὸν οὐρανὸν ἔργον ἐστὶν ἄληκτον καὶ τρυφὴ καὶ τῆς μακαριότητος ἐκεί-472 D νης κεφάλαιον. Εἰ γάρ, ὅτε τὰ ἀγαθὰ ἐν ἐλπίσιν ἦν αὐτοῖς μόνον, διετέλουν ἐν παντὶ εὐχαριστοῦντες τῷ Θεῷ καὶ πάντα εἰς δόξαν αὐτοῦ ποιοῦντες, ὁποίους αὐτοὺς γενέσθαι τὰ τοιαῦτα χρὴ νομίζειν, ὅτε μείζων μὲν αὐτοῖς ἡ εὐγνωμοσύνη πολλῷ τῷ μέσῳ τελείοις ἤδη πᾶσαν ἀρετὴν γενομένοις, τὰ δὲ ἀγαθὰ οὐκέτι ἐλπίζουσιν, ἀλλ' αὐτῇ πείρᾳ μανθάνουσι τὴν τοῦ Δεσπότου φιλοτιμίαν· ὅτε ὁρῶσιν ἑαυτοὺς ἐξ οἵων οἷοι γεγόνασιν ἀντὶ πηλίνων ἥλιοι, ἀντὶ δούλων ἠτιμωμένων υἱοὶ τίμιοι, καὶ βασιλείας οὐρανῶν κληρονόμοι ἀντὶ ὑπευθύνων, δυνατοὶ καὶ ἄλλους λύειν

a. Matth. 25, 40
b. I Thess. 5, 18

recevoir lui-même l'aumône qu'on leur fait à cause de lui[a]. Pareillement, les saints aussi reçoivent ces dons sacrés, parce qu'on les offre à Dieu à cause d'eux. De même que l'aumône est faite pour l'amour du Christ, ainsi le sacrifice est célébré par amour pour les saints. Parce que nous les aimons ardemment, nous estimons leurs biens comme nôtres, et nous les félicitons de leur bonheur comme participant nous-mêmes à leurs biens. C'est ainsi qu'en nous réjouissant de toutes les faveurs qui leur ont été accordées par le Seigneur, nous en remercions le Donateur et lui présentons en action de grâces les dons sacrés.

5. Ce n'est pas seulement pour ce motif que les saints reçoivent eux aussi ces dons, à savoir parce que l'oblation est faite par amour pour eux, mais c'est encore parce que c'est là pour eux chose des plus douces et des plus agréables, je veux dire que Dieu reçoive à cause d'eux des actions de grâces et qu'il soit glorifié. Si le plus grand péché des homme pervers consiste en ce que le nom de Dieu soit blasphémé à cause d'eux, il n'y a pour les saints rien de mieux à obtenir ou à désirer que de faire glorifier Dieu à leur occasion. Tel était, en effet, durant leur vie ici-bas, le but incessant de leurs efforts ; maintenant qu'ils ont émigré au ciel, c'est leur acceptation ininterrompue, leur délice, et comme le résumé de leur béatitude. Lorsqu'ils n'avaient encore qu'en espérance les biens (éternels), ils passaient cependant leur temps à rendre grâces à Dieu en tout et à tout faire pour sa gloire[b] ; que penser des sentiments qui doivent être les leurs, maintenant que leur reconnaissance est beaucoup plus grande, à eux qui sont devenus parfaits en toute vertu et maintenant qu'ils n'en sont plus à espérer le bonheur, mais qu'ils connaissent par expérience la munificence de leur Souverain ; maintenant qu'ils voient ce qu'ils étaient et ce qu'ils sont devenus : d'êtres de boue, les voici des soleils ; de vils esclaves, les voici des fils comblés d'honneurs et héritiers du royaume des cieux ; de coupables, les voici aptes à délier les autres de leur dette par leur intervention assurée

εὐθύνης τῇ πρὸς τὸν Δικαστὴν παρρησίᾳ; Διὰ τοῦτο οὐδὲ κόρος ἐστὶν αὐτοῖς οὐδεὶς τῶν εἰς Θεὸν ὕμνων, οὐδὲ νομίζουσιν 473 A αὐτοὶ μόνοι πρὸς τὴν εὐχαριστίαν ἀρκεῖν. Ὅθεν βούλονται πάντας, καὶ ἀγγέλους καὶ ἀνθρώπους, ἔχειν τοῦτον αὐτοῖς συνεργαζομένους τὸν ὕμνον, ἵνα τὸ ὄφλημα αὐτῶν ἡ εὐχαριστία τῷ Θεῷ ἐγγύτερον τῆς ἀξίας ἀποδοθῇ, πολλαπλασίων ἑαυτῆς γενομένη τῇ προσθήκῃ τῶν ὑμνητῶν.

6. Καὶ τούτου μάρτυρες οἱ περὶ Ἀζαρίαν ἅγιοι παῖδες, οἱ τοῦ πυρὸς κρατήσαντες καὶ ταύτην παρὰ τοῦ Θεοῦ τότε λαβόντες τὴν χάριν· ἐπεὶ ἔδει καὶ αὐτοὺς τῆς παραδόξου ταύτης σωτηρίας ὁμολογῆσαι χάριν τῷ σώσαντι καὶ ὑμνῆσαι οὐκ ἠγάπησαν, εἰ αὐτοὶ μόνον ὑμνήσουσιν, οὐδὲ τὴν ἑαυτῶν βοὴν ἀρκεῖν ἐνόμισαν, ἀλλὰ καὶ ἀγγέλους συνεκάλουν καὶ ἀνθρώπων ἅπαντα γένη καὶ οὐρανὸν αὐτὸν καὶ τὸν ἥλιον καὶ τοὺς ἀστέρας καὶ γῆν καὶ ὄρη καὶ ἄλογα πάντα καὶ ἄψυχα 473 B καὶ ἁπλῶς πᾶσαν τὴν κτίσιν. Τοσαύτη τοῦ τὸν Θεὸν ὑμνεῖσθαι παρὰ τοῖς ἁγίοις ἐπιθυμία καὶ μετὰ σώματος ἔτι ζῶσι καὶ πολλῷ μᾶλλον ἀπαλλαγεῖσι τοῦ σώματος.

7. Ὅθεν, εἴ τις αὐτῶν μεμνημένος καὶ τῆς εὐδοκιμήσεως αὐτῶν καὶ τῆς μακαριότητος καὶ τῆς δόξης τὸν στεφανώσαντα Θεὸν ὑμνήσειε, χάριν αὐτοῖς κατατίθεται χαρίτων ἁπασῶν τὴν τιμιωτάτην καὶ μάλισθ᾽ ὅταν ποιῆται τὴν ὕμνησιν, οὐ φωναῖς ψιλαῖς μόνον ἀλλὰ καὶ δώρων χαριστηρίων προσαγωγῇ, καὶ δώρων οὕτω σφόδρα δεκτῶν τῷ Θεῷ, καὶ τιμίων τὴν ἀνωτάτω τιμήν. Τηνικαῦτα γάρ, καθάπερ αὐτὸς ὁ Σωτὴρ ἵλεως αὐτὰ δεχόμενος καὶ ὑπὲρ πᾶσαν νομικὴν 473 C λατρείαν τὸ σῶμα ἡμῖν αὐτοῦ ἀντιδίδωσι καὶ τὸ αἷμα, οὕτω καὶ αὐτοὶ χαίροντες αὐτοῖς, ὡς οὐδενὶ τῶν ἄλλων οἷς αὐτοὺς θεραπεύειν δοκοῦμεν, ὅλους παρέχουσιν ἡμῖν ἑαυτοὺς συντελεῖν πρὸς πᾶν ὅ τι ἡμῖν συμφέρει· πανταχοῦ γὰρ τὸν ἑαυτῶν μιμοῦνται Δεσπότην.

c. Dan. 3, 56-88

auprès du Juge ? Voilà pourquoi ils chantent à satiété des hymnes à Dieu, et n'estiment pas suffire seuls à l'action de grâces. Aussi désirent-ils voir tous les êtres, les anges et les hommes, associés à leur cantique, afin que leur dette de gratitude envers Dieu soit un peu mieux acquittée et leur reconnaissance multipliée par le nombre de ceux qui viennent chanter avec eux.

6. Nous avons un témoignage de ces sentiments chez Azarias et les enfants, ses saints compagnons, qui triomphèrent du feu et reçurent encore de Dieu cette grâce insigne[c] : obligés de proclamer leur reconnaissance à leur Sauveur pour cette miraculeuse libération, ils ne se tinrent pas pour satisfaits de moduler eux seuls leur cantique et n'estimèrent pas suffisante leur acclamation personnelle : ils appelaient avec eux les anges et toutes les classes d'hommes, et le ciel même, le soleil, les étoiles, et la terre et les montagnes, tous les êtres privés de raison et inanimés, en un mot la création tout entière. Tant est grand chez les saints, même dans cette vie corporelle, le désir que Dieu soit loué ; à plus forte raison, une fois qu'ils sont dégagés de leur corps.

7. Aussi le chrétien qui, au souvenir de leur excellence, de leur félicité et de leur gloire, en prend occasion pour louer Dieu qui les a couronnés, leur procure-t-il à eux-mêmes la joie la plus chère parmi toutes les joies, surtout lorsqu'il s'acquitte de cette louange, non pas de la voix seulement, mais par la présentation des dons d'action de grâces, de ces dons si agréables à Dieu et d'un prix si divinement supérieur. Alors en effet, cependant que le Sauveur de son côté, accueillant favorablement ces dons sacrés, nous donne en retour, par un don qui dépasse tout sacrifice légal, son corps et son sang, alors, dis-je, les saints, eux, se réjouissent de ces offrandes plus que de tout autre hommage dont nous croyons les honorer, se mettent entièrement à notre disposition pour contribuer à tout ce qui nous est utile ; car ils imitent de tous points leur souverain Maître.

ΜΘ'. Πρὸς τοὺς λέγοντας τὴν ἐν τῇ λειτουργίᾳ τῶν ἁγίων μνήμην ἱκεσίαν τοῦ ἱερέως πρὸς τὸν Θεὸν εἶναι ὑπὲρ αὐτῶν

1. Ἀλλ' ἐνταῦθά τινες ἠπατήθησαν οὐκ εὐχαριστίαν ἀλλ' ἱκεσίαν ὑπὲρ τῶν ἁγίων πρὸς τὸν Θεὸν τὴν μνήμην αὐτῶν εἶναι νομίσαντες, οὐκ οἶδα πόθεν λαβόντες τῶν λογισμῶν τούτων τὰς ἀφορμάς. Οὔτε γὰρ ἀπὸ τῶν πραγμάτων αὐτῶν ταῦτα πιστεύειν ἀκόλουθον, οὔτε ἀπὸ τῶν ἐνταῦθα τῆς
473 D ἱερουργίας ῥημάτων.

2. Καὶ τὸ μὲν εἰκὸς τῶν πραγμάτων, ὅτι πολλοῦ δεῖ τοιαῦτα συγχωρεῖν, δῆλον ἐκεῖθεν.

3. Εἰ γὰρ εὔχεται ὑπὲρ τῶν ἁγίων ἡ Ἐκκλησία, ἐκεῖνα πάντως εὔξαιτ' ἂν ἃ εἴωθεν εὔχεσθαι πανταχοῦ. Τίνα δέ ἐστιν ἃ εὔχεται τοῖς κεκοιμημένοις; Ἄφεσις ἁμαρτιῶν, βασιλείας κληρονομία, ἀνάπαυσις ἐν τοῖς κόλποις Ἀβραὰμ μετὰ τῶν τετελειωμένων ἁγίων. Ταῦτα τῆς Ἐκκλησίας εὐχή, παρὰ ταῦτα οὐδὲν ἂν εὔροις εὐχομένην τοῖς μεταστᾶσιν. Ἐν τούτοις ὥρισται ἡ πρὸς Θεὸν ἡμῶν ἱκεσία. Οὐ γὰρ πᾶν οὗπερ ἄν τις ἐπιθυμήσειε καὶ εὔχεσθαι ἔξεστιν, ἀλλὰ κἀνταῦθα νόμος ἐστὶ καὶ ὅρος ὃν ὑπερβαίνειν ἀθέμιτον. Τὸ γὰρ· « Τί προσευξόμεθα καθ' ὃ δεῖ, οὐκ οἴδαμεν, φησίν, ἀλλ' αὐτὸ τὸ
476 A Πνεῦμα ἐντυγχάνει ὑπὲρ ἡμῶν »· τουτέστιν ἃ δεῖ προσεύχεσθαι, διδάσκει ἡμᾶς· οὕτω γὰρ οἱ διδάσκαλοι τῆς Ἐκκλησίας ἐξειλήφασιν.

4. Σκέψαι τοίνυν εἴ τι πλέον τῶν εἰρημένων ἐν πάσαις τελεταῖς καὶ ἱερολογίαις ἔστιν εὑρεῖν εὐχομένην τὴν Ἐκκλησίαν, καὶ οὐκ ἂν εὔροις.

a. Rom. 8, 26

Chapitre XLIX

Contre ceux qui prétendent que la commémoration des saints dans la liturgie est une supplication du prêtre à Dieu en leur faveur

1. Ici certains ont été induits en erreur, en regardant la commémoration des saints non point comme une action de grâces, mais comme une supplication adressée à Dieu en leur faveur. Je ne sais vraiment pas d'où ils ont pris occasion de pareille idée. Car ni la réalité des choses, ni les formules de cet endroit de la sainte liturgie, ne sauraient les autoriser à une telle croyance.

2. Et d'abord, il s'en faut de beaucoup que la vraisemblance des choses se prête à une telle assertion ; c'est maintenant assez évident.

3. A supposer, en effet, que l'Église prie pour les saints, elle demanderait en tout cas ce qu'elle a coutume de toujours demander. Or, que sollicite-t-elle pour ceux qui dorment le sommeil de la mort ? Rémission des péchés, héritage du Royaume, repos dans le sein d'Abraham avec les saints consommés. Voilà ce que demande l'Église : en dehors de cela, vous ne sauriez rien trouver qu'elle demande pour les trépassés. C'est en ces limites qu'a été fixée notre supplication à Dieu. Car ce n'est pas tout ce qu'on pourra désirer qu'il est permis de solliciter : là aussi il y a une loi et une limite qu'il est interdit de dépasser. (L'Apôtre) ne dit-il pas : « Nous ne savons pas ce que nous avons à demander, comme il faut le demander, dans nos prières, mais l'Esprit lui-même intercède pour nous[a] », c'est-à-dire selon l'interprétation des docteurs de l'Église, l'Esprit nous enseigne ce qu'il faut demander.

4. Cherche donc si, en dehors des susdites demandes, tu peux voir l'Église solliciter quelque chose de plus dans quelque rite ou prière liturgique : tu ne saurais rien trouver d'autre.

5. Οὐκοῦν εὔξονται μὲν τοῖς ἀνευθύνοις ἄφεσιν ἁμαρτιῶν, ὡς ὑπευθύνοις ἔτι καὶ δίκας ὀφείλουσιν· εὔξονται δὲ τοῖς ἁγίοις, ὡς μήπω ἡγιασμένοις, τὴν μετὰ τῶν ἁγίων ἀνάπαυσιν· εὔξονται δὲ τελείωσιν τοῖς τελείοις, ὡς μήπω τελειωθεῖσιν.

6. Καὶ οὕτως ἀνάγκη δυοῖν θάτερον ἁμαρτάνειν αὐτούς· ἢ γὰρ ὁμολογοῦντες τὴν μακαριότητα καὶ τὴν τελειότητα τῶν ἁγίων, ἑκόντες βούλονται πρὸς τὸν Θεὸν ληρεῖν καὶ ματαίαν ὑπὲρ αὐτῶν συνείρειν εὐχήν, ὅπερ ἐστὶν ἀνδρῶν τὰ θεῖα 476 B παιζόντων μᾶλλον ἢ ἱερέων· ἢ μετὰ σπουδῆς ποιούμενοι τὰς εὐχάς, ὡς ἂν οἰόμενοι τοὺς ἁγίους δι᾽ αὐτῶν ὠφελεῖν, τὴν αὐτῶν ἀρνοῦνται δόξαν, ὅπερ ἐστὶ βλασφημεῖν οὐκ αὐτοὺς μόνον ἀλλὰ καὶ τὸν Θεὸν αὐτόν, ὡς ψευσάμενον τὰς ἐπαγγελίας, ὃς ἐπηγγείλατο δοξάσειν καὶ τῆς βασιλείας μεταδώσειν αὐτοῖς.

7. Μᾶλλον δὲ καὶ ἄμφω σαφής ἐστι βλασφημία· τοῦτο μὲν ὡς παντελῶς ἀρνουμένων τὴν μακαριότητα τῶν ἁγίων· ἐκεῖνο δὲ ὡς τὰ τῶν ἀρνουμένων ποιούντων. Οὓς γὰρ εἶναι πιστεύουσι μακαρίους, ὡς ἐν υἱῶν μοίρᾳ τεταγμένους καὶ τῆς βασιλείας αὐτῆς κληρονόμους, τούτους ὡς εἶεν ἀγέραστοι καὶ ἀτίμητοι καὶ ὑπεύθυνοι, δι᾽ ὧν τοιαῦτα ὑπὲρ αὐτῶν ἀξιοῦσιν εὔχεσθαι, μαρτυροῦσιν.

476 C 8. Οὕτω μὲν οὖν αὐτῶν ἕνεκα τῶν πραγμάτων ἄτοπον εἶναι φαίνεται εἴ τις νομίζει τὴν ὑπὲρ τῶν ἁγίων παρὰ τῆς Ἐκκλησίας εἰς τὸν Θεὸν προσφορὰν ἱκέσιον εἶναι.

9. Ἴδωμεν δὲ καὶ αὐτὰ τὰ ῥήματα.

10. « Ἔτι προσάγομέν σοι τὴν λογικὴν ταύτην λατρείαν ὑπὲρ τῶν ἐν πίστει ἀναπαυσαμένων, προπατόρων, πατέρων, πατριαρχῶν, προφητῶν, ἀποστόλων, κηρύκων, εὐαγγελιστῶν, μαρτύρων, ὁμολογητῶν, ἐγκρατευτῶν, καὶ παντὸς

5. Est-ce que l'on va demander pour ceux qui sont innocents la rémission des péchés, comme s'ils étaient encore coupables et avaient des comptes à rendre ? Va-t-on solliciter pour les saints, comme s'ils n'étaient pas encore sanctifiés, le repos avec les saints ? Va-t-on demander pour les parfaits le perfectionnement, comme s'ils n'avaient pas encore atteint la perfection ?

6. Ainsi nécessairement, ceux dont nous parlons commettent l'une ou l'autre de ces deux erreurs. Ou bien, reconnaissant la béatitude et la perfection définitive des saints, ils veulent délibérément plaisanter à l'égard de Dieu et débiter en faveur des saints une vaine prière — ce qui est agir en hommes qui se moquent des choses divines encore plus que des prêtres. Ou bien, ils font sérieusement leurs prières comme s'ils croyaient par elles être utiles aux saints et alors ils nient la gloire de ces saints — ce qui est injurier non pas seulement les saints, mais Dieu lui-même comme s'il avait menti dans ses promesses, car Dieu a promis de glorifier les saints et de leur donner part à son Royaume.

7. Ou plutôt, il y a là manifestement un double blasphème : d'un côté, ces gens-là nient absolument la félicité des saints, de l'autre, ils agissent comme s'ils la niaient. Car ceux qu'ils croient être dans l'état de béatitude, en tant qu'ils ont pris place dans la condition des fils héritiers du royaume, de ceux-là mêmes ils parlent comme s'ils étaient sans récompense et sans honneur, et encore soumis à rendre des comptes, ce pour quoi ils prétendent faire ces prières en leur faveur.

8. Ainsi donc, à considérer la réalité des choses, il paraît absurde de penser que l'oblation faite à Dieu par l'Église pour les saints est impétratoire.

9. Voyons maintenant les formules elles-mêmes.

10. « Nous vous présentons encore ce sacrifice spirituel pour ceux qui se sont reposés dans la foi : les ancêtres, les pères, les patriarches, les prophètes, les apôtres, les prédicateurs, les évangélistes, les martyrs, les confesseurs, les

πνεύματος ἐν πίστει τετελειωμένου· ἐξαιρέτως δὲ τῆς παναγίας, ἀχράντου, ὑπερευλογημένης, ἐνδόξου Δεσποίνης ἡμῶν
Θεοτόκου καὶ ἀειπαρθένου Μαρίας, τοῦ ἁγίου Ἰωάννου τοῦ
προφήτου προδρόμου καὶ βαπτιστοῦ, τῶν ἁγίων ἐνδόξων καὶ
πανευφήμων ἀποστόλων, καὶ πάντων τῶν ἁγίων, ὧν ταῖς
ἱκεσίαις ἐπίσκεψαι ἡμᾶς ὁ Θεός, καὶ μνήσθητι πάντων τῶν
κεκοιμημένων ἐπ' ἐλπίδι ἀναστάσεως καὶ ζωῆς αἰωνίου· καὶ
476 D ἀνάπαυσον αὐτοὺς ὅπου ἐπισκοπεῖ τὸ φῶς τοῦ προσώπου
σοῦ. »

11. Ταῦτα τὰ ῥήματα ἐν οἷς οὐδεμία περιέχεται περὶ τῶν
ἁγίων πρὸς τὸν Θεὸν ἱκεσία, οὐδὲ εὔχεται αὐτοῖς ὁ ἱερεὺς
τῶν εἰωθότων οὐδέν. Ἀλλὰ τῶν μὲν ἄλλων κεκοιμημένων
πιστῶν μεμνημένους, εὐθὺς προστίθησιν τὴν ὑπὲρ τούτων
εὐχήν. « Ἀνάπαυσον γὰρ αὐτούς, φησίν, ὅπου ἐπισκοπεῖ τὸ
φῶς τοῦ προσώπου σοῦ. » Ἐπὶ δὲ τῶν ἁγίων τοὐναντίον
ἅπαν. Οὐ γὰρ πρεσβείαν ὑπὲρ αὐτῶν ποιεῖται, ἀλλ' αὐτοὺς
μᾶλλον προβάλλεται πρέσβεις. Εἰπὼν γὰρ καὶ ἀριθμήσας
τοὺς ἁγίους, ἐπάγει· « Ὧν ταῖς πρεσβείαις ἐπίσκεψαι ἡμᾶς,
ὁ Θεός. »

12. Ὁ δὲ μάλιστα δείκνυσιν, οὐ δέησίν τινα καὶ ἱκεσίαν,
ἀλλ' εὐχαριστίαν ὑπὲρ τῶν ἁγίων εἶναι ταῦτα τὰ ῥήματα, ὅτι
477 A καὶ ἡ τοῦ Θεοῦ Μήτηρ ἐν τούτῳ τῷ καταλόγῳ τάττεται· οὐ
γὰρ ἂν ἐτάττετο, εἰ μεσιτείας τινὸς ὁ χορὸς οὗτος ἐδεῖτο, ἥ γε
πάσης ἐστὶν ἐπέκεινα μεσιτείας οὐ τῆς ἀνθρωπίνης μόνον
ἱεραρχίας ἀλλὰ καὶ τῆς τῶν ἀγγέλων, ὡς ἂν καὶ αὐτῶν οὖσα
τῶν ἀνωτάτω νόων ἀσυγκρίτως ἁγιωτέρα.

13. Καὶ μὴν ὁ Χριστός ἐστι, φησίν, ὁ ταύτην τελῶν τὴν
ἱερουργίαν. Τί οὖν θαυμαστὸν εἰ καὶ τοῖς ἁγίοις καὶ αὐτῇ
μεσιτεύσειε τῇ Μητρί;

14. Ἀλλ' οὐδένα τοῦτο λόγον ἔχει. Οὐ γὰρ οὗτος ὁ τρόπος
τῆς τοῦ Χριστοῦ μεσιτείας· « μεσίτης » μὲν γὰρ ἐγένετο
« Θεοῦ καὶ ἀνθρώπων »· ἀλλ' οὐ λόγοις τισί καὶ εὐχαῖς, ἀλλ'

b. I Tim. 2, 5

---

1. Voir S. SALAVILLE, *Liturgies orientales*, II. *La Messe*, p. 34.

continents, et toutes les âmes consommées dans la foi : particulièrement la toute-sainte, immaculée, bénie entre toutes,
notre glorieuse Souveraine, la Mère de Dieu et toujours
vierge, Marie ; saint Jean le Prophète, Précurseur et Bap-
tiste, les saints Apôtres, glorieux et illustres, et tous les
saints : par leur intercession, ô Dieu, abaissez vos regards
sur nous et souvenez-vous de tous ceux qui dorment dans
la mort avec l'espérance de la résurrection et de la vie
éternelle ; faites-les reposer sous le regard et la lumière
de votre face[1]. »

11. Telles sont les formules : elles ne renferment aucune
supplication adressée à Dieu au sujet des saints ; le prêtre
n'y énonce pour eux aucune des prières habituelles. Mais
dès qu'on fait mention des autres fidèles défunts, il ajoute
aussitôt la prière pour eux : « Faites-les reposer sous le
regard et la lumière de votre face. » Pour les saints, c'est
tout le contraire : le prêtre ne fait pas pour eux d'intercession, mais c'est bien plutôt eux-mêmes qu'il met en avant
comme intercesseurs. En effet, après avoir mentionné et
énuméré les saints, il ajoute : « Par leur intercession, ô Dieu,
abaissez vos regards sur nous. »

12. Ce qui montre surtout que ces formules ne sont pas
une demande et une supplication, mais une action de
grâces pour les saints, c'est que la Mère de Dieu est pla-
cée dans cette liste. On ne l'y aurait point mise, si cet
illustre chœur avait besoin de médiation, elle qui est
au-dessus de toute médiation non seulement de la hiérarchie humaine, mais même de celle des anges, étant
incomparablement plus sainte que même les plus élevés
des esprits célestes.

13. Mais, dira-t-on, c'est le Christ qui accomplit ce rite
sacré. Qu'y aurait-il d'étonnant si sa médiation intervenait
pour les saints et pour sa Mère elle-même ?

14. Cela n'a aucune raison d'être. Car tel n'est pas le
mode de médiation du Christ. Il a été « médiateur entre
Dieu et les hommes[b] », non point par des paroles et des

ἑαυτῷ· ὅτι γὰρ Θεὸς ὁ αὐτὸς καὶ ἄνθρωπος ἦν, Θεὸν ἀνθρώποις
συνῆψε, κοινὸν ὅρον ἑαυτὸν ἀμφοτέραις ταῖς φύσεσιν ἐμβαλών.
Τὸ δὲ νομίζειν αὐτὸν διὰ τῶν ἐν τῇ ἱερουργίᾳ εὐχῶν ἀεὶ
μεσιτεύειν, βλασφημίας ἁπάσης καὶ ἀτοπίας ἐστὶ μεστόν.

477 B   **15.** Εἰ γὰρ καὶ αὐτός ἐστιν ὁ τελῶν τὴν ἱερουργίαν, ἀλλ'
οὐ πάντα τὰ ἐκεῖ γινόμενα καὶ λεγόμενα αὐτῷ ἀναθήσομεν. Τὸ
μὲν γὰρ ἔργον τῆς μυσταγωγίας καὶ τὸ τέλος, ἤτοι τὸ ἁγιασθῆναι τὰ δῶρα, καὶ ἁγιάσαι τοὺς πιστούς, αὐτός ἐστι μόνος
ὁ τελῶν. Αἱ δὲ περὶ τούτων εὐχαὶ καὶ δεήσεις καὶ ἱκεσίαι τοῦ
ἱερέως· ἐκεῖνα μὲν γὰρ δεσπότου, ταῦτα δὲ δούλου· καὶ ὁ μὲν
εὔχεται, ὁ δὲ τελειοῖ τὰς εὐχάς· καὶ ὁ μὲν Σωτὴρ δίδωσιν,
ὁ δὲ ἱερεὺς ὑπὲρ τῶν δοθέντων εὐχαριστεῖ· καὶ ὁ μὲν ἱερεὺς
προσάγει, ὁ δὲ Κύριος δέχεται τὰ δῶρα· προσφέρει μὲν γὰρ
καὶ ὁ Κύριος, ἀλλ' ἑαυτὸν τῷ Πατέρι καὶ τὰ δῶρα ταῦτα,
ὅταν αὐτὸς γένωνται, ὅταν εἰς τὸ αὐτοῦ σῶμα καὶ αἷμα
μεταβληθῶσιν. Ὅτι γὰρ ἑαυτὸν προσφέρει, διὰ τοῦτο λέγεται
477 C   εἶναι ὁ αὐτὸς καὶ « προσφέρων καὶ προσφερόμενος, καὶ
προσδεχόμενος » ὡς θεός· προσφερόμενος δὲ ὡς ἄνθρωπος·
ἄρτον δὲ καὶ οἶνον ἔτι ὄντα τὰ δῶρα προσφέρει μὲν ὁ ἱερεύς,
προσδέχεται δὲ ὁ Κύριος.

16. Καὶ τί ποιῶν τὰ δῶρα προσδέχεται; Ἁγιάζων αὐτά,
εἰς τὸ ἑαυτοῦ σῶμα καὶ αἷμα μεταβάλλων. Τοῦτο γὰρ τὸ
δέχεσθαι, τὸ οἰκειοῦσθαι, κατὰ τὰ προειρημένα· οὗτος ὁ τρόπος καθ' ὃν ὁ Χριστὸς τὴν ἱερουργίαν ταύτην ἱερουργεῖ·
ταῦτά ἐστιν ἃ τὴν ἱερωσύνην αὐτῷ ποιεῖ.

---

1. Que le lecteur ne s'y méprenne pas : Cabasilas ne veut certes pas
nier le rôle permanent du Christ médiateur, puisque la messe nous
rend le Christ présent dans l'état, glorieux sans doute mais pourtant
état de victime, où il se trouve au ciel. Se reporter, d'ailleurs, ci-dessus,
au chapitre XLIV, intitulé précisément : « De la médiation du
Christ. » Cabasilas veut expliquer que les formules de prières sup-
pliantes, que l'Église met sur les lèvres des prêtres, ne sauraient être
prêtées, telles quelles, à Jésus-Christ. « S'il est vrai — va écrire tout
de suite notre auteur — que c'est le Christ qui accomplit le sacrifice,
cependant nous ne lui attribuerons pas pour autant tout ce qui s'y
fait et s'y dit. »

2. On reconnaît ici les expressions contenues dans la partie finale

prières mais par sa personne : parce qu'il était en même temps Dieu et homme, il a rapproché Dieu des hommes, en se posant lui-même comme terme commun entre les deux natures. Mais quant à penser que par les prières de la sainte liturgie il remplit toujours son rôle de médiateur, c'est une opinion toute chargée de blasphème et d'absurdité[1].

15. S'il est vrai, en effet, que c'est le Christ lui-même qui accomplit la sainte liturgie, nous ne lui attribuerons cependant pas pour autant tout ce qui s'y fait et s'y dit. L'œuvre propre et le but de la mystagogie, à savoir que les dons soient sanctifiés et qu'ils sanctifient les fidèles, cela, le Christ seul l'accomplit ; mais les prières, supplications et demandes qui entourent ces rites, sont des actes du prêtre. Cela est l'œuvre du Maître ; ceci est œuvre du serviteur. Celui-ci prie ; Celui-là exauce les prières. Le Sauveur donne ; le prêtre remercie pour ce qui est donné. Le prêtre présente ; le Seigneur reçoit les dons. Le Seigneur, il est vrai, présente aussi, mais c'est lui-même qu'il présente au Père, et aussi ces dons (de l'autel) quand ils sont devenus lui-même, lorsqu'ils ont été transformés en son corps et en son sang. C'est parce qu'il s'offre lui-même, qu'il est appelé en même temps et « l'offrant et l'offert et, en tant que Dieu, celui qui reçoit[2] », mais celui qui est offert en tant qu'homme. Pour ce qui est du pain et du vin au moment où ils sont encore simples dons, c'est le prêtre qui les offre et c'est le Seigneur qui les reçoit.

16. Par quel acte reçoit-il les dons ? En les sanctifiant, en les changeant en son corps et en son sang. Car c'est cela recevoir, s'approprier, comme il a été dit ci-dessus[3]. Voilà de quelle manière le Christ accomplit cette sainte liturgie ; voilà ce qui constitue son sacerdoce.

d'une belle oraison byzantine d'Offertoire, que le prêtre récite tandis que le chœur chante le début de l'hymne célèbre désignée sous le nom de *Cheroubikon*. Voir S. SALAVILLE, *Liturgies orientales*, II. *La Messe*, p. 103-104.

3. Voir ci-dessus, chap. XLVII, 4.

17. Εἰ δὲ πρὸς τοῖς εἰρημένοις, καὶ τὰς ἐν τῇ μυσταγωγίᾳ εὐχὰς ἢ πάσας ἤ τινας τοῦ Χριστοῦ θείη τις εἶναι φωνάς, οὐδὲν κατὰ τοῦτο διοίσει τῶν ἀσεβῶν, οἱ τὴν δόξαν αὐτοῦ 477 D καθαιρεῖν ἐτόλμησαν. Ἀνάγνωθι τὰς εὐχὰς ἁπάσας καὶ εἴσῃ τὰ ῥήματα ἐκεῖνα πάντα δούλων εἶναι ῥήματα· ἀναγνώθι καὶ ταύτην ἢ μνημονεύει τῶν ἁγίων, ἣν τῷ Χριστῷ ἀνατιθέναι τολμῶσι, καὶ εὑρήσεις ἐκεῖ οὐδὲν μὲν υἱῷ πρέπον ὁμοτίμῳ πάντα δὲ δούλων. Πρῶτον μὲν γάρ, οὐκ ἀφ' ἑνὸς προσώπου ἀλλὰ κοινὴ τοῦ γένους ἐστὶν ἡ εὐχαριστία, καὶ ὡς ἁμαρτήσαντες καὶ μὴ περιοφθέντες ὑπὸ τῆς τοῦ Θεοῦ φιλανθρωπίας εὐχαριστοῦσι· καὶ ἡ εὐχαριστία οὐ πρὸς τὸν Πατέρα μόνον, ἀλλὰ καὶ πρὸς τὸν Υἱὸν καὶ τὸ Πνεῦμα τὸ ἅγιον· καὶ τῆς τοῦ Θεοῦ Μητρὸς ὡς Δεσποίνης δοῦλοι μέμνηνται· καὶ ταῖς πρεσβείαις αὐτῆς καὶ τῶν ἁγίων τῆς παρὰ τοῦ Θεοῦ ἐπισκέψεως καὶ προνοίας αἰτοῦνται τυχεῖν.

480 A 18. Ταῦτα δὲ τί κοινὸν ἔχει πρὸς τὸν ἕνα Κύριον, τὸν Υἱὸν τοῦ Θεοῦ τὸν μονογενῆ, τὸν ἀναμάρτητον, τὸν πάντων Δεσπότην; « Εὐχαριστοῦμέν σοι, φησί, καὶ τῷ Υἱῷ σου τῷ μονογενεῖ. » Οὐκοῦν ὁ Χριστὸς εὐχαριστεῖ τῷ Υἱῷ τοῦ Θεοῦ τῷ μονογενεῖ; καὶ ἰδοὺ δύο ἔσονται υἱοὶ κατὰ τὴν Νεστορίου μανίαν· οὕτως ἀσεβὲς καὶ ἀνόητον τὸν Χριστὸν νομίζειν ὑπὲρ τῶν ἁγίων πρεσβεύειν καὶ τοιαύτην πρεσβείαν καὶ μεσιτείαν αὐτῷ περιάπτειν.

19. Ἐδείχθη δὲ ταῦτα μηδὲ τῶν ἱερῶν εἶναι. Λείπεται δὲ μὴ ἱκεσίαν ἀλλ' εὐχαριστίαν εἶναι ταῦτα τὰ ῥήματα.

20. « Ναί », φησίν, ἀλλ' ἡ λέξις οὐκ ἐᾷ τὴν ἱκεσίαν σαφῶς δυναμένη. Ἡ γὰρ « ὑπὲρ » πρόθεσις τοῦτο βούλεται σημαίνειν.

Οὐ πάντως· οὐ γὰρ πανταχοῦ τὸν δεόμενον δείκνυσι. Οὐ γὰρ ἐν οἷς ἱκετεύομεν μόνον, ἀλλὰ καὶ ἐν οἷς εὐχαριστοῦμεν,

17. Si donc, en dehors de ce qui vient d'être rappelé, quelqu'un soutenait que les prières de la mystagogie, toutes ou en partie, sont des paroles du Christ, celui-là ne différerait en rien sur ce point des impies qui ont eu l'audace d'attenter à sa gloire. Lisez toutes ces prières et vous saurez que ces formules sont toutes formules de serviteurs. Lisez aussi celle qui commémore les saints et que (ces gens-là) osent attribuer au Christ : vous ne trouverez là rien qui convienne au Fils égal au Père en dignité, tout y est paroles de serviteurs. Et d'abord, l'action de grâces n'y est pas faite au nom d'un seul individu, elle est commune à toute notre race, et ceux qui rendent grâces le font comme des hommes qui ont péché et qui pourtant n'ont pas été abandonnés par la bonté de Dieu. Ensuite, l'action de grâces ne s'adresse pas au Père seul, mais encore au Fils et à l'Esprit-Saint. En outre, nous faisons mémoire de la Mère de Dieu, comme des serviteurs de leur Souveraine, et nous demandons d'obtenir, par son intercession et celle des saints, le regard bienveillant et l'assistance de Dieu.

18. Eh bien ! qu'est-ce que tout cela a de commun avec Celui qui est le seul Seigneur, le Fils unique de Dieu, Celui qui est sans péché, le souverain maître de toutes choses ? « Nous vous rendons grâces, à vous et à votre Fils unique », dit le texte liturgique. Est-ce que le Christ rendrait grâces au Fils unique de Dieu ? Voici qu'alors il y aura deux Fils, selon la folle allégation de Nestorius. Tant il est impie et insensé de penser que le Christ intercède en faveur des saints et de lui attribuer pareille intercession et médiation.

19. Nous avons montré que telle n'est point la pensée des formules sacrées. Il reste que ces formules ne sont pas une supplication, mais une action de grâces.

20. — Si fait ! reprend-on. Seulement, l'expression voile un peu le sens de la supplication : car c'est bien ce sens qu'a la préposition « pour » *(hyper)*.

— Pas le moins du monde : car elle n'indique pas toujours une prière de demande. Nous n'employons pas ce

ταύτη χρώμεθα τῇ λέξει. Καὶ τοῦτο δῆλον πολλαχόθεν καὶ
ἀπ' αὐτῆς δὲ τῆς προκειμένης εὐχῆς. « Ὑπὲρ τούτων, φησίν,
480 B ἁπάντων εὐχαριστοῦμέν σοι καὶ τῷ μονογενεῖ σου Υἱῷ καὶ
τῷ Πνεύματί σου τῷ ἁγίῳ », « ὑπὲρ πάντων ὧν ἴσμεν καὶ
ὧν οὐκ ἴσμεν », εὐχαριστοῦμέν σοι· « καὶ ὑπὲρ τῆς λειτουργίας ταύτης, ἣν ἐκ τῶν χειρῶν ἡμῶν δέξασθαι κατηξίωσας ».
Ὁρᾷς τὴν « ὑπὲρ » καὶ ἐπὶ τῆς εὐχαριστίας κειμένην; Οὐκοῦν
πρὸς τὴν πλάνην ταύτην οὐδεμία καταλείπεται πρόφασις.

21. Οὕτω μὲν οὖν ἀδύνατον ἱκέσιον εἶναι τὴν περὶ τῶν
ἁγίων μνήμην. Ὅτι δὲ χαριστήριός ἐστι, δείκνυσι μὲν αὐτὸ
τοῦτο τὸ ᵃ μὴ εἶναι ἱκέσιον. Ἀνάγκη γὰρ δυοῖν θάτερον ἢ ἱκέσιον εἶναι ἢ χαριστήριον· ὅτι κατὰ τοὺς δύο μόνον τούτους τρόπους μεμνήμεθα πρὸς τὸν Θεὸν τῶν παρ' ἐκείνου γινομένων
ἡμῖν ἀγαθῶν, ἢ ἵνα λάβωμεν αὐτὰ ἢ ὅτι ἤδη ἐλάβομεν. Καὶ τὸ
480 C μέν ἐστιν ἱκεσία, τὸ δὲ εὐχαριστία. Δείκνυσι δὲ καὶ τὸ πασῶν
μεγίστην εἶναι τῶν τοῦ Θεοῦ δωρεῶν εἰς τοὺς ἀνθρώπους τὴν
τῶν ἁγίων τελείωσιν. Καὶ διὰ τοῦτο μὴ χάριτας ὁμολογεῖν
αὐτῷ τὴν Ἐκκλησίαν περὶ αὐτῶν μὴ θεμιτὸν εἶναι. Καὶ τί
λέγω μεγίστην τῶν τοῦ Θεοῦ δωρεῶν τὴν τῶν ἁγίων τελείωσιν; Αὕτη μὲν οὖν ἐστιν ἅπασα ἡ τοῦ Θεοῦ δωρεά. Πάντων
γὰρ ὧν εἰς τὸ γένος ἡμῶν ἐποίησεν ἀγαθῶν, τοῦτό ἐστι τὸ
τέλος, τοῦτο καρπὸς οἱ χοροὶ τῶν ἁγίων· καὶ τούτου ἕνεκα
οὐρανὸς ἡμῖν ἐδημιουργήθη καὶ γῆ καὶ τὸ ὁρώμενον ἅπαν.
Διὰ τοῦτο παράδεισος· διὰ τοῦτο προφῆται· διὰ τοῦτο αὐτὸς
ὁ Θεὸς ἐν σαρκὶ καὶ Θεοῦ λόγοι καὶ ἔργα καὶ πάθη καὶ
θάνατος· ἵνα ἀπὸ τῆς γῆς εἰς τὸν οὐρανὸν μετοικήσωσιν
480 D ἄνθρωποι καὶ τῆς ἐκεῖ βασιλείας γένωνται κληρονόμοι.

22. Εἰ τοίνυν ὅλως εὐχαριστία ἐστὶν ἐν τῇ τελετῇ καὶ τὰ
δῶρα ταῦτα χαριστήρια καθάπερ ἱκεσία, πᾶσα ἀνάγκη τὸ

α. τὸ om P

---

1. La formule liturgique citée ici est empruntée au début de
l'Anaphore de saint Jean Chrysostome, à ce qui répond à la *Préface* latine. Voir S. SALAVILLE, *Liturgies orientales*, II. *La Messe*,
p. 14.

terme seulement lorsque nous supplions, mais aussi lorsque nous rendons grâces. La preuve en est en maints endroits, et notamment dans la présente prière : « Pour toutes ces choses, dit le texte, nous vous rendons grâces, à vous et à votre Fils unique et à votre Esprit-Saint » ; « pour tout ce que nous connaissons et pour ce que nous ne connaissons pas », nous vous rendons grâces ; « et aussi pour cette liturgie, que vous avez daigné accepter de nos mains[1] ». Vous voyez ici la préposition « pour » *(hyper)* employée aussi pour l'action de grâces. En conséquence, il ne reste aucune excuse à pareille erreur.

21. Ainsi donc, il n'est pas possible que la commémoration des saints soit impétratoire. Qu'elle soit eucharistique, le fait même de n'être pas impétratoire suffit à le prouver. Car de deux choses l'une : ou elle est impétratoire, ou elle est eucharistique. Ce sont les deux seules manières dont nous puissions faire mention auprès de Dieu des biens qui nous viennent de lui, soit en vue de les recevoir, soit parce que nous les avons déjà reçus. L'une est supplication ; l'autre action de grâces. La preuve en est encore que la perfection définitive des saints est le plus grand des dons que Dieu fait aux hommes. Et c'est pourquoi il n'est pas permis que l'Église ne lui rende pas grâces à leur sujet. Que dis-je : la perfection définitive des saints est le plus grand des dons de Dieu ? Elle constitue en fait tout le don de Dieu. Car de tous les biens qu'Il a faits à notre race, c'est là la fin et le fruit : les chœurs des saints. C'est pour cela qu'ont été créés le ciel et la terre, et tout l'univers visible. Pour cela, le paradis ; pour cela, les prophètes ; pour cela, Dieu lui-même incarné et ses enseignements divins, ses actions, ses souffrances, sa mort ; afin que les hommes soient transférés de la terre au ciel et qu'ils deviennent héritiers du Royaume de l'au-delà.

22. Si donc il y a, somme toute, une action de grâces dans la liturgie, et si ces dons sacrés sont eucharistiques aussi bien qu'impétratoires, il faut de toute nécessité que le motif

κεφάλαιον καὶ τὴν ἀφορμὴν τῆς εὐχαριστίας αὐτοὺς εἶναι τοὺς τελειωθέντας ἁγίους.

23. Ὅλως δὲ τί ἐστι τὸ ποιοῦν ἐν ἡμῖν τὴν εὐχαριστίαν· οὐ τὸ αἰτεῖν ὁτιοῦν καὶ λαβεῖν ὃ αἰτούμεθα; Παντί που δῆλον· οὐκοῦν τὸ αὐτό ἐστι δι' ὅ τε εὐχαριστοῦμεν καὶ ὃ αἰτοῦμεν;

24. Τί οὖν παρὰ τοῦ Θεοῦ ἡ Ἐκκλησία αἰτεῖται; Ὅπερ αἰτεῖν παρὰ αὐτοῦ ἐκελεύσθη, τὴν βασιλείαν αὐτοῦ δηλονότι, ἵνα οἱ πιστοὶ ταύτης κληρονομήσωσιν· ἵνα ἅγιοι γένωνται κατὰ τὸν καλέσαντα ἅγιον. Εἰ δὲ ταῦτα τοῦ Θεοῦ δεῖται καὶ ἱκετεύει, πρόδηλον ὅτι καὶ ὑπὲρ αὐτῶν τούτων εὐχαριστεῖ· εὔχεται τοὺς πιστοὺς ἐν ἁγιωσύνῃ τελειωθῆναι, καὶ διὰ τοῦτο 481 A περὶ τῶν ἤδη τελειωθέντων ἁγίων τῷ τελειώσαντι χάριτας ὁμολογεῖν ἀκόλουθόν ἐστιν ἐξ ἀνάγκης. Διὰ ταύτην τὴν ὑπὲρ τῶν ἁγίων εὐχαριστίαν αὐτὴ ἡ τελετὴ εὐχαριστία καλεῖται· εἰ γὰρ καὶ ἄλλων ἐνταῦθα πολλῶν μέμνηται, ἀλλ' οἱ ἅγιοι τὸ τέλος ἁπάντων καὶ ὑπὲρ ὧν ἐκεῖνα ζητεῖται· ὅθεν ὅταν ὑπὲρ ἐκείνων εὐχαριστῇ, ὑπὲρ τῆς τελειώσεως τῶν ἁγίων εὐχαριστεῖ. Καθάπερ γὰρ ὁ Κύριος ὅσα ἐποίησεν, ἵνα συστήσῃ τὸν χορὸν τῶν ἁγίων, ἐποίησεν· οὕτω καὶ ἡ Ἐκκλησία ἐν οἷς αὐτὸν ὑπὲρ ἁπάντων ἐκείνων ὑμνεῖ, πρὸς τὸν χορὸν βλέπουσα τῶν ἁγίων τοῦτο ποιεῖ. Τούτου χάριν, ὅτε παρεδίδου τοῦτο τὸ μυστήριον ὁ Σωτήρ, εὐχαριστῶν τῷ Πατρὶ[β] παρεδίδου, ὅτι δι' αὐτοῦ ἔμελλεν ἀνοίγειν ἡμῖν τὸν οὐρανὸν καὶ ταύτην τὴν « πανήγυριν τῶν πρωτοτόκων » συνάγειν ἐκεῖ. Τοῦτον 481 B ἡ Ἐκκλησία μιμουμένη, οὐχ ἱκέσιον μόνον ἀλλὰ καὶ χαριστήριον τὴν προσαγωγὴν ποιεῖται τῶν δώρων. Καὶ τοῦτο δείκνυσι μὲν καὶ ἑτέρωθεν, μάλιστα δὲ ἀπὸ τῆς εὐχῆς ἐν ᾗ πᾶς ὁ σκοπὸς

β. τῷ Πατρὶ om P

c. Cf. Héb. 12, 22

principal et l'occasion de l'action de grâces soient précisément les saints parvenus au terme.

23. En définitive, qu'est-ce qui provoque en nous la
reconnaissance ? N'est-ce pas le fait de demander quelque
chose et d'avoir obtenu ce que nous demandons ? C'est
évident pour tout le monde : le motif de notre action de
grâces n'est-il pas identique à l'objet de notre demande ?

24. Que sollicite de Dieu l'Église ? Ce que Dieu lui-même
lui a ordonné de demander, c'est-à-dire son Royaume, afin
que ses fidèles l'obtiennent en héritage, afin qu'ils deviennent des saints, comme est saint celui qui les a appelés. Si
ce sont là les biens qu'elle demande à Dieu et qui font l'objet
de sa supplication, il est évident que ces mêmes biens font
aussi l'objet de son action de grâces : l'Église demande que
les fidèles soient consommés dans la sainteté et c'est pourquoi il est logiquement nécessaire que, au sujet des saints
parvenus au terme, elle rende grâces à Celui qui leur a donné
cette perfection définitive. C'est en raison de cette action
de grâces pour les saints, que le rite sacré lui-même est
appelé *eucharistie*. Car s'il y est fait mention de beaucoup
d'autres bienfaits, les saints demeurent pourtant le terme
de tout, et c'est pour eux que l'on demande tout le reste ; en
sorte que, lorsque l'Église remercie pour les autres biens,
c'est toujours pour la perfection définitive des saints qu'elle
remercie. Si tout ce que le Seigneur a fait, il l'a fait en vue
de constituer le chœur des saints, de même l'Église, dans
toutes les louanges qu'elle adresse à Dieu de l'ensemble de
ces bienfaits, c'est toujours les yeux fixés sur le chœur des
saints qu'elle le fait. C'est pour ce motif que le Sauveur,
lorsqu'il instituait ce sacrement, l'instituait en rendant
grâces à son Père de ce que par ce sacrement il allait nous
ouvrir le ciel et réunir là-haut « cette glorieuse assemblée des
premiers-nés[c] ». A son imitation, l'Église fait de la présentation des dons sacrés non pas seulement un rite de supplication, mais encore un rite d'action de grâces. Et cela, elle le
montre en divers endroits, mais principalement par la

περιέχεται τῆς ἱερουργίας. Διηγησαμένη γὰρ ἅπαντα τὰ παρὰ τοῦ Θεοῦ δοθέντα ἡμῖν καὶ ὑπὲρ πάντων εὐχαριστήσασα καὶ τελευταῖον προσθεῖσα τὴν τοῦ Κυρίου διὰ σαρκὸς παρουσίαν καὶ τὴν τοῦ μυστηρίου τούτου παράδοσιν, καὶ ὡς ἐνετείλατο καὶ ἡμᾶς τοῦτο ποιεῖν ἐπήγαγε· « Μεμνημένοι τοίνυν τῆς σωτηρίου ταύτης ἐντολῆς καὶ πάντων τῶν ὑπὲρ ἡμῶν γενο- μένων, τοῦ σταυροῦ », καὶ ἐξῆς πάντα καταλέξασα μετὰ τὸν σταυρόν, εἶτά φησι· « Τὰ σὰ ἐκ τῶν σῶν σοὶ προσφέρομεν· 481 C κατὰ πάντα καὶ διὰ πάντα σὲ ὑμνοῦμεν, σὲ εὐλογοῦμεν, σοὶ εὐχαριστοῦμεν, Κύριε, καὶ δεόμεθα σοῦ, ὁ Θεὸς ἡμῶν. »

25. Ὁρᾷς; Τῶν εὐεργεσιῶν, φησί, μεμνημένοι ταύτην ποιούμεθα τὴν δωροφορίαν. Τοῦτο δέ ἐστι τὸ εὐχαριστεῖν τὸ ὑπὲρ τῶν ἤδη δοθέντων ἀγαθῶν ἡμῖν δώροις τὸν εὐεργέτην τιμᾶν. Εἶτα καὶ σαφέστερον δεικνῦσα τὴν εὐχαριστίαν, φησί· Προσφέροντες τὴν προσφορὰν ταύτην, « σὲ ὑμνοῦμεν, σὲ εὐλογοῦμεν, σοὶ εὐχαριστοῦμεν, Κύριε, καὶ δεόμεθα σοῦ, ὁ Θεὸς ἡμῶν ».

26. Οὗτος ὁ νοῦς, φησί, τῆς προσαγωγῆς τῶν δώρων τὸ ὑμνεῖν, τὸ εὐχαριστεῖν, τὸ ἱκετεύειν, ὅπερ ἐξ ἀρχῆς ἐλέγομεν, ὥστε εἶναι καὶ εὐχαριστήριον καὶ ἱκέσιον τὴν αὐτήν.

27. Καὶ ταῦτα ποιοῦμεν, φησί, δύο τινῶν μεμνημένοι, τῆς 481 D ἐντολῆς ἣν ἡμῖν ἐνετείλατο λέγων· « Τοῦτο ποιεῖτε εἰς τὴν ἐμὴν ἀνάμνησιν », καὶ πάντων τῶν ὑπὲρ ἡμῶν γενομένων· ἡ μὲν γὰρ μνήμη τῶν εὐεργεσιῶν ἁπλῶς εἰς ἀμοιβὴν ἡμᾶς προτρέπεται καὶ τὸ ὅλως τι προσενεγκεῖν τῷ οὕτω μυρίων ὑπάρξαντι αἰτίᾳ ᵞ χαρίτων ἡμῖν· ἡ δὲ μνήμη τῆς ἐντολῆς καὶ αὐτὸ τὸ εἶδος ἡμᾶς διδάσκει τῆς ἀμοιβῆς καὶ τίνα δεῖ δῶρα προσάγειν. Αὐτὴν ἐκείνην τὴν προσφορὰν προσάγομεν, ἣν αὐτὸς ὁ Μονογενὴς ἀνέδειξέ σοι, τῷ Θεῷ καὶ Πατρὶ καὶ

γ. αἰτία om P

---

1. Voir S. Salaville, *Liturgies orientales*, II. *La Messe*, p. 26. C'est l'oraison correspondant à notre *Unde et memores*, et que les liturgistes désignent, à cause de son début, sous le nom d'*anamnèse*.

prière où est contenu tout le but de la sainte liturgie. Après avoir relaté tous les bienfaits que Dieu nous a accordés et après avoir rendu grâces pour tout l'ensemble, elle mentionne en dernier lieu la venue du Seigneur dans la chair, l'institution de ce sacrement, l'ordre qu'il nous a donné de « faire cela », et elle ajoute : « Nous souvenant donc de ce commandement salutaire, et de tous les (mystères) accomplis pour nous, de la Croix », puis elle énumère tout ce qui a suivi la Croix, et alors elle dit : « Nous vous présentons ce qui est à vous, et que nous tenons de vous ; en tout et pour tout nous vous louons, nous vous bénissons, nous vous rendons grâces, Seigneur, et nous vous prions, ô notre Dieu[1]. »

25. Vous le voyez ? Nous souvenant de vos bienfaits, dit l'Église, nous faisons cette oblation. C'est bien là assurément rendre grâces, que d'honorer par des dons notre bienfaiteur pour les biens qu'il nous a déjà accordés. Puis, pour rendre encore plus manifeste son action de grâces, elle ajoute : En présentant cette oblation, « nous vous louons, nous vous bénissons, nous vous rendons grâces, Seigneur, et nous vous prions, ô notre Dieu ».

26. Tel est, nous dit l'Église, le sens de la présentation des dons : louer, remercier, supplier, comme nous l'affirmions dès le début, en sorte que cette présentation soit en même temps eucharistique et impétratoire.

27. Nous faisons cela, dit l'Église, en nous souvenant de deux choses : du commandement que (le Seigneur) nous a donné par ces paroles : « Faites ceci en mémoire de moi », et aussi de l'ensemble des mystères accomplis pour nous. D'une part, le simple souvenir des bienfaits nous invite à un geste réciproque : à offrir en somme quelque chose à Celui qui a été pour nous l'auteur d'innombrables grâces ; d'autre part, le souvenir du commandement reçu nous fait connaître la forme même de ce geste réciproque et quels sont les dons qu'il faut présenter. Nous vous présentons cette oblation même que votre Fils unique en personne vous a offerte à vous, Dieu son Père, et nous vous rendons grâces

19

εὐχαριστοῦμεν προσάγοντες, ὅτι καὶ αὐτὸς ἀναδεικνὺς αὐτὴν ηὐχαρίστει. Διὰ ταῦτα οὐδὲν οἴκοθεν εἰσάγομεν εἰς ταύτην τὴν δωροφορίαν· οὔτε γὰρ ἔργα ἡμῶν τὰ δῶρα ἀλλὰ σοῦ τοῦ πάντων δημιουργοῦ, οὔτε ἡμετέρα ἐπίνοια τῆς λατρείας οὗτος ὁ τύπος⁸, ἀλλ᾽ οὐδὲ προεθυμήθημεν οὐδ᾽ οἴκοθεν καὶ παρ᾽ 484 A ἑαυτῶν εἰς αὐτὴν ἐκινήθημεν· ἀλλ᾽ αὐτὸς ἐδίδαξας, αὐτὸς προετρέψω διὰ τοῦ Μονογενοῦς. Τούτου χάριν ἃ προσφέρομέν σοι ἐκ τῶν σῶν ὧν ἡμῖν ἔδωκας, σά ἐστι κατὰ πάντα καὶ διὰ πάντα.

28. Οὕτω καὶ ὑπὲρ αὐτῆς τῆς χαριστηρίου προσφορᾶς ἄλλην πάλιν εὐχαριστίαν ὀφείλομεν τῷ Θεῷ, ὅτι οὐδὲν αὐτῆς ἡμέτερον ἀλλὰ πᾶσα ἐκείνου δῶρον, καὶ αὐτὸ τὸ θέλειν αὐτὴν καὶ τὸ ἐνεργεῖν αὐτός « ἐστιν ὁ ἐνεργῶν ἐν ἡμῖν », κατὰ τὸν θεῖον Ἀπόστολον. Διὰ τοῦτο ἐν ταῖς εὐχαῖς καὶ τοῦτο λέγεται· « Εὐχαριστοῦμέν σοι καὶ ὑπὲρ αὐτῆς τῆς λειτουργίας, ἣν ἐκ τῶν χειρῶν ἡμῶν δέξασθαι κατηξίωσας. » Ἃ μὲν οὖν ἡμᾶς διδάσκει τὴν ἐν τῇ λειτουργίᾳ μνήμην τῶν ἁγίων μὴ ἱκεσίαν εἶναι πρὸς τὸν Θεὸν ὑπὲρ αὐτῶν ἀλλ᾽ εὐχαριστίαν, ταῦτά ἐστιν.

484 B **Ν΄. Ποσαχῶς τῆς ἱερουργίας τῶν ἁγίων ἡ μνήμη γίνεται, καὶ τίς ἡ διαφορά**

1. Ἴδωμεν δὲ ποσάκις καὶ ποῦ τῆς ἱερουργίας ἡ μνήμη αὕτη^α γίνεται.

2. Γίνεται γὰρ δίς· πρῶτον μὲν ἐν ταῖς ἀρχαῖς αὐτῆς, ὅτε ἀνατίθεται τὰ δῶρα· δεύτερον δέ, ὅτε θύεται.

δ. τύπος : τρόπος P

α. αὕτη om P

---

d. Phil. 2, 13

---

1. Voir *note complémentaire* 15.
2. Il s'agit, on le voit, pour la première oblation, de l'offrande faite

en la présentant, parce que lui-même en vous l'offrant
rendait grâces. Aussi n'apportons-nous rien de notre propre
fonds à cette oblation : car ces offrandes ne sont pas nos
œuvres, mais bien les vôtres à vous, le Créateur de toutes
choses ; et ce n'est pas non plus une invention nôtre que
cette forme de culte : nous n'en avons même pas eu la
velléité, nous n'y avons pas été inclinés de nous-mêmes et
par notre propre mouvement, mais c'est vous-même qui
nous l'avez enseignée, vous-même qui nous l'avez recom-
mandée par votre Fils unique. C'est pourquoi ce que nous
vous offrons vient de vos propres biens que vous nous avez
donnés ; ces offrandes sont vôtres pour tout et en tout.

28. Si bien que, pour cette oblation d'action de grâces
elle-même, nous devons à Dieu une nouvelle action de
grâces : parce que rien n'y est nôtre, mais que tout est un
don de lui ; parce que c'est lui qui la veut et qui l'accomplit ;
« c'est lui qui opère en nous[d] », selon la parole de l'Apôtre.
Voilà pourquoi il est dit aussi dans les prières liturgiques :
« Nous vous rendons grâces également pour cette sainte
liturgie que vous avez daigné accepter de nos mains. »

Tout cela nous montre bien que la commémoration des
saints dans la liturgie n'est point une supplication adressée
pour eux à Dieu, mais une action de grâces[1].

Chapitre L

**Combien de fois dans la sainte liturgie
se fait la commémoration des saints et quelle est
la différence de ces commémorations**

1. Voyons combien de fois et à quels moments de la
sainte liturgie se fait cette commémoration.

2. Elle a lieu deux fois : la première au début, lorsqu'on offre à Dieu les dons ; la seconde, lorsque ces dons
deviennent le sacrifice[2].

3. Ἐπεὶ γὰρ διττὴ ἡ προσαγωγή, ἡ μὲν ὡς δώρων καὶ ἀναθημάτων ἁπλῶς, καθάπερ ἐν τοῖς ἔμπροσθεν εἴρηται· ἡ δὲ ὡς θυσίας· ἀνάγκη καὶ τούτους ὑπὲρ ὧν προσάγονται καὶ ἐπὶ τῆς πρώτης καὶ ἐπὶ τῆς δευτέρας προσαγωγῆς μνημονεύεσθαι.

4. Καὶ τοίνυν καθάπερ ἐπὶ τῆς πρώτης· « Εἰς ἀνάμνησιν, φησί, τοῦ Κυρίου καὶ Θεοῦ καὶ Σωτῆρος ἡμῶν Ἰησοῦ Χριστοῦ »· οὕτω καὶ ἐπὶ τῆς δευτέρας· « Μεμνημένοι τοίνυν 484 C τῶν ὑπὲρ ἡμῶν γενομένων, τοῦ σταυροῦ καὶ τῶν ἄλλων ὧν ὑπὲρ ἡμῶν ὑπέμεινεν ὁ Χριστός. » Ὁ γὰρ ἐνταῦθα βούλεται ἡ τοῦ σταυροῦ μνήμη καὶ τῶν ἄλλων τῶν μετὰ τὸν σταυρόν, τοῦτο ἐκεῖ ἡ τοῦ Κυρίου ἀνάμνησις. Οὐ γὰρ ὡς θαυματουργοῦντος τοῦ Σωτῆρος, ἀλλ᾽ ὡς σταυρουμένου καὶ ἀποθνήσκοντος, τηνικαῦτα ὁ ἱερεὺς μέμνηται, ὡς ἐν ἐκείνῳ τῷ τόπῳ διὰ πολλῶν ἀπεδείχθη.

5. Καὶ πάλιν ὥσπερ ἐπὶ τῆς πρώτης· « Εἰς δόξαν τῆς Παναγίας, εἰς πρεσβείαν τῶν ἁγίων », φησίν, οὕτω καὶ ἐπὶ τῆς δευτέρας· « Ὑπὲρ τῶν ἁγίων ἁπάντων, ἐξαιρέτως τῆς Παναγίας. » Ὥσπερ γὰρ ἐκεῖ τὴν ὑπεροχὴν αὐτῆς ἔδειξε τῶν ἄλλων προτιθεὶς ἁπάντων, οὕτως ἐνταῦθα, ἐπεὶ μετά τινας ἄλλους αὐτῆς ἐμνημόνευσε, τὸ « ἐξαιρέτως » προσθείς.

484 D **6.** Καὶ ὥσπερ ἐπὶ τῆς πρώτης μετὰ τοὺς ἁγίους τῶν ἐλέους δεομένων μέμνηται καὶ ὑπὲρ ὧν ἱκετεύει καὶ ζώντων καὶ τεθνηκότων· οὕτω καὶ ἐπὶ τῆς δευτέρας.

7. Ἔχει δὲ διαφοράν. Ἐπὶ μὲν γὰρ τῆς δευτέρας καὶ διηγεῖται τὴν προσαγωγήν· φησὶ γάρ· « Προσάγομέν σοι τὴν λογικὴν ταύτην λατρείαν », καί· « Τὰ σὰ ἐκ τῶν σῶν σοὶ προσφέροντες, σὲ ὑμνοῦμεν », μεθ᾽ ὧν τίθησι τὰς ἀφορμὰς τῆς προσαγωγῆς ἢ προλέγων ἢ ἐπιλέγων τὴν μνήμην τῶν τοῦ Σωτῆρος παθῶν, τὴν μνήμην τῶν ἁγίων, τὴν σωτηρίαν τῶν σωτηρίας δεομένων. Ἐπὶ δὲ τῆς πρώτης μόνας τίθησι τὰς

au début de la *proskomidie* ou prothèse (voir ci-dessus, chap. VII : « Qu'est-ce que la commémoration du Seigneur ? ») et, pour la seconde, de celle qui suit la Consécration.

1. Voir le chapitre VII.

3. En effet, la présentation est double : la première est celle des dons et des offrandes comme telles simplement, ainsi qu'il a été dit ci-dessus ; la seconde est leur présentation comme sacrifice. Et il est nécessaire de commémorer ceux pour qui se fait la présentation, et la première fois et la seconde fois.

4. A la première, (le prêtre) dit : « En mémoire de notre Seigneur, Dieu et Sauveur Jésus-Christ » ; à la seconde : « Nous souvenant donc des mystères accomplis pour nous, de la croix et des autres souffrances que le Christ a endurées pour nous. » Ce qui signifie ici la commémoration de la croix et des autres mystères venus après la croix se trouve signifié là par la mémoire du Seigneur. Car, dans la première présentation, le prêtre commémore le Sauveur non point comme thaumaturge, mais comme crucifié et mourant, ainsi que nous l'avons amplement montré à cet endroit[1].

5. Et de même que, à la première oblation, le prêtre dit : « A la gloire de la Toute-Sainte et pour l'intercession des saints », de même, à la seconde il dit : « Pour (honorer) tous les saints, et particulièrement la Toute-Sainte. » Comme il a montré la suréminence de celle-ci en la plaçant, lors de la première oblation, en tête de tous les autres, ainsi, la seconde fois, l'ayant mentionnée après quelques groupes de saints, il ajoute le mot « particulièrement ».

6. Comme, lors de la première présentation, après les saints le prêtre fait mémoire de ceux qui ont besoin de miséricorde et pour lesquels il supplie, vivants et morts ; de même aussi à la seconde présentation.

7. Il y a toutefois une différence. La seconde fois, le prêtre explique la présentation en disant : « Nous vous présentons ce sacrifice spirituel » et : « Nous vous offrons ce qui est à vous, que nous tenons de vous. Nous vous louons. » Après quoi il place les motifs de cette présentation en faisant soit au début, soit à la fin, mémoire des souffrances du Sauveur, mémoire des saints, et mention du salut de ceux qui ont besoin de salut. Mais, à la première

ἀφορμὰς τῆς προσαγωγῆς, λέγων· « Εἰς ἀνάμνησιν τοῦ Κυρίου, εἰς δόξαν τῆς Παναγίας », καὶ τὰ ἑξῆς ἐν οἷς μέμνηται καὶ ὑπὲρ ὧν εὐχαριστεῖ καὶ ὑπὲρ ὧν ἱκετεύει. Τίς οὖν ὁ λόγος ὅτι ἐν ταύτῃ μὲν ἔργῳ δείκνυσιν ὅτι προσφέρει; καὶ γὰρ ἀφαιρῶν τοῦ ἄρτου ἀνατίθησι τῷ Θεῷ. Καὶ διὰ 485 A τοῦτο οὐκ ἐδεήθη τῶν τοῦτο δηλούντων ῥημάτων.

8. Ἐπὶ δὲ τῆς δευτέρας προσαγωγῆς οὐδὲν φαίνεται ποιῶν· ἀλλὰ γίνεται μὲν ἡ προσφορά, γίνεται δὲ ἀοράτως. Τὴν γὰρ θυσίαν ἀφανῶς ἡ χάρις ἐργάζεται διὰ τῶν τελεστικῶν εὐχῶν τοῦ ἱερέως. Οὐκοῦν ἔδει λόγων τῶν κηρυττόντων τὴν μὴ φαινομένην προσαγωγήν.

ΝΑ΄. Διὰ τί λογικὴν λατρείαν ὁ ἱερεὺς τὴν θυσίαν καλεῖ

1. Τούτου χάριν καὶ « λογικὴν λατρείαν » αὐτὴν καλεῖ, ὅτι οὐδὲν ἔργον εἰσάγει, μόνοις δὲ τοῖς τελεστικοῖς ῥήμασι χρώμενος τὴν προσφορὰν ταύτην προσφέρει.

2. Ἡ μὲν γὰρ πρώτη προσαγωγὴ ἔργον ἐστὶν ἀνθρώπῳ δυνατόν· καὶ διὰ τοῦτο ὑπὸ τοῦ ἱερέως πραττομένη πρακτική 485 B ἂν εἴη λατρεία· τὴν δὲ δευτέραν, τὴν εἰς τὸ θεῖον σῶμα καὶ αἷμα μεταβολὴν τῶν δώρων, ἥτις ἐστὶν ἡ θυσία, ὑπὲρ ἀνθρώπου δύναμιν οὖσαν ἐργάζεται μὲν ἡ χάρις· εὔχεται δὲ μόνον ὁ ἱερεύς.

3. Ὅθεν εἰ καὶ ἔργον ἐστὶ καὶ πρᾶγμα ἀληθῶς ἡ θυσία,

---

1. Aux deux oblations indiquées par Cabasilas, il faudrait en joindre une troisième, dans la messe byzantine : celle du *Cheroubikon* ou de la grande entrée, si la *proskomidie* ou prothèse n'était en réalité un Offertoire anticipé, tandis que le *Cheroubikon* répond équivalemment à notre Offertoire latin. Voir S. SALAVILLE, *Liturgies orientales*, II. *La Messe*, p. 97-116. Si nous transposons sur le plan de la messe latine ce qui lui est applicable des données de ce chapitre, c'est donc à l'Offertoire et au double Memento que nous devrons songer. La différence établie par Cabasilas entre les formules de l'une et de l'autre oblation ne va pas sans quelque subtilité.

2. La même raison que celle qui vient d'être donnée, en fin de

présentation, il indique les motifs de la présentation par ces mots : « En souvenir du Seigneur, à la gloire de la Toute-Sainte », et le reste de la formule où il commémore et ceux pour qui il rend grâces et ceux pour qui il supplie. Quelle est donc la raison pour laquelle, cette fois-ci, il indique (seulement) par un geste qu'il fait l'offrande ? Et en effet, c'est en détachant une parcelle du pain qu'il l'offre à Dieu. Voilà pourquoi point ne lui est besoin de paroles pour l'exprimer.

8. Dans la seconde oblation, au contraire, le prêtre n'accomplit point d'acte extérieur ; l'oblation se fait pourtant, mais elle se fait de manière invisible. C'est la grâce qui opère invisiblement le sacrifice par les prières consécratoires du prêtre. Il fallait donc des paroles pour annoncer cette invisible oblation[1].

Chapitre LI

Pourquoi le prêtre donne-t-il au sacrifice le nom de « culte spirituel »

1. C'est pour la même raison[2] que le prêtre appelle ici l'oblation « sacrifice spirituel », à savoir, parce qu'il ne pose personnellement aucun acte et ne fait cette oblation qu'en employant les paroles consécratoires.

2. La première présentation est une œuvre possible à l'homme ; accomplie par le prêtre, elle pouvait donc être un sacrifice exprimé dans un acte. La seconde, qui est la transformation des dons au corps et au sang divins, ce qui est le sacrifice, dépasse la puissance de l'homme, et c'est la grâce qui l'opère : le prêtre se contente de prier.

3. Sans doute, le sacrifice est vraiment un acte et une

---

chapitre : c'est-à-dire, parce que la consécration est opérée par la toute-puissance divine, et non par une action humaine.

ἀλλ' αὐτὸς οὐδὲν εἰς αὐτὴν ἐργαζόμενος, ἀλλὰ λέγων μόνον, εἰκότως οὐ πραγματικὴν ἀλλὰ λογικὴν λατρείαν προσάγειν φησί.

NB'. Διὰ τί εὐχαριστία μόνον καλεῖται ἡ τελετή

1. Κἀκεῖνο δὲ ζητήσεως ἄξιον.

2. Ἐπεὶ γὰρ καὶ εὐχαριστήριός ἐστιν ἡ τελετὴ καὶ ἱκέσιος, διὰ τί μὴ καὶ ἀμφότερα ἀλλ' Εὐχαριστία καλεῖται μόνον;

3. Ἀπὸ τοῦ πλείονος. Πλείους γὰρ αἱ ἀφορμαὶ τῆς εὐχαριστίας ἢ τῆς ἱκεσίας· πλείω γὰρ ἐλάβομεν ἢ ὧν ἔτι δεόμεθα. Ταῦτα μὲν γὰρ μέρος, ἐκεῖνα δὲ ὅλον. Ἃ γὰρ
485 C ἱκετεύομεν λαβεῖν, μέρος εἰσὶν ὧν ἐλάβομεν. Ἐλάβομεν γὰρ ἅπαντα τό γε εἰς τὸν Θεὸν ἧκον καὶ οὐδὲν παρῆκεν ὃ μὴ δέδωκεν· ἀλλὰ τῶν μὲν τυχεῖν οὔπω καιρὸν ἔχομεν, ὥσπερ ἡ ἀφθαρσία τῶν σωμάτων καὶ ἡ ἀθανασία καὶ ἡ ἐν οὐρανοῖς βασιλεία· τὰ δὲ λαβόντες οὐ κατέσχομεν, ὥσπερ ἡ ἄφεσις τῶν ἁμαρτιῶν καὶ τἆλλα τὰ διὰ τῶν μυστηρίων ἡμῖν χορηγούμενα δῶρα· τὰ δὲ ἀπεβάλομεν, ὅτι κακῶς ἐχρησάμεθα, ἵνα μὴ γενώμεθα χείρους, ὥσπερ ἄνεσιν καὶ ὑγείαν καὶ πλοῦτον, οἱ τρυφῆς ὕλην καὶ πονηρίας ποιησάμενοι ταῦτα· ἢ ἐπὶ κέρδει μείζονι, ὥσπερ ὁ Ἰώβ, τῶν ἀγαθῶν ἀποστερούμεθα τῶν παρόντων.

4. Ὅθεν δῆλον ὡς ἱκεσίας μὲν οὐδένα τόπον ἀφῆκεν

---

1. Voir note complémentaire 16.
2. Les mots mis entre parenthèses sont nécessaires, on va le voir, pour préciser la vraie portée du titre et rattacher ce chapitre aux précédents.

réalité, mais le prêtre lui-même n'y fait rien, il prononce seulement des paroles. Il est donc naturel qu'il déclare offrir non pas un sacrifice exprimé dans une action matérielle, mais un sacrifice spirituel[1].

Chapitre LII

Pourquoi le sacrifice est-il appelé « Eucharistie » (et non pas « supplication »)[2]

1. Une dernière question mérite examen.

2. Puisque le sacrifice est à la fois eucharistique et impétratoire, pourquoi ne lui donne-t-on pas l'un et l'autre nom, mais seulement celui d'Eucharistie ?

3. C'est que le nom vient de l'élément le plus important. Les motifs d'action de grâces sont plus nombreux que les motifs de supplication. Le nombre des bienfaits que nous avons reçus dépasse le nombre de ceux que nous sollicitons. Ces derniers ne sont qu'une partie, les autres forment un tout. Les biens que nous demandons de recevoir ne sont qu'une partie de ceux que nous avons reçus. Car en ce qui concerne Dieu, nous avons tout reçu, et il n'est rien qu'il ait omis de nous donner. Mais il y a des biens qu'il n'est pas encore temps pour nous d'obtenir : ainsi l'incorruptibilité corporelle, l'immortalité et le règne dans les cieux. Il y en a que nous n'avons pas conservés après les avoir reçus : ainsi la rémission des péchés et tous les autres dons que nous recevons par le moyen des sacrements. Il y en a que nous avons perdus, parce que nous les avons mal employés : telles l'aisance, la santé, la fortune ; et il en est résulté que nous ne sommes pas devenus pires, nous qui avions fait de ces biens matière de plaisir et de perversité ; ou bien c'est pour un plus grand profit que nous sommes, comme Job, privés des biens que nous possédions.

4. Par où il est clair que Dieu n'avait pas laissé de

ὁ Θεός, εὐχαριστίας δὲ πᾶσαν ἀφορμὴν δέδωκεν· ἡμεῖς δὲ
485 D τὴν ἔνδειαν ἡμῖν αὐτοῖς ὑπὸ ῥαθυμίας κατασκευάζοντες τῆς
ἱκεσίας δεόμεθα.

5. Ἴδωμεν δὲ περὶ τίνων ἱκετεύομεν.

6. Περὶ ἀφέσεως ἁμαρτιῶν; Ἀλλὰ ταύτην πλουσίαν ἐλάβομεν καὶ μηδὲν ἀγωνισάμενοι διὰ τοῦ ἁγίου βαπτίσματος. Τί
οὖν πάλιν αὐτὴν αἰτοῦμεν; ὅτι πάλιν ὑπεύθυνοι γεγόναμεν
ἁμαρτίαις. Ἀλλὰ τί τὸ αἴτιον ἡμῖν τῆς εὐθύνης ταύτης;
ἡμεῖς αὐτοί. Οὐκοῦν καὶ τῆς ἱκεσίας ἡμεῖς.

7. Ἔτι περὶ τῆς βασιλείας, ἵνα κληρονομήσωμεν αὐτῆς,
ἱκετεύομεν; καὶ μὴν δέδοται ἡμῖν αὕτη ἡ κληρονομία. Καὶ
γὰρ τέκνα Θεοῦ γεγόναμεν αὐτοῦ τοῦ περικειμένου τὴν
βασιλείαν. Τίς γὰρ κληρονόμος, εἰ μὴ τὸ τέκνον; Τί δὲ τῶν
πατρῴων διαφεύγει τὸν κληρονόμον; Οὐδέν. Πῶς οὖν
αἰτοῦμεν τὸ ἤδη δοθέν; Ἀλλότρια τῆς υἱοθεσίας ἐτολμήσαμεν,
488 A μετὰ τὸ ἐκ Θεοῦ γεννηθῆναι καὶ εἰς ταύτην ἀναβῆναι τὴν
τιμήν, ἀντὶ υἱῶν πονηροὶ δοῦλοι γεγόναμεν· καὶ διὰ τοῦτο ὡς
περὶ ἀλλοτρίου πράγματος καὶ οὐδὲν ἡμῖν διαφέροντος
ἱκετεύομεν. Οὐκοῦν καὶ ταύτης ἡμεῖς ἐσμεν αἴτιοι τῆς ἱκεσίας
ἡμῖν αὐτοῖς.

8. Περὶ δὲ τῶν σωματικῶν ἀγαθῶν ὁ Κύριος ἐκέλευσεν·
« Αἰτεῖτε πρῶτον τὴν βασιλείαν τοῦ Θεοῦ, καὶ ταῦτα πάντα
προσθήσεται ὑμῖν[a] », καί· « Μὴ μεριμνᾶτε περὶ τροφῆς καὶ
ἐνδυμάτων· καὶ ὁ Πατὴρ ἡμῶν ὁ οὐράνιος πᾶσαν χορηγήσει
τὴν χρείαν. » Ἡμεῖς δὲ ἐπειδὰν αὐτῶν ἐνδεῶς ἔχωμεν, ἢ διὰ
ῥαθυμίαν καὶ ἀπιστίαν τοῦτο πάσχομεν καὶ τὸ μὴ τηρῆσαι
τὴν περὶ αὐτὸν ἐντολήν, καὶ τότε ἡ ἔνδεια ἔργον ἡμέτερον

α. ὑμῖν : ἡμῖν P

a. Matth. 6, 33. Lc 12, 31
b. Matth. 6, 25. Lc 12, 22.31

place à la supplication, mais qu'il avait donné au contraire toute sorte d'occasions à l'action de grâces. C'est nous qui, nous installant nous-mêmes dans l'indigence par notre paresse, avons besoin maintenant de supplication.

5. Voyons quel est l'objet de nos supplications.

6. La rémission des péchés ? Mais nous l'avons reçue en abondance, et sans aucun effort pénible de notre part, dans le saint Baptême. Pourquoi dont la sollicitons-nous de nouveau ? C'est que par nos péchés nous sommes redevenus coupables. Quelle est alors la cause de cette culpabilité ? Nous-mêmes. Nous sommes donc aussi la cause de la supplication.

7. Objet encore de nos demandes, le royaume des cieux : nous demandons en suppliant d'en devenir les héritiers. En vérité, cet héritage nous a été donné, car nous sommes devenus enfants de ce Dieu qui est le centre du Royaume. Et qui donc est héritier, sinon le fils ? Et y a-t-il quelque chose des biens paternels qui échappe à l'héritier ? Rien. Pourquoi donc sollicitons-nous ce qui a déjà été donné ? C'est que, après être nés de Dieu et avoir été élevés à un tel honneur, nous avons eu l'effronterie de commettre des actes contraires à cette adoption filiale : de fils que nous étions, nous sommes devenus de méchants esclaves. Et voilà pourquoi nous demandons ce Royaume comme un bien qui nous est devenu étranger et ne nous est dû en rien. Donc c'est encore nous qui sommes pour nous-mêmes la cause de cette supplication.

8. Quant aux biens corporels, le Seigneur nous a donné ce commandement : « Cherchez premièrement le royaume de Dieu, et tout cela vous sera accordé par surcroît[a]. » Et encore : « Ne vous mettez pas en peine de la nourriture et du vêtement », et « notre Père du ciel nous fournira tout ce dont nous avons besoin[b] ». Quand nous venons à manquer de ces choses, ou bien cette épreuve a pour cause notre paresse et notre manque de confiance, et elle arrive parce que nous n'avons pas observé le commandement relatif

300　LA DIVINE LITURGIE

καὶ ἡ δι' αὐτὴν ἱκεσία· ἡ προνοίᾳ Θεοῦ καὶ φιλανθρωπίᾳ,
488 B ὥσπερ ὁ Ἰώβ, ἵνα μειζόνων τύχωμεν καὶ τιμιωτέρων, καὶ
τότε ἡ ἔνδεια ἐκείνη ἐστὶ μὲν τοῦ Θεοῦ ἔργον, ἔστι δὲ οὐ
δεήσεώς τινος καὶ ἱκεσίας ἀλλὰ δοξολογίας ἀφορμὴ καὶ
εὐχαριστίας. Ὥσπερ ὁ Ἰὼβ ἔλεγεν· « Εἴη τὸ ὄνομα Κυρίου
εὐλογημένον » εἰς τοὺς αἰῶνας.

9. Ὁρᾷς ὅτι τὰ παρὰ τοῦ Θεοῦ πρὸς ἡμᾶς ἅπαντα πρὸς
δοξολογίαν καὶ εὐχαριστίαν φέρει μόνον· τῶν δὲ ἱκεσιῶν
τούτων καὶ τῶν δεήσεων ἡμεῖς αἴτιοι. Διὰ τοῦτο πάντων τῶν
ἀγαθῶν καὶ τῶν σωματικῶν καὶ τῶν τῆς ψυχῆς ἐν ταῖς πρὸς
Θεὸν ὁμιλίαις μνημονεύοντες, ἐπ' εὐχαριστίᾳ πάντων μνημο-
νεύομεν, εἴτε πάρεστιν ἡμῖν ἅπαντα, εἴτε μή. Ἐκεῖνος γὰρ
ἅπαξ ἔδωκεν ἅπαντα καὶ οὐδὲν ἀφῆκε παρ' ἑαυτῷ. Καὶ τοῦτο
εἰδὼς ὁ μακάριος Ἀπόστολος ἐκέλευσε πάντων ἕνεκα εὐχα-
488 C ριστεῖν, γράφων· « Πάντοτε χαίρετε, ἐν παντὶ εὐχαριστεῖτε. »

10. Τούτου χάριν τὴν τελεωτάτην καὶ ἀκριβεστάτην πρὸς
τὸν Θεὸν ὁμιλίαν, τὴν τῆς κοινωνίας τελετήν, ἐν ᾗ μνημο-
νεύομεν, οὐ ταύτης ἢ ἐκείνης τῆς χάριτος ἀλλὰ πάντων
ἁπλῶς τῶν ἐκ Θεοῦ ἀγαθῶν καὶ ὄντων ἡμῖν ἐνεργείᾳ καὶ
ἐσομένων Εὐχαριστίαν ὀνομάζειν εἰκὸς ἦν, οὐκ ἐξ ὧν ἡμεῖς
δυστυχοῦντες δεόμεθα καλοῦντες αὐτήν, ἀλλ' ἐξ ὧν ὁ Θεὸς
ἡμᾶς εὐεργετεῖ, οὐδ' ἀπὸ τῆς ἡμετέρας πενίας ἀλλ' ἀπὸ τοῦ
πλούτου τῆς ἐκείνου χρηστότητος.

11. Ἐπεὶ γὰρ καὶ ἱκετεύομεν ἐν αὐτῇ[β] τὸν Θεὸν καὶ
εὐχαριστοῦμεν, ἀλλ' ἡ μὲν εὐχαριστία Θεοῦ ἔργον, ὡς
εἴρηται· ἡ δὲ ἱκεσία τῆς ἀνθρωπίνης ἀσθενείας. Καὶ ἡ μὲν
εὐχαριστία ἐπὶ πλείοσιν, ἡ δὲ ἱκεσία ὑπὲρ ἐλαττόνων· ἡ μὲν

β. αὐτῇ : αὐτὴν P

c. Job 1, 21
d. I Thess. 5, 16.18

à ce sujet, et alors l'indigence est notre œuvre, comme aussi la supplication qui s'ensuit ; ou bien c'est une épreuve due à la prévoyance et à la bonté de Dieu, comme pour Job, afin de nous faire obtenir des biens plus grands et plus précieux, et alors, cette indigence qui est bien l'œuvre de Dieu, est aussi une occasion, non pas de requête et de supplication, mais de louange à Dieu et d'action de grâces. C'est ainsi que Job disait : « Béni soit le nom du Seigneur » pour tous les siècles[c] !

9. Vous le voyez, tous les dons que Dieu nous fait portent seulement à la louange de Dieu et à l'action de grâces ; mais, des supplications et des requêtes, c'est nous qui sommes cause. Aussi tous les biens, soit du corps, soit de l'âme, que nous mentionnons dans nos entretiens avec Dieu, nous les mentionnons tous aux fins d'action de grâces, soit que nous les possédions tous, soit que nous ne les possédions pas. Dieu nous a tout donné une fois pour toutes, et de son côté il n'a rien omis. C'est parce qu'il n'ignorait pas cette vérité, que le bienheureux Apôtre nous a ordonné de rendre grâces en tout : « Soyez toujours joyeux, écrit-il, en toutes choses rendez grâces[d]. »

10. En conséquence, le plus parfait et le plus intime de nos entretiens avec Dieu, savoir le rite de la Communion, où nous faisons mention non point de telle ou telle grâce, mais en général de tous les biens que nous tenons de Dieu, soit que nous les détenions en fait, soit qu'ils nous restent réservés, il était juste de lui donner le nom d'Eucharistie. Il convenait que ce nom fût tiré non point des demandes que nous faisons par suite de notre misère, mais des bienfaits de Dieu à notre égard, non point de notre pauvreté, mais de l'immense bonté de ce même Dieu.

11. Sans doute, dans ce rite sacré, nous faisons à la fois acte de supplication et d'action de grâces à Dieu ; mais l'action de grâces, ainsi qu'il a été dit, est œuvre de Dieu, et la supplication est œuvre de l'infirmité humaine. L'action de grâces porte sur un plus grand nombre d'objets ; la supplication, sur un plus petit nombre. La première, en effet,

488 D γὰρ ἐπὶ πᾶσιν ἁπλῶς ἀγαθοῖς, ἡ δὲ ὑπὲρ ἐνίων· διὰ τοῦτο ἀπὸ
τῶν κρειττόνων καὶ πλειόνων ἔδει τοὔνομα αὐτῇ θεμένους
Εὐχαριστίαν ὀνομάζειν· οὕτω γὰρ καὶ ὁ ἄνθρωπος ζῷον
λογικὸν λέγεται, καίτοι καὶ ἀλόγου τινὸς μετέχων, ἀπὸ τοῦ
κρείττονος καὶ μείζονος μέρους καλούμενος.

12. Ἄλλως θ' ὅτι ὁ πρῶτος αὐτὴν καταδείξας ὁ Κύριος
ἡμῶν Ἰησοῦς Χριστὸς οὐχ ἱκετεύων ἀλλὰ μόνον εὐχαριστῶν
τῷ Πατρὶ ταύτην ἐτέλεσε καὶ παρέδωκε τὴν τελετήν· καὶ
τούτου χάριν ἡ Ἐκκλησία, ὅπερ οὖσαν παρέλαβεν αὐτήν,
τοῦτο καλεῖ Εὐχαριστίαν ὀνομάζουσα.

Καὶ ταῦτα μὲν εἰς τοσοῦτον.

489 A   ΝΓ'. Περὶ τῆς ἐπὶ τῇ κοινωνίᾳ τῶν μυστηρίων κοινῆς
εὐχαριστίας καὶ τῶν πρὸς τῷ τέλει τῆς ἱερουργίας εὐχῶν

1. Ὁ δὲ ἱερεὺς τοὺς μεταλαβόντας τῶν μυστηρίων ὑπὲρ
τῆς μεταλήψεως εὐχαριστῆσαι κελεύει τῷ μεταδόντι Θεῷ· καὶ
τοῦτο οὐ παρέργως οὐδὲ ῥαθύμως, ἀλλὰ μετὰ σπουδῆς.
Τοῦτο γὰρ βούλεται τὸ « Ὀρθοὶ » οὐκ ἀνακειμένους οὐδὲ
καθημένους, ἀλλὰ καὶ ψυχὴν καὶ σῶμα πρὸς αὐτὸν ἀνατεί-
νοντας.

2. Εἶτα δὴ καὶ τἆλλα τὰ εἰωθότα δεηθῆναι τοῦ Θεοῦ
παραινέσας, ἔξεισι τοῦ θυσιαστηρίου καὶ στὰς πρὸ τῶν
θυρῶν ἀναγινώσκει τὴν ὑπὲρ ἁπάντων εὐχήν.

3. Ἐνταῦθα δὲ ἐκεῖνο ἐπισημήνασθαι χρὴ πῶς μετὰ τὴν
489 B ἱερουργίαν καὶ τὴν ἐπὶ ταύτῃ δοξολογίαν, ὡς δὴ τῶν εἰς τὸ

---

1. Voir S. SALAVILLE, *Liturgies orientales*, II. *La Messe*, p. 69-72.
2. Sans doute l'*ekphonèse* ou doxologie trinitaire de la brève litanie
à laquelle on vient de faire allusion (« les autres demandes coutumières »).

porte absolument sur tous les biens ; la seconde, sur quelques-uns seulement. Aussi convenait-il d'appeler ce sacrement *Eucharistie*, en empruntant son nom aux éléments les meilleurs et les plus nombreux. C'est ainsi que l'homme, quoique participant à quelque chose de l'être privé de raison, est pourtant appelé animal raisonnable, désigné de la sorte par la partie la meilleure et la plus noble de sa nature.

12. Une meilleure raison encore, c'est que celui qui le premier enseigne ce rite sacré, notre Seigneur Jésus-Christ, l'accomplit et l'institua non pas en suppliant, mais seulement en rendant grâces au Père. Voilà pourquoi l'Église, qui a reçu de lui ce sacrement déjà existant, le désigne ainsi sous le nom d' « Eucharistie ».

En voilà assez sur ce sujet.

(FIN DE LA LITURGIE)

CHAPITRE LIII

**De l'action de grâces en commun
après la communion et des prières finales
de la sainte liturgie**

1. Le prêtre invite tous ceux qui ont participé aux saints mystères à rendre grâces, pour cette participation, à Dieu qui la leur a donnée ; et à le faire, non par manière d'acquit ou avec nonchalance, mais avec ferveur. C'est le sens de l'exclamation « Debout » : non pas dans l'attitude de gens étendus ou assis, mais tendant leur corps et leur âme vers Dieu.

2. Puis, après avoir exhorté à formuler une fois encore devant Dieu les autres demandes coutumières, il sort du sanctuaire et, debout devant les portes, il récite la prière pour tout le peuple[1].

3. Il faut ici noter comment, la sainte liturgie terminée et après la doxologie qui la conclut[2], au moment où tous

θεῖον ὀφειλομένων τελεσθέντων ἁπάντων, ὥσπερ ἀπολύων
ἑαυτὸν τῆς μετὰ τοῦ Θεοῦ συνουσίας καὶ τοῦ ὕψους ἐκείνου
εἰς τὴν τῶν ἀνθρώπων ὁμιλίαν φαίνεται κατὰ μικρὸν κατα-
βαίνων, καὶ τοῦτο ἱεροπρεπῶς. Καὶ γὰρ εὐχόμενος τοῦτο
ποιεῖ· καὶ ὁ τρόπος τῆς εὐχῆς καὶ ὁ τόπος δείκνυσιν αὐτὸν
καταβαίνοντα.

4. Πρότερον μὲν γὰρ ἔνδον τοῦ θυσιαστηρίου καὶ ἐφ'
ἑαυτοῦ, μηδενὸς ἀκούοντος, καὶ πρὸς τὸν Θεὸν ἀποτεινόμενος εὔχεται· νῦν δὲ τοῦ θυσιαστηρίουᵃ ἐξελθὼν καὶ τοῦ
πλήθους μέσος γενόμενος, πάντων ἀκουόντων, τὴν ὑπὲρ τῆς
Ἐκκλησίας καὶ πάντων τῶν πιστῶν κοινὴν ποιεῖται δέησιν.
Εἶτα καὶ τὸν προσενεχθέντα ἄρτον, ἐξ οὗ τὸν ἱερὸν ἀπέτεμεν
489 C ἄρτον, εἰς πολλὰ διελῶν, διαδίδωσι τοῖς πιστοῖς ὡς ἅγιον
γενόμενον αὐτῷ τῷ ἀνατεθῆναι Θεῷ καὶ προσενεχθῆναι· οἱ δὲ
σὺν εὐλαβείᾳ πάσῃ δέχονται καὶ καταφιλοῦσι τὴν δεξιάν, ὡς
ἂν προσφάτως ἁψαμένην τοῦ παναγίου τοῦ Σωτῆρος σώματος
καὶ τὸν ἐκεῖθεν ἁγιασμὸν καὶ δεξαμένηνᵝ, καὶ μεταδιδόναι
τοῖς ψαύουσι πιστευομένην.

5. Ἐν τοσούτῳ δὲ καὶ τὸν αἴτιον καὶ χορηγὸν αὐτοῖς τῶν
ἀγαθῶν τούτων δοξολογοῦσι· καὶ ἡ δοξολογία τῆς Γραφῆς·
« Εἴη τὸ ὄνομα Κυρίου εὐλογημένον », καὶ τὰ ἑξῆς· καὶ
τοῦτο πολλάκις βοήσαντες ψαλμὸν ἔπειτα ἀναγινώσκουσι
δοξολογίας γέμοντα καὶ εὐχαριστίας. Τίς δὲ ὁ ψαλμός;
« Εὐλογήσω τὸν Κύριον ἐν παντὶ καιρῷ. »

6. Τοῦ δὲ ἄρτου διαδοθέντος καὶ τοῦ ψαλμοῦ τελεσθέντος,
εὔχεται ὁ ἱερεὺς τῷ πλήθει τὴν τελευταίαν εὐχὴν οὐ μόνον
489 D ἔξω τοῦ θυσιαστηρίου καὶ πάντων ἀκουόντων, ἀλλὰ καὶ πρὸς

α. τοῦ θυσιαστηρίου : τὸ θυσιαστήριον P ‖ β. δεξαμένην corr :
δεξάμενον P

---

a. Job 1, 21
b. Ps. 33, 1.

---

1. Il s'agit de l'*antidoron* ou *eulogie*, correspondant à notre coutume

les rites du service divin se trouvent achevés, le prêtre
semble prendre congé de son audience avec Dieu et redes-
cendre peu à peu de ces hauteurs vers le commerce des
hommes ; et cela, de la manière qui convient au prêtre. En
effet, c'est en priant qu'il le fait : le mode même et le lieu
de sa prière indiquent cette sorte de descente.

4. Il prie tout d'abord à part soi à l'intérieur du sanctuaire, sans que personne l'entende, et en s'adressant
longuement à Dieu. Puis, sorti du sanctuaire, il vient au
milieu de la foule, et de manière à être entendu de tous il
récite la prière de demande commune pour l'Église et pour
tous les fidèles. Alors, après avoir coupé en petits morceaux
le pain qui a été offert à la prothèse et d'où il a détaché le
pain consacré, il le distribue aux fidèles, comme devenu
chose sainte par le fait d'avoir été dédié et offert à Dieu[1].
Les fidèles le reçoivent avec le plus grand respect et ils
baisent la main du prêtre, dans la pensée qu'elle vient de
toucher le très saint Corps du Sauveur, qu'elle en a reçu
une sanctification et qu'elle la communique — ils ont cette
confiance — à ceux qui ont contact avec elle.

5. Cependant, tous glorifient Dieu, auteur et distri-
buteur de ces biens qu'ils ont reçus ; et cette doxologie est
empruntée à l'Écriture : « Béni soit le nom du Seigneur[a] »,
et le reste. Après avoir répété à plusieurs reprises cette
acclamation, l'on récite un psaume tout débordant de
louange et d'action de grâces. Quel est ce psaume ? « Je
bénirai le Seigneur en tout temps[b][2]. »

6. Après la distribution du pain (bénit) et le psaume
achevé, le prêtre prononce sur le peuple la prière finale : il
le fait non seulement hors du sanctuaire et de manière
à être entendu de tous, mais aussi en adressant directement

du pain bénit ; voir DE MEESTER, *La Liturgie de S. Jean Chrysostome*,
3ᵉ éd., Rome 1925, p. 135.
    2. Voir S. SALAVILLE, *Liturgies orientales*, II. *La Messe*, p. 72-73,
n. 4.

αὐτὸ τὸ πλῆθος ἀποτεινόμενος τὰ ῥήματα τῆς εὐχῆς, μείζονα νῦν ἢ πρότερον ἐνδεικνύμενος τὴν πρὸς τοὺς πολλοὺς κοινωνίαν. Τίς δὲ ἡ εὐχή; Ἵνα ἐλεηθέντες σωθῶμεν ὡς οὐδὲν ἔχοντες οἴκοθεν εἰσενεγκεῖν σωτηρίας ἄξιον, ἀλλὰ πρὸς μόνην ἀφορῶντες τὴν τοῦ σῶσαι δυναμένου φιλανθρωπίαν. Διὰ τοῦτο γὰρ καὶ πολλῶν ἐνταῦθα μέμνηται πρέσβεων τῶν εἰς τοῦτο βοηθησόντων ἡμῖν· καὶ πρὸ πάντων τῆς παναγίας Μητρὸς τοῦ Θεοῦ, δι' ἧς καὶ τὴν ἀρχὴν ἠλεήθημεν.

7. Τὸ δὲ προοίμιον τῆς εὐχῆς· « Χριστὸς ὁ ἀληθινὸς Θεὸς ἡμῶν »· οὐ τῶν νόθων εἷς καὶ τῶν ψευδωνύμων, οὓς πολλοὺς ποτε ἐσέβομεν, ἀλλ' ὃν ὕστερον μόλις εὕρομεν, « ὁ ἀληθινὸς Θεὸς ἡμῶν ».

8. Διὰ τοῦτο καὶ μόνῳ αὐτῷ πρέπει ὡς Θεῷ πᾶσα δόξα, 492 A τιμὴ καὶ προσκύνησις, σὺν τῷ ἀνάρχῳ αὐτοῦ Πατρὶ καὶ τῷ παναγίῳ καὶ ἀγαθῷ καὶ ζωοποιῷ αὐτοῦ Πνεύματι, νῦν καὶ ἀεὶ καὶ εἰς τοὺς αἰῶνας τῶν αἰώνων. Ἀμήν.

1. *Ibid.*, p. 72.
2. Voir *note complémentaire* 17.

au peuple lui-même les formules de la prière : il montre ainsi que son union avec la foule est encore plus grande qu'auparavant. Et en quoi consiste cette prière ? Qu'après avoir obtenu miséricorde, nous soyons sauvés, car nous n'avons rien à présenter de notre propre fonds qui mérite le salut, mais nous tournons nos regards vers la paternelle bonté de Celui qui seul peut sauver. C'est pourquoi ici encore le prêtre fait mention d'un grand nombre d'intercesseurs, qui nous aideront à être sauvés ; et, avant tout, de la très sainte Mère de Dieu, par l'intermédiaire de qui nous avons à l'origine obtenu miséricorde.

7. Le prélude de cette prière comprend ces mots : « Le Christ, notre Dieu véritable[1]. » Il ne s'agit plus, en effet, de l'un de ces dieux bâtards et faux que nous avons jadis adorés en grand nombre, mais de Celui que nous avons plus tard trouvé non sans peine : « notre Dieu véritable ».

8. Aussi est-ce à Lui seul, en tant que Dieu, que conviennent gloire, honneur et adoration, en même temps qu'à son Père qui est par lui-même, et à son très saint, bon et vivifiant Esprit, maintenant et toujours, et dans les siècles des siècles. Amen[2].

NOTES COMPLÉMENTAIRES

1. « Eucharistia » et Consécration

(ch. XXVII, § 1)

Chapitre lumineux, qui a mérité l'admiration de plusieurs théologiens modernes pour la clarté projetée en quelques lignes sur la nature essentielle du sacrifice eucharistique : mentionnons surtout M. DE LA TAILLE, S.J., *Mysterium fidei* (Paris, G. Beauchesne, 1921 ; 3ᵉ édition en 1931) ; H. BOUËSSÉ, O.P., *Théologie et Sacerdoce*, Chambéry 1938, p. 145 et 222 ; sans parler d'Antoine ARNAULD, *Perpétuité de la foi touchant l'Eucharistie*, Paris 1669 ; réédition Migne, 1841, t. I, col. 469.

Il mérite tout autant l'admiration des liturgistes pour la description donnée de l'*eucharistia* ou action de grâces trinitaire qui constitue l'Anaphore ou le Canon de la messe.

Il convient d'insister sur ce double accord de théologiens et de liturgistes avec Cabasilas sur la base de ce chapitre XXVII, en vue de rectifier d'avance un élément erroné de sa doctrine, élément à peine insinué ici, mais qu'il va accentuer dans les chapitres XXIX et XXX. Il s'agit de son enseignement sur l'*épiclèse* ou invocation du Saint-Esprit.

Rappelons donc les données liturgiques, qui de fait sont aussi des donnés théologiques.

Le thème général de l'Anaphore ou du Canon oriental est une action de grâces à la Trinité pour tous ses bienfaits, récapitulés en quelque sorte dans l'auguste sacrifice. Action de grâces à Dieu le Père, qui nous a donné l'être et nous a appelés à une destinée éternelle ; au Fils, qui est venu nous racheter, qui, « la nuit où il se livra lui-même pour le salut du monde », institua le grand mystère (ici se place le récit

de l'institution eucharistique et la répétition par le prêtre
des paroles du Sauveur : « Ceci est mon corps..., Ceci est le
calice de mon sang... », qui sont dites tout haut et auxquelles
le peuple répond par un *Amen* de foi et d'adoration) ; au
Fils, de qui l'on commémore « tout ce qu'il a fait pour
nous », la croix, le sépulcre, la résurrection, l'ascension, le
règne à la droite du Père, le glorieux avènement futur ; enfin
action de grâces au Saint-Esprit, duquel on implore l'envoi
sur le pain et le vin pour les consacrer, et sur les fidèles,
principalement sur les communiants, pour les sanctifier :
c'est la formule appelée *épiclèse*, c'est-à-dire « invocation »,
dont la teneur et la place, dans l'ensemble des liturgies
orientales, a suscité un intéressant problème de théologie
liturgique, mais dont le sens général, on le voit, s'adapte
admirablement au cadre trinitaire de l'Anaphore.

C'est bien, en effet, ce cadre trinitaire de l'*eucharistia*
que Cabasilas relève ici en quelques traits précis. Ce qu'il
souligne fort bien, c'est que la consécration du pain et du vin
au corps et au sang du Christ opère le mystérieux sacrifice,
en vertu évidemment de la toute-puissance divine, de l'efficacité des paroles du Sauveur et de l'intervention du Saint-
Esprit. « Ces paroles dites — écrit Cabasilas en théologien
lucide et pénétrant — le tout du rite sacré est accompli, les
dons sont consacrés, le sacrifice est achevé, la grande
victime, l'hostie divine, immolée pour le monde, se trouve
étendue sur l'autel. Car ce n'est plus le pain..., c'est l'oblation véritable elle-même, c'est le corps même du Maître... »
Si nous négligeons, pour l'instant, l'opposition malencon-
treusement établie par les polémistes, précisément depuis
l'époque de Cabasilas, entre les paroles du Christ et l'épiclèse au point de vue de l'efficacité consécratoire, pareilles
formules énoncent admirablement la théologie du sacrifice
eucharistique. Le P. Bouëssé les cite à bon droit en témoignage de la tradition catholique, en un paragraphe où il
marque les rapports du Calvaire à l'autel. Après avoir
rappelé l'enseignement du concile de Trente sur l'unité du
sacrifice du Christ : « Une seule et même Hostie au Calvaire
et à l'autel, le même l'offre maintenant par le ministère des
prêtres qui jadis s'offrit lui-même sur la croix ; seule diffère
la manière d'offrir », le théologien dominicain donne ces
explications, qui concordent avec la doctrine de Cabasilas :
« Au Calvaire, la matière hostiale fut la vie du Verbe incarné
à déposer dans l'effusion du sang ; à l'autel, la matière
hostiale est le pain et le vin. Au Calvaire, Jésus s'offrit

immédiatement, dans le support effectif de l'immolation qui sépara réellement et visiblement son corps et son sang. A l'autel, Jésus s'offre par le ministère des prêtres dans la consécration du pain et du vin qui, sous le symbolisme commémoratif de l'immolation sanglante, constitue une immolation non sanglante. » C'est alors qu'il cite Cabasilas, en la très honorable compagnie de saint Cyprien, *Epist.* 63, *PL* 4, 385, et de saint Thomas, *Somme théol.*, III⁵ Partie, quest. 75, art. 1. Et il conclut : « L'Hostie de la Messe est donc identique à l'Hostie de la Croix, dans son individualité comme dans son espèce. Le Christ que la mort a consacré Hostie de propitiation pour nos péchés et en qui se consomme l'offrande du Calvaire, consomme l'offrande de nos autels. » H. BOUËSSÉ, *op. cit.*, p. 145-146. Et plus loin, p. 215-222, il revient sur la même doctrine, en une note supplémentaire où « le grand théologien Nicolas Cabasilas » clôt une liste de « documents patristiques ou liturgiques sur la consécration du pain et du vin : offrande sacrificielle du Christ autrefois immolé, en qui subsiste cristallisé le sacrifice de la Croix ». Ce libellé de titre est expliqué par la proposition suivante, où l'on reconnaîtra, en termes didactiques modernes, les enseignements de notre Byzantin : « L'offrande du sacrifice de la messe consiste formellement dans l'immutation profonde, non destructive mais sublimisante, du pain et du vin dans le Christ, en qui subsiste spirituellement mais réellement — et toujours actuellement — le sacrifice accompli sur la croix. »

Cabasilas reviendra, spécialement aux chapitres XXX et XXXII, sur cette « immutation profonde, non destructive mais sublimisante », comme aussi sur les rapports entre le sacrifice de la Croix et celui de l'autel. Ce que nous avons voulu souligner dès maintenant, c'est la netteté de ce concept théologique du saint sacrifice. Il est regrettable que la discussion sur l'épiclèse ait entraîné Cabasilas, dans les chapitres XXIX et XXX, à des assertions inacceptables pour un catholique sur l'efficacité consécratoire des paroles du Sauveur. Mais ce déplorable malentendu ne touche en rien à sa notion du sacrifice. Nous le verrons même, au cours de ces deux chapitres, ajouter occasionnellement des considérations de nature à confirmer et à préciser sur certains points cette notion.

En ce qui concerne les paroles du Sauveur, le lecteur n'aura pas été, du reste, sans remarquer l'importance que Cabasilas leur attribue en ce chapitre XXVII. Le prêtre,

dit-il, « répétant ces paroles, se prosterne, et il demande et supplie que *s'appliquent aux oblats ces paroles mêmes du Fils unique... »*.

2. L'Épiclèse : origine de la controverse
(ch. XXIX, § 1)

Certains Latins : l'adjectif est d'importance. Ceci semble bien nous reporter aux origines mêmes de la controverse de l'épiclèse. Au XIIIe siècle, des missionnaires latins, entrés en contact avec les Grecs et trop peu au courant de l'histoire de la liturgie, s'étonnèrent et se scandalisèrent de trouver dans la liturgie orientale, après le récit de la Cène, et les paroles du Sauveur, cette formule d'épiclèse ou d'invocation du Saint-Esprit, telle que nous l'avons définie dans la note du chapitre XXVII (*note complémentaire 1, supra*). Ne pouvant, à cause de leur ignorance des antiquités liturgiques, s'expliquer cette présence d'une formule que le Canon latin ne possédait pas, ils conclurent à une divergence doctrinale dont ils firent reproche aux Grecs. Ceux-ci, légitimement attachés à leurs rites, défendirent âprement leur position, et c'est ainsi que s'envenima une querelle qui aurait pu et dû être évitée. — C'est à peu près la même origine que SYMÉON DE THESSALONIQUE, un siècle plus tard, attribue aussi à la controverse, *De templo*, 88, *P G* 155, 733. Cf. M. JUGIE, *Theologia dogmatica christianorum orientalium*, t. III, Paris 1930, p. 284-285. — Question, en somme, mal posée de part et d'autre dès le début. Et c'est pourquoi l'argumentation peut souvent, de part et d'autre, renfermer des choses excellentes, sans ébranler pourtant la position du parti adverse. On va le constater dans ce chapitre et dans le suivant qui, en dépit de l'erreur foncière de polémique, contiennent des considérations heureuses dont Latins et Grecs peuvent tirer profit.

La formule d'épiclèse. — Pour permettre de suivre plus facilement l'argumentation de Cabasilas, et aussi celle des importantes annotations que nous serons amené à lui donner, il paraît nécessaire de mettre sous les yeux du lecteur la formule ordinaire de l'épiclèse byzantine, celle de la liturgie dite de saint Jean Chrysostome. Elle commence immédiatement après le récit de l'institution et les paroles du Sauveur, avec ce que les liturgies appellent l'anamnèse et

qui correspond à la prière *Unde et memores* du Canon latin :

« Nous souvenant donc de ce commandement salutaire *(Faites ceci en mémoire de moi)*, et de tout ce qui a été fait pour nous, de la croix, du sépulcre, de la résurrection le troisième jour, de l'ascension au ciel, de son trône à ta droite, du second et glorieux avènement, en tout et pour tout, nous t'offrons ce qui est à toi, le tenant de toi.

« Nous t'offrons encore ce sacrifice spirituel et non sanglant, et nous t'implorons, nous te prions, nous te supplions : Envoie ton Saint-Esprit sur nous et sur ces dons ici présents, et fais de ce pain le précieux Corps de ton Christ, et de ce qui est dans ce calice le précieux Sang de ton Christ : de manière qu'ils soient pour les communiants purification de l'âme, rémission des péchés, accomplissement du royaume des cieux, gage de confiance devant toi, et non pas un jugement ou une condamnation. » Voir S. SALAVILLE, *Liturgies orientales*, II. *La Messe*, p. 28-32.

3. L'Épiclèse : examen de la question

(ch. XXIX, § 22)

Égaré par la polémique, après avoir prêté aux Latins des doctrines outrées, Cabasilas semble bien ici, en cette fin de chapitre, dépasser lui-même sa propre pensée, en affirmant que la parole du Sauveur « est prononcée par manière narrative ». Ne vient-il pas de dire, en ce chapitre XXVII dont nous avons admiré la théologique clarté, que le prêtre répète ces paroles du Fils de Dieu *et demande qu'elles s'appliquent aux oblats ?* Nos théologiens n'entendent pas autre chose que cette « application des paroles du Christ à la matière du sacrifice », quand ils déclarent que le prêtre doit les prononcer non pas seulement par manière narrative, comme un simple récit de ce que fit le Christ, mais *par manière significative*, comme réalisant ce qu'elles signifient.

Quant à l'autorité de saint Jean Chrysostome, Cabasilas a incontestablement tort de la tirer exclusivement à soi. Qu'il nous soit permis de nous y arrêter un instant. Car ainsi qu'on l'a montré ailleurs (« L'épiclèse d'après saint Jean Chrysostome et la tradition occidentale », dans *Échos d'Orient*, t. XI, 1908, p. 101-112 ; art. *Épiclèse* dans le *DTC*, t. V, 1911, col. 235-238), il est parfaitement possible de voir dans la doctrine chrysostomienne le trait d'union entre les

deux Églises orientale et occidentale en cette question de l'épiclèse eucharistique.

Saint Jean Chrysostome est un des plus explicites parmi les Pères orientaux au sujet de l'intervention eucharistique du Saint-Esprit, en même temps que sur l'efficacité consécratoire des paroles du Christ. Il connaît l'épiclèse pour l'avoir employée dans la liturgie quotidienne ; il attribue avec insistance la consécration et le sacrifice à la vertu invisible du Saint-Esprit agissant par le ministère du prêtre. *De sacerdot.*, III, IV ; VI, IV, *PG* 48, 642, 681 ; *Orat. de B. Philogonio*, col. 753 ; *De coemet. et cruce*, 3, *PG* 49, 397-398 ; *De resurrect. mort.*, *PG* 50, 432 ; *Hom. in Pentec.*, 1, *PG* 50, 458-459 ; *In Joan.*, hom. 45, *PG* 59, 253 ; *In I Cor.*, hom. 24, *PG* 61, 204. Un de ces passages tiendra ici lieu de tous les autres : « Que fais-tu, chrétien ? Quoi ! au moment où le prêtre se tient devant l'autel, tendant les mains vers le ciel, *appelant l'Esprit-Saint pour qu'il vienne et touche les oblats ;* lorsque, dans le plus profond recueillement et le plus grand silence, *l'Esprit donne sa vertu, lorsqu'il touche les oblats*, lorsque tu vois l'Agneau immolé et consommé, c'est alors que tu excites du trouble, du tumulte, des querelles, des injures ?... » *De coem. et cruce*, 3. A lire de telles expressions, l'on pourrait être tenté de croire que le grand docteur attribuait la consécration à l'épiclèse et non point aux paroles de l'institution. Il n'en est rien pourtant, puisque lui-même affirme en termes formels et à plusieurs reprises que le prêtre, à l'autel, représente le Christ ; qu'il répète, au nom et en la personne du Christ, les paroles dites au Cénacle : « Ceci est mon corps, ceci est mon sang », et que ces paroles opèrent la consécration. « Ce n'est pas l'homme qui fait que les oblats deviennent corps et sang du Christ, mais bien le Christ lui-même, crucifié pour nous. Le prêtre est là qui le représente et prononce les paroles, mais la puissance et la grâce sont de Dieu. *Ceci est mon corps*, dit-il (entendez évidemment : *dit le prêtre au nom du Christ*). Cette parole transforme les oblats. » Τοῦτό μού ἐστι τὸ σῶμα, φησί. Τοῦτο τὸ ῥῆμα μεταρρυθμίζει τὰ προκείμενα. *De prodit. Judae*, hom. I et II, nᵒ 6, *PG* 49, 380, 389.

Cabasilas, qui se garde bien de citer une si claire attestation, se complaît à épiloguer sur ce qui fait suite à ce texte. L'orateur y établit une comparaison entre la vertu de la parole « Croissez et multipliez-vous », dite par Dieu aux origines de l'humanité, et celle de la parole « Ceci est mon corps », dite par le Christ au Cénacle. « La parole : *Croissez*

et multipliez-vous, ... bien qu'elle n'ait été dite qu'une fois, continue d'exercer son efficacité et vous donne le pouvoir de procréer des enfants. Il en est de même de la parole : *Ceci est mon corps*. Prononcée une fois (au Cénacle), elle donne, et cela jusqu'à la fin du monde, à tous les sacrifices leur existence et leur vertu. »

Cependant, il est facile de voir, et le contexte le montre pleinement, que la comparaison ne porte que sur un point, à savoir la vertu conférée à l'homme par une parole divine. Mais pour l'Eucharistie, le Christ répète cette parole par la bouche du prêtre : Chrysostome vient de le déclarer expressément, et il y revient plusieurs fois ailleurs, prouvant ainsi de manière péremptoire que l'attribution de la consécration aux paroles du Christ constitue chez lui un enseignement très ferme, contre lequel l'ingéniosité même d'un Cabasilas — ou, un peu plus tard, d'un Marc d'Éphèse — est impuissante. Il répète, en effet, avec insistance que la Cène de l'autel est la même que celle du Cénacle. « C'est le même Christ qui fait l'une et l'autre... Ne l'entendez-vous pas parler lui-même à l'autel par la bouche des Évangélistes ? » *In Matth.*, hom. 50, 3, *P G* 58, 507. « Jésus-Christ, qui opéra jadis ces merveilles dans la Cène qu'il fit à ses Apôtres, est le même qui les accomplit encore maintenant. Nous, nous tenons lieu de ministres, mais c'est Lui qui sanctifie les offrandes et qui les transforme. » *In Matth.*, hom. 81, 5, *ibid.*, 744. « Les paroles que Dieu prononça alors sont les mêmes que celles que le prêtre prononce encore maintenant ; l'oblation est donc aussi la même... » *In II Tim.*, hom. II, 4, *P G* 62, 612.

De cette double série de textes parallèles il est légitime de conclure que l'efficacité des paroles du Sauveur doit se concilier avec la vertu consécratoire du Saint-Esprit. Ces deux affirmations, également explicites, nous autorisent à penser que, en ce qui concerne la forme essentielle du sacrement de l'Eucharistie, la tradition, même en Orient, est constituée non point par deux courants parallèles (l'un favorable à l'épiclèse, l'autre aux paroles de l'institution), mais bien par un courant unique dont Chrysostome nous permet de synthétiser, coordonner et préciser les éléments épars. Dom Touttée, l'éditeur bénédictin des œuvres de saint Cyrille de Jérusalem, en 1720, faisait déjà une remarque analogue : « Si ea tantum Chrysostomi opera haberemus, in quibus solius invocationis tanquam consecrationis causae meminit, ... nullam eum evangelicis verbis

efficaciam reliquisse suspicaremur. Sed his quae diserte dicit, *serm. XXX De prodit. Judae*, ne ita de eo sentiamus prohibemur. Haecque ostendunt utramque sententiam optime componi, ... Christo et Spiritu Sancto una operantibus. » *De doctrina S. Cyrilli*, dissert. III, n. 94, *P G* 33, 279.

Les explications que l'on vient de lire nous mettent à l'aise pour reconnaître que, à partir de la période scolastique médiévale, plusieurs théologiens latins ont trop peu tenu compte, dans leur énoncé de la doctrine, de la mention liturgique de l'opération du Saint-Esprit relativement à la transsubstantiation. Pourtant — et il nous faudra revenir sur ce point à propos du chapitre XXX de Cabasilas — il est facile de suivre, dans la littérature eucharistique du moyen âge latin, laquelle d'ailleurs est essentiellement traditionaliste et patristique, les traces de la double donnée concernant et l'efficacité consécratoire des paroles du Christ et l'intervention du Saint-Esprit dans l'acte transsubstantiateur. *La vertu invisible de l'Esprit-Saint opère le sacrement de l'autel ; c'est au prononcé des paroles du Christ que s'accomplit le mystère :* telles sont les deux propositions que l'on retrouve à travers une longue série de témoignages divers théologico-liturgiques du VIIIe au XIIIe siècle. Voir l'article, cité plus haut, des *Échos d'Orient*, t. XI, 1908, p. 106-112 ; et l'art. *Épiclèse* du *DTC*, V, 265-272.

Saint Thomas d'Aquin a plusieurs fois rencontré la double donnée traditionnelle. A propos de l'affirmation de saint Jean Damascène que « la conversion du pain au corps du Christ s'accomplit par la seule puissance du Saint-Esprit », il explique que cette opération de l'agent principal « n'exclut pas la vertu instrumentale, qui est dans les paroles du Sauveur ». *In IV Sentent.*, l. IV, dist. VIII, quest. II, art. 3, ad 1[m]. Ailleurs, il fait sienne la déclaration de saint Paschase Radbert (IXe siècle) — qu'il attribue à saint Augustin — : « Le sacrement du corps et du sang du Christ... n'est pas produit par le mérite de celui qui le consacre, mais par la parole du Créateur et par la vertu du Saint-Esprit ». *S. théol.*, III, q. 82, art. 5 (voir aussi *In IV Sentent.*, dist. X). Et au début de l'article suivant, il cite encore dans le même sens un texte attribué au Pape saint Grégoire : « ... Un seul et même Saint-Esprit sanctifie les divins mystères par son invisible et secrète opération. » Mais ce que nous appelons la question de l'épiclèse lui était inconnu. Son attention n'a donc pas été attirée sur la conciliation à établir entre les deux données traditionnelles. On ne peut que le regretter,

car l'Ange de l'École n'eût pas manqué de jeter sur cette donnée positive de la tradition la puissante lumière de son génie spéculatif.

N'ayant sans doute pas connaissance de la formule d'épiclèse orientale et raisonnant sur l'état actuel du Canon romain, il lui est même arrivé de sembler ne plus se souvenir de la vertu transsubstantiatrice du Saint-Esprit, ou du moins de sa mention liturgique, lorsqu'il a écrit : « Si un prêtre prononçait, avec l'intention de consacrer, *seulement* les paroles du Christ, le sacrement serait réellement accompli ; car l'intention ferait entendre les paroles divines comme étant prononcées au nom du Christ, quand bien même on omettrait les formules qui précèdent. » *S. théol.*, III, q. 78, art. 1, ad 4ᵐ. Saint Thomas ajoute, il est vrai : « Cependant le prêtre qui agirait ainsi pécherait gravement en n'observant pas le rite de l'Église. » Mais, même après cette restriction qui n'affecte que la licéité, il semble permis de penser que le docteur angélique applique ici avec trop de rigueur le concept de « forme sacramentelle » et que l'intention de l'Église, le rite de l'Église, quand il s'agit du sacrifice eucharistique, paraissent bien supposer un cadre euchologique minimum, si l'on ose parler ainsi. En tout cas, c'est bien cette application trop rigoureuse du concept de forme, aggravée peut-être encore par des exagérations orales de « certains Latins », qui a provoqué la réaction de Cabasilas et de l'âme orientale.

Le chapitre suivant de l'*Expositio liturgiae* va nous obliger de revenir sur la tradition liturgique latine touchant le rôle du Saint-Esprit dans la consécration. Concluons dès maintenant qu'il est de tous points regrettable qu'une simple diversité liturgique — et encore assez peu sensible pour qui connaît, même sommairement, l'histoire de nos rites sacrés — ait dégénéré en un différend théologique parfois très passionné. Pareille constatation était déjà faite, en 1669, par ARNAULD, et, en 1745, par Dom CHARDON. Le premier écrivait (*Perpétuité de la foi de l'Église catholique touchant l'Eucharistie*, livre III, chap. VIII, réédition Migne, I, 470) : « Il y a des auteurs qui enveniment fort ce différend, du nombre desquels est celui qui a fait imprimer Cabasilas dans la *Bibliothèque des Pères* (le jésuite Fronton du Duc), qui fait sur ce sujet une note fort injurieuse aux Grecs. D'autres, au contraire, tâchent d'accorder les sentiments des deux Églises. Sur quoi l'on peut voir ce que dit le cardinal du Perron, et le Père Goar dans ses notes sur la Litur-

gie de saint Jean Chrysostome. » Quant à Dom Chardon, il formule une appréciation qui nous paraît présenter assez exactement l'état de la question avant l'époque de Cabasilas : « Nonobstant cette diversité *(liturgique)*, il n'y a eu autrefois aucune dispute sur ce sujet. Les Grecs et les Latins étaient persuadés que les espèces étaient changées au corps et au sang de notre Sauveur en vertu des paroles du Canon de la messe, sans examiner le moment précis auquel se faisait cette transmutation, ni les paroles qui l'opéraient plutôt les unes que les autres. Les uns disaient qu'elle se faisait par la prière et l'invocation du prêtre ; les autres disaient qu'elle était l'effet des paroles de Notre-Seigneur... ; et ils ne croyaient point que ces diverses manières de s'exprimer fussent opposées entre elles, comme elles ne le sont pas effectivement, ce qu'il serait aisé de montrer ; mais nous laissons cela à traiter aux théologiens. » *Histoire des sacrements* (Paris 1745), Eucharistie, chap. III ; réédition Migne dans *Theologiae cursus completus*, Paris 1840, XX, 249.

Ou bien encore, on pourrait dire avec Arnauld, *loc. cit.* : «... L'Église latine attribue cet effet (la consécration) aux seules paroles de Jésus-Christ, et croit que ces paroles étant prononcées la consécration est achevée : au lieu que les Grecs, demeurant d'accord que c'est par la force de ces paroles que la consécration se fait, prétendent néanmoins que cette force doit être appliquée par les prières que les prêtres y joignent. Et ainsi ils disent que la consécration n'est achevée qu'après que ces prières sont prononcées. »

Dans le Canon romain se trouve d'ailleurs, immédiatement avant les paroles du Sauveur, une oraison qui vise précisément l'application de ces paroles à l'*oblation* qui est sur l'autel : « Daigne, nous t'en prions, ô Dieu, faire que cette oblation soit bénie, reçue, ratifiée, digne et agréable, afin qu'elle devienne le Corps et le Sang de ton Fils bien-aimé Notre-Seigneur Jésus-Christ. »

4. L'Épiclèse orientale et l'oraison romaine « Supplices te rogamus... jube haec perferri. »

(ch. XXX, § 18)

Nous ne saurions trop redire combien il est regrettable que dans ce chapitre et le précédent notre théologien liturgiste se soit trop laissé dominer par le polémiste. Voulant

défendre contre « certains Latins » la légitimité de l'épiclèse byzantine, il en est venu à donner une signification purement narrative aux paroles du Christ, pour réserver l'efficacité consécratoire à l'oraison qui sollicite l'intervention du Saint-Esprit. Sur ce point, l'ardeur de la polémique l'a égaré.

Mais, cette déclaration faite, il faut reconnaître — avec le P. de la Taille — que son erreur n'amoindrit pas « la vérité de la comparaison établie par lui entre l'épiclèse des Grecs et l'oraison romaine *Supplices te rogamus, ... jube haec perferri...*[1] ».

Déjà au xviiie siècle, le pieux et savant cardinal dominicain Orsi avait écrit au sujet de ce chapitre XXX : « J'admets volontiers l'identité de concept entre cette oraison de notre Canon et l'épiclèse grecque du Saint-Esprit ; Cabasilas la démontre, en tout ce chapitre, par des raisons qui ne sont pas à dédaigner[2]. »

De fait, toutes les idées présentées ici par Cabasilas sur le sens de l'oraison romaine, et qui semblent suggérées par des considérations polémiques, se retrouvent, hors de toute controverse de ce genre, dans les commentateurs liturgiques du moyen âge latin, jaillissant comme spontanément de l'explication du *Jube haec perferri... in sublime altare tuum.* C'est une véritable tradition médiévale, à base patristique d'ailleurs, dont les représentants sont nombreux du ixe au xvie siècle. Nous en avions nous-même fait une énumération à l'article *Épiclèse* du *DTC*, V, 265-270. Le P. de la Taille y insiste longuement, citant les textes et en exposant toute la portée théologique, p. 271-283, pour conclure : « A n'en pas douter, nous nous trouvons là en face d'une épiclèse romaine, répondant, pour la place qu'elle occupe et pour le sens qu'elle a, quoique non par sa forme extérieure, aux épiclèses orientales. » *Op. cit.*, p. 273.

C'était déjà l'opinion très ferme de liturgistes de marque, comme Mgr Duchesne et Dom Cabrol. « Malgré toutes les opinions contraires — écrivait celui-ci en 1907 —, ce *Supplices te* représente l'ancienne épiclèse romaine[3]. » Mgr Du-

---

1. M. DE LA TAILLE, S.J., *Mysterium fidei. De augustissimo Corporis et Sanguinis Christi sacrificio atque sacramento Elucidationes L in tres libros distinctae* (Paris 1921), 3e éd., 1931, p. 276.

2. ORSI, O.P., *Dissertatio theologica de invocatione Spiritus Sancti in liturgiis Graecorum*, Milan 1731, p. 122 ; cité par M. DE LA TAILLE, *op. laud.*, p. 276, n. 1.

3. CABROL, art. *Anamnèse* dans *DACL*, I, col. 1885.

chesne s'exprimait en termes plus explicites encore : « Cette
prière est loin d'avoir la précision des formules grecques où
l'on spécifie expressément la grâce demandée, c'est-à-dire
l'intervention du Saint-Esprit pour opérer la transformation
du pain et du vin au corps et au sang de Jésus-Christ. Il
n'en est pas moins vrai : 1º qu'elle occupe, dans la suite
matérielle et logique de la formule, exactement la même
place que l'épiclèse grecque ; 2º qu'elle est aussi une prière
adressée à Dieu pour qu'il intervienne dans le mystère.
Mais, au lieu que les liturgies grecques s'expriment en
termes clairs et simples, la liturgie romaine s'enveloppe
ici de formes symboliques. Elle demande que l'ange du
Seigneur prenne l'oblation sur l'autel visible et la porte
au plus haut des cieux sur l'autel invisible élevé devant
le trône de la majesté divine. Le mouvement symbolique
est de sens contraire à celui des formules grecques : ce
n'est pas le Saint-Esprit qui descend sur l'oblation, c'est
l'oblation qui est emportée au ciel par l'ange de Dieu.
Mais dans un cas comme dans l'autre, c'est après son
rapprochement, sa communication avec la vertu divine,
qu'on parle d'elle comme du corps et du sang de Jésus-
Christ[1]. »

Nous aurons à revenir, à propos de ce qui fait l'essentiel
du sacrifice, au chapitre XXXII, sur cette idée d'*ascension*
de notre oblation. Retenons, pour le moment, que, sous une
forme littéraire différente, cette demande d'ascension de
l'oblation jusqu'à l'autel céleste correspond, pour le sens,
à la demande d'intervention transsubstantiatrice du Saint-
Esprit. L'insistance est remarquable, en effet, avec laquelle
les commentaires liturgiques du moyen âge latin voient dans
cette ascension symbolique la transformation du pain et du
vin au corps et au sang du Sauveur, opérée par la toute-
puissance divine, par le sacerdoce du Christ et la vertu du
Saint-Esprit.

« Nous croyons que le Christ est à la fois autel, et hostie
et sacrifice, et prêtre et pontife », déclare saint Paschase
Radbert, abbé de Corbie († 865)[2].

---

1. Duchesne, *Origines du culte chrétien* (Paris 1889), 5e éd., 1909,
p. 185.
2. Paschase Radbert, *Expos. in Lamentationes Jeremiae*, l. II,
PL 120, 1118. — Notons cette affirmation analogue du jacobite syrien
Denys Bar Salibi († 1171), *Expos. Liturgiae*, éd. Labourt, Paris 1903,
p. 99 : « Le corps (du Christ) n'est pas produit sans autel ni sans

Le même Paschase Radbert, dans son traité *De corpore et sanguine Domini*, répète maintes fois, et avec référence positive à l'oraison *Jube haec perferri*, des affirmations comme celle-ci : « C'est la véritable chair du Christ, laquelle a été crucifiée et ensevelie, c'est vraiment le sacrement de cette chair qui est divinement consacré sur l'autel *par le prêtre en la parole du Christ par le Saint-Esprit*... Qui, hormis l'Esprit-Saint, aurait pu opérer dans le sein de la Vierge l'Incarnation du Verbe ? De même, en ce mystère, nous devons croire que *par la même vertu du Saint-Esprit, au moyen de la parole du Christ*, une invisible opération produit la chair et le sang du Sauveur. C'est pourquoi le prêtre dit : Ordonne que ces offrandes soient portées par les mains de ton Ange à ton céleste autel en présence de ta divine majesté[1]... »

Pierre Lombard rapporte pareillement à la consécration l'oraison *Supplices te rogamus*, et en des termes qui, en dépit de la mystérieuse mention de l'Ange, font tout naturellement songer à l'épiclèse : « *Missa* enim dicitur eo quod caelestis nuntius (Angelus) *ad consecrandum vivificum corpus*

prêtre. L'Emmanuel est tout cela : autel, corps ou victime, oblation et prêtre et offrant. »

Les attestations touchant le Christ désigné comme notre autel sont nombreuses dans la littérature ecclésiastique. On les trouvera réunies dans le *Mysterium fidei* du P. DE LA TAILLE, *Elucidatio 13 :* « De Christo ut altari aeterno », p. 271-283. Nous n'alléguerons ci-après que quelques textes plus explicitement en relation avec l'oraison *Supplices te rogamus* considérée comme oraison de consécration. Ajoutons pourtant ici une intéressante expression du Pontifical romain. A l'ordination des sous-diacres, dans la monition qui rappelle aux ordinands l'importance de leurs futures fonctions, l'évêque leur dit, par manière d'explication décisive : « ... En effet, *l'autel de la sainte Église, c'est Jésus-Christ lui-même*, selon le témoignage de saint Jean, qui, dans son Apocalypse, dit avoir vu un autel d'or devant le trône de Dieu : car en Lui et par Lui les oblations des fidèles sont offertes à Dieu le Père. »

Les lecteurs qui n'auraient pas à leur portée le beau volume massif, rédigé en latin, qu'est le *Mysterium fidei*, pourront consulter avec profit la brochure du même P. DE LA TAILLE : *Esquisse du Mystère de la foi, suivie de quelques éclaircissements* (Paris, Beauchesne, 1924), où sont condensées les idées essentielles du grand ouvrage. Voir notamment, p. 79-110, la « Lettre à un théologien sur l'ange du sacrifice et le sacrifice céleste ».

1. ID., *De corp. et sang. Domini*, XII, 1, *PL* 120, 1311-1312 ; cf. IV, 3, 1279 ; VIII, 1, 2, 6, 1286, 1287, 1290.

adveniat, juxta dictum sacerdotis : Omnipotens Deus, jube haec perferri per manus sancti Angeli tui in sublime altare tuum[1]... »

Cette interprétation, qui à première vue peut surprendre des lecteurs non avertis, était si générale qu'on la trouve consignée dans ce que l'on appelle la *Glossa ordinaria ad Decretum Gratiani,* compilation de science ecclésiastique, écrite par JEAN LE TEUTONIQUE peu après 1215[2]. On y lit en effet cette paraphrase d'une étonnante précision : « Jube, id est : *fac.* Perferri, id est : *transsubstantiari.* Vel : perferri, id est sursum efferri, id est *converti ;* in sanctum altare tuum super choros angelorum exaltatum[3]. »

On le voit, avec ce commentaire traditionnel de l'oraison *Supplices te rogamus,* nous sommes loin de l'hypothèse de saint Thomas admettant qu'un prêtre puisse consacrer par le seul fait de prononcer les paroles du Sauveur à l'exclusion de tout cadre de formules liturgiques. Sans doute, aucun de ces liturgistes ne se pose la question en ces termes. Mais il semble bien, au surplus, que pareille question ne pouvait même pas se poser pour eux.

Par contre, réserve faite du ton polémique et de l'exclusivisme erroné favorisant trop l'épiclèse au détriment des paroles du Christ, l'ensemble de nos commentateurs s'accorde avec Cabasilas. En définitive — et cela est d'importance, puisque cela implique en réalité tous les éléments nécessaires à la solution catholique du problème de l'épiclèse — toute cette doctrine converge vers cette proposition, que plusieurs de nos auteurs formulent d'ailleurs explicitement après avoir affirmé la vertu consécratoire des paroles du Sauveur : *Ce n'est pas en son nom et par sa propre vertu que le prêtre consacre, mais dans le sacerdoce du Christ et par la vertu toute-puissante du Saint-Esprit.* Le sens du *Jube haec perferri* vise à exprimer, en termes quelque peu voilés, il est vrai, les aspects mystérieux de cette ineffable opération : ce que l'épiclèse orientale exprime en termes plus

---

1. PIERRE LOMBARD, *Sent.,* l. IV, dist. 13, *PL* 192, 868.

2. VERMEERSCH-CREUSEN, *Epitome juris canonici,* 3ᵉ éd., Malines-Rome 1927, t. I, nº 45, p. 34. Cf. Fr. VON SCHULTE, *Die Glose zum Dekret Gratians von ihren Anfängen bis auf die jüngsten Aufgaben,* Vienne 1872, p. 70-95 ; VAN HOVE, *Commentarium Lovaniense,* t. I, p. 222-226.

3. *Decr. De consecratione,* 2, 72, dans *Glossa ordinaria,* Rome 1582, t. II, p. 1813.

simples, mais en n'énonçant habituellement que l'intervention du Saint-Esprit, — celle du Christ, qui est concomitante, ayant été énoncée par la répétition des paroles de la Cène.

Cabasilas connaissait probablement quelques témoins de la tradition latine médiévale sur le *Jube haec perferri*. Plusieurs théologiens latins de son temps paraissent, malheureusement, l'avoir oubliée, comme l'ont oubliée après eux un trop grand nombre de théologiens des siècles suivants.

La présente note a voulu montrer qu'il y a parfaitement moyen de s'entendre, entre Grecs et Latins, mais précisément sur la base de cette tradition latine médiévale qui, malgré toute l'importance accordée à l'oraison *Supplices te rogamus*, suppose toujours la consécration opérée par les paroles du Christ. C'est sur ce point central que Cabasilas aurait à amender plusieurs de ses phrases, en tirant justement, avec une logique plus rigoureuse, la conséquence du principe si clair énoncé par lui vers le milieu de ce chapitre XXX : « Puisque c'est le Christ seul qui sanctifie, seul il doit être et le prêtre, et la victime, et l'autel. »

L'intervention du Saint-Esprit n'est énoncée, dans l'épiclèse orientale, que pour marquer la toute-puissance sanctifiante du sacerdoce du Christ. L'équivalent latin *Jube haec perferri* ne l'énonce pas aussi clairement, mais il la suppose, comme l'affirment quelques-uns des plus remarquables représentants de la tradition médiévale.

Ces explications données, on peut admettre, avec le P. DE LA TAILLE, *op. cit.*, p. 442-453, l'équivalence quasi complète de l'oraison romaine et de l'épiclèse orientale. Même place après les paroles du Christ et l'anamnèse ; même sens général, malgré la grande différence des expressions.

Cette place, après les paroles de l'institution, d'une « oraison de consécration » s'explique, en définitive, chez les Grecs comme chez les Latins, sans préjudice pour les paroles du Christ, par la nécessité où se trouve le langage humain, spécialement le langage liturgique, d'énoncer successivement les divers aspects d'un mystère qui s'opère en un instant. C'était déjà en réalité — et la constatation est fort significative — l'explication fournie par cette *Glossa ordinaria* du début du XIIIe siècle, dont on a vu plus haut les expressions si étrangement formelles. Elle ajoutait, en effet : « Videtur quod haec oratio sit superflua, quia haec dicitur post verba quorum virtute conficitur corpus Christi ; et ita

quod de eo factum est, superflua est oratio. Respondeo : *Scriptura non attendit hujusmodi angustias temporis; sed sacerdos, cum non possit multa simul proferre, ita loquitur ac si tempus staret et essent adhuc facienda quae in principio sermonis nondum erant facta.* Et verba non ad tempus suae prolationis (sed per conceptionem vel contemplationem loquentis) sunt referenda. » *Glossa ordinaria,* Decret. de consecratione, 2, 72, super verba orationis « *Jube haec perferri* », édition de Rome 1584, tom. II, p. 1813-1814. — Voir d'autres formes de la même explication, à l'article *Épiclèse* du *DTC*, 279-298 ; se reporter notamment à la manière dont elle est présentée par Bossuet, *Explication de quelques difficultés sur les prières de la messe,* n° 45, éd. « Classiques Garnier », p. 613-617.

On trouvera dans Bossuet, *op. cit.,* n° 38, p. 596-601, et dans Arnauld, *Perpétuité de la foi... touchant l'Eucharistie,* livre III, chap. VIII, réédition Migne, I, 471-472, une autre explication du *Jube haec perferri,* mais qui ne cadre pas avec la tradition dont nous avons parlé.

Ainsi, réserve faite de l'interprétation abusive à laquelle une fâcheuse polémique a entraîné Cabasilas en ce qui concerne les paroles consécratoires, les liturgistes, et les théologiens au courant de l'histoire liturgique, ne se scandalisent plus de ce chapitre XXX de l'*Expositio Liturgiae.*

5. La nature essentielle du sacrifice de la Messe

(ch. XXXII, § 15)

Dans la brièveté de ses deux pages, ce chapitre est un des plus suggestifs pour la théologie du sacrifice eucharistique. Il reprend d'ailleurs un sujet déjà amorcé au chapitre XXVII, dont nous avons en note souligné l'importance.

L'élément spécifique et formel du sacrifice de la Messe ; sa relation avec le Cénacle et le Calvaire ; sa relation aussi avec ce mystérieux sacrifice du Ciel dont parle l'*Épître aux Hébreux,* 9, 11 - 10, 15, et que suggérait déjà, au chapitre précédent, la mention de l'autel supracéleste : tels sont les points de doctrine qui se trouvent touchés ici, en traits nettement accusés et d'une précision qui tranche sur les formules toutes faites trop souvent répétées par nombre d'auteurs anciens et modernes.

Le lecteur saisira mieux l'originalité réelle de Cabasilas à cet égard, si nous lui mettons sous les yeux, sous une forme plus didactique, l'enchaînement des idées que Cabasilas vient de nous présenter. Nous aurons soin, d'ailleurs, d'emprunter cet exposé à deux théologiens modernes qui ont fait voir comment les enseignements de notre Byzantin s'accordaient avec la notion même du sacrifice, comme avec les données scripturaires, patristiques et liturgiques : le P. de la Taille, s.j., et le P. Bouëssé, o.p.

Le formel du sacrifice, dit le P. de la Taille, n'est pas dans la destruction, la détérioration, l'amoindrissement. « Ce qu'il faut, c'est exorciser ce concept faux du sacrifice, et en venir à celui-là seul qu'autorisent et la révélation et la raison naturelle, sans parler de l'histoire : le concept où prime la qualité de don, de don fait à Dieu, de don extérieur extérieurement offert pour attester et traduire la consécration intérieure de l'âme à son Créateur, de la créature à sa fin dernière. De ce point de vue, qu'importe, en un sens, que le don visible ait été acheminé vers Dieu par la voie de l'immolation ou par une autre (comme c'est le cas pour les sacrifices qui se passent d'immolation) ? Ce qui importe, c'est qu'il arrive. Tout don de ce genre, offert à Dieu, personnellement, dans l'intention susdite, est (au sens passif du mot) un sacrifice, à tout le moins par destination. Accueilli de Dieu, c'est un sacrifice arrivé, un sacrifice parvenu à terme, un sacrifice consacré comme tel par l'acceptation divine, et par suite (toujours au sens passif du mot) un sacrifice consommé[1]... »

Le P. DE LA TAILLE, dans son ouvrage *Mysterium fidei*, insiste, avec l'étendue qui convient, sur l'application de ces idées au sacrifice eucharistique.

L'essence du sacrifice de la Messe ne consiste point dans une immolation, mais dans une oblation. A l'autel, il n'y a pas de réelle immolation, mais seulement oblation rituelle d'une Victime autrefois immolée. L'hostie de la Croix demeure comme hostie ; elle vit au Ciel ; à la Messe, d'hostie céleste elle devient *notre* hostie par l'oblation rituelle qui en

---

1. M. DE LA TAILLE, *Esquisse du Mystère de la foi*, Paris 1924, p. 99. Voir spécialement, dans cet opuscule, p. 67-78, la « Lettre à un missionnaire sur l'oblation unique du Christ et l'oblation de toutes nos messes par le Christ ». Remarquez le libellé de ce sous-titre, qui souligne lui-même en une heureuse formule un des aspects de cette très riche doctrine.

est faite au moment de la Consécration. Il y a cette seule différence entre la Cène et la Messe, que la Cène fut l'oblation rituelle d'une victime à immoler, et la Messe l'oblation rituelle d'une victime déjà immolée et agréée. Ainsi se vérifie de la manière la plus vraie et la plus complète la parole de Jésus-Christ à la Cène : *Faites ceci en mémoire de moi*, car les deux oblations regardent également la Croix, l'une dans un futur imminent, l'autre dans le passé. Il n'y a donc pas lieu de poser la question longtemps débattue entre théologiens : par quel acte de la Messe Jésus-Christ est-il mis en état de victime ? Car il est déjà en état de victime. Il suffit qu'il devienne *notre victime* à nous, et il le devient par l'offrande rituelle que nous en faisons au moment de la Consécration.

Le lecteur attentif aura retrouvé, en cet exposé sommaire du *Mysterium fidei* du P. de la Taille, une sorte d'explication logique des idées présentées par Cabasilas.

Le P. Bouëssé va nous fournir quelques autres aspects de la même explication.

Il s'agit toujours, rappelons-le, de marquer la vraie nature du sacrifice de la Messe, en précisant autant que possible sa relation avec le Cénacle, avec le Calvaire et avec le Christ glorieux.

« La réaction catholique contre les erreurs des protestants, l'affirmation défensive de la présence réelle et de la vérité du sacrifice de la Messe identique au sacrifice du Calvaire, ont trop porté fidèles et théologiens à négliger dans l'Eucharistie ce qui est essentiel à tout sacrement : ce caractère de symbole, cette fonction de signe sensible dont nos pères dans la foi signalaient avec insistance à leurs auditeurs la haute portée de pédagogie religieuse. Parce que la Messe n'est pas seulement la représentation imagée du sacrifice de la Croix, nous ne pouvons pas, sous peine de nier le caractère sacramentel du sacrifice de l'Autel, omettre de reconnaître qu'elle est d'abord ce symbole commémoratif[1]. Parce que les espèces eucharistiques contiennent le corps et le sang du Sauveur, nous ne pouvons pas, sans nier le caractère sacramentel de cette présence, oublier que ces mêmes espèces figurent ce corps et ce sang[2]. »

1. Cf. *Conc. Trid.* ; S. Thomas, *IV Sent.*, dist. 8, quaest. 1, art. 1 ; art. 3, sol. 3 ; *Summa theologica*, III, quest. 73, art. 5 ; quaest. 80, art. 12, ad 3 ; quaest. 83, art. 1, ad 2 ; art. 2, ad 2 ; art. 5.
2. Cf. S. Thomas, *Summa theologica*, III, quaest. 76, art. 2, ad 1 ;

Ce rappel de doctrine[1] permet au P. Bouëssé de protester contre l'application à la Messe de la théorie du *sacrifice-destruction*, application qui se présente sous une double forme : théorie d'une immutation réelle du Christ à la messe, théorie d'une immutation virtuelle. Le P. Bouëssé n'a point de peine à renverser l'une et l'autre de ces théories ; on va voir tout de suite pourquoi nous avons intérêt à citer ici ses conclusions.

« ... Il n'y a qu'un Christ qui, désormais, jouit de la vie glorieuse. Le mystère eucharistique ne le change aucunement, mais change seulement le pain et le vin, et le rapport réel de leurs accidents aux substances qu'ils désignent avant et après la consécration[2]... »

Ce qu'il ne faut jamais perdre de vue, et ce que justement le chapitre XXXII de Cabasilas a l'avantage de mettre en un saisissant relief, c'est que la messe est un *vrai sacrifice*, mais *d'ordre sacramentel*.

Dans la célébration du mystère eucharistique, le prêtre ne fait pas seulement un geste symbolique évoquant le drame sanglant du Calvaire ; il confectionne un sacrement de la Loi nouvelle, un signe plein de la réalité signifiée ; et dans cette confection il offre à Dieu l'Hostie divine du Calvaire et, incorporé à cette Hostie, le sacrifice même de la Croix. « ... En mémoire de l'immolation sanglante du Calvaire — dans un rayon de joie pascale car, l'Église le sait, le Christ ressuscité ne meurt plus —, le prêtre professe qu'il offre à Dieu l'Hostie jadis immolée, qui au sommet des cieux s'offre perpétuellement pour nous[3]. »

« ... Par cette conversion admirable, qui a nom « la transsubstantiation », le pain et le vin ont été consacrés, sanctifiés de fond en comble, devenus qu'ils sont le Sacré en personne, la Sainteté incarnée. Ils ont été, du même coup, offerts à Dieu et sacrifiés, puisqu'ils sont devenus l'Hostie sacrifiée au Calvaire, qui, ressuscitée et montée aux cieux, présente continûment au Père, dans l'oblation de tout soi-même, toutes les richesses de propitiation acquises à la Croix : Jésus-Christ notre Prêtre et notre Hostie, *semper vivens ad interpellandum pro nobis* (Héb. 7, 25).

In I Cor., cap. XI, lect. 5 ; Innocent III, *De sacro altaris mysterio*, livre IV, chap. 36, *PL* 217, 879.

1. H. Bouëssé, o.p., *Théologie et Sacerdoce*, p. 125-126.
2. *Ibid.*, p. 200.
3. Bouëssé, *op. cit.*, p. 130.

Voilà pourquoi les saints docteurs, lorsqu'ils désignent l'Hostie de nos autels, parlent *du Christ qui a souffert, du Christ immolé, du Christ tué.* Sous ces participes passés ils n'entendent pas le fait disparu qu'on ne peut qu'évoquer, ni seulement le symbolisme sacramentel des espèces séparées ; ils entendent une réalité qui demeure... Au vrai, cette vertu salutaire du sacrifice de la Croix est le sacrifice de la Croix dans sa réalité intime, définitive et permanente ; elle est ce que nous pouvons appeler « le sacrifice de la Croix cristallisé[1]... »

« Le pain et le vin ne sont offerts en sacrifice qu'à l'instant même où la parole de l'Homme-Dieu les a changés en son corps et en son sang. En effet, de même que l'immolation du Calvaire, offerte par Jésus pour notre rédemption, fit passer notre Christ *de l'état d'hostie matérielle et non encore sacrifiée à l'état d'hostie formelle et sacrifiée* — c'était en vue de la Croix que le Fils de Dieu avait pris notre mortalité... —, de même les paroles du Seigneur, par la conversion des substances profanes du pain et du vin au corps et au sang rédempteur, changent *l'hostie matérielle* de nos autels, ce que nous appelons les oblats, *en hostie formelle et sacrifiée,* le Christ d'hier et d'aujourd'hui : l'Hostie, le Sacrifice de l'éternelle rédemption[2]. »

On reconnaît dans les expressions que nous venons de souligner, des idées et presque des expressions de Cabasilas. En vérité, les pages du P. de la Taille et du P. Bouëssé sont-elles autre chose qu'un écho amplificateur des formules concises de notre Byzantin ? Écho qui rectifie pourtant la malencontreuse déviation infligée par Cabasilas à la voix de la Tradition sur l'efficacité consécratoire des paroles du Christ : efficacité postulée d'ailleurs par sa solennelle affirmation du sacerdoce du Christ.

---

1. Cette expression : le sacrifice de la Messe est « le sacrifice de la Croix cristallisé » est du P. Augier. Les théologiens consulteront avec profit les articles de B. Augier sur la transsubstantiation, dans la *RSPT*, t. XII, 1928, p. 427-459, et dans la *Revue thomiste*, janv.-févr. 1933, p. 50-71.

2. Bouëssé, *op. cit.*, p. 130-141, *passim.*

6. Les Diptyques, la commémoraison des saints, le double Memento des vivants et des morts

(ch. XXXIII, § 10)

Le lecteur aura reconnu, dans les textes liturgiques qui font l'objet de ce chapitre, des équivalents du *Communi-cantes*, du double *Memento*, et du *Nobis quoque peccatoribus* du Canon romain. C'étaient les oraisons qui accompagnaient dans l'antiquité la lecture des *diptyques*, tablettes doubles, se refermant à la manière d'un livre, et contenant les listes officielles soit des saints particuliers d'une église et notamment des évêques, soit des vivants et des défunts spécialement recommandés aux suffrages de la communauté. La longueur même de ces listes, variable suivant les lieux et les époques, a contribué sans doute pour une bonne part aux déplacements qui se constatent dans les différentes liturgies. L'exemple du Canon romain actuel est assez typique, où le Memento des vivants se trouve avant la Consécration, le Memento des défunts après, l'un et l'autre continuant à se rattacher à une commémoration de saints[1].

L'observation présentée, en passant, par Cabasilas à propos de la liturgie de saint Basile, nous semble apte à jeter un rayon de lumière sur toute cette partie des prières de la messe. Saint Basile, remarque notre liturgiste, « mêle (davantage) l'action de grâces à la supplication », donc la commémoration des saints — pour lesquels on remercie Dieu — au mémorial des vivants et des morts pour lesquels on supplie. L'observation nous paraît s'appliquer aussi à la liturgie de saint Jean Chrysostome (c'est pourquoi nous ajoutons l'adverbe *davantage*) et en général aux anciennes liturgies. Le sens catholique du dogme de la « Communion des saints » est passé spontanément du souvenir des défunts vénérés pour leur sainteté et implorés comme des intercesseurs, au souvenir des chrétiens morts dans la foi catholique et supposés en grâce avec Dieu ; et d'autre part, l'intercession

---

1. Notons ce détail intéressant : au Sacramentaire Grégorien, recueil liturgique romain dont la substance peut remonter au Pape saint Grégoire le Grand (vie-viie siècle), on lit, parmi les oraisons pour un évêque défunt, notre *Memento* des morts sous ce titre : *Super dipticia*. Édition Wilson, *The gregorian Sacramentary*, Londres 1915, p. 142.

des saints est un puissant stimulant aux prières des fidèles pour leurs frères vivants. Dès le milieu du IVe siècle, en 348, saint Cyrille de Jérusalem disait aux nouveaux baptisés, en leur expliquant la messe : « Nous nous souvenons de ceux qui se sont endormis (du sommeil de la mort), d'abord des patriarches et des prophètes, des apôtres, des martyrs : afin que Dieu, par leurs prières et leurs intercessions, reçoive nos demandes. Ensuite aussi, des saints Pères et évêques qui se sont endormis, et généralement de ceux qui se sont endormis parmi nous ; ce sera, croyons-nous, le plus grand secours à leurs âmes quand sera offerte pour eux la prière, la sainte et auguste victime étant étendue sur l'autel... En offrant ces prières de la liturgie, nous offrons le Christ qui a été sacrifié pour nos péchés et nous rendons ainsi Dieu propice aux défunts aussi bien qu'à nous-mêmes[1]. » Quelques années plus tard, saint Jean Chrysostome exprimait en des termes d'une concision plus saisissante encore la même intime relation — traduite par la liturgie — entre les chrétiens de l'Église militante, les saints glorifiés et les défunts réclamant nos suffrages : « La terre entière est un vaste lieu de commune propitiation. C'est pourquoi nous prions avec confiance pour le monde entier, et nous mêlons dans le sacrifice le nom de nos morts à ceux des martyrs, des confesseurs, des prêtres. Car nous sommes tous un seul corps, encore qu'il y ait des membres plus brillants que les autres ; et nous avons toutes les ressources possibles pour obtenir à nos défunts leur pardon : nos prières, les dons offerts pour eux, et le suffrage de ceux dont les noms sont proclamés avec les leurs[2]. »

Le P. de la Taille, qui a fort bien vu la profonde théologie qui pénètre ces vieilles formules liturgiques, énumère dans l'ordre suivant les intentions énoncées par le prêtre à cet instant solennel de la messe : 1o que Dieu, jetant un regard de bienveillance sur les dons offerts, envoie le Saint-Esprit qui les change au corps et au sang du Christ — c'est l'épiclèse — ; 2o que le sacrifice soit utile à l'Église ; 3o qu'il soit utile à l'épiscopat tout entier ; 4o qu'il soit utile personnellement au prêtre et à tout le clergé ; 5o qu'il soit utile aux souverains et à toutes les personnes constituées en dignité ;

1. S. Cyrille de Jérus., *Catéchèse mystagogique*, V, 9, 10, *PG* 33, 1115-1118 (SC 126, p. 158 s.).
2. S. Jean Chrysost., *Sur la première épître aux Corinthiens*, homélie XLI, no 5, *PG* 61, 361.

6° qu'il soit utile aux défunts, aux saints, aux martyrs, etc.[1].

À éclaircir les différences entre ces diverses utilités Cabasilas consacrera, vers la fin de son exposé, plusieurs chapitres : notamment, pour les défunts, les chapitres XLII, XLV, XLVI ; pour les saints, les chapitres XLVIII-LI. Admirons pour l'instant la lucidité de son sens théologique dans l'explication de cette action de grâces à Dieu pour les saints par lui sanctifiés et glorifiés, de cette supplication pour ceux, vivants ou défunts, qui, n'ayant pas encore atteint la perfection définitive, ont besoin de prière. Les âmes pieuses, en lisant au Canon de la Messe les noms de saints que l'Église y a insérés, aimeront à redire la simple mais touchante formule finale de notre Byzantin : « Sanctifiez-nous, comme vous avez tant de fois sanctifié des gens de notre race. »

7. Bossuet explique en quel sens les Grecs prient « pour les dons sacrés » même après la consécration

(ch. XXXIV, § 12)

Au verso de ce chapitre, épinglons une page de Bossuet qui l'a utilisé. L'évêque de Meaux se réfère, il est vrai, au théologien liturgiste byzantin, mais pour un détail seulement et comme à la cantonade ; pourtant, le chapitre de Cabasilas et la page entière de Bossuet relèvent d'une inspiration commune qui ne semble pas être l'effet d'une simple coïncidence.

---

1. M. DE LA TAILLE, *Mysterium fidei*, 3e éd., 1930, p. 275. — Notons aussi quelques lignes de RENAUDOT (*Suite de la Grande Perpétuité*, Paris 1713 ; réédition Migne, *Perpétuité...*, III, 1150) énonçant le rattachement des vieilles formules liturgiques au dogme de la Communion des saints : « ... Les prêtres demandaient à Dieu qu'il soulageât les âmes de ceux qui avaient fini leurs jours dans la communion de l'Église... Ainsi la séparation par la mort temporelle ne les séparait point de cette union de charité avec leurs frères vivants ; Jésus-Christ, comme son Père éternel, étant le Dieu des vivants et non pas des morts ; et l'étant d'une manière spéciale de ceux qui s'étaient revêtus de lui par le Baptême et qui avaient reçu sa chair et son sang dans l'Eucharistie. Ces fidèles défunts étaient par cette raison considérés comme étant encore dans l'Église, particulièrement lorsqu'ils partaient de ce monde pour aller à Dieu... » C'est bien là ce qui fait l'unité foncière du double Memento des vivants et des morts.

Il s'agit, pour Bossuet, d'expliquer « les bénédictions qu'on fait sur l'Eucharistie après la consécration », selon les rubriques du Canon romain.

« ... Lorsqu'on bénit les dons, c'est-à-dire le pain et le vin, avant la consécration, cette bénédiction a ses deux effets, et envers le sacrement même qu'on veut consacrer, et envers l'homme qu'on veut sanctifier par ce sacrement. Mais après la consécration, la bénédiction, déjà consommée par rapport au sacrement, ne subsiste que par rapport à l'homme qu'il faut sanctifier par la participation du mystère. C'est pourquoi les signes de croix qu'on fait après la consécration sur le pain et sur le vin consacrés se font en disant cette prière : ' Afin, dit-on, que nous tous, qui recevons de cet autel le corps et le sang de votre Fils, soyons remplis en Jésus-Christ de toute grâce et bénédiction spirituelle ' ; où l'on voit manifestement que ce n'est point ici une bénédiction qu'on fasse sur les choses déjà consacrées, mais une prière où l'on demande qu'étant saintes par elles-mêmes, elles portent la bénédiction et la grâce sur ceux qui en seront participants.

« Les Grecs expriment ceci d'une autre manière. On trouve dans leur liturgie une prière qui pourrait surprendre ceux qui n'en pénétreraient pas toute la suite : car ils y prient pour les dons sacrés, même après la consécration, après qu'ils ont répété cent fois qu'ils sont le propre corps et le propre sang de Jésus-Christ, et même en les adorant comme tels, ainsi qu'il paraîtra bientôt. Mais voici toute la suite de cette prière, qui en fait entendre le fond et lève toute difficulté : ' Prions, disent-ils, pour les précieux dons offerts et sanctifiés, surcélestes, ineffables, immaculés, divins, qu'on regarde avec tremblement et frayeur à cause de leur sainteté : afin que le Seigneur, qui les a reçus en son autel invisible de suavité, nous rende en échange les dons du Saint-Esprit. ' *(Liturgie de saint Jacques, Lit. de saint Jean Chrysostome.)* Par où l'on voit que cette prière ne tend plus à sanctifier les dons, qu'au contraire on juge déjà pleins de sainteté et dignes des plus grands respects, mais à sanctifier ceux qui les reçoivent.

« C'est, comme dit un théologien de l'Église grecque (Cabasilas, *Liturg. expos.*, cap. XXXIV), qu'encore que le corps sacré de notre Sauveur soit plein de toute grâce, et que la vertu médicinale qui y réside soit toujours prête à couler et pour ainsi dire à échapper de toutes parts, néanmoins il y a des villes, comme dit saint Marc (*Mc* 6, 5), ' où il ne put faire plusieurs miracles à cause de l'incrédulité '

de leurs habitants. On prie donc dans cette vue qu'il sorte une telle bénédiction, si efficace et si abondante, de ce divin corps, que l'incrédulité même soit obligée de lui céder et soit entièrement dissipée.

« Concluez de tout ceci que les bénédictions qu'on fait sur le corps de Jésus-Christ avec des signes de croix, ou ne regardent pas ce divin corps, mais ceux qui doivent le recevoir ; ou que, si elles le regardent, c'est pour marquer les bénédictions et les grâces dont il est plein et qu'il désire répandre sur nous avec profusion, si notre infidélité ne l'en empêche ; ou enfin, si on veut encore le prendre en cette sorte, on bénit en Jésus-Christ tous ses membres, qu'on offre dans ce sacrifice comme faisant un même corps avec le Sauveur, afin que la grâce du Chef se répande abondamment sur eux[1]. »

Soulignons, à l'avantage de Bossuet, la pensée finale sur les membres du corps mystique. Elle se rencontre certes ailleurs chez Cabasilas sous plusieurs formes — et nous la goûterons bientôt au chapitre XXXVI — mais elle ne figure pas dans le passage ici visé.

Sur le sens des diverses bénédictions au cours de la messe latine, voir F. CABROL, *La Messe en Occident* (Paris, Bloud et Gay, 1932), p. 80 et 227-228 ; et surtout J. BRINKTRINE, *Die Heilige Messe* (Paderborn 1931), Exkurs I, *Die Kreuzzeichen im Kanon*, p. 250 s. Voir aussi P. BATIFFOL, *Leçons sur la Messe* (Paris 1919), p. 239, 251, 267.

8. La prière de l'inclination

(ch. XXXV, § 4)

Le lecteur trouvera intérêt à avoir sous les yeux le texte ici commenté :

Le diacre : « Inclinez vos têtes devant le Seigneur. »
Le Chœur : « Devant toi, Seigneur (nous les inclinons). »

Et sur les fronts inclinés, le célébrant récite *la prière de l'inclination*, qui énonce d'abord un sentiment général d'action de grâces et d'adoration, puis formule, en vue de la communion, une nouvelle supplication pour tous les

1. BOSSUET, *Explication de quelques difficultés sur les prières de la messe*, Paris 1689, n° 41. Édition « Classiques Garnier », p. 605-607.

besoins des fidèles : « Nous te rendons grâces, ô Roi invisible, toi qui as tout créé par ta puissance infinie et qui, dans l'abondance de ta miséricorde, as amené toutes choses du néant à l'être, toi-même, ô Seigneur, du haut du ciel jette les yeux sur ceux qui inclinent leur tête devant toi ; car ce n'est pas devant les puissances de la chair et du sang qu'ils les ont inclinées, mais devant toi, le Dieu redoutable. Toi donc, Seigneur, partage-nous à tous, pour notre bien, selon le besoin de chacun, les mystères ici présents. Navigue avec ceux qui naviguent, fais route avec ceux qui voyagent, et guéris les malades, toi, le médecin de nos âmes et de nos corps. » Voir dans S. SALAVILLE, *Liturgies orientales*, II, *La Messe*, p. 49, l'oraison parallèle de la liturgie de saint Basile. Celle que l'on vient de lire appartient à la liturgie, plus commune, de saint Jean Chrysostome.

La « prière d'inclination » se termine par cette conclusion à haute voix ou *ekphônèse* : « Par la grâce, la miséricorde et la charité de ton Fils unique, avec qui tu es béni, en même temps que ton bon et vivifiant Saint-Esprit, maintenant et toujours, et dans les siècles des siècles. »

Suit une nouvelle oraison de préparation à la communion, adressée au Christ, sur la mention de laquelle s'achève le chapitre. En voici la teneur : « Seigneur Jésus-Christ, notre Dieu, regarde du haut de ta sainte habitation et du trône glorieux de ton royaume, et viens pour nous sanctifier, toi qui sièges dans les hauteurs des cieux avec le Père et qui es ici invisiblement présent avec nous. Daigne nous accorder que de ta puissante main nous soient donnés ton corps immaculé et ton sang précieux, et par nous à tout le peuple. »

9. La Pentecôte eucharistique

(ch. XXXVII, § 6)

Quelle que soit exactement l'origine de ce rite byzantin du *zéon* ou de la goutte d'eau chaude, l'idée de Pentecôte eucharistique, que Cabasilas y voit symbolisée, s'adapte parfaitement au moment de la liturgie plus ou moins immédiatement préparatoire à la communion. N'est-elle pas, d'ailleurs, déjà impliquée dans l'épiclèse, j'entends dans l'épiclèse orientale telle qu'elle a été présentée au cha-

pitre XXXI ? Maintes oraisons du Missel romain la suggèrent elles-mêmes très nettement. Qu'il suffise d'en citer
ici deux, empruntées du reste à la semaine de la Pentecôte.
Postcommunion du mercredi : « Nous te demandons,
Seigneur, que l'Esprit-Saint renouvelle nos âmes au moyen
de ces divins sacrements, car il est lui-même la rémission
de tous les péchés. » Secrète du samedi : « Que les sacrifices
offerts en ta présence, Seigneur, soient consumés par ce
feu divin dont le Saint-Esprit embrasa les cœurs des
disciples du Christ votre Fils. »

Les commentateurs modernes des documents liturgiques
n'ont pas manqué, eux aussi, de souligner le rattachement
de cette idée de Pentecôte à l'ensemble du cadre eucharistique. Dom Cagin le fait en termes remarquables, après
avoir montré l'ordre à la fois logique et historique des
mystères rappelés dans la partie centrale du Canon : « Tout
cela se succède suivant une progression historique évidente,
surtout dans les Anaphores non abrégées (celle de la Liturgie Clémentine et celle de saint Basile par exemple). L'Incarnation arrive ainsi à son rang, à sa date relative, puis l'institution de la Cène et la consécration du corps et du sang du
Seigneur, le précepte donné aux Apôtres de perpétuer
représentativement et efficacement ce qui s'est accompli
sous leurs yeux, enfin la Résurrection, l'Ascension, la Pentecôte, le second Avènement. L'intervention du Saint-
Esprit est appelée précisément au moment où le mémorial
arrive à son terme et s'arrête à la Pentecôte. Et c'est ainsi
que les choses s'étaient passées la première fois. L'action
sacramentelle des Apôtres n'avait commencé qu'à la descente du Saint-Esprit. Le principe de la rédemption, du
sacrifice nouveau, de la sanctification, avait été institué
au jour de la Passion, comme il est posé dans la messe au
moment de la consécration. Il était réservé à la mission
temporelle du Saint-Esprit d'en valider l'accomplissement,
d'en signifier la ratification, en même temps qu'en était
inaugurée la dispensation[1]. » Et le savant Bénédictin suggère
d'appliquer à cette Pentecôte eucharistique le nom de
confirmatio sacramenti que l'on trouve dans certains textes
de la liturgie gallicane[2].

Un autre Bénédictin, Dom Jean de Puniet, présente une

---

1. P. Cagin, *Paléographie musicale*, t. V (Solesmes 1897), p. 83 s.
2. Sur ce terme de *confirmatio sacramenti*, voir l'article *Épiclèse*
dans *DTC*, t. V, 1911, col. 287-288, 295.

idée analogue, sous une forme qui nous paraît intéressante à signaler en raison de l'utilité pratique qu'elle peut offrir à la méditation. Il signale que la série des « Préfaces » romaines comprend l'énumération successive de tous les mystères christologiques, depuis l'Incarnation et Noël jusqu'à l'Ascension. « Enfin le mystère de la Pentecôte vient tout consommer, en confirmant l'œuvre du Christ sur la terre et en marquant les rachetés du signe de l'adoption des fils[1]. »

Quant à la relation, toute normale, entre cette « Pentecôte eucharistique » et la sanctification des fidèles, l'éminent théologien du *Mysterium fidei* la souligne par cette suggestive évocation : « Voulez-vous savoir pourquoi, dès la Pentecôte, pendant de nombreuses années, l'Évangile a acquis un si grand développement dans le monde et pourquoi, dans l'Église, il y a eu une si grande floraison de sainteté parmi ces fidèles qui, ne formant qu'un seul cœur et une seule âme, réalisaient en sa dernière perfection cette charité qui est le sommet de la sainteté ? Pensez à la Vierge Marie s'empressant sur cette terre à tous les sacrifices que célébrait l'Église. Et ne vous étonnez plus qu'on n'ait pas revu depuis lors si prodigieuse expansion de christianisme, si considérable poussée de sainteté[2]. »

10. Quelques particularités liturgiques

(ch. XLI, § 4)

Ce chapitre nous permet de constater, au XIVe siècle, certaines formules différentes de celles qui sont généralement employées dans l'usage moderne des églises byzantines.

Et d'abord, Cabasilas ne signale pas la profession de foi par laquelle le chœur répond aujourd'hui au prêtre qui vient de bénir le peuple : « Nous avons vu la vraie lumière, nous avons reçu un Esprit céleste, nous avons trouvé la vraie foi en adorant l'indivisible Trinité : car c'est elle qui nous a sauvés. » Ainsi chante le chœur, en des termes qui reportent sur les trois personnes divines le bienfait du salut

---

1. J. DE PUNIET, *La liturgie de la Messe. Ses origines et son histoire*, 2e éd. (Avignon, Aubanel fils aîné, 1930), p. 172-173.

2. M. DE LA TAILLE, *Mysterium fidei*, p. 331, cité et traduit dans G. GASQUE, *La Messe de l'apôtre*, Paris (éd. Spes) 1926, p. 43.

comme récapitulé dans la sainte communion. L'omission
de cette formule dans l'*Expositio liturgiae* ne signifie pas
nécessairement que Cabasilas l'ignorait. Je serais pourtant
surpris, s'il l'a connue, qu'il n'en ait pas souligné d'un trait
personnel le caractère d'euchologie trinitaire et eucharistique.

Par contre, Cabasilas nous atteste ici que de son temps,
dans la seconde moitié du XIVe siècle, existait encore chez
les Grecs l'usage de l'hymne (dite de Sergius, parce qu'inaugurée par ce patriarche à Constantinople en mai 624) : « Que
notre bouche se remplisse de louange... », qui ne se maintient
de nos jours que dans les églises slaves et roumaines. Le
commentaire de Cabasilas partageant cette hymne en deux
formules assez distinctes, nous redonnons ici le tropaire
intégral : « Que notre bouche se remplisse de louange,
Seigneur, afin de nous faire célébrer ta gloire, pour avoir
daigné nous admettre à la participation de tes saints
mystères. Garde-nous dans ta sainteté et dans la méditation
de ta justice toute la journée. Alleluia[1]. »

Au point de vue de la composition ou de la rédaction, le
chapitre LIII aurait dû suivre immédiatement ce chapitre XLI, auquel il se rattache par le sujet traité et qui
est l'explication des prières finales de la Messe. Les onze
chapitres intermédiaires constituent une longue digression
théologique sur les effets de l'Eucharistie, sur l'application
de ces effets aux vivants et aux défunts, sur le véritable
caractère de la commémoration des saints faite plusieurs
fois au cours de la Messe, sur le quadruple élément du sacrifice : latreutique, eucharistique, propitiatoire et impétratoire, et la prédominance de l'action de grâces *(eucharistia)*
sur la supplication. Cabasilas touche là toute une série de
questions qui semblent avoir spécialement intéressé et
peut-être divisé sur certains points ses contemporains. Telle
de ses explications, par exemple concernant le sujet de
l'Eucharistie et sa nécessité, ou l'application des effets
de l'Eucharistie aux âmes des trépassés, paraît ne pas avoir
eu pour lui-même toute la clarté désirable. Mais toutes
continuent de nous montrer une âme profondément

---

1. Voir S. SALAVILLE, *Liturgies orientales*, II. *La Messe*, p. 67-69,
où l'on pourra lire aussi deux oraisons parallèles d'action de grâces
(l'une pour la liturgie de S. Jean Chrysostome, l'autre pour la liturgie
de S. Basile), que le prêtre dit tout bas après s'être communié lui-
même et avoir fait communier le diacre.

croyante, un théologien pénétrant, qui enfin n'oublie jamais que l'esprit humain ne pourra pas écarter toutes les ombres du mystère.

11. Sur le sujet de l'Eucharistie, sur sa nécessité, et sur les diverses manières de la recevoir

(ch. XLII, § 13)

Plusieurs propositions de ce chapitre appellent des précisions, ou même des rectifications, qu'il a paru utile de grouper en un rappel de données théologiques touchant ces trois points : Quel est le sujet apte à recevoir l'Eucharistie ? Est-il nécessaire, pour être sauvé, de recevoir ce sacrement ? N'y a-t-il pas plusieurs manières de le recevoir ? Trois questions qui sont d'ailleurs connexes entre elles, et dont les solutions peuvent en conséquence se compénétrer.

Le sujet capable de recevoir le sacrement de l'Eucharistie, c'est de droit divin tout homme baptisé, pendant la durée de sa vie mortelle.

Cette réponse exclut manifestement et les anges et les âmes séparées par la mort du corps auquel elles étaient unies.

Saint Thomas se pose pourtant la question : Est-ce que les anges ne peuvent pas communier spirituellement ? (*Somme théologique*, IIIe Partie, quest. 80, art. 2). Cet adverbe suppose une distinction que le docteur angélique vient d'exposer à l'article précédent : « Dans la réception de ce sacrement il y a deux choses à considérer : d'un côté le sacrement lui-même, et de l'autre l'effet du sacrement. Par conséquent, pour participer parfaitement à ce sacrement, il faut le recevoir de manière à en obtenir en même temps l'effet. Or il arrive quelquefois que l'on mette obstacle à ce qu'on puisse recevoir l'effet du sacrement d'Eucharistie, et alors on ne le reçoit qu'imparfaitement. De même donc qu'il y a une distinction à faire entre ce qui est parfait et ce qui ne l'est pas, de même il faut distinguer la *communion sacramentelle*, dans laquelle on reçoit le sacrement sans en recevoir l'effet, d'avec la *communion spirituelle*, dans laquelle on reçoit l'effet de ce sacrement, qui est d'unir le chrétien à Jésus-Christ par la foi et la charité. » (*Ibid.*, art. 1.)

A quoi l'on doit ajouter une troisième distinction, qui

découle des deux précédentes et que saint Thomas formule ailleurs (Opuscule *De sacramento altaris*, chap. XVII). De fait, dans l'article de la *Somme* que l'on vient de lire, la communion spirituelle est considérée en tant qu'elle peut être unie à la communion sacramentelle. Mais elle peut aussi se rencontrer seule. On peut donc distinguer trois sortes de communion : 1º la communion *sacramentelle* qui ne serait pas accompagnée de la communion spirituelle, et qui est celle des mauvais chrétiens ; 2º la communion *spirituelle* que n'accompagnerait pas la communion sacramentelle, et qui dans tous les temps a été pratiquée plus ou moins parfaitement par tous les prédestinés ; et enfin 3º la communion *à la fois sacramentelle et spirituelle*, qui ne peut se faire qu'en état de grâce et par les seuls chrétiens baptisés.

Cette triple distinction jette déjà un rayon de lumière sur ce chapitre XLII, comme elle nous permettra d'éclaircir les argumentations un peu nébuleuses des chapitres suivants.

Cabasilas, sans employer les termes scolastiques, a parfois bien marqué, après les Pères, la différence entre la communion simplement sacramentelle — celle des mauvais chrétiens « qui n'en retirent aucun bénéfice et s'en retournent, au contraire, coupables de plus grands crimes » — et la communion à la fois sacramentelle et spirituelle. Mais parfois aussi, telles de ses expressions laisseraient croire que celle-ci est la seule réelle, et, plus encore, qu'elle est absolument indispensable à tous ceux qui vivent la vie dans le Christ.

Nouvelle confusion qui s'ajoute à la première, et qui porte sur la *nécessité de l'Eucharistie*. Rappelons la doctrine de l'Église à cet égard. Elle se formule en ces termes : *La réception de l'Eucharistie n'est pas nécessaire de nécessité de moyen pour le salut ; elle est seulement nécessaire de nécessité de précepte.*

Pour revenir maintenant à la question, posée par saint Thomas, de savoir si les anges peuvent recevoir spirituellement l'Eucharistie, voici la réponse qu'y fait le docteur angélique ; elle nous amènera à savoir que penser de la question et de la solution de Cabasilas concernant les âmes séparées.

« Le sacrement de l'Eucharistie contient Jésus-Christ lui-même, non sous la forme qui lui est propre, mais sous la forme sacramentelle. De là deux manières différentes de se nourrir spirituellement du Christ : la première, en s'unissant à lui tel qu'il est sous la forme qui lui est propre,

et c'est de cette manière que les anges se nourrissent spirituellement du Christ à qui ils sont unis par les liens d'une
charité parfaite et par la vision à découvert..., mais non
par la foi, comme il nous convient à nous de lui être unis
ici-bas. L'autre manière de se nourrir spirituellement du
Christ se rapporte au Christ en tant que présent sous les
espèces sacramentelles, elle consiste à désirer avec une
vive foi de recevoir ce sacrement : ce qui est se nourrir
spirituellement non seulement du Christ, mais aussi du
sacrement lui-même, chose qui ne saurait convenir aux
anges. Ainsi, quoique les anges se nourrissent spirituellement du Christ, il ne leur convient pourtant pas de se nourrir
spirituellement du sacrement de l'Eucharistie[1]. »

Saint Thomas ne se pose pas la question pour l'âme
humaine séparée du corps ; mais ses principes nous permettent de la résoudre. De fait, dans la vie nouvelle qui
est la sienne, cette âme séparée participe, par bien des côtés,
à la manière d'être des esprits angéliques. Comme il ne
peut s'agir pour nous que des âmes justes — et seulement
de celles qui doivent subir une dernière expiation avant
d'entrer au ciel —, leur assimilation aux anges exclut pourtant le face à face de la vision béatifique. Elles demeurent
donc unies à Dieu et au Christ par la foi, l'espérance et la
charité, mais non plus par les sacrements : la vie sacramentelle cesse à la mort. Pour rester dans la perspective où se
plaçait saint Thomas à propos des anges, tout ce que l'on
peut dire, c'est que ces âmes, non encore béatifiées,
éprouvent, par rapport à l'Eucharistie, un vif regret de
n'avoir pas mieux utilisé cette divine source de sanctification, et d'autre part un ardent désir de voir leurs frères de
l'Église militante offrir à leur intention l'auguste sacrifice
et la sainte communion. Si l'on veut appeler cela une
communion spirituelle, on voit que ce sera en un sens tout
différent de son acception ordinaire.

Certains textes anciens, dont quelques-uns ont même pris
place, comme prières de dévotion, dans le Missel et le Bré-
viaire romain, suggèrent bien une idée de ce genre, mais
fournissent en même temps des éléments d'explication
théologique. Ainsi, dans la longue *oraison dite de saint
Ambroise*, compilée par Jean de Fécamp au xiie siècle et
insérée par l'Église parmi les prières de préparation à la
messe, le début de la section réservée pour le vendredi se

1. *Somme théologique*, IIIe Partie, quest. 80, art. 2.

présente sous cette forme : « Nous te supplions aussi, Seigneur, Père très saint, pour les âmes des fidèles défunts, afin que ce grand sacrement d'amour soit pour elles salut, joie et rafraîchissement. Seigneur mon Dieu, *que ce soit aujourd'hui pour elles un grand et parfait banquet de toi*, ô Pain vivant qui es descendu des cieux et qui donnes la vie au monde, *de ta chair sacrée et bénie*, de toi l'Agneau immaculé qui ôtes les péchés du monde, de cette chair sacrée qui a été prise du sein de la glorieuse et bienheureuse Vierge Marie et formée par le Saint-Esprit ; de cette source de grâce que la lance du soldat fit jaillir de ton côté sacré : afin que, fortifiées et rassasiées, rafraîchies et consolées par cet auguste banquet, ces âmes exultent dans la louange de ta gloire. »

On le voit, nous avons là un memento des défunts où nombre d'expressions rappellent étrangement celles de notre Cabasilas. Mais, à la différence du texte de celui-ci, l'*oraison de saint Ambroise* peut s'expliquer normalement, pour les âmes justes des défunts, par l'application que nous demandons à Dieu de leur faire des mérites du saint sacrifice que nous offrons et de la communion à laquelle nous prenons part.

En réalité, nous surprenons ici chez Cabasilas, et nous retrouverons plusieurs fois encore, une interprétation inexacte de la parole du Sauveur[1] : « Si vous ne mangez la chair du Fils de l'homme et si vous ne buvez son sang, vous n'aurez pas la vie en vous » ; interprétation qui lui fait appliquer cette nécessité même aux âmes justes des défunts, et aussi, « de la manière que Dieu sait », aux saints qui jouissent de la vie éternelle[2]. Ajoutons que ce chapitre et les suivants révèlent aussi, chez Cabasilas, une idée trop

---

1. *Jn* 6, 53.

2. A propos des anges et des saints du ciel, citons ici quelques lignes lumineuses du livre de l'*Imitation :* « C'est pour ménager ma faiblesse que vous vous cachez sous les voiles du sacrement. Je possède réellement et j'adore Celui que les anges adorent dans le ciel, mais je ne le vois encore que par la foi... *Mais quand ce qui est parfait sera venu* (I *Cor.* 13, 10), l'usage des sacrements cessera, parce que les bienheureux, dans la gloire céleste, n'ont plus besoin de secours. Ils se réjouissent sans fin de la présence de Dieu et contemplent sa gloire face à face, pénétrés de sa lumière et comme plongés dans l'abîme de sa divinité, ils goûtent le Verbe de Dieu fait chair, tel qu'il était au commencement et tel qu'il sera durant toute l'éternité. » *Imitation de Jésus-Christ,* livre IV, chap. XI, n. 2.

confuse de l'état intermédiaire que nous appelons le Purgatoire ; et enfin, qu'il ne pose ou ne maintient pas assez
nettement la distinction nécessaire entre effets du sacrement
et effets du sacrifice.

12. Où Bossuet rectifie Cabasilas, en précisant que « nous avons Jésus-Christ où tout se trouve », mais de la manière qui convient à notre « état de pèlerinage »

(ch. XLIII, § 7)

Bossuet (*Explication de quelques difficultés sur les prières
de la messe*, n° 42, éd. « Classiques Garnier », p. 607-609)
a exprimé une idée assez voisine de celle de Cabasilas en ce
dernier alinéa, mais avec une plus grande sûreté théologique
sur la question « du *signe* et de la *vérité* joints ensemble dans
l'Eucharistie ». Le citer sera encore une manière de rectifier
ce qu'il y a d'exagéré dans l'exposé de Cabasilas.

« Vous savez trop — écrit Bossuet — que si l'on appelle
l'Eucharistie un *sacrement*, c'est à cause premièrement que
c'est un secret et un mystère au même sens que les Pères ont
parlé du sacrement de la Trinité, du sacrement de l'Incarnation, du sacrement de la Passion, et ainsi des autres ;
qu'outre cela, c'est un *signe*, non point à l'exclusion de la
vérité du Corps et du Sang, mais seulement pour marquer
qu'ils y sont contenus sous une figure étrangère ; et enfin,
que dans cette vie et durant ce pèlerinage, ce qui est vérité
à un certain égard est une figure et un gage à un autre.
Ainsi l'Incarnation de Jésus-Christ nous est la figure et le
gage de notre union avec Dieu ; ainsi Jésus ressuscité nous
figure en sa personne tout ce qui doit s'accomplir dans tous
les membres de son Corps mystique et en cette vie et en
l'autre. Mais après avoir compris des vérités si constantes,
vous n'avez pas dû être embarrassé de cette Postcommunion : ' O Seigneur, que vos sacrements opèrent en nous
ce qu'ils contiennent, afin que ce que nous célébrons en
espèce ou en apparence, ou comme vous voudrez traduire,
quod nunc specie geritur, nous le recevions dans la vérité
même, *rerum veritate capiamus* ' (Samedi des Quatre-Temps
de septembre). Cela, dis-je, ne devait pas vous embarrasser ;
au contraire, vous deviez entendre que ce que contiennent
les sacrements, c'est Jésus-Christ la vérité même, mais la

vérité cachée et enveloppée sous des signes, suivant la condition de cette vie. Il ne convient pas à l'état de pèlerinage où nous sommes d'avoir ni de posséder Jésus-Christ tout pur. Comme nous ne voyons ces vérités que par la foi et à travers de ce nuage, nous ne possédons aussi sa personne que sous des figures. Il ne laisse pas d'être tout entier dans ce sacrement, puisqu'il l'a dit : mais il y est caché à notre vue et n'y paraît qu'à notre foi. Nous demandons donc qu'il se manifeste, que la foi devienne vue, et que les sacrements soient enfin changés en la claire apparition de sa gloire.

« C'est ce qu'on demande en d'autres paroles dans une autre oraison : ' Nous vous prions, ô Seigneur, que nous recevions manifestement ce que nous touchons dans l'image d'un sacrement[1]. ' Vous voyez dans toutes ces prières que nous n'y demandons pas d'avoir autre chose dans la gloire que ce que nous avons ici ; *car nous avons tout, puisque nous avons Jésus-Christ où tout se trouve.* Mais nous demandons que tout se manifeste ; que les voiles qui nous le cachent soient dissipés ; que nous voyions manifestement Jésus-Christ Dieu et Homme, et que, par son humanité, qui est le moyen, nous possédions sa divinité, qui est la fin où tendent tous nos désirs. »

Nous avons Jésus-Christ où tout se trouve ; dans l'au delà, les âmes saintes, une fois leur expiation achevée, auront Jésus-Christ où tout se trouve ; mais ici-bas, nous l'avons sous les voiles de la foi ; dans l'au delà, les voiles seront dissipés. Sur ces deux propositions l'accord est parfait entre Cabasilas et Bossuet. Mais, outre que Cabasilas, en parlant ici des âmes justes des défunts, oublie de mentionner ce qu'il dira ailleurs, savoir, que certaines de ces âmes « ne sont pas encore complètement perfectionnées[2] », — il oublie aussi ce que Bossuet rappelle si opportunément, que les signes sensibles, les *sacrements* ne conviennent qu'à notre état de

---

1. *In Ambrosian.*, 30 decembr. ; in *Ord. S. Jacobi*, apud Pamelium, t. I, p. 310 (note de Bossuet).

2. Peut-être s'est-il tenu pour quitte en concédant, vers la fin du chapitre, que cet au delà peut s'appeler ou le paradis ou le sein d'Abraham, ou un lieu exempt de douleur et de tristesse, ou une région lumineuse et rafraîchissante, ou enfin le royaume proprement dit. Mais ces diverses dénominations recouvrent, dans son esprit, un au delà de béatitude où il n'y a pas de distinction notable entre ceux que nous nommons les saints et les âmes des défunts pour lesquelles nous prions.

pèlerinage. Dans l'au delà de gloire, plus de sacrements, mais l'éternelle réalité. Dans l'au delà d'expiation, plus de sacrements, mais la réalité de la foi, de l'espérance, de la charité suffisant à la sérénité purificatrice de ce vestibule du paradis[1].

13. Réalisme eucharistique.
de saint Jean Chrysostome et ultraréalisme
de Cabasilas

(ch. XLIV, § 5)

« En étant uni à Dieu », littéralement : en étant mêlé à Dieu, τὸ ἀνακραθῆναι Θεῷ. Expression de ce réalisme commun à presque tous les Pères grecs, et dont saint Jean Chrysostome, pour ne citer que lui, nous fournit des exemples typiques : « Jésus-Christ ne s'est pas contenté de se faire homme, de s'exposer aux ignominies..., d'endurer la mort de la croix ; il a voulu, en outre, *se mêler et s'unir à nous* de telle sorte que nous devenons un même corps avec lui ; non seulement par la foi, mais effectivement et réellement... Celui que les anges ne regardent qu'avec tremble-

---

1. Cabasilas a eu le tort, dans cette question des effets de l'Eucharistie sur les défunts, de ne point assez se souvenir de la notion même de sacrement et des conséquences qu'elle entraîne. Saint Jean Chrysostome, dont le réalisme eucharistique est pourtant très accusé, avait fort bien marqué ce caractère sacramentel en un passage où s'affirme précisément son réalisme eucharistique : « Puisque le Verbe a dit : Ceci est mon corps, soyons persuadés de la vérité de ses paroles, soumettons-y notre croyance, regardons-le dans ce sacrement avec les yeux de l'esprit. Car Jésus-Christ ne nous y a rien donné de sensible, mais ce qu'il nous y a donné sous des objets sensibles est élevé au-dessus des sens et ne se voit que par l'esprit. Il en est ainsi dans le Baptême, où, par l'entremise d'une chose terrestre et sensible qui est l'eau, nous recevons un don spirituel, savoir : la régénération et le renouvellement de nos âmes. Si vous n'aviez point de corps, il n'y aurait rien de corporel dans les dons que Dieu vous fait ; mais parce que votre âme est jointe à un corps, il vous communique des dons spirituels sous des choses sensibles et corporelles... ». S. JEAN CHRYSOSTOME, *In Matth.*, hom. 82, n° 4, *P G* 57, 743.

Voilà, clairement rappelé, le principe très ferme qui exclut les *âmes séparées* de toute participation au sacrement eucharistique en tant que tel et quelle que soit la manière, même « connue de Dieu seul », que l'on veuille supposer à pareille participation.

ment... est celui-là même qui nous sert de nourriture, qui s'unit à nous, et avec qui nous ne faisons plus qu'une même chair et qu'un même corps... Il nous nourrit lui-même de son propre sang, et en toutes façons nous incorpore avec lui... » S. Jean Chrysostome, *In Matth.*, hom. 82, n° 5 (*PG* 57, 743). Réalisme assurément, qui s'abstient de considérer ce que nous appelons les *accidents* eucharistiques, c'est-à-dire les espèces du pain et du vin, mais qui du moins, chez saint Jean Chrysostome, n'a point d'autres conséquences pour la vie de l'au delà que celle de mieux marquer comment l'Eucharistie est un gage de résurrection. L'ultraréalisme de Cabasilas, au contraire, comme on l'a vu, oublieux du concept de sacrement, conclut à la persistance de l'Eucharistie au delà de la mort.

14. Rapports de l'Eucharistie
avec les deux catégories d'âmes des défunts :
les parfaites ou bienheureuses
et celles qui ont encore besoin de rémission
et de purification

(ch. XLV, § 4)

Le début de ce chapitre pose assez clairement la distinction de ces deux groupes d'âmes justes, séparées de leur corps. L'un et l'autre, tout en bénéficiant, chacun à sa manière, des prières et du sacrifice de l'Église, ont sur les vivants l'avantage immense de ne pouvoir plus pécher. Mais quelques-unes de ces âmes sont complètement absoutes et jouissent de la béatitude définitive, tandis que les autres ont encore besoin de purification et de rémission[1].

Il est très vrai que les unes et les autres, par le fait de ne

---

1. Léon Allatius, *De utriusque Ecclesiae occidentalis atque orientalis perpetua in dogmate de Purgatorio consensione* (Rome 1655), p. 147-148, a raison de voir dans cette « purification », mentionnée ici par Cabasilas, un équivalent de notre Purgatoire. « Rem habent, et de nomine contendunt. » Cabasilas reviendra lui-même plus explicitement sur ce point dans les chapitres suivants ; mais nous retrouverons pourtant encore plusieurs fois chez lui une certaine confusion entre cet état intermédiaire de « purification » et l'état de glorification définitive. — Voir les excellentes considérations de Renaudot sur les prières liturgiques pour les morts, dans *Perpétuité de la foi...*, réédition Migne, III, 1147-1153.

pouvoir plus pécher, se trouvent dans des dispositions bien
plus excellentes que les mieux préparés des communiants
d'ici-bas. Encore faut-il maintenir plus ferme que ne le fait
Cabasilas, relativement à ces dispositions, la différence
considérable entre les « parfaits » désignés par notre langage
usuel sous le nom de *saints* — que nous prions et *en
l'honneur desquels* nous offrons le sacrifice — et ceux qui
ont encore besoin d'une certaine purification, *pour lesquels*
nous prions et offrons les saints mystères. En tout cas, ni
les uns ni les autres, répétons-le contre les insistantes
affirmations de notre Byzantin, ne peuvent plus être les
sujets du sacrement comme tel. Si donc *il faut* admettre
une action *propitiatoire* du sacrifice sur les âmes des défunts
« encore imparfaites », par voie de *médiation* et de satisfac-
tion ; si, d'autre part, *on peut* admettre, en un sens, une
action de *glorification* accidentelle sur les âmes « parfaites »
des saints, — pour les unes et pour les autres l'on doit
absolument exclure ce que Cabasilas appelle la « sanctification » par *la communion*.

Assurément, la divine réalité de l'au delà est la même
que celle que nous recevons ici-bas sous les voiles du
sacrement, et si Cabasilas ne voulait dire que cela, nous
serions d'accord avec lui. Mais les expressions de notre
Byzantin sont trop claires, à certains moments du moins,
et trop multipliées, pour que nous puissions prendre le
change sur les exagérations de sa pensée : il attribue aux
âmes justes des défunts une sorte de participation, de
communion des divins mystères ; et la seule réserve qu'il
y met : « de la manière que Dieu sait », ne paraît pas suffire
à rectifier son langage et son sentiment[1]. Voir pourtant la
finale du livre IV du *De vita in Christo*[2].

---

1. Le P. DE LA TAILLE, dans son *Mysterium fidei* (« Elucidatio 38 » :
Eucharistia est sacramentum nostrae resurrectionis), p. 496, citant avec
éloge l'avant-dernier alinéa de ce chapitre XLV, lui accorde le bénéfice
d'une exégèse bienveillante, que certains passages justifieraient en
effet, mais que d'autres excluent. Après avoir rappelé la comparaison
de la béatitude céleste avec un banquet et cité la phrase : « Jésus-
Christ voulait montrer que dans l'au delà il n'y avait rien de plus que
cette table sacrée », le P. de la Taille ajoute : « Et pourtant Cabasilas
savait fort bien que les hôtes célestes, loin de faire usage de nos
sacrements, n'ont même plus besoin de nos rites liturgiques pour
accroître leur sainteté ou leur béatitude, comme il l'enseignera aux
chapitres XLVII-XLIX. Mais il entend que cette table sacrée nous
est réservée pour le ciel sous une forme évoluée. *Sed intelligit reservari*

15. L'intercession des saints
et la prière pour les morts.
La société des saints,
but suprême des œuvres de Dieu

(ch. XLIX, § 28)

1º *L'intercession des saints et la prière pour les morts.*

Cabasilas est amené par son sujet, nous l'avons déjà constaté, à distinguer dans les formules de l'Anaphore ou Canon de la Messe, l'intercession des saints et la prière pour les morts. On aura remarqué avec quel soin il se sert à plusieurs reprises, pour corroborer cette distinction, de la mention de la Mère de Dieu, laquelle « est au-dessus de toute médiation, étant incomparablement plus sainte que les plus élevés des purs esprits ».

L'érudit grec Allatius, au xviie siècle, a recueilli, au cours de son volume sur le Purgatoire, un grand nombre de textes patristiques et byzantins sur ce sujet, avant de conclure par les pages de Cabasilas. Signalons spécialement, dans ce florilège, des passages de Théodore d'Andida, commentateur de la liturgie au xie siècle (p. 108-109) ; de Syméon de Thessalonique, au xve (p. 109-112) ; de Manuel Calecas († 1410), p. 15, 22, 109. Ce dernier, catholique et domini-

---

nobis in caelis hanc mensam evolutam. » De vrai, nous rencontrerons, au cours des prochains chapitres, des témoignages qui permettraient cette interprétation, mais d'autres, comme ceux que nous avons déjà vus, ne semblent pas l'autoriser. Cette « forme évoluée » ne pourrait évidemment plus être la table eucharistique à laquelle participent les vivants.

2. « Ils viendront d'une table à une autre table, de la table encore mystérieuse à celle qui est à découvert, du pain au corps. Présentement, tant qu'ils vivent l'humaine vie, le Christ est pour eux pain, et aussi pâque — car ils passent d'ici-bas vers la céleste cité. Mais quand ' ils auront pris de nouvelles forces, ils élèveront leur vol comme les aigles ', selon l'expression de l'admirable Isaïe, alors ils se reposeront sur le corps lui-même dégagé de tous voiles. C'est ce qu'exprime saint Jean quand il dit : ' Nous le verrons tel qu'il est. ' Car après la cessation de cette vie charnelle, pour les justes le Christ n'est plus ni pain ni pâque, puisqu'ils n'attendent plus de passage. Mais du corps (qui a souffert) Il porte maintes traces : les mains ont leurs stigmates, les pieds la marque des clous, et le côté porte encore la cicatrice du coup de lance. » *P G* 150, 624-625.

cain, profondément pénétré de la théologie de saint Thomas d'Aquin, tirait tout naturellement des formules liturgiques la conclusion catholique du Purgatoire. « Les sacrifices que nous offrons *pour* les saints — écrivait-il — nous ne les offrons pas pour leur obtenir miséricorde ; mais en vue de les honorer, nous les présentons à Dieu comme médiateurs en notre faveur, en tant que prémices de notre nature. Pour les damnés de l'enfer, au contraire, l'Église ne fait aucune prière. Il est clair, en conséquence, que les prières et les sacrifices ne sont offerts ni pour ceux qui sont déjà établis dans la béatitude, ni pour les damnés de l'enfer. Il faut donc nécessairement conclure à l'existence d'un troisième lieu où s'opère la purification des âmes pour lesquelles on prie. » Nous n'avons pas à insister ici sur cette argumentation, mais il était juste d'en signaler la lumineuse logique.

Allatius reproduit enfin la plus grande partie du chapitre XXXIII de Cabasilas, et intégralement le présent chapitre XLIX, en introduisant ces citations par une formule des plus élogieuses. « Et inter alios elegantissime ac diligentissime Nicolaus Cabasilas in *Expositione Liturgiae*, cap. 33 », écrit-il la première fois (p. 112). Et, la seconde fois, en termes plus explicites encore : « J'en pourrais dire davantage sur ce sujet. Mais il suffira de citer Cabasilas, qui, dans cette même *Explication de la Liturgie*, au chapitre 49, traite longuement ce thème en empruntant au trésor de la doctrine des arguments auxquels il n'y a rien à ajouter. Les expressions sont un peu prolixes, mais d'une importance telle qu'elles ruinent de fond en comble l'opinion contraire » (p. 115-116)[1].

2º *La société des saints, but suprême des œuvres de Dieu.*

Ces pages où Cabasilas expose ce thème sont tout imprégnées d'expressions évangéliques et surtout pauliniennes.

---

1. L. ALLATIUS, *De utriusque Ecclesiae occidentalis atque orientalis perpetua in dogmate de Purgatorio consensione*, Rome 1655. Les deux longues citations de Cabasilas, en texte grec et en traduction latine, se trouvent p. 112-133. — Georges-Gennade Scholarios, l'un des plus célèbres et des plus profonds théologiens grecs († après 1472), reconnaît en propres termes que « la divergence entre l'Église romaine et l'Église orientale sur la question du Purgatoire se réduit à fort peu de chose ; elle ne regarde que des points accessoires, sur lesquels l'Écriture sainte n'a rien de clair et les docteurs opinent diversement ». M. JUGIE, art. *Purgatoire*, dans *DTC*, XIII, 1330, avec référence aux Œuvres de Scholarios, spécialement t. I, p. 533, l. 10-11.

Les termes plusieurs fois employés : « *consommés dans la sainteté* » et « *parvenus au terme de la perfection* » doivent être mis en parallèle avec le texte de la Prière sacerdotale du Christ (*Jn* 17, 23) : ἵνα ὦσιν τετελειωμένοι εἰς ἕν, « qu'ils soient consommés en l'unité » ; ou encore avec plusieurs passages des Épîtres apostoliques :

Phil. 3, 12 : « Non que j'aie déjà atteint la borne ou que je sois déjà parfait, mais je poursuis ma course dans l'espoir de l'atteindre, parce que moi, le Christ Jésus m'a déjà atteint. »

Héb. 2, 10 : « Oui, il convenait que Dieu (le Père), pour qui et par qui tout a été fait, voulant conduire à la gloire des fils en grand nombre, élevât par les souffrances au plus haut degré de perfection (διὰ παθημάτων τελειῶσαι) le chef qui devait les guider au salut. »

Héb. 5, 9, à propos du sacerdoce du Christ : « Et maintenant, parvenu à son terme (καὶ τελειωθείς), il est devenu pour tous ceux qui lui obéissent cause de salut éternel. »

Héb. 10, 14 : « Par cette oblation unique, il a conduit pour toujours à la perfection ceux qu'il a sanctifiés » (τετελείωκεν εἰς τὸ διηνεκὲς τοὺς ἁγιαζομένους).

Héb. 11, 40, à propos des justes de l'Ancien Testament : « Dieu, dans son regard de miséricorde sur nous, ne voulait pas qu'ils arrivassent sans nous à la perfection du bonheur » (τελειωθῶσιν).

Héb. 12, 23 : « Les justes qui sont parvenus au terme », δικαίων τετελειωμένων, expression dont on va lire un peu plus bas tout le magnifique contexte.

« *Autour du Premier-Né* ». — Autre expression scripturaire qui nous permet de grouper toute une série de textes sacrés dont cette page de Cabasilas constitue comme une paraphrase.

Rom. 8, 29 : « Ceux qu'il a d'avance connus, il les a prédestinés à être des images ressemblantes de son Fils, pour que celui-ci soit le premier-né d'un grand nombre de frères », πρωτότοκον ἐν πολλοῖς ἀδελφοῖς.

Col. 1, 15 : « Il (le Christ) est l'image du Dieu invisible, le premier-né de toute créature », πρωτότοκος πάσης κτίσεως.

Col. 1, 18 : « Il est le chef, le premier-né d'entre les morts », πρωτότοκος ἐκ τῶν νεκρῶν.

Héb. 1, 6 : « Quand il (Dieu) introduit son Premier-Né dans le monde, il dit... ».

Héb. 12, 22-24, passage plus spécialement caractéristique pour le sujet qui nous occupe : « Vous vous êtes approchés

de la montagne de Sion et de la cité du Dieu vivant, qui est
la Jérusalem céleste, du chœur des myriades d'anges, de
l'assemblée des premiers-nés qui sont inscrits dans les cieux
(καὶ μυριάδων ἀγγέλων πανηγύρει καὶ ἐκκλησίᾳ πρωτοτόκων ἀπογεγραμμένων ἐν οὐρανοῖς), du Juge et Dieu universel, des
esprits des justes qui sont parvenus au terme, de Jésus,
médiateur de la nouvelle alliance, et du sang de l'aspersion
qui parle plus haut que celui d'Abel. »

Apoc. 1, 5 : « Jésus-Christ..., le premier-né d'entre les
morts. »

On peut voir, dans le *De vita in Christo*, l. IV, au cours de
considérations sur les effets de l'Eucharistie, ce passage
concernant l'action du Christ sur les âmes saintes : « Il rend
justes et saints ceux qui lui sont unis, non seulement en les
formant, en les instruisant, en les exerçant à la pratique
de la vertu, en mettant en action les énergies de l'âme, mais
encore en devenant Lui-même dans les âmes justice de
Dieu et sanctification. C'est de cette manière que les justes
deviennent bienheureux et saints, à cause du Bienheureux
par excellence qui réside en eux et grâce à qui, morts, ils
ressuscitent, d'insensés ils deviennent sages, de serviteurs
souillés et méchants ils sont constitués justes et saints... Ils
sont saints à cause du Saint par excellence, justes et sages
à cause du Juste et du Sage qui est avec eux... » (*PG* 150,
612-613 ; trad. Broussaleux, p. 126-127). Il s'agit là, on le
voit, de la sainteté encore en son étape terrestre. Mais le
rapprochement n'en est pas moins intéressant avec la
sainteté définitive du ciel.

Voir encore Bossuet, *Explication...*, n⁰ 40 (éd. « Classiques Garnier », p. 604-605).

Terminons par le rappel d'un passage de saint Augustin,
qui condense admirablement la même doctrine : « Toute
la Cité rachetée, c'est-à-dire l'assemblée des fidèles et la
société des saints, est le sacrifice universel offert à Dieu par
le Grand Prêtre qui s'est offert pour nous dans sa Passion.
Tel est le sacrifice des chrétiens : être tous un seul corps en
Jésus-Christ. Et c'est ce mystère que l'Église célèbre dans
le sacrement de l'autel, où elle apprend à s'offrir elle-même
dans l'oblation qu'elle fait à Dieu[1]. »

---

1. S. Augustin, *La Cité de Dieu*, X, 6.

16. Le « sacrifice spirituel »

(ch. LI, § 3)

Subtilité encore dans la question qui fait l'objet de ce très court chapitre. Subtilité aussi dans la réponse, et qui nous avertit de ne donner aux termes qui l'énoncent que la signification postulée par tout le contexte. Il s'agit simplement de confirmer, par l'allégation d'un texte liturgique, l'assertion finale du chapitre précédent : que l'oblation concomitante à la Consécration — à la différence de celle de la Prothèse ou de l'Offertoire — ne se fait pas par une action extérieure du prêtre, mais bien par l'opération invisible de Dieu pendant que le prêtre prononce les paroles sacramentelles. Voilà pourquoi ici le sacrifice, qui est désormais le seul authentique sacrifice de l'alliance nouvelle, est appelé un sacrifice spirituel, une offrande spirituelle, λογικὴν λατρείαν. C'est une expression empruntée à saint Paul, *Rom.* 12, 1 : « Je vous prie, frères, par la miséricorde divine, faites de vos corps une hostie vivante, sainte, agréable à Dieu, qui soit *votre offrande spirituelle* », τὴν λογικὴν λατρείαν ὑμῶν. Le Canon de la messe romaine contient une expression analogue dans l'oraison qui précède immédiatement le récit de la dernière Cène : « Quam oblationem... *rationabilem...* »

En affirmant que « le prêtre se borne ici à prier », que « son action n'est pour rien » dans l'essentielle réalité du sacrifice, Cabasilas ne prétend certes pas nier la dignité et la puissance du sacerdoce, ni que les paroles sacramentelles prononcées par le prêtre soient efficaces — sa doctrine à cet égard nous est très explicitement connue — : il veut simplement redire que le prêtre, à cet instant solennel entre tous, joue le rôle d'instrument, Dieu seul par sa toute-puissance étant l'agent principal. Or, c'est là l'enseignement unanime des Pères et des Docteurs, que saint Thomas résume en cette formule : « Quand les Pères disent que la vertu du Saint-Esprit change seule le pain au corps du Christ, ils n'excluent pas la vertu instrumentale qui est renfermée dans la forme de l'Eucharistie. Ainsi, quand on dit que l'artisan fait seul le couteau, on ne nie pas l'efficacité du marteau. » *Somme théol.*, IIIᵉ Partie, quest. 78, art. 2, ad 1. Et encore : « La créature ne peut opérer les œuvres

miraculeuses comme agent principal, mais elle le peut comme cause instrumentale. » *Ibid.*, ad 2.

Le concept d'*eucharistia* ou d'action de grâces est tellement familier à Cabasilas, qu'il va conclure là-dessus tout son traité, en expliquant pourquoi ce nom d'Eucharistie a prévalu sur tout autre pour désigner le mystère de l'autel.

En définitive, de la confrontation — un peu subtile — établie entre l'oblation de la Proskomidie ou de l'Offertoire et celle de la Consécration, notre Byzantin veut conclure simplement ceci : tandis que l'oblation de la *Proskomidie* est accompagnée d'un acte extérieur du prêtre séparant des éléments profanes le pain et le vin destinés au sacrifice ; tandis que même l'oblation de l'Offertoire accompagne aussi une offrande extérieure de la patène et du calice, — l'oblation concomitante à la Consécration est un « sacrifice spirituel » qui est l'œuvre de la toute-puissance de Dieu.

Sur cette oblation sacrificielle, voir M. DE LA TAILLE, *Mysterium fidei*, p. 452-453.

17. Oraison de Postcommunion et Renvoi final

(ch. LIII, § 8)

Le lecteur aura aisément constaté la coïncidence substantielle, en cette dernière section du rite ecclésiastique, entre la liturgie d'Orient et celle d'Occident.

Oraison de Postcommunion. — L'attention des fidèles ne saurait trop être attirée sur ce fait que les oraisons finales de la Messe, si brèves soient-elles, sont déjà une *action de grâces officielle* pour la communion, et qui ne doit pas être absorbée par la ferveur même de l'action de grâces privée. C'était déjà la pertinente remarque que faisait, à la fin du XIe siècle, Bernold de Constance, le moine bénédictin auteur présumé du *Micrologue*, un des recueils les plus intéressants que le moyen âge latin nous ait laissés sur la liturgie. *Micrologue*, 18, *PL* 151. Et c'est le sens de ce chapitre final de notre Byzantin.

Aussi bien, l'oraison officielle d'action de grâces portet-elle dans le Missel latin, le nom de *Postcommunion ;* dans l'ancien Sacramentaire Grégorien, elle était désignée comme *oratio ad complendum*, c'est-à-dire oraison finale, destinée

à compléter, à achever l'expression publique de nos hommages à Dieu.

Donnons ici, pour comparaison, les formules byzantines, puisque Cabasilas n'y fait qu'allusion, les supposant présentes à l'esprit de son lecteur.

Le diacre : « Debout ! Après avoir participé aux divins mystères du Christ très saints, très purs, immortels, célestes, vivifiants et redoutables, remercions dignement le Seigneur. » — *Le chœur :* « Seigneur, prends pitié. » — *Le diacre :* « ... Demandons que cette journée tout entière soit sainte, paisible et sans péché. Confions-nous nous-mêmes, et les uns les autres, et toute notre vie, au Christ notre Dieu. »

Le prêtre conclut la brève litanie par cette ekphônèse doxologique : « Car tu es notre sanctification et à toi appartient toute gloire, ô Père, ô Fils, ô Saint-Esprit, maintenant et toujours, et dans les siècles des siècles. »

Renvoi final. — *Le prêtre* dit au peuple : « Sortons en paix ! » — « Au nom du Seigneur », répondent les fidèles. Puis, sorti du sanctuaire, le prêtre dit cette oraison : « Seigneur, toi qui bénis ceux qui se confient en toi, sauve ton peuple et bénis ton héritage, garde l'intégrale plénitude de ton Église, sanctifie ceux qui aiment la beauté de ta demeure. Glorifie par ta divine puissance et n'abandonne pas ceux qui ont mis en toi leur espérance. Donne la paix au monde qui t'appartient, à tes églises, à nos prêtres, à nos souverains, à nos armées et à tout notre peuple. Car tout don parfait vient d'en haut et descend de toi, Père des lumières. A toi appartiennent la gloire, l'action de grâces et l'adoration, ô Père, ô Fils, ô Saint-Esprit, maintenant et toujours, et dans les siècles des siècles. »

Le chœur : « Béni soit le nom du Seigneur, dès maintenant et jusque dans l'éternité ! »

Le prêtre, après avoir béni les fidèles, les congédie par une formule où est mentionnée la fête du jour : « Que Jésus-Christ, notre Dieu véritable, par l'intercession de sa très pure Mère, des saints et glorieux Apôtres, etc., de notre bienheureux Père Jean Chrysostome, archevêque de Constantinople, de saint N. dont nous célébrons la fête, et de tous les saints, daigne nous accorder sa miséricorde et notre salut. Car il est bon et plein d'amour pour les hommes. » Puis, ce vœu final : « Par les prières de nos saints Pères, Seigneur Jésus-Christ notre Dieu, prends pitié de nous. » Les fidèles : *Amen.*

Rappelons, du reste, pour terminer, que dans une de ses formules de Postcommunion les plus concises, mais non la moins expressive, l'Église latine nous fait adresser cette prière : « Tu nous as comblés, Seigneur, de tes dons sacrés ; accorde-nous donc, nous t'en supplions, de demeurer constamment en action de grâces » (Dimanche dans l'octave de l'Ascension).

APPENDICE

NICOLAS CABASILAS

EXPLICATION DES ORNEMENTS SACRÉS
EXPLICATION DES RITES
DE LA DIVINE LITURGIE

Introduction, textes inédits et traduction

par

René BORNERT
MOINE DE CLERVAUX

INTRODUCTION

L'œuvre littéraire de Nicolas Cabasilas comprend quelques écrits qui n'ont pas encore été publiés. Au nombre de ces inédits figurent deux opuscules liturgiques : une *Explication des ornements sacrés* et une *Explication des rites de la divine liturgie*. Ces deux brefs commentaires appartiennent à la catégorie des œuvres mineures. Cependant ils complètent sur des points non négligeables la grande *Explication de la divine liturgie* qui, avec le traité sur la *Vie dans le Christ*, a consacré la réputation de Cabasilas.

Authenticité et originalité

L'authenticité de ces deux opuscules ne saurait être sérieusement mise en doute. La tradition manuscrite remonte au moins jusqu'au xvᵉ siècle, donc à un demi-siècle environ après la mort de l'auteur. Le style offre les traits caractéristiques des ouvrages de Cabasilas : une grande richesse d'images et d'idées voisine avec des digressions et des répétitions. De plus, certains passages de l'*Explication des rites de la divine liturgie* reproduisent presque littéralement des expressions et des thèmes qui figurent dans l'*Explication de la divine liturgie*. Ces analogies garantissent de façon très sûre l'authenticité des deux opuscules.

La question de l'originalité des deux écrits mérite para-

doxalement un examen plus approfondi. En effet, le second
de ces opuscules offre une très grande parenté avec maint
chapitre de l'*Explication de la divine liturgie*. Dès lors ne
serions-nous pas en présence d'un résumé de l'ouvrage
original ou de scholies extraites par Cabasilas lui-même
ou par quelque scribe inconnu ? Cette suspicion ne plane
pas sur l'*Explication des ornements sacrés* qui ne trouve de
passages correspondants dans aucun autre commentaire
liturgique de Cabasilas. Néanmoins, plusieurs arguments
plaident en faveur de l'originalité de l'*Explication des rites
de la divine liturgie*. D'abord ce traité a été visiblement écrit
d'un seul trait : on y trouve bien la manière de Cabasilas
qui fixe le premier jet d'une pensée riche et dense, mais qui
n'ordonne pas ses idées et ne compose pas. De plus, certains
passages n'ont pas de texte correspondant dans le commentaire majeur, l'*Explication de la divine liturgie*. Même les
paragraphes qui offrent le plus de traits communs dénotent
par l'une ou l'autre particularité une rédaction indépendante[1]. Ces différents indices semblent suffisants pour établir l'originalité des deux opuscules.

Contenu

L'*Explication des ornements sacrés* expose la signification des vêtements liturgiques du diacre, du prêtre et de
l'évêque. Cet opuscule complète sur un point particulier la
synthèse liturgique de Cabasilas. Si le livre V du traité sur
la *Vie dans le Christ* développe une « typologie du sanctuaire[2] » et si l'*Explication de la divine liturgie* explique le

---

1. Comparer : 7-14 avec *EDL*, chap. VI, n° 3 ; 32-41 avec *EDL*,
chap. XXIV, n° 4-5 ; 63-79 avec *EDL*, chap. XXXII, n° 1-8 ; 89-113
et 120-138 avec *EDL*, chap. XXXVII, n° 3-6.

2. L'expression est de M. LOT-BORODINE, *Un maître de la spiritualité byzantine au XIVᵉ siècle, Nicolas Cabasilas*, Paris 1958, chap. I,
p. 13-22.

symbolisme des divers rites de la célébration eucharistique, aucun de ces deux commentaires n'expose la signification des habits que revêtent les ministres de la divine liturgie. L'*Explication des ornements sacrés* comble cette lacune. Cabasilas y traite successivement du *sticharion* diaconal, du *phélonion* et de l'*épitrachélion* sacerdotal, de l'*omophorion* et de l'*hypogonation* épiscopal[1]. Leur symbolisme est presque exclusivement moral. Le *sticharion* diaconal, qui est pourvu d'amples manches, signifie que le diacre doit toujours être disponible au service. Au contraire, le *phélonion* sacerdotal, qui est un vêtement sans manches, montre que le prêtre est dégagé des affaires de ce monde et que dans la liturgie elle-même son agir humain est entièrement soumis à l'action divine. L'*épitrachélion* désigne la grâce du sacerdoce, que le prêtre a reçue et qu'il doit s'assimiler par l'ascèse. La ceinture, avec laquelle le célébrant serre le *sticharion*, suggère cette même ascèse. L'*omophorion* épiscopal est le signe de l'autorité que l'évêque exerce sur ses subordonnés. L'*hypogonation*, rappelant le glaive spirituel dont parle saint Paul (*Éphés.* 6, 17), indique le pouvoir de juger et de punir, que l'évêque a reçu en délégation de la part de Dieu. Dans cet opuscule liturgique, Cabasilas met donc en œuvre une méthode d'interprétation des rites, que l'*Explication de la divine liturgie* ne laissait point entrevoir, car elle expliquait les cérémonies liturgiques en tant qu'elles représentent l'économie rédemptrice du Christ et qu'elles sanctifient les âmes. L'*Explication des ornements sacrés* rappelle, dans la perspective du livre VII de la *Vie dans le Christ*, que la grâce divine communiquée par le sacrement doit être mise en valeur par l'action morale de l'homme.

L'*Explication des rites de la divine liturgie*, bien qu'elle soit notablement plus longue, apporte moins d'éléments

---

1. Le *sticharion*, correspondant à l'aube dans le rite latin, est l'ornement commun à tous les ordres sacrés. Pour la description des autres vêtements liturgiques, voir plus loin p. 364, n. 1-2 et p. 366, n. 1-2.

nouveaux. Il y a lieu de distinguer une double série de passages : les uns traitent plus sommairement de rites dont il est question de façon plus détaillée dans l'*Explication de la divine liturgie*, les autres ne trouvent pas leurs semblables dans le commentaire principal. Font partie de la première série : l'explication des rites de la prothèse, ainsi que des cérémonies de la petite et de la grande entrée ; l'exposé sur le sens général des lectures et des chants ; les considérations plus théologiques sur la nature du sacrifice eucharistique et sur les rapports entre l'eucharistie et l'Église ; le long développement sur le symbolisme de l'eau chaude versée dans le calice au moment de la communion. Les passages originaux concernent : le recouvrement des oblats par le voile après la grande entrée, les prières de l'offrande avec la commémoraison des saints, le lavement des mains du prêtre et la déposition de l'*omophorion* par l'évêque.

Principes de la présente édition

La présente édition ne repose pas sur une étude exhaustive de la tradition manuscrite. L'âge des témoins utilisés et l'insignifiance de leurs variantes permettent de se dispenser, sans trop de témérité, de pareil examen[1]. Notre édition a pour base les manuscrits suivants :

Paris, Bibliothèque Nationale, grec 1356 (xve siècle), ff. 206r - 207v (= P).

Vatican, Palatinus graecus 256 (xve siècle), ff. 379v - 382r (= V).

Vienne, Codex historicus graecus 36 (xve siècle), ff. 375r - 376v (= W).

---

1. Fabricius indique d'autres manuscrits qu'il a connus : Fabricius-Harles, *Bibliotheca graeca*, t. X, p. 459 s., reproduit dans *PG* 150, 358.

P offre le meilleur texte. Malheureusement ce témoin est incomplet : la finale du deuxième traité manque (*Explicit : ὡς τότε ἐπιδημοῦντος*, p. 376, l. 101). Les variantes de ce manuscrit ont été traitées de manière préférentielle. W présente parfois des additions ou des corrections. Le copiste de V est franchement négligent : il commet des fautes de lecture ou de transcription et il lui arrive de faire des omissions. En deux points nous avons corrigé une leçon commune à P V W, qui reproduisent visiblement une faute déjà contenue dans l'archétype (*Explication des rites de la divine liturgie*, p. 368, l. 14 : Παύλου au lieu de πάθους; p. 370, l. 24-25 : παρουσίαν au lieu de παρρησίαν). La variante P V W ne donne pas beaucoup de sens et le texte parallèle de l'*Explication de la divine liturgie* garantit le bien-fondé de ces corrections. L'apparat se compose, pour le premier opuscule, de deux éléments : d'une part, les variantes ; d'autre part, les références aux livres bibliques et aux écrits patristiques. Pour le deuxième opuscule, nous avons ajouté dans un apparat particulier l'indication des passages parallèles de l'*Explication de la divine liturgie*.

Bien que la présente édition ne repose pas sur une investigation complète de la tradition manuscrite, nous espérons que la publication de ces deux opuscules, qui jusqu'à présent dormaient dans la pénombre des bibliothèques, fera mieux connaître et apprécier l'œuvre liturgique de Cabasilas.

Nous remercions bien sincèrement le R.P. C. Mondésert et le R.P. L. Doutreleau, qui nous ont aimablement procuré les photocopies des trois manuscrits utilisés et qui ont accueilli notre travail dans la collection « Sources Chrétiennes ». Nous exprimons de même notre gratitude au R.P. J. Darrouzès qui a bien voulu relire ces pages et nous proposer d'utiles corrections.

SIGLES ET ABRÉVIATIONS

P = Paris, Bibliothèque Nationale, grec 1356 (xvᵉ siècle), ff. 206ʳ - 207ᵛ.

V = Vatican, Palatinus graecus 256 (xvᵉ siècle), ff. 379ᵛ-382ʳ.

W = Vienne, Codex historicus graecus 36 (xvᵉ siècle), ff. 375ʳ - 376ᵛ.

EDL = Nicolas Cabasilas, *Explication de la divine liturgie*, texte grec, édition P. Périchon.

PG = Migne, *Patrologie grecque*.

add = ajoute(nt).

corr = corrige(nt).

int = interverti(ssen)t.

om = omet(tent).

V¹ = rédaction de première main.

⟨ ⟩ = mot ne figurant pas dans P V W, rétabli selon *EDL*

Τοῦ σοφοτάτου κυρίου Νικολάου τοῦ Καβασίλα
εἰς τὴν ἱερὰν στολήν

1. Ἡ μὲν τοῦ διακόνου στολὴ χειρίδας ἔχει· διάκονος γὰρ καὶ δεῖ πρὸς τὸ ἔργον εὐπρεπεῖς φαίνεσθαι τὰς χεῖρας ἔχοντα.
5 Ἡ δὲ τοῦ ἱερέως ὃν καὶ φελώνην καλοῦσιν ἄνευ χειρίδων, σημαίνουσα κατὰ τὰς ἀνθρωπίνας ἐνεργείας ἀργὸν εἶναι τὸν ἱερέα, εἴτε κατὰ τὸν βίον ἁπλῶς ὡς ἂν ἔξω σαρκὸς ὄντα καὶ κόσμου, εἴτε κατ' αὐτὴν τὴν τελετήν, ὅτι πᾶσα καθαρῶς τῆς θείας ἐξήρτηται μόνης χειρὸς καὶ οὐδὲν ἐκεῖνος εἰς αὐτὴν
10 ἀνθρωπίνης ἐνεργείας εἰσφέρει.
2. Ὁ δὲ ἐπὶ τοῦ τραχήλου λῶρος τὴν ἐπιχεομένην αὐτῷ χάριν τῆς ἱερωσύνης σημαίνει, ἥτις ἀναπαύεται ἐν τῷ τραχήλῳ τῷ δεξαμένῳ τὸν τοῦ Χριστοῦ ζυγὸν καὶ διὰ τοῦ στήθους μέχρι τῶν ποδῶν διήκει, τὴν καρδίαν ἡμεροῦσα καὶ πᾶν τὸ
15 σῶμα ἁγιάζουσα, ἣν δεῖ καὶ τῇ ζώνῃ τῇ ἐπιμελείᾳ τῶν ἀρετῶν καὶ τῇ κολάσει τῶν σαρκίνων ἐπιθυμιῶν ἐπισφίγγειν ἑαυτοῖς καὶ οἷον ἐντήκειν κατὰ τὴν τοῦ μαντερίου Παύλου ἐντολὴν κελεύοντος Τιμοθέῳ· « μὴ ἀμέλει τοῦ ἔν σοι χαρίσ-ματος[a] ».

3 γὰρ : ἐστι add W ‖ 9 ἐξήρτηται : ἐξήργηται V ‖ 12 ἐν om V ‖ 15 τῇ ζώνῃ : τὴν ζώνην corr W

a. I Tim. 4, 14

1. Le *phélonion* est l'habit du célébrant. C'est un vêtement très ample, sans manches, avec une seule ouverture au centre pour passer la tête. Il correspond à la chasuble du rite latin.
2. L'*épitrachélion*, correspondant à l'étole du rite romain, est l'insigne caractéristique du sacerdoce. Il s'agit d'une longue bande

Vêtement diaconal et phélonion sacerdotal

1. Le vêtement du diacre a des manches : le diacre doit
en effet montrer qu'il a les mains disposées au service. Le
vêtement du prêtre, qu'on appelle aussi *phélonion*[1], est
sans manches : il signifie que le prêtre est dégagé des
activités humaines, soit dans la vie tout court, parce que
le prêtre est comme sorti de la chair et du monde, soit dans
la liturgie elle-même, parce que celle-ci dépend tout entière
sans mélange de la main divine et que le prêtre n'y apporte
aucune activité humaine.

Épitrachélion

2. L'*épitrachélion*[2] signifie la grâce du sacerdoce qui est
répandue sur le prêtre. Cette grâce repose sur le cou qui
a reçu le joug du Christ ; elle descend par la poitrine jusqu'aux pieds ; elle apprivoise le cœur et elle sanctifie tout
le corps. Par la *ceinture* les prêtres doivent, dans la pratique
des vertus et la répression des désirs charnels, serrer cette
grâce contre eux et pour ainsi dire la faire fondre en eux,
selon l'ordre de Paul divinement inspiré qui recomman-
dait à Timothée : « Ne néglige pas le don spirituel qui est
en toi[a]. »

d'étoffe que le prêtre porte sur le cou et dont les deux extrémités
retombent jusqu'en dessous des genoux.

20 **3.** Ὁ δὲ ἐπὶ τῶν ὤμων τιθέμενος μετὰ τὸν φελώνην τοῖς ἀρχιερεῦσιν ὃς καὶ ὠμοφόριον λέγεται τὴν οἰκονομίαν καὶ τὴν ἐπισκοπὴν τῶν ὑπὸ χεῖρα σημαίνει, ἣν ὑπέρχονται οἱ ἐπίσκοποι καθάπερ ἀνέχοντες τοὺς ἀρχομένους ταῖς φροντίσιν, ὥσπερ τὰ παιδία αἱ μητέρες, ἃ μὴ δυνάμενα δι᾽ ἑαυτῶν
25 βαδίζειν, αὐταὶ πορεύουσιν ἀναιρούμεναι καὶ ἐπὶ τῶν ὤμων κομίζουσαι· ταῦτα γὰρ ὁ ἐπίσκοπος εἰς τοὺς ὑπ᾽ αὐτὸν δύναται.

4. Ἐπεὶ δὲ οὐ πατὴρ μόνον ἐστὶ καὶ παιδαγωγός, ἀλλὰ καὶ δικαστὴς καὶ τέμνειν οἶδε καὶ κολάζειν πνευματικῶς, καὶ τύπον τινὰ ῥομφαίας περιζωννύουσιν αὐτόν, τὸ λεγόμενον
30 γονάτιον, ὃ πρὸς σχῆμα ξίφους ἐσχημάτισται, ἐπεὶ καὶ « μάχαιράν τινα Πνεύματος[b] » ἀκούομεν, καὶ δῆλον ἀπὸ τοῦ ἐπιλεγομένου· ἡνίκα γὰρ αὐτὸ τῆς ζώνης ἐξαρτῶσι, « περίζωσαι, φασί, ῥομφαίαν σου ἐπὶ τὸν μηρόν σου, δυνατέ[c] »· ὄντως γὰρ δυνατός, ὁ τὸν ἰσχυρὸν Θεὸν ἐν ἑαυτῷ ἔχων.

---

27 οὐ : ὁ V ‖ 32 ἐξαρτῶσι : ἐξαρτῶσιν V ‖ 33 ἐπὶ : αὖθι V

---

b. Éphés. 6, 17   c. Ps. 45, 4 = Liturgie byzantine : F. E. BRIGHTMAN, *Liturgies Eastern and Western*, I. *Eastern Liturgies*, Oxford 1896, p. 355, l. 38

1. L'*omophorion* est l'insigne distinctif des évêques. C'est une longue bande d'étoffe qui se porte autour du cou et dont les deux extrémités retombent, l'une sur la poitrine, l'autre sur le dos. L'*omophorion* des Orientaux correspond au *pallium* des Occidentaux.

2. L'*hypogonation* est un losange en carton, recouvert d'étoffe ou de broderies. Il se porte à la hauteur du genou au moyen d'un ruban attaché à la ceinture. Cet insigne honorifique était d'abord réservé aux évêques, mais il fut ensuite concédé à d'autres dignitaires

Omophorion

3. L'insigne qui est posé après le *phélonion* sur les épaules des évêques et qu'on appelle aussi *omophorion*[1] signifie le gouvernement et la direction des subordonnés. Les évêques s'en chargent comme pour supporter ceux qui sont gouvernés par leurs soins. Les mères en font de même avec leurs enfants qui ne peuvent pas encore marcher par eux-mêmes : elles vont d'un endroit à l'autre, les tenant soulevés dans les bras et les portant sur les épaules. Tel est le pouvoir de l'évêque sur ses sujets.

Hypogonation

4. Puisque l'évêque n'est pas seulement père et péda-gogue, mais aussi juge, et qu'il sait retrancher et châtier spirituellement, on le ceint d'un symbole de glaive. C'est ce qu'on appelle l'*hypogonation*[2], qui a la forme et l'appa-rence d'une épée ; car nous entendons parler « d'un glaive de l'Esprit[b] ». Cela est évident d'après ce qui vient d'être dit. En effet, chaque fois qu'ils se l'attachent à la ceinture, ils disent : « Ceins ton épée sur ta cuisse, puissant[c] », car il est vraiment puissant celui qui a en lui le Dieu fort.

ecclésiastiques. Le célébrant, en fixant l'hypogonation à la ceinture, prononce le texte du *Ps.* 45, 4, cité par Cabasilas : cf. SYMÉON DE THESSALONIQUE, *De sacra liturgia*, c. 81 : *PG* 155, 260 A ; *Expositio de divino templo*, c. 41 : *ibid.*, 713 C.

Τοῦ αὐτοῦ περὶ τῶν ἐν τῇ θείᾳ λειτουργίᾳ τελουμένων

1. Τὰ ἐν τῇ προθέσει γινόμενα ἐν τῷ προσαγομένῳ ἄρτῳ πρακτικὴ διήγησίς ἐστι τοῦ πάθους τοῦ Χριστοῦ καὶ γὰρ εἰς ἀνάμνησιν[a] ἐκείνου γίνεται, καθ' ὅσον ἔπαθεν ὑπὲρ ἡμῶν καὶ
5 ἀπέθανε. Καὶ οὕτως ὁ θάνατος τοῦ Κυρίου ἐνταῦθα καταγγέλλεται[b], οὐ δι' ὧν οἱ ἱερεῖς λέγουσι μόνον, ἀλλὰ καὶ δι' ὧν ποιοῦσι. Τοῦτο δὲ ἀρχαῖον ἔθος ἦν καὶ πρακτικῶς ἐνίοτε καὶ παρῄνουν καὶ προφήτευον. Καὶ γὰρ πατέρα τινὰ τῶν θεοφόρων ἐρωτηθέντα τί ἐστι μοναχός, ἀποκριθῆναι μὲν οὐδέν, τὸ δὲ
10 ἱμάτιον τὸ μοναχικὸν ὅπερ ἠμφίεστο, φασί, περιδυθέντα καταπατῆσαι, δεικνύντα τὴν ὀφειλομένην τῷ μοναχῷ ταπείνωσιν καὶ ὑπομονήν. Καὶ ὁ προφήτης, δηλῶσαι βουλόμενος τὴν τῶν Ἑβραίων αἰχμαλωσίαν, ἔδησεν ἑαυτὸν[c] καὶ Ἄγαβος τὸ αὐτὸ τοῦτο ἐποίησε, σημαίνων τὰ τοῦ < Παύλου > δεσμά[d].
15 **2.** Τὰ πρὸ τῆς εἰσόδου τῶν τιμίων δώρων ᾀδόμενα καὶ ἀναγινωσκόμενα προπαρασκευαί εἰσι πρὸς τὴν ὑποδοχὴν τοῦ

4 καθ' ὅσον : καθόσον V W ‖ 7 πρακτικῶς : πρακτικῶν V ‖ 14 Παύλου EDL, VI, n° 3 : πάθους P V W

a. Cf. I Cor. 11, 24.25 = Liturgie byzantine, F. E. BRIGHTMAN, *op. cit.*, p. 356, l. 30   b. Cf. I Cor. 11, 26   c. Cf. Éz. 3, 25 ; 4, 8   d. Cf. Act. 21, 10-11

2-14 : *EDL* VI, 2-3 ‖ 15-20 : *EDL* XXII, 4-5

1. Cabasilas rapporte peut-être ici, sous une forme légèrement différente, l'histoire que les *Apophtegmes* attribuent au moine Zacharie.

DU MÊME, AU SUJET DES RITES
DE LA DIVINE LITURGIE

Rites de la prothèse

1. Les rites accomplis à la prothèse sur le pain qui est présenté sont un récit en action de la passion du Christ, car ils sont faits en mémoire de lui[a], en tant qu'il a souffert pour nous et qu'il est mort. Ainsi la mort du Seigneur est alors annoncée[b], non seulement par ce que les prêtres disent, mais aussi par ce qu'ils font. C'était une coutume ancienne d'exhorter parfois ou de prophétiser ainsi en action. Un des pères théophores[1], auquel on demandait ce qu'était un moine, ne répondit rien, mais il enleva l'habit monastique dont il était vêtu, dit-on, et il le foula aux pieds : il montrait par là l'humilité et l'endurance qui conviennent au moine. De même le prophète, voulant annoncer la captivité des Hébreux, se mit lui-même des liens[c]. Agabus en fit autant pour signifier la captivité de Paul[d].

Chants et lectures

2. Les chants et les lectures qui ont lieu avant l'entrée des dons précieux préparent à recevoir la sanctification de

---

Interrogé par son père spirituel qui lui demandait ce qu'il devait faire, Zacharie enleva son *koukoulion* ou vêtement de tête, le foula aux pieds et dit : « Si un homme n'est pas broyé de cette manière, il ne peut pas être un moine. » *Apophtegmata Patrum, Zacharie* 3 : *P G* 65, 180 AB.

ἁγιασμοῦ τῆς κοινωνίας καὶ ὅτι περὶ τοῦ Κυρίου καὶ τῆς
αὐτοῦ οἰκονομίας διαλαμβάνουσι, τὰ μὲν παλαιὰ ὡς προφη-
τεῖαι καὶ προκαταγγέλλοντα τὸν ἐρχόμενον, τὰ δὲ νέα διὰ τὸ
20 δεικνύναι καὶ καταγγέλλειν ἤδη φανέντα.

3. Ἡ δὲ τοῦ εὐαγγελίου εἴσοδος γίνεται μὲν κατὰ χρείαν,
ὅτι ἐν τῷ σκευοφυλακίῳ κείμενον ἔδει εἰσαχθῆναι εἰς τὸν
ναὸν ἐπὶ τῷ ἀναγνωσθῆναι καὶ μετὰ δορυφορίας, ὡς τίμιον·
δηλώσειε δ' ἂν καὶ τὴν ἐκ τοῦ ἀφανοῦς εἰς τὸ φανερὸν <παρου-
25 σίαν> τοῦ κηρύγματος.

4. Ὁμοίως δὲ καὶ ἡ εἴσοδος τῶν ἁγίων δώρων κατὰ
χρείαν γίνεται, ὅτι καὶ αὐτὰ ἐν τῷ σκευοφυλακίῳ κεῖσθαι ἦν
ἔθος καὶ ἡ δορυφορία δὲ καὶ τὸ μετὰ ἀσμάτων εἰσάγεσθαι καὶ
θυμιαμάτων καὶ φωτῶν ἔθος ἦν τοῖς δώροις τοῦ Θεοῦ· οὕτω
30 γὰρ εἰσῆγον το. Διὰ τοῦτο καὶ τὰ ὑπὸ τῶν βασιλέων ἀφιερού-
μενα τῷ Θεῷ δῶρα, αὐτοὶ οἱ βασιλεῖς εἰσῆγον ἐστεφανόμενοι.

Προσπίπτομεν δὲ καὶ δεόμεθα τοῦ ἱερέως ἵνα ἡμῶν μνησθῇ
ἐν τῇ προσαγωγῇ τῆς θυσίας. Εἰκότως· οὐ γὰρ ἔστιν ἄλλος
τρόπος τῆς εἰς Θεὸν τῶν ἱερέων πρεσβείας ὑπὲρ ἡμῶν οὕτω
35 χρηστὰς καὶ βεβαίας παρεχόμενος τὰς ἐλπίδας, ὡς ὁ διὰ τῆς
ἱερᾶς ταύτης θυσίας, ἢ τὰς ἁμαρτίας καὶ τὰς ἀσεβείας τοῦ
κόσμου πάσας δωρεὰν ἐκαθάρισεν[e]. Εἰ δὲ ἔνιοι τῶν προσπιπτόντων ὡς σῶμα καὶ αἷμα τοῦ Χριστοῦ τὰ τίμια δῶρα καὶ
προσκυνοῦσι καὶ προσφθέγγονται, ἀπὸ τῆς λειτουργίας τῶν
40 προηγιασμένων ἠπατήθησαν· τότε γὰρ τετελεσμένα εἰσάγονται
καὶ ὡς σῶμα καὶ αἷμα Χριστοῦ προσκυνεῖσθαι αὐτὰ δεῖ.

---

22 et 27 σκευοφυλακίῳ : σκευοφυλακείῳ V W ‖ 24-25 παρουσίαν
EDL, XVI, nᵒ 4, et XXII, nᵒ 5 : παρρησίαν P V W ‖ 26 δὲ om V W ‖
40 τετελεσμένα : τελεσμένα V

---

e. Cf. I Jn 1, 7

21-25 : *EDL* XX, 1-2 ; cf. XV, 9-10 ; XVI, 4.6 ; XXII, 4 ‖ 26-
41 : *EDL* XXIV, 1-2, 4-5

la communion. On les explique aussi en les appliquant au Seigneur et à son économie : les écritures de l'Ancien Testament prophétisaient et prédisaient le Seigneur qui devait venir ; les écritures du Nouveau Testament montrent et proclament le Seigneur qui s'est déjà manifesté.

Entrée de l'Évangile

3. L'entrée de l'Évangile se fait pour une utilité pratique : le livre des évangiles, se trouvant dans la sacristie, devait être introduit dans l'église pour y être lu et cela dans un cortège, en raison de sa dignité. Ce rite signifierait aussi que le message, d'abord caché, s'est manifesté et qu'il est là.

Entrée des saints dons

4. De même l'entrée des saints dons se fait pour une utilité pratique, parce que d'habitude ils se trouvaient eux aussi dans la sacristie ; on avait coutume d'introduire les dons offerts à Dieu dans un cortège, avec des chants, de l'encens et des lumières. C'est de cette manière en effet qu'ils étaient introduits. Aussi lorsque les rois présentaient leurs offrandes à Dieu, ils les introduisaient eux-mêmes, couronne en tête.

Nous nous prosternons et nous demandons au prêtre de se souvenir de nous durant la présentation du sacrifice. A bon droit d'ailleurs, car les prêtres n'ont pas d'autre moyen pour intercéder aussi efficacement auprès de Dieu en notre faveur et pour affirmer notre espérance que d'offrir ce saint sacrifice qui purifie gratuitement tous les péchés et toutes les impiétés du monde[e]. Si quelques-uns de ceux qui se prosternent, adorent et vénèrent les dons précieux comme le corps et le sang du Christ, ils ont été induits en erreur par la liturgie des présanctifiés ; car dans le cas de cette liturgie, ce sont des dons consacrés qui sont apportés et il faut les adorer comme le corps et le sang du Christ.

5. Τὰ δῶρα δὲ ἐπὶ τῆς τραπέζης τεθέντα καλύπτεται ἵνα
ἀποκαλυφθέντα καὶ μετὰ τὸ ἁγιασθῆναι διαιρεθέντα εἰς
μετάληψιν τῶν πιστῶν δηλώσῃ κατὰ τὸν θεῖον Διονύσιον[f]
45 τὸν Ἰησοῦν ἀπὸ τοῦ κρυφίου καὶ ἀδιαιρέτου εἰς τὸ φανερὸν
τῇ αἰσθήσει καὶ διαιρετὸν κατερχόμενον ἵνα μεταδῷ ἡμῖν
ἑαυτοῦ καὶ τῆς ἑαυτοῦ μακαριότητος.

6. Ἡ δὲ μετὰ τὴν ἀπόθεσιν τῶν ἱερῶν δώρων εὐθὺς
γινομένη μνήμη καὶ ἀνάρρησις ἐνίων ἱερῶν ἀνδρῶν τὴν πρὸς
50 τὸν Χριστὸν κοινωνίαν τῶν μνημονευομένων δηλοῖ κατὰ τὸν
θεῖον Διονύσιον[g], ὡς ἂν ἅμα τῷ τὸν Χριστὸν διὰ τῶν συμ-
βόλων δηλωθῆναι καὶ αὐτῶν εὐθὺς διὰ τῆς ἀναρρήσεως
φαινομένων.

7. Ἡ δὲ ἀπόνιψις τοῦ ἱερέως ἔμπροσθεν γινομένη τῶν
55 τιμίων δώρων διδάσκει ὅτι τὸν ἱερέα δεῖ καθαρίζειν ἑαυτὸν
ἔμπροσθεν τῶν τοῦ Θεοῦ ὀφθαλμῶν μέχρι καὶ τῶν ἐσχάτων.

8. Ἀποτίθεται δὲ τὸ ὠμοφόριον ὁ ἐπίσκοπος ἁπτόμενος
τῆς ἱερουργίας, ὅτι τὸ μὲν σημεῖον ἀρχῆς ἐστι τὸ ὠμοφόριον·

f. Cf. PSEUDO-DENYS, *Hiérarchie ecclésiastique*, III, 3, 12-13 : *P G* 3,
441 C - 444 D   g. Cf. PSEUDO-DENYS, *op. cit.*, III, 3, 9 : *P G* 3,
437 BC

---

1. Ce passage fait probablement allusion à la prière de l'offrande
selon la liturgie de saint Basile. Le prêtre y rappelle, en effet, « les
dons d'Abel, les sacrifices de Noé, les holocaustes d'Abraham, les
offrandes sacerdotales de Moïse et d'Aaron, les oblations pacifiques
de Samuel, (...) le culte véritable des saints apôtres ». Cf. F. E. BRIGHT-
MAN, *op. cit.*, p. 401, l. 28-31.

2. Cabasilas témoigne ici de la survivance, à la liturgie célébrée
par un simple prêtre, du lavement des mains après la grande entrée.
Aux XIIIe-XIVe siècles, le *lavabo* se dissocia peu à peu des rites de l'offertoire et s'inséra parmi les rites de la préparation des ministres, sauf
à la liturgie pontificale, où il se maintint à sa place primitive. Ce
déplacement est déjà attesté par l'eucologe contenu dans le *codex 34
de l'Esphigménon* de l'année 1306 (éd. A. DMITRIEVSKII, *Description
des manuscrits liturgiques conservés dans les bibliothèques de l'Orient
orthodoxe*, en russe, t. II, *Euchologia*, Kiev 1901, p. 262-269) ; ce changement fut adopté vers le milieu du XIVe siècle par la *Diataxis* de
PHILOTHÉE KOKKINOS (éd. P. N. TREMPELAS, Αἱ τρεῖς λειτουργίαι

On couvre les oblats

5. Les dons, placés sur l'autel, sont recouverts d'un voile. Ils sont découverts et divisés après la consécration pour être donnés en communion aux fidèles. En cela ils montrent, selon le divin Denys[f], Jésus qui descend du monde caché et indivisible dans celui des apparences sensibles et divisibles pour se communiquer lui-même et sa propre béatitude.

Prière de l'offrande et mémoire des saints

6. Aussitôt après la déposition des saints dons, on fait mémoire de quelques hommes saints dont on proclame le nom. Ce rite signifie, selon le divin Denys[g], la communion avec le Christ de ceux dont il est fait mémoire ; en effet, en même temps que l'on montre le Christ moyennant les symboles, eux-mêmes deviennent pour ainsi dire aussitôt présents par cette proclamation[1].

Lavement des mains

7. Le lavement des mains que le prêtre fait devant les dons précieux[2] enseigne que le prêtre doit se purifier lui-même devant le regard de Dieu jusqu'au plus profond de son être.

Déposition de l'omophorion

8. L'évêque, en commençant l'action sainte, dépose l'omophorion[3], parce que l'omophorion est le signe de son

κατὰ τοὺς ἐν Ἀθήναις κώδικας, Athènes 1935, p. 1-16) et passa de là aux éditions imprimées de l'eucologe.

3. Selon Syméon de Thessalonique, l'évêque dépose l'*omophorion* avant la lecture de l'évangile (*De sacra liturgia*, c. 98 : *PG* 155, 293 C ; *Expositio de divino templo*, c. 69 : *ibid.*, 724 C), pour le reprendre avant

ὅταν δὲ ἱερέως ἔργον ποιῇ, οὐδὲν ποιεῖ ἀρχικόν· ὅταν δὲ ᾖ
60 χειροτονεῖν ἢ μεταδιδόναι δέῃ τῶν ἁγιασμάτων, πάλιν αὐτὸ
περιτίθηται, ὡς ἂν ταῦτα ποιμένος ἔργα ποιῶν τὸ χειροτονεῖν καὶ ἁγιάζειν.

9. Ἐπεὶ δὲ ὁ ἱερεὺς θύτης λέγεται καὶ τὰ δῶρα θυσία καὶ
προσαγωγή, ζητοῦμεν πότε θύεται ὁ ἄρτος, πρὸ τοῦ ἁγιασθῆ-
65 ναι ἢ μετὰ τὸ ἁγιασθῆναι· καὶ εἰ μὲν πρὸ τοῦ ἁγιασμοῦ,
ψιλὸς ἄρτος θύεται καὶ οὐκ ἔστιν ἡ θυσία τοῦ Ἀμνοῦ τοῦ
Θεοῦ, ὅπερ ἐναντίον ἐστὶ τῇ ἀληθεῖ δόξῃ· εἰ δὲ μετὰ τὸ
ἁγιασθῆναι, τότε θύεται ὑπὸ τοῦ ἱερέως, πολλάκις θύεται
ὁ Χριστός, ὅπερ ἐναντίον ἐστὶ τῷ « ἅπαξ προσενεχθεὶς εἰς τὸ
70 πολλῶν ἀνενεγκεῖν ἁμαρτίας[h] » καὶ τοῖς ἑξῆς. Τί οὖν ἐστιν
εἰπεῖν; ὅτι ὁ ἄρτος θύεται οὔτε πρὸ τοῦ ἁγιασθῆναι, οὔτε
μετὰ τὸ ἁγιασθῆναι, ἀλλ᾽ ἐν ᾧ ἁγιάζεται· τότε γὰρ γίνεται
ὁ ἄρτος αὐτὸ τὸ σῶμα τοῦ Κυρίου. Ἐπεὶ δὲ τὸ σῶμα τοῦ
Κυρίου προσηνέχθη καὶ ἐτύθη, αὐτός ἐστι προσενηνεγμένος
75 καὶ τεθυμένος. Καὶ τοῦτό ἐστι προσενεχθῆναι καὶ τυθῆναι τὸν
ἄρτον, τὸ γενέσθαι αὐτὸ τὸ σῶμα τοῦ Κυρίου τὸ προσενηνεγ-
μένον καὶ τεθυμένον. Καὶ οὕτως ἥ τε σωτήριος θυσία τελεῖται
τοῦ Ἀμνοῦ τοῦ Θεοῦ καὶ τὸ σῶμα τοῦ Κυρίου μένει ἅπαξ
προσενεχθέν.

80 10. Διὰ τοῦτο καὶ ἡ τράπεζά ἐστι μὲν αὐτὸ τοῦτο ἀληθῶς
τράπεζα, ὅτι τὰ ἐπικείμενα ἅγια « βρῶσίς ἐστι καὶ πόσις

60 τῶν ἁγιασμάτων : τῶν ἁγίων ᾀσμάτων V¹ ‖ 67 ἀληθεῖ δόξῃ :
ἀληθῆ δόξει int P ‖ εἰ δὲ + καὶ P

h. Héb. 9, 28

63-79 : *EDL* XXXII, 1-15 ‖ 80-88 : cf. *Vie dans le Christ*, l. V :
PG 150, 625-636

l'élévation et la fraction (*Expositio de divino templo*, c. 90 : *ibid.*,
740 D). Tel semble être aussi l'usage connu de Cabasilas, qui paraît
insinuer que l'évêque reprend l'*omophorion* pour distribuer la communion. Dans la liturgie moderne, l'évêque porte le petit *omophorion*,
à la place du grand *omophorion*, depuis l'évangile jusqu'après la
communion.

autorité ; or quand il agit en simple prêtre, il ne fait rien en vertu de son autorité. Cependant, lorsqu'il doit conférer les saints ordres ou distribuer les choses saintes, il remet à nouveau l'omophorion, parce qu'en conférant les ordres ou en transmettant la sanctification, il pose bien des actes de pasteur.

Nature du sacrifice eucharistique

9. Puisque le prêtre est appelé un sacrificateur et que les dons sont appelés un sacrifice et une offrande, nous pouvons demander à quel moment le pain est sacrifié : est-ce avant d'être consacré ou après être consacré ? Si c'est avant la consécration, c'est du simple pain qui est sacrifié et ce n'est pas le sacrifice de l'Agneau de Dieu ; cela est contraire à la vraie doctrine. Si le pain est sacrifié après être consacré, alors il est sacrifié par le prêtre et le Christ est sacrifié plusieurs fois ; cela est contraire à la parole de l'Écriture : « Il s'est offert une seul fois pour enlever les péchés d'un grand nombre[h] » et à ce qui suit. Que faut-il donc dire ? Ceci : le pain n'est sacrifié ni avant d'être consacré, ni après être consacré, mais au moment même où il est consacré. C'est alors, en effet, que le pain devient le corps même du Seigneur. Puisque le corps du Seigneur a été offert et sacrifié, le Seigneur lui-même demeure offert et sacrifié. Voici donc ce qu'est pour le pain être offert et sacrifié : c'est devenir le corps même du Seigneur qui a été offert et sacrifié. Ainsi s'accomplit le sacrifice salutaire de l'Agneau de Dieu et le corps du Seigneur reste offert une seule fois.

Symbolisme de l'autel

10. La raison pour laquelle la sainte table est vraiment une table, c'est que les saints dons qu'on y a déposés sont

ἀληθινή[i] », κατὰ τὸν τοῦ Κυρίου λόγον· ἔστι δὲ ἡ αὐτὴ καὶ
θυσιαστήριον ὡς ἀληθῶς, ὡς θυσίας ἐπ' αὐτῆς τελουμένης.
Γίνεται δὲ θυσιαστήριον διὰ τῆς ἀλοιφῆς τοῦ παναγεστάτου
85 μύρου. Τὸ γὰρ μύρον αὐτὸν εἰσάγει τὸν Ἰησοῦν, ὁ θεῖός φησι
Διονύσιος[j]. Ὁ δὲ Ἰησοῦς τὸ ἡμέτερόν ἐστι θυσιαστήριον,
ὁ αὐτός φησι Διονύσιος[k], « δι' οὗ καὶ τὴν προσαγωγὴν ἐσχή-
καμεν[l] ».

11. Τὸ δὲ ζέον ὕδωρ, ὕδωρ τε ὂν καὶ πυρὸς μετέχον, εἰς
90 σύμβολον παραλαμβάνεται τοῦ ἁγίου Πνεύματος ὃ καὶ ὡς
πῦρ ὡράθη[m] καὶ ὕδωρ ὀνομάζεται[n]. Εἰσάγεται δὲ μετὰ τὸ
τελεσθῆναι καὶ ἁγιασθῆναι τὰ τίμια δῶρα, σημαίνον τὴν εἰς
τὴν Ἐκκλησίαν κάθοδον τοῦ ἁγίου Πνεύματος, ἥτις μετὰ τὸ
σφαγῆναι τὸν Χριστὸν καὶ ἀναστῆναι καὶ πᾶσαν πληρωθῆναι
95 τὴν οἰκονομίαν ἐξ ἀρχῆς ἐγένετο καὶ ἐξ ἐκείνου ἀεὶ μετὰ τὸ
τελεσθῆναι τὴν θυσίαν γίνεται· ἐπιδημεῖ γὰρ ὁ Παράκλητος
τοῖς ἀξίως αὐτῆς μεταλαμβάνουσιν. Ἐπεὶ γὰρ ἡ αὐτή ἐστι
θυσία ἡ τότε γενομένη καὶ νῦν τελουμένη, καὶ ὁ αὐτὸς μεσίτης
Χριστός, διὰ τοῦτο καὶ τὸ αὐτὸ Πνεῦμα ἅγιον πιστευόμενον
100 ὁμοίως ἐπιδημεῖν. Ἐγχεῖται δὲ εἰς τὰ ἅγια τὸ τοιοῦτον
θερμὸν ὕδωρ, οὐχ ὡς τότε ἐπιδημοῦντος τοῖς τιμίοις δώροις
τοῦ ἁγίου Πνεύματος, ἐκεῖνα γὰρ ἐν τῷ ἁγιασθῆναι τὴν θείαν
ἐδέξαντο χάριν, ἀλλ' ἵνα σημαίνῃ τὸν τρόπον καθ' ὃν ἡ
Ἐκκλησία μετέσχε καὶ ἀεὶ μετέχει τοῦ ἁγίου Πνεύματος·
105 μετέχει γὰρ διὰ τοῦ μεσίτου, τοῦ Σωτῆρος ἡμῶν Χριστοῦ.
Διὰ τοῦτο πρῶτον ἐγχεῖται τὸ ζέον ὕδωρ εἰς τὰ ἅγια, εἶτα

---

95 ἀρχῆς : μὲν add W ‖ ἀεὶ om W ‖ 97 αὐτῆς om V ‖ ἐπεὶ : ἐπειδή
V ‖ 98 ὁ om V ‖ 101 ἐπιδημοῦντος explicit P

i. Cf. Jn 6, 55   j. Cf. PSEUDO-DENYS, op. cit., III, 4, 3, § 4 et 10 :
PG 3, 477 C - 480 A   k. Cf. PSEUDO-DENYS, op. cit., III, 4, 3, § 12 :
PG 3, 484 D   l. Rom. 5, 2   m. Cf. Act. 2, 3-4   n. Cf. Is.
44, 3. Jn 7, 38-39

89-113 : EDL XXXVII, 1-6

1. Il n'est pas impossible que la signification attribuée par Cabasilas au zéon ou à l'eau chaude versée dans le calice peu avant la

« une nourriture et une boisson véritables[i] » selon la parole du Seigneur. Elle est aussi vraiment un autel, parce qu'un sacrifice y est offert. L'autel est consacré par l'onction du saint chrême. Ce chrême apporte Jésus lui-même, dit le divin Denys[j], et Jésus, dit ce même Denys[k], est notre autel « par qui nous avons eu accès à Dieu[1] ».

Eau chaude versée au moment de la communion

11. L'eau chaude, eau qui a quelque chose du feu, est prise pour un symbole de l'Esprit-Saint lequel s'est manifesté sous l'image du feu[m] et est aussi désigné sous le nom de l'eau[n]. Cette eau chaude est ajoutée, après que les dons précieux ont atteint leur perfection et ont été consacrés : elle signifie la descente de l'Esprit-Saint sur l'Église[1]. Cette venue eut lieu une première fois, après que le Christ eut été immolé, qu'il fut ressuscité et eut accompli toute l'économie ; depuis ce temps-là elle a toujours lieu après que le sacrifice est offert : le Paraclet descend, en effet, sur ceux qui y communient dignement. Puisque c'est le même sacrifice qui eut lieu jadis et qui est offert maintenant et que le même médiateur c'est le Christ, on croit aussi que c'est le même Esprit qui vient pareillement. Cette eau chaude est versée dans les saintes espèces, non pas comme si l'Esprit-Saint descendait à ce moment-là sur les dons précieux — car ceux-ci ont reçu la grâce divine au moment de la consécration — mais pour signifier la manière dont l'Église a reçu et reçoit toujours l'Esprit-Saint : elle le reçoit par le médiateur, le Christ notre Sauveur. C'est pourquoi l'eau chaude est d'abord versée sur les saints dons, ensuite les

communion soit à l'origine de la formule liturgique prononcée à ce moment-là. En accomplissant ce rite, le prêtre dit : « Ferveur de la foi remplie de l'Esprit-Saint » (F. E. Brightman, *op. cit.*, p. 394). Cette formule est encore absente de la *Diataxis* de Philothée Kokkinos (P. N. Trempelas, *op. cit.*, p. 13).

ἐκεῖθεν μετ' αὐτῶν μεταλαμβάνουσιν οἱ ἱερεῖς καὶ τοῖς
ἄλλοις μεταδιδόασιν, ὅτι καὶ τὸ Πνεῦμα τὸ ἅγιον πρῶτον
ἐπλήρωσεν ἑαυτοῦ τὴν θεοφόρον τοῦ Κυρίου σάρκα, εἶτα ἐξ
110 ἐκείνης ὡς ἀπὸ πηγῆς καὶ μετ' ἐκείνης εἰς τὴν Ἐκκλησίαν
ἐξεχέθη καὶ ἀεὶ ἐγχεῖται· καὶ τοῦτο σημαίνων ὁ μαντέριος
Ἰωάννης, « ἐκ τοῦ πληρώματος αὐτοῦ, φησίν, ἡμεῖς πάντες
ἐλάβομεν[o] ».

12. Καὶ ἐπεὶ σῶμα Χριστοῦ ἐστι μὲν αὐτὸ τὸ πανάγιον
115 αὐτοῦ σῶμα τὸ ὁμόθεον, ἔστι δὲ ἡ Ἐκκλησία κατὰ τὸν τοῦ
ἀποστόλου λόγον « ὑμεῖς δέ ἐστε σῶμα Χριστοῦ[p] », διὰ τοῦτο
τὰ γενόμενα ἐν τῷ παναγίῳ αὐτοῦ σώματι παραδείγματά τινά
εἰσι τῶν ἐν τῇ Ἐκκλησίᾳ γινομένων ἢ ἐσομένων. Καὶ γὰρ
ὥσπερ ἐκεῖνος ἐκ Πνεύματος ἁγίου τὴν κάτω γέννησιν
120 ἐγεννήθη, οὕτω καὶ ἡ Ἐκκλησία « οὐκ ἐξ αἵματος οὐδὲ ἐκ
θελήματος σαρκὸς ἀλλ' ἐκ Θεοῦ ἐγεννήθη[q] ». Καὶ ὥσπερ
ἐκεῖνος « ἀπέθανε καὶ ἀνέστη[r] » ἐν δόξῃ, οὕτω καὶ ἡ Ἐκκλησία ἀναστήσεται ἐν δόξῃ τῇ αὐτῇ ἐπὶ τῆς ἐσχάτης ἡμέρας.
Ἀνελήφθη ἐκεῖνος καὶ ἡ Ἐκκλησία ἀναληφθήσεται « ἐν
125 νεφέλαις εἰς ὑπάντησιν[s] » αὐτοῦ. Καὶ ὅλως πολλὴν εὑρή-
σομεν τὴν κοινωνίαν καθ' ἕκαστα διερευνωμένων. Καί τις δὲ
τῶν θεοφόρων πατέρων τὸ ἱδρῶσαι τὸν Χριστὸν ἐν τῷ πάθει
κατὰ τὴν προσευχὴν ὡσεὶ θρόμβοις αἵματος τὰ αἵματα τῶν
μαρτύρων προσημαίνειν[t] ἔφη καὶ ὅτι ἡ Ἐκκλησία δι' αἵματος
130 συσταθήσεται[u]. Διὰ ταῦτα ἐν τῷ ἱερουργουμένῳ ἄρτῳ καὶ

120 ἡ om V

o. Jn 1, 16   p. I Cor. 12, 27   q. Jn 1, 13   r. Cf. I Thess.
4, 14   s. Cf. I Thess. 4, 17   t. Cf. S. JEAN CHRYSOSTOME, *In
omnes sanctos martyres*, 2 : *P G* 49, 709   u. Cf. S. JEAN CHRYSOS-
TOME, *Quales ducendae sunt uxores*, hom. 3, 3 : *P G* 51, 229 et *In
Joh. hom.* 85, 3 : *P G* 59, 463

114-130 : *EDL* XXXVIII, 1-3 ‖ 130-145 : *EDL* XXXVII, 3-6

1. Déjà THÉODORE DE MOPSUESTE compare la venue de l'Esprit-

prêtres la reçoivent avec ceux-ci et ils la communiquent aux autres, parce que l'Esprit-Saint a d'abord rempli de lui-même la chair du Seigneur, porteuse de la divinité[1], et qu'ensuite il s'est répandu à partir d'elle comme d'une source, et avec elle, dans l'Église et il s'y répand toujours. Jean, divinement inspiré, signifie cela en disant : « De sa plénitude nous avons tous reçu[o]. »

Eucharistie et Église

12. Puisque le corps du Christ est d'une part son corps très saint et divin lui-même et d'autre part l'Église selon cette parole de l'apôtre : « Vous êtes le corps du Christ[p] », les rites accomplis sur le corps très saint du Christ sont en quelque sorte des signes des événements qui s'accomplissent ou s'accompliront dans l'Église. En effet, comme le Christ est né de l'Esprit-Saint selon sa naissance terrestre, ainsi l'Église « n'est pas née ni du sang, ni du vouloir de la chair, mais de Dieu[q] ». De plus, comme le Christ « est mort et ressuscité[r] » dans la gloire, ainsi l'Église ressuscitera dans la même gloire au dernier jour. Le Christ a été enlevé au ciel et l'Église sera enlevée « dans les nuées à sa rencontre[s] ». Pour le dire d'un mot, nous trouverons beaucoup de correspondances en considérant chaque événement l'un après l'autre. Un des pères théophores[2] dit que la sueur versée par le Christ, telles des gouttes de sang, durant la passion au moment de la prière signifiait le sang des martyrs[t] et que l'Église allait être fondée dans le sang[u]. Pour cette raison le prêtre a versé de l'eau chaude sur le pain et le vin

Saint dans le corps inanimé du Seigneur, pour le ressusciter à la vie, et sa venue sur les oblats pour les consacrer. *Homélie 16* (= *2e sur la messe*), *11-12 :* éd. R. Tonneau-R. Devresse, *Les homélies catéchétiques de Théodore de Mopsueste* (Studi e testi, 145), Cité du Vatican 1949, p. 551-553.

2. Les références montrent qu'en ce passage Cabasilas cite quasi textuellement saint Jean Chrysostome sans le nommer explicitement.

οἴνῳ μετὰ τὸν ἁγιασμόν, ὅτε ἀληθῶς σῶμά ἐστι Χριστοῦ καὶ
αἷμα ἐπὶ τῆς τραπέζης κείμενον, θερμὸν ὕδωρ ἐγχέας ὁ ἱερεύς,
οὕτω μεταλαμβάνει αὐτῶν καὶ τοῖς ἄλλοις μεταδίδωσιν,
ὅπερ τὴν εἰς τὴν Ἐκκλησίαν κάθοδον τοῦ ἁγίου Πνεύματος
135 σημαίνει, ἥτις καὶ γέγονε τῆς τοῦ Χριστοῦ οἰκονομίας τελεσθείσης καὶ ἀεὶ γίνεται τῆς θυσίας ἀναφερομένης. Ἡ γὰρ
αὐτὴ μεσιτεία καὶ ὁ αὐτὸς μεσίτης καὶ ἡ αὐτὴ θυσία ἡ ἐπὶ
τοῦ Ποντίου Πιλάτου ἀνενεχθεῖσα προσάγεται ἀεί· διὰ τοῦτο
« ἱερεύς ἐστιν εἰς τὸν αἰῶνα ὁ Χριστός[v] ». Ὅθεν καὶ τὸ
140 Πνεῦμα τὸ ἅγιον οὐκ ἐπιλείπει κατερχόμενον. Σύμβολον δὲ
τοῦ ἁγίου Πνεύματος τὸ ζέον ὕδωρ, ὅτι καὶ ὡς πῦρ ἐφάνη ὅτε
ἐπὶ τοὺς ἀποστόλους κατῆλθε[w] καὶ ὕδωρ καλεῖται[x]. Ἐν
τούτῳ δὲ καὶ ἀμφότερα· ὕδατι γὰρ συνῆλθε τὸ πῦρ. Καὶ ὁ
τρόπος δὲ τῆς μετοχῆς τοῦ ἁγίου Πνεύματος ἐν τῷ συμ-
145 βόλῳ σημαίνεται· διὰ γὰρ τῆς σαρκὸς τοῦ Σωτῆρος τοῦ
ἁγίου Πνεύματος μετέχομεν. Καὶ ὥσπερ οὐκ ἂν ἐλάβομεν
τὸ Πνεῦμα τὸ ἅγιον μὴ τοῦ Χριστοῦ μεσιτεύσαντος, οὕτως
οὐκ ἂν ἐπίομεν τοῦτο τὸ ἐγχεόμενον θερμὸν ὕδωρ μὴ τῆς
θείας μετασχόντες εὐχαριστίας.

138 ἀνενεχθεῖσα : ἐνεχθεῖσα V

v. Cf. Héb. 5, 6 ; 7, 17.21					w. Cf. Act. 2, 3-4					x. Cf. Is. 44, 3.
Jn 7, 38-39.

sanctifiés après la consécration, lorsque le corps et le sang du Christ sont réellement présents sur l'autel : c'est une façon pour lui d'y participer et d'y faire participer les autres, car ce rite signifie précisément la descente de l'Esprit-Saint sur l'Église ; cette venue a eu lieu après que l'économie du Christ eut été accomplie et elle a toujours lieu quand le sacrifice est offert. Car c'est la même médiation et le même médiateur ; et le même sacrifice qui a été offert sous Ponce Pilate continue toujours à être présenté à Dieu. C'est pourquoi le Christ « est prêtre pour l'éternité[v] ». Aussi l'Esprit-Saint ne cesse pas de descendre. L'eau chaude est le symbole de l'Esprit-Saint, parce que celui-ci s'est manifesté comme du feu lorsqu'il est descendu sur les apôtres[w] et il est appelé du nom de l'eau[x]. Dans cette eau chaude, il y a les deux choses, car le feu s'est uni à l'eau. De plus, la manière d'avoir part à l'Esprit-Saint est exprimée dans ce symbole ; car c'est par l'intermédiaire de la chair du Sauveur que nous participons à l'Esprit-Saint. De même que nous n'aurions pas reçu l'Esprit-Saint si le Christ n'était pas intervenu comme médiateur, ainsi nous ne boirions pas de cette eau chaude qui a été versée si nous ne prenions pas part à la divine eucharistie.

INDEX

I. INDEX SCRIPTURAIRE

Les chiffres de droite renvoient aux chapitres de l'*Explication*
(chiffres romains) et aux paragraphes de ces chapitres (chiffres arabes).

II. INDEX DES TERMES GRECS

Cet Index propose un choix des termes liturgiques et doctrinaux les plus caractéristiques du vocabulaire de Cabasilas. Il donne en regard l'équivalent français généralement adopté dans la présente traduction. Le chiffre romain renvoie au chapitre, l'abréviation (t.) au titre du chapitre, le chiffre arabe au paragraphe, A I au premier opuscule de l'appendice, A II au deuxième opuscule de ce même appendice.

ἅγια, τὰ, les dons consacrés : XXXVI, t. ; XXXIX, 1 ; XLII, 5 ; XLIII, 7 ; XLVIII, 2.
ἁγιάζω, sanctifier : *Introd.*, p. 37 ; I, 9, 15 ; XVI, 6 ; XXI, 1 ; XXVII ; XXIX, 16, 17 ; XXX, 8, 9, 10, 12, 13, 14, 16 ; XXXI, 1, 2 ; XXXII, 2, 8 ; XXXIII, 3, 9, XXXIV, 1, 4, 6, 8 ; XXXVI, 1 ; XLI, 1 ; XLII, t., 2, 3, 6, 8, 10 ; XLIII, 4, 5 ; XLV, 4 ; XLVI, 1, 2, 7, 8, 10 ; XLVII, 1, 10 ; XLVIII, 2 ; XLIX, 5, 15, 16 ; A I, 2 ; A II, 5, 8, 9, 11.
ἁγιασμός, sanctification : *Introd.*, p. 37 ; I, 2, 6, 13, 15 ; XXII, 4 ; XXVII ; XXVIII, 5 ; XXIX, 1, 7, 10, 22 ; XXX, 1, 7, 14 ; XXXI, t. ; XXXIV, 2, 5, 6, 8 ; XXXVI, 1, 4, 5 ; XLI, 4 ; XLII, 3, 4, 5, 6, 10, 11 ; XLIII, t., 2, 3, 5 ; XLV, t., 1 ; XLVI, 3 ; XLVII, 10 ; XLVIII, 2 ; LIII, 4 ; A II, 2, 9, 12.
ἄθυτος, non sacrifié ; XXXII, 12, 14.
αἰτέω, demander : XI B, 8 ; XII, 3, 4, 7, 9 ; XIII, 2, 9 ; XV, 1.
αἴτησις, demande : XI B, 2, 8 ; XII, 1, 4, 10 ; XV, 1, 6 ; XXIII, t.
ἀναδείκνυμι, montrer : XX, 1, 2 ; XXII, 4.
— offrir : XLIX, 27.
ἀνάδειξις, ostension : XX, t., 1 ; XXII, 4, 5 ; XXIV, 3.
ἀνάμνησις, commémoration, rappel : VII, 1, 3 ; VIII, 1, 3 ; IX, 1, 4 ; X, 1, 11 ; XXI, 2, 3 ; L, 4, 7 ; A II, 1.

γνῶσις, science : XXVI, 1.

διατίθημι, disposer : I, 4.
δοξολογέω, prononcer en forme de doxologie, louer : X, 14 ; XI B, 4, 9 ; XV, 2 ; XXV, 2 ; XXVII.
δοξολογία, doxologie, glorification : XI B, 1, 2, 3, 5, 9 ; XII, 1, 3 ; XV, 2, 6 ; XVII, 1 ; XIX, 4 ; XXI, 1 ; XXIII, 1, 4 ; XXV, 2 ; XXXV, 3 ; XXXIX, 2 ; XLI, t., 2.

δῶρον, don : I, 5, 6, 8 ; II, 3, 4, 5, 6 ; III, 1 ; IV, 1, 2, 3 ; V, 1, 3 ;
VI, 1 ; VIII, 1 ; X, 1, 4, 5, 6, 13 ; XI A, 1 ; XVI, 3, 6 ; XVIII,
3, 7 ; XXI, 4 ; XXIV, 2, 5 ; XXV, t., 1 ; XXVII ; XXVIII, 5 ;
XXIX, 1, 5, 10, 22 ; XXX, 1, 8, 14, 16, 17 ; XXXII, 2 ; XXXIII,
1, 3, 4 ; XXXIV, t., 1, 2, 4, 5, 6, 8 ; XXXVII, 1 ; XXXIX, t. ;
XLI, 1 ; XLII, t., 2 ; XLIII, 2, 4, 5, 6 ; XLIV, 5 ; XLV, 1 ;
XLVI, 2, 3, 5, 7, 8, 9, 10, 11 ; XLVII, 1, 2, 3, 4, 6, 9 ; XLVIII,
t., 2, 3, 4, 7 ; XLIX, 15, 16, 22, 24, 25, 26, 27, 28 ; L, 2, 3 ; LI, 2 ;
LII, 3 ; A II, 4, 5, 6, 7, 9, 11.

εἰκών, image : XVI, 8 ; XXVII ; XXXII, 2, 10.
ἐξομολογέω, confesser : XI B, 4 ; XII, 3, 4 ; XV, 3 ; XVII, 1.
ἐξομολόγησις, confession : XI B, 2, 7 ; XII, 3, 4 ; XIII, 2 ; XIX, 4 ;
XXIX, 4.
ἐπίγνωσις, connaissance : XVIII, 4.
ἐπιφάνεια, manifestation : XX, 3 ; XXII, 4.
εὐχαριστέω, rendre grâces : X, 6, 10, 12, 14 ; XI B, 4 ; XII, 3, 4 ;
XV, 3 ; XXIII, 4 ; XXVII ; XXXIII, 9 ; XLVIII, 4, 5 ; XLIX,
15, 17, 18, 20, 23, 24, 25, 26, 27 ; L, 7 ; LII, 9, 11, 12 ; LIII, 1.
εὐχαριστήριος, eucharistique : XLIX, 26 ; LII, 2.
εὐχαριστία, action de grâces, eucharistie : X, 4, 13 ; XI B, 2, 6 ;
XII, 4 ; XIII, 2 ; XXVII, t., 1 ; XXIX, 21 ; XXXIII, 4, 5, 7, 9 ;
XXXV, t. ; XXXVII, 2 ; XLI, t., 1, 2 ; XLV, 4 ; XLVIII, 5 ;
XLIX, 1, 12, 17, 19, 21, 22, 23, 24, 25, 28 ; LII, t., 2, 3, 4, 9, 10,
11, 12 ; LIII, t. ; A II, 12.

θεωρέω, contempler, voir : I, 11, 13, 15 ; XVI, 8 ; XXVIII, 2 ;
XXXII, 14 ; XXXVII, 2 ; XLI, 4.
θεωρία, contemplation : I, 11, 12, 14 ; II, 1.
θῦμα, victime : XXVII.
θυσία, sacrifice : I, 6, 15 ; II, 3, 4 ; VI, 5, 6 ; VIII, 3 ; XVI, 2, 3, 4 ;
XVIII, 7 ; XXIII, 3 ; XXIV, 4 ; XXV, 1 ; XXVI, 2 ; XXVII ;
XXX ; 15 ; XXXII, t., 1, 3, 4, 8, 10, 11, 12, 13, 15 ; XXXIII,
t., 1 ; XXXVII, 1 ; XLII, 3 ; L, 3, 8 ; LI, 2, 3 ; A II, 4, 9, 11, 12.
θυσιαστήριον, autel, sanctuaire : II, 2, 5 ; V, 1, 4 ; VI, 2, 6 ; XI A, 3 ;
XV, 10, 11 ; XVI, 6 ; XX, 1 ; XXI, 4 ; XXIV, t., 1, 2 ; XXIX, 8,
16, 17 ; XXX, 7, 8, 9, 11, 12, 13, 14, 15, 16 ; XLII, 10 ; LIII,
2, 4, 6 ; A II, 10.
θύω, sacrifier : XII, 11 ; XXIV, 3 ; XXXII, 2, 3, 4, 6, 10, 13 ;
XXXIII, 4 ; L, 2 ; A II, 9.

ἱερεῖον, victime ; XXX, 9, 15, 16.
ἱερουργέω, consacrer : XXVII ; XXIX, 12 ; XXX, 15 ; XLVI, 2,
9, 10 ; XLIX, 16 ; A II, 12.
ἱερουργία, liturgie, rite sacré : I, 6, 15 ; XI A, 3 ; XI B, 1, 9 ;
XVI, 8 ; XXI, 2 ; XXV, 1 ; XXVII ; XXXIII, 9 ; XLI, I ;
XLV, 4 ; XLVI, 2 ; XLIX, 1, 13, 14, 15, 16, 24 ; L, t., 1 ; LIII,
t., 3.
ἱκεσία, supplication : X, 14 ; XX, 3 ; XXII, 2 ; XXIV, 4 ; XXXIII,

παράθεσις, dépôt que nous confions à Dieu : XIV, t., 2.
παρατίθημι, se confier : XIV, 1, 2, 6, 7.
παρρησία, assurance : X, 13 ; XII, 8 ; XIV, 2.
πρᾶγμα, réalité du sacrifice ; XXXII, 11, 12 ; XXXVI, 4 ; XXXVIII, 1 ; LI, 3.
προηγιασμένα (δῶρα), dons présanctifiés : XXIV, 5 ; A II, 4.
πρόθεσις, prothèse, oblation : I, 8 ; II, 1 ; VI, 1 ; XXV, 2 ; A II, 1.
προσάγω, présenter, offrir en sacrifice : XXXIII, 4 ; XLVI, 2, 3, 6, 8 ; XLVII, 6 ; XLVIII, 3 ; XLIX, 15, 27 ; L, 3.
προσαγωγή, présentation, oblation : X, 1, 4, 11, 13 ; XXVI, 2 ; XXXII, 15 ; XXXIII, 4, 7, ; XLIV, 5 ; XLVI, 2, 5, 6, 8, 10 ; XLVIII, 7 ; XLIX, 24, 26 ; L, 3, 7, 8 ; LI, 2 ; A II, 4, 9.
προσφέρω, offrir : XXVI, 2 ; XXX, 14 ; XXXIII, 1 ; XLII, 2, 3 ; XLVI, 2, 6, 7, 10 ; XLIX, 15, 27 ; L, 7 ; LI, 1 ; A II, 9.
προσφορά, oblation : XLIX, 8, 27, 28 ; L, 8 ; LI, 1.
προφητικά, textes prophétiques : XVIII, t., 2, 3 ; XIX, 5 ; XX, 1, 2.

;
σημαίνω, signifier : I, 6, 8, 9, 12, 14, 15 ; VI, 1 ; X, 1, 13 ; XI A, 1 , XII, 7 ; XIII, 3, 5 ; XIV, 5 ; XVI, 2, 5, 6 ; XVIII, t., 2, 3 ; XIX 1 ; XX, 1 ; XXII, 2, 4, 5 ; XXIII, 2 ; XXXVII, t., 2, 3, 6 , XXXVIII, 1, 2, 3 ; XLII, 10 ; XLIII, 2 ; XLIX, 20 ; A I, 1, 2 3 ; A II, 1, 11, 12.
σημαντικός, significatif, XXXVIII, t.
σημασία, signification : I, 10 ; VI, 2 ; X, 13 ; XVI, t., 6 ; XXII, 4 ; XXIV, 3 ; XXXVII, 1.
σημεῖον, signe : XXI, 5 ; A II, 8.
σύμβολον, symbole : XXXVIII, 1 ; A II, 6, 11, 12.
σφαγή, immolation : XXXII, 2, 4, 13, 14, 15.
σφάγιον, victime : XXXV, 4.
σφάττω, immoler : XXXII, 3, 4, 12, 15.

τελεσιουργέω, consacrer : XXVIII, 2 ; XXIX, 14, 17.
τελεστικός, consécratoire, décisif ; XXVII ; LI, 1.
τελετή, rite : I, 4, 6, 11, 15 ; VII, 2, 3 ; XXI, 3 ; XXV, 1 ; XXVIII, 5 ; XXX, t. ; XXXII, 6, 11 ; XXXIII, 4 ; XXXVII, 2 ; XLI, 1 ; XLII, 2 ; XLIII, 4, 5 ; XLVI, 1, 2, 9 ; XLIX, 4, 22, 24 ; LII, t., 2, 10 ; A I, 1.
τελέω, accomplir le sacrifice : XXVII ; XXIX, 1, 5 ; XXX, t. ; XXXII, 8, 12 ; XXXIII, 1, 4, 9 ; XXXVII, 5 ; XLIX, 3, 5, 13, 15 ; LIII, 3, 6 ; A II, 4, 10, 11, 12.
τράπεζα, sainte table, autel : XV, 11 ; XXV, 1 ; XXVII ; XXXIII, 3 ; XXXVI, 1 ; XLII, t., 11, 12 ; XLIII, 6, 7 ; XLIV, 5 ; XLV, 3 ; XLVI, 3 ; A II, 10, 12.
τύπος, symbole, figure ; VI, 2, 6 ; IX, 2 ; XI A, 1 ; XVII, 5 ; XXVII ; XXXII, 2, 4, 10, 11, 12 ; XXXVII, 2 ; A I, 4.
τυπόω, représenter : I, 6.

ὑποκείμενον, qui tient lieu de substance (au pain et au vin) : XXXII, 14.

φανέρωσις : XXII, 4, 5.
φιλανθρωπέω, aimer les hommes : XV, 1.
φιλανθρωπία, amour de Dieu pour les hommes : I, 5 ; VIII, 2 ; XI B,
    6, 7, 8 ; XII, 4 ; XV, 7 ; XVII, 2, 3, 7 ; XXIII, 2 ; XXXIII, 1 ;
    XXXV, 3 ; XLI, 4 ; XLII, 13 ; XLIX, 17 ; LII, 8 ; LIII, 6.
φιλάνθρωπος, aimant les hommes : XI B, 7 ; XLV, 2.

χαριστήριος, eucharistique : X, 6, 11 ; XXXIII, 4, 7, 9 ; XLVIII, 7 ;
    XLIX, 21, 22, 24, 28.
χρεία, utilité pratique (d'un rite) : VIII, 1 ; X, 14 ; XIII, 2 ; XVI, 6 ;
    XVIII, 3 ; XXI, 3 ; XXII, 4 ; XXIV, 2 ; XXVI, 5 ; A II, 3.

III. INDEX GÉNÉRAL

Les références sont de trois sortes :

— *Introd.*, p.　　: pour l'Introduction,

— Chiffre romain suivi d'un chiffre arabe : renvoi au chapitre et au paragraphe du texte de l'*Explication* (s'il s'agit d'une note, le numéro du chapitre est suivi de la page et du numéro de la note),

N.C. : renvoi à une *Note complémentaire.*

Acte sacrificiel (Consécration) : *Introd.*, p. 26 ; LI.
Actes de J.-C. et actes du prêtre : *Introd.*, p. 24, 28 ; XLIX, 13-17.
Actio : N.C. 16, p. 351.
Action de grâces : X ; XI B, 2-3 ; XXVII ; XXXIII, 1-5 ; XLIX. Au
　　Père par le Fils dans le Saint-Esprit : *Introd.*, p. 43 ; *N.C.* 16,
　　p. 351.
Agréer, c'est s'approprier : XLVII, 3-4.
Agrément de Dieu sur les oblations : *Introd.*, p. 28 ; XLVI.
Akindynos : *Introd.*, p. 16.
Allatius (L.) : *Introd.*, p. 42 n. 1 ; *N.C.* 14, p. 345 n. 1 ; *N.C.* 15,
　　p. 347-348.
Allégorie : *Introd.*, p. 22-23.
Anaphore (thème général) : *N.C.* 1, p. 309 s.
Anastase le Sinaïte : *Introd.*, p. 21.
Anges (La communion et les): *N.C.* 11, p. 338 s.
Antidoron : LIII, 4.
Antiphones : XV.
Arnauld (A.) : *Introd.*, p. 41 n. 2 ; *N.C.* 1, p. 309 ; *N.C.* 3, p. 317-318 ;
　　N.C. 4, p. 324.
Aster, Asteriskos : XI A, 1.
Assimilation de l'aliment eucharistique : *Introd.*, p. 38 ; XXXVIII.
Athos (Mont) : *Introd.*, p. 12.
Augier (B.) : *N.C.* 5, p. 328 n. 1.
Augustin (S.) : XXI, p. 153 n. 3 ; XXXII, p. 206 n. 1 ; *N.C.* 15,
　　p. 350 n. 1.

Basile (Liturgie de S.) : *Introd.*, p. 20 n. 3 ; XXXIII, 9.
Batiffol (P.) : *N.C.* 7, p. 333.
Bérenger : *Introd.*, p. 35.

TABLE DES MATIÈRES

NOTES COMPLÉMENTAIRES

APPENDICE

INDEX

SOURCES CHRÉTIENNES
(1-130)